12.2
Jo
Linette

Gilbert Sinoué

L'Égyptienne

Denoël

Gilbert Sinoué, né en 1947 en Égypte, s'est d'abord fait connaître comme auteur-compositeur.

Son premier ouvrage, *La pourpre et l'olivier*, a obtenu le prix Jeand'heurs 1987 du roman historique.

Ce livre est dédié à M. B. ...
Je n'oublie pas

L'Egyptien naît avec un papyrus dans le cœur, où il est écrit en lettres d'or que la dérision sauve du désespoir...

S.C.

Ce Bonaparte nous a laissé ici ses culottes pleines de m... !
Nous allons retourner en Europe et les lui foutre sur la gueule !

J.-BAPTISTE KLÉBER.

L'ÉGYPTE EN 1790

Au viie siècle, l'invasion arabe avait submergé la vieille terre des Pharaons et mis en servitude le pays.

Au xiiie siècle, le général kurde Saladin, champion de la lutte contre les croisés, et surtout le sultan el-Ayoud commirent l'imprudence d'introduire en Egypte douze mille esclaves géorgiens ou circassiens. Ces hommes avaient pour nom les Mamelouks — celui qui appartient. Ils devinrent les seigneurs de la vallée du Nil et fondèrent leur propre dynastie.

Puis vint l'inévitable décadence.

Au début du xviie siècle, la Sublime Porte, autrement dit la Turquie, conquiert l'Egypte, mais en laissant toutefois aux Mamelouks une partie de leur autorité. Aussi leurs chefs, au nombre de vingt-quatre, continuèrent-ils à gérer les provinces avec le titre de beys à la seule condition de payer un tribut annuel à Istanbul.

Au moment où s'ouvre ce récit, l'autorité de la Porte est tombée en quenouille depuis un demi-siècle. Et les Mamelouks — dix à douze mille hommes — demeurent les véritables maîtres du pays.

Première partie

CHAPITRE PREMIER

Août 1790

Couchée sur le dos, la fillette ferma les yeux, se
laissa aller contre l'air bleu du crépuscule. Dans ces
moments le temps n'avait plus de prise sur elle. Elle
aurait voulu s'enfoncer dans la tiédeur du sable. Rentrer en elle, se fondre comme la nuit se fond dans le
ventre alangui des puits.

Des lèvres effleurèrent son front moite. La tentation
d'entrouvrir les paupières était grande, mais elle
s'imposa de demeurer immobile.

— Karim... ?

L'adolescent penché sur elle ne répondit pas. Il était
assez grand pour ses dix-sept ans. La silhouette musclée. Le cheveu noir, l'œil brun. Dans un mouvement
vif il s'allongea sur elle.

— Karim ! Arrête !

Il répliqua, guerrier :

— Tu ne peux rien contre la puissance du lion...

Irritée, elle chercha à se libérer de ce corps qui pesait
sur le sien, mais en vain. Alors, hargneuse, elle rua, se
débattit, réussit à basculer sur le côté, entraînant avec
elle l'adolescent dans un roulé-boulé où leurs deux corps
enchevêtrés s'imprégnèrent de poussière et de sable.

Au cours de la lutte, sans qu'elle sût comment, la main de Karim se retrouva à hauteur de sa bouche ; ses dents se refermèrent d'un seul coup sur la peau mate. Le garçon poussa un cri de douleur, auquel fit écho le rire triomphant de Schéhérazade. Elle lança, altière :

— Même la mouche peut piquer l'œil du lion !

Furieux, il replongea sur elle, emprisonna ses bras, les écarta en croix.

— Et maintenant...princesse, dis-moi. Qui est le vainqueur ?

Elle serra les lèvres. La provocation qui naturellement habitait son regard s'était accrue.

Il ajouta doucement, se penchant au plus près de son visage :

— Rassure-toi. Saladin est magnanime. Ni vainqueur ni vaincu.

Etait-ce la manière ? Ou simplement le timbre grave de sa voix qui soudainement la troubla ? Elle chercha une réplique tranchante, mais sa gorge s'était nouée. Son cœur volait vers le ciel bleu métal de Guizeh. Elle sentait le souffle de Karim contre sa joue et, sous la toile de sa galabieh, sa peau, chaude et âpre, mouillée de sueur.

Partagée entre la révolte et la soumission, c'est presque à son insu qu'elle bougea sous lui. Dans une semi-inconscience, son bas-ventre chercha celui du garçon. Elle s'y accola, se laissant envahir par le délicieux bien-être qui montait des fibres les plus secrètes de son corps. Elle désirait dans cet instant, comme tout à l'heure au contact de la terre se fondre dans Karim, se perdre en lui.

Il parla à nouveau, mais cette fois le ton n'était plus le même :

— On a perdu la langue, princesse ?

— Tu n'es qu'un vulgaire fellah[1]...On ne t'a pas

---

1. Paysan égyptien.

appris qu'un homme ne doit jamais frapper une femme. Encore moins une princesse...

— Une princesse...Tu n'es princesse que parce que j'en ai décidé ainsi. Si tel était mon bon plaisir, tu redeviendrais une simple fille du peuple. Une meskina[1].

— Une meskina, moi ? C'est sûr, le soleil t'a rendu fou ! Si tel était mon bon plaisir, mon père te renverrait dès ce soir à tes bouses de chameau.

— Qu'il essaye. Moi parti, ce domaine de Sabah ne serait plus qu'un cimetière.Vos fleurs crèveront et vos arbres sentiront la peste. Qu'il essaye donc !

— Parce que tu te crois jardinier maintenant ?

— Alors, que suis-je ?

— Rien. Je te l'ai dit : de la bouse de chameau. C'est Soleïman ton père qui a fait de ce jardin ce qu'il est. Toi tu n'es même pas capable de faire la différence entre un jasmin et un dattier.

Elle eut un mouvement d'humeur.

— Lève-toi. Tu es plus lourd qu'un hippopotame.

Il s'exécuta avec mauvaise grâce, et se mit à l'observer alors qu'elle tentait de remettre de l'ordre dans ses longs cheveux noirs.

— Sais-tu combien tu es belle, Schéhérazade ?

Du haut de ses treize ans, une lueur ravie illumina les yeux de la fillette.

— Oui. Je sais. Je suis belle. Belle comme une pleine lune, comme la plus belle fleur de Sabah.

Elle marqua un temps avant de poursuivre en prenant soin de détacher les mots :

— Quant à toi Karim, fils de Soleïman le jardinier, sais-tu que tu m'épouseras un jour ?

1. Pauvre. Par extension signifie malheureuse, ou encore pauvre d'esprit.

Elle crut découvrir sur ses lèvres l'esquisse d'un sourire.

— C'est tout l'effet que ça te fait ?

Le sourire se précisa. Elle en fut exaspérée.

— Je rentre, on m'attend pour le dîner.

— Tu es fâchée ? J'en étais sûr.

Pour toute réponse, elle épousseta d'un petit coup sec sa robe de mousseline et partit vers la maison.

— Tu pourrais répondre au moins !

Il lui emboîta le pas. Elle courait presque.

— Une meskina , voilà ce que tu es, Schéhérazade !

— Et toi..., répliqua-t-elle sans prendre la peine de se retourner, toi Karim fils de Soleïman, roi des bouseux, un jour tu m'épouseras quand même !

★

En découvrant le spectacle de sa fille noire de poussière qui déboulait dans la salle à manger, Nadia Chédid commença par prendre Dieu à témoin.

— Qu'ai-je fait pour mériter une progéniture pareille ? Allah, tu m'as donné trois enfants, mais, pardonne-moi, l'un d'entre eux est une erreur.

Elle poursuivit, mais cette fois à l'intention de Youssef, son époux :

— As-tu vu dans quel état rentre ta fille ?

L'homme gagna lentement sa place à la table dressée et se laissa tomber sur un siège avec un sourire indifférent.

De taille moyenne, une soixantaine d'années, un front dégarni qui dominait une moustache noire majestueusement roulée en pointe aux deux extrémités, Youssef Chédid était un personnage qui en imposait. Il était originaire de Damiette, modeste ville du Delta, là où le Nil se perd dans la mer. Chrétien, il se faisait néanmoins un point d'honneur de rappeler

20

son appartenance à la communauté grecque catholique. Cette communauté s'était constituée environ un siècle plus tôt, née de chrétiens de rite orthodoxe désireux d'affirmer leur autonomie par opposition à une Eglise grecque qu'ils jugeaient trop liée à Istanbul[1]. En ce temps-là, et aujourd'hui encore, la Turquie était le symbole de l'ennemi, de l'occupant.

Les premiers émigrants s'étaient installés à Damiette et Rosette avant de gagner Le Caire où ils devinrent l'une des forces montantes de la société égyptienne.

Youssef avait commencé par suivre les traces de son père, Magdi, l'un des tout premiers Egyptiens à se livrer au commerce d'un produit alors très en vogue : le café du Yémen. Quelques années plus tard, Magdi décéda et le vent tourna. En effet, un nouveau café venu des Antilles (produit moins cher et en plus grande quantité) avait déferlé sur l'Empire ottoman, forçant Youssef à rechercher de nouvelles activités. Après une période d'hésitation, il se lança dans le négoce des épices et à force de ténacité sauva l'héritage de son père, devenant l'un des hommes les plus en vue du Caire. Ce domaine de Sabah, riche de sept feddans[2], était le symbole de cette réussite.

Il découpa avec les mains une galette de pain chaud et laissa tomber avec fatalisme :

— Qui ne se satisfait pas des amandes devra se contenter de l'écorce. Schéhérazade ne sera jamais qu'une petite peste indisciplinée. Nous n'avons hélas pas le choix. Ou alors si...peut-être la vendre au premier marchand de tapis de passage.

Schéhérazade s'esclaffa :

---

1. Istanbul était le siège de l'Église grecque orthodoxe.
2. Le feddan valait selon les régions ente 5 000 et 5 800 mètres carrés.

— Me vendre moi ? La mère de celui qui pourra y mettre le prix n'est pas encore de ce monde !

Nabil, son frère aîné, suggéra :

— Si tu te décidais, père, il faudrait alors la vendre à un ennemi. Ce serait la plus belle vengeance. Un Turc ou un Mamelouk ferait parfaitement l'affaire.

La fillette lui lança un œil meurtrier. Onze ans les séparaient. Ce n'était pas le respect qu'elle devait à cet écart d'âge qui l'empêchait de répliquer, mais plutôt le souvenir de quelques fessées mémorables. Elle parut réfléchir, puis s'approcha lentement de son père avec une expression angélique.

— Bâbâ ...Tu ne veux pas vraiment me vendre, dis ?

Elle s'était exprimée d'une petite voix éperdue, avec une science toute féminine.

Youssef fondit littéralement et la souleva jusqu'à la hauteur de sa bouche.

— Non, mon âme, je ne vais pas te vendre. Tu l'as dit toi-même : tu n'as pas de prix.

Nadia leva les bras au ciel :

— Tu es en train de la pourrir !

Sans quitter les bras de son père, Schéhérazade chercha à atteindre une galette de pain. Elle n'eut pas le temps d'aller au bout de son geste.

— Folle ! s'écria Nadia en la saisissant par une oreille. Si tu crois que c'est ainsi que l'on souille la nourriture de Dieu...

Elle désigna la porte :

— Tu vas d'abord te débarrasser de ta crasse ! Allez ! Ouste !

Et soupira :

— Dire que nous ne l'attendions plus. Lorsque mon ventre a commencé à s'arrondir pour la troisième fois, Nabil avait déjà onze ans et Samira neuf. Parfois je me demande si...

— Il suffit, femme ! gronda Youssef. Tu blasphèmes. Quels que soient ses défauts un enfant est toujours un bonheur de Dieu.

— De plus, observa Nabil, vous n'avez rien trouvé de mieux que de lui donner ce prénom. Un prénom qui n'est même pas égyptien.

Youssef s'étonna.

— Je croyais que tu en connaissais l'origine. N'as-tu jamais lu les contes des Mille et Une Nuits ?

— Bien sûr. Schéhérazade était une princesse, non ?

— Pas vraiment. Elle était la favorite d'un sultan. Condamnée à mort par son maître elle imagina comme stratagème de lui conter des histoires afin de faire reculer l'instant fatidique. Ces histoires étaient tellement passionnantes que le prince n'eut de cesse d'en réclamer, oubliant du même coup d'appliquer le châtiment prévu.

— Je ne vois pas le rapport avec ma sœur.

Youssef effila machinalement les pointes de sa moustache et lança à son épouse.

— Raconte-lui.

L'expression radoucie, Nadia commença :

— Alors que pour Samira et toi je n'ai eu aucun problème, l'enfantement de Schéhérazade fut une terrible épreuve. J'ai connu les douleurs pendant toute une nuit. J'ai cru en mourir. Et j'ai bien failli. Alors, tout le temps que dura ma souffrance, ton père fit exactement la même chose que la Schéhérazade des Mille et Une Nuits. Il se mit à me raconter des histoires. C'est vrai que ses récits n'avaient pas toujours de fin, et qu'ils manquaient souvent de logique, mais il le fit si bien que cela m'aida un peu à supporter mon mal.A l'aube je donnais naissance à ta sœur. Son prénom s'imposa tout naturellement à mon esprit.

— Que Dieu nous garde, fit Nabil en se signant. Elle se croit unique, ce prénom n'est pas fait pour arranger les choses.

23

Nadia rectifia avec philosophie :

— Dieu nous gardera mon fils, mais ce qu'il faut souhaiter c'est qu'Il protège notre Schéhérazade des sultans sourds !

— J'ai faim, fit Youssef.

Il cria :

— Schéhérazade !

— J'arrive ! répondit une voix lointaine.

— Fais servir. Elle mangera les restes.

— Et...Samira ? Tu ne veux pas l'attendre ?

— Fais servir.

Résignée, elle frappa dans ses mains :

— Aïsha !

Comme par magie, la servante des Chédid, une Soudanaise ronde et grasse, surgit les bras chargés d'un plateau. Elle commença par disposer sur la table un grand plat de foul[1] bouilli moucheté d'œufs coupés en dés, puis elle aligna une rangée de soucoupes garnies de fromage blanc, de citrons verts, de poivre noir, de sel et de piments macérés dans le vinaigre.

— J'ai dû réchauffer deux fois, grommela-t-elle tout en continuant de servir.

— Ça ne sera que meilleur.

— Oui mais j'ai quand même dû réchauffer deux fois.

— Sett[2] Aïsha, aie pitié des oreilles d'un vieil homme.

La servante désigna les deux places demeurées vides :

— Les demoiselles ne mangeront pas ?

— Non, tu sais bien qu'une fois par semaine leur suffit.

---

1. Ou foul médemmès. Fèves cuites à l'huile. C'est le plat national égyptien.
2. Dame.

Il désigna les mets.

— Et les oignons ? Depuis quand sert-on des fèves sans oignons ?

— J'ai dû réchauffer deux fois. Alors évidemment...

Au moment où elle quittait la pièce, une jeune fille apparut sur le seuil. Plutôt grande, vingt-trois ans, des formes affirmées, cheveux auburn, figure ronde. Il émanait d'elle un air de sensualité gourmande accentué par une bouche charnue, un regard un peu myope qui lui conférait une manière très particulière d'observer les gens, dont on ne pouvait affirmer si c'était de la curiosité ou un désir volontaire de séduction. C'était Samira, la deuxième fille des Chédid.

Elle répondit distraitement au salut de la Soudanaise et gagna la table.

— Que le bonheur du soir soit sur vous.

Le père répondit par une inclinaison de la tête. Nabil feignit d'ignorer sa présence.

— Tu es en retard, reprocha Nadia.

— Tu connais Zobeïda... Quand elle commence à parler elle n'en finit plus. Ensuite il m'a fallu trouver un ânier. Me croiriez-vous si je vous disais qu'il n'y en avait pas un seul à la station de bab el-Nasr ! S'il est vrai que la ville possède plus de trente mille âniers, cette pénurie n'est pas compréhensible[1] !

Elle happa une olive, ajoutant avec détachement :

— Il y avait aussi des manifestations devant l'université...

Youssef souleva un sourcil.

---

1. En raison des dimensions exceptionnelles du Caire, le transport des personnes était plus ou moins organisé. On pouvait dénombrer quatre corporations, trois pour le transport d'hommes et de femmes ; une pour le transport des marchandises. Il y avait aussi une corporation de chameliers pour les marchandises et les bagages. Les animaux de louage étaient tenus prêts à la disposition des clients dans de véritables « stations », situées dans les rues principales et les souks, ainsi qu'aux entrées de la ville.

— Des manifestations devant el-Azhar[1] ?

— Oh, mais ce n'était rien de bien méchant. Les différends habituels entre les boutiquiers et les janissaires.

— Rien de bien méchant, répéta Nabil avec une pointe d'ironie. Bien sûr. Que les Mamelouks ou les Turcs pressent le pauvre peuple comme un citron, il n'y a là rien de « bien méchant ». Elle a déjà oublié les émeutes de la faim qui se sont déroulées il y a à peine deux semaines dans le quartier de Hussaniya et les incidents sanglants qui ont opposé les beys et la population.

Samira serra les lèvres et réserva son commentaire.

— Je me demande, suggéra Nadia, tout à coup soucieuse, s'il ne serait pas plus prudent d'éviter de vous rendre au Caire pendant quelque temps. Certes, ce serait ennuyeux pour Nabil qui risque de manquer ses cours à l'université ; mais pour toi, Samira, cela n'aurait pas grande importance. Tu pourras toujours revoir ta chère Zobeïda une fois la situation redevenue normale.

La jeune fille se voulut rassurante :

— Mais non, il n'y a aucune crainte à avoir. C'est passager. D'ailleurs...

Sa phrase demeura en suspens. Schéhérazade venait de les rejoindre.

— Bienvenue à toi, lança-t-elle en déposant un baiser furtif sur la joue de sa sœur aînée.

— Tu arrives à temps, ironisa Youssef. Encore un peu, nous aurions fêté Pâques.

Ignorant la remarque, Schéhérazade commença à se servir avec fébrilité.

---

1. Fondée en 970 par les Fatimides, el-Azhar était le centre d'enseignement le plus prestigieux de tout le monde arabe. On commença par y enseigner la théologie, la jurisprudence et la langue arabe. Plus tard, on y ajouta la philosophie. Les femmes n'y furent admises qu'en 1962.

— J'ai une de ces faims... Je mangerais une vache tout entière.

— C'est incroyable ce que tu peux te gaver, fit Samira.

— Dieu nous garde du malheur de l'envieux qui nous envie, répliqua la fillette la bouche pleine.

Aïsha venait de reparaître.

— Les oignons, fit-elle renfrognée.

Quand elle eut fini de servir le reste des plats, elle demanda :

— Je n'ai rien oublié cette fois ?

Youssef s'empressa de répondre :

— Si, les oignons.

On aurait cru que la grosse Soudanaise allait défaillir.

— Mais...mais..., balbutia-t-elle en pointant son index sur l'une des soucoupes. Les voici...

— Je sais, fit Youssef imperturbable. Et alors ?

— Comment ça, et alors ?

— Sett Aïsha, s'il me plaît de me répéter ?

La servante haussa les épaules et repartit en dodelinant de la tête.

— Tu vas la rendre folle, soupira Nadia. Un jour elle finira par rendre son tablier.

— Oh, après vingt-cinq ans de service, cela m'étonnerait. Aïsha ne pourrait pas vivre sans nous. Pas plus que nous sans elle.

Redevenant tout à coup sérieux, il enchaîna :

— Je crois que votre mère a raison. Vous n'irez plus au Caire avant que je me sois assuré qu'il n'y a aucun danger.

— Mais, père, protesta la jeune fille, ce n'était rien ! Une simple rixe... Le cheikh des corporations est intervenu, tout est rentré dans l'ordre.

Nabil se récria :

— Je connais ce vieux chacal de Loutfi. Il a été

nommé à ce poste par les Turcs eux-mêmes... C'est un vendu ! Comme le sont la plupart des Egyptiens qui collaborent avec les occupants. Un vendu !

— Il n'empêche que tout est rentré dans l'ordre.

— Ma chère sœur, comment en serait-il autrement à tes yeux ? Fais-tu seulement la différence entre un Mamelouk, un Turc ou un Egyptien ? Il te suffit qu'il soit un bellâtre.

La jeune fille fixa son frère. Une pâleur soudaine avait envahi ses traits.

— Je vous interdis de vous disputer à table, intervint Nadia avec autorité.

— Ne t'inquiète pas, mère. Ma sœur ne vaut pas la peine qu'on use sa salive. Elle parle de ce qu'elle ignore. Une rixe... rien de bien méchant. Connaît-elle seulement le drame que vit son pays.

— Qu'est-ce que tu cherches ? questionna la jeune fille, amère. Un cours d'histoire ? Dans cette famille il n'y a que toi pour t'intéresser à la politique. Comme si tu pouvais changer le monde. Les Mamelouks nous ont occupés pendant des siècles, les Turcs ont pris la relève. Et alors ?

Nabil fixa sa sœur avec incrédulité :

— Et alors ? Des siècles d'oppression. Des beys tyranniques qui pillent le pays sous l'œil d'un gouverneur fantoche délégué par Istanbul.

— Hé là ! tous les deux ! Vous me faites mal aux oreilles ! protesta Schéhérazade.

Ignorant la fillette, Nabil conclut méprisant :

— Tu m'écœures.

— Nabil ! menaça Nadia. Ce n'est pas une façon de parler à ta sœur !

— Pardonne-moi, mère, mais ce qu'elle dit est inacceptable. Notre peuple est à l'agonie. Elle s'en moque éperdument.

Un sourire ironique apparut sur les lèvres de Samira :

28

— Le peuple à l'agonie...Que je sache, ton peuple ne s'est pas beaucoup soulevé au cours de son histoire. Il n'a été bon qu'à se courber et à gémir. Non, mon cher. En vérité la seule question sur laquelle tu devrais te pencher est celle-ci : A lécher les bottes, l'Egyptien préfère-t-il le cuir mamelouk ou la semelle turque ?

Nabil allait laisser exploser sa fureur, mais un coup de poing frappé sur la table le stoppa net.

L'œil noir, Youssef s'était levé et dominait son monde.

— Il suffit ! J'en ai assez entendu. Encore un mot...Un seul, et je vous enferme une semaine à double tour dans vos chambres avec de l'eau et du pain rassis. Est-ce clair ?

Devant le silence, il poursuivit :

— Ce n'est pas tout. Dans trois jours j'ai prévu de donner une grande réception en l'honneur de Mourad et d'Ibrahim bey.

Nabil dévisagea son père avec stupéfaction.

— Oui, reprit Youssef. J'ai bien dit : Mourad et Ibrahim bey. Tout ce que Le Caire possède d'hommes influents sera présent ce soir-là. Aussi, sachez que je ne tolérerai en aucune manière que quiconque — à ce point de son propos, il fixa plus particulièrement son fils aîné — j'ai bien dit quiconque évoque le moindre sujet politique. Si cela venait à se produire, la personne responsable maudirait jusqu'au jour de sa naissance.

Une atmosphère glaciale enveloppa la salle à manger. Le père continua de scruter ses enfants pendant quelques instants, puis se rassit.

— Je pourrais avoir encore une kofta...[1] fit doucement Schéhérazade. J'ai une de ces faims...

---

1. Sorte de boulette de viande.

En ce midi, du cœur de l'Ezbequieh aux portes de la mosquée des Fleurs montait l'appel à la prière. Par vagues, la voix nasillarde des muezzins résonnait au-dessus d'el-Qahira, Le Caire, la Victorieuse[1], et le ciel au-dessus de la ville semblait se soulever pour faire place aux mots sacrés.

Karim venait d'arriver en vue de l'île ombragée de Rodah, modeste carré de terre peuplé de palmiers et de sycomores posé au milieu du fleuve. La légende voulait que ce fût ici que la fille de Pharaon trouva le berceau de Moïse.

A quelques pas le Nil coulait majestueux, les flancs lourds de ce limon qui avait fait de ces rives prisonnières du désert une des terres les plus fertiles de l'univers. Quelques felouques filaient docilement sur la surface liquide. Certaines se contentaient de longer la rive orientale, dans le prolongement du somptueux palais d'Elfi bey, avant de contourner la pointe sud de l'île où était érigé le mekias, le nilomètre, qui depuis l'époque des Omeyyades servait à mesurer les crues du Nil. Non loin, on pouvait apercevoir ce qui fut la résidence du sultan Sélim Ier, vainqueur des Mamelouks, ainsi que la mosquée qu'il avait fait construire pour être plus proche d'Allah.

Subjugué comme à chaque fois qu'il se rendait sur ces lieux, Karim alla s'asseoir tout au bord de la berge

1. À l'instar des précédents maîtres du pays, Gawhar, conquérant de l'Égypte au nom des Fatimides (969), décida d'élever une nouvelle capitale. Pour cette rivale de Bagdad, il choisit un emplacement un peu au nord d'el-Qati'a, l'ancienne agglomération fondée par Ibn Touloun en 870, et lui donna le nom d'el-Qahira, la Victorieuse. Diverses légendes s'accordent à expliquer la raison de ce choix par le lever de la planète Mars (El-Qaher) à l'instant même où commencèrent les travaux. Dès 973, l'endroit fut reconnu comme la capitale de l'Égypte.

avec une sorte de respect et de crainte ; crainte qu'un mouvement maladroit ne brisât tout à coup la magie du spectacle. Il aurait tout donné pour être à la place de ces hommes qui naviguaient sous ses yeux, pour posséder leur pouvoir.

Fermant à demi les paupières, il se laissa aller à imaginer des étendues plus vastes encore que le Nil. Des milles et des milles de silence marin où la course des eaux ne s'arrête qu'à l'horizon, où les chebecs[1] sont des navires, les mousses des capitaines qui arpentent des ponts aussi grands que les allées du domaine de Sabah.

Emporté par ses visions, il ne remarqua pas qu'une embarcation venait d'accoster. Quelque chose d'humide et de rêche gifla son visage.

— El-habl ! Shed el-habl !

Debout sur le pont, un marin criait en désignant un point aux pieds de Karim. Baissant les yeux, le garçon aperçut alors un filin qui se dénouait entre ses sandales. Sans hésiter, il s'en empara et entreprit de haler l'embarcation. En un éclair, l'homme fut à ses côtés. Il reprit le filin, le noua prestement au tronc d'un eucalyptus et s'enquit avec un sourire lumineux :

— Je ne t'ai pas fait mal au moins ?

Il s'était exprimé avec un accent à couper au couteau.

— Non..., fit l'adolescent impressionné.

L'homme, la trentaine, n'était pas beaucoup plus grand que Karim. Il avait une face pointue, ornée d'un nez aquilin, et sous son hâle se devinait une peau blanche, celle d'un roumi[2].

---

1. En arabe : *chabak*. Petits trois-mâts de la Méditerranée à voiles et à rames.
2. Roumi/Romain. Nom par lequel les musulmans désignent un chrétien, un Occidental en général.

Il était déjà reparti vers la felouque. C'était sans aucun doute la plus belle embarcation que Karim eût jamais vue. De petits drapeaux rectangulaires et multicolores flottaient le long du mât, la coque était d'un blanc immaculé, ornée de dessins mauves et noirs. Mais ce qui la différenciait véritablement de toutes les autres, c'étaient les trois petits canons, situés à bâbord, à tribord, et le troisième à la proue.

Le marin armé d'un outil venait de s'agenouiller à l'arrière.

Sans s'en rendre compte, le garçon s'était rapproché et n'était plus qu'à une toise à peine de la felouque.

— Ela pédimou, plissiassé !

Karim sursauta. L'individu avait parlé dans une langue étrangère dont il n'avait pas compris un traître mot. Déconcerté, il faillit faire demi-tour. L'autre reprit avec agacement :

— Tu viens ou tu pars. Mais ne reste pas planté là, ça me rend nerveux !

Karim n'hésita plus.

A peine fut-il sur le pont qu'il sentit son corps envahi d'ondes magiques.

— C'était du grec.

— Pardon ?

— Du grec. Ela pédimou plissiassé... ça veut dire « approche petit ».

— Ah..., fit Karim.

Enhardi, il fit un pas de plus.

Il y eut un silence, seulement troublé par le claquement discontinu des fanions et le clapotis de l'eau.

— D'où es-tu, petit ?

— D'ici...enfin de Guizeh.

Tout en essuyant du revers de la main la sueur qui perlait sur son front, il scruta Karim avec amusement :

— On dirait un poisson mort. Ça ne va pas ?

— Si... Mais...

— Mais... ?

— Je... c'est la première fois que je monte sur une felouque.

— Et alors ? Ce n'est pas la fin du monde.

Le garçon marqua un temps avant de répondre :

— Pour moi... oui.

L'homme sourit du même sourire lumineux que tout à l'heure.

— Tu as raison. Il n'existe que deux choses qui pourraient ressembler à la fin du monde : l'amour et la mer.

Il prit le menton de Karim entre ses doigts et l'attira vers lui.

— Quel est ton nom ?

— Karim. Karim fils de Soleïman.

— Moi c'est Papas Oglou. Nicolas Papas Oglou. Nikos pour mes amis.

Il alla s'affaler sur la banquette découpée à la poupe et désigna la felouque :

— Elle te plaît ?

— C'est la plus belle de toutes.

— *Popi*... C'est ainsi que je l'ai baptisée.

— *Popi* ? C'est aussi du grec ?

— C'est un prénom. Un prénom de femme.

A cette évocation, une lueur vive traversa son regard.

— C'était une fille de Tchesme, près de Smyrne. C'est là que je suis né. Elle avait les plus belles fesses du monde et un tempérament à damner la Panaghia.

— La... Panaghia ?

— La Vierge... Mais tu ne comprends évidemment rien à mon charabia. Tu es bien trop jeune pour cela. Quel âge as-tu ?

— Seize ans... et demi...

— Tu as tort de préciser. A cet âge les demis ne comptent pas.

Karim pointa son index sur l'un des canons.

— C'est pour te défendre ?

Le Grec se mit à rire.

— Non. Mes poings me suffisent. Cette felouque fait partie de la flottille de Mourad bey. J'en suis le commandant.

— Commandant ?

Karim dévisagea son interlocuteur avec une admiration accrue.

— C'est une longue histoire... Avant de venir en Egypte, j'ai beaucoup voyagé dans la mer de l'Archipel, et je possédais déjà quelques bateaux qui me servaient au transport des céréales. Il y a quatre ans environ, je me suis retrouvé directement impliqué dans un conflit politique opposant une haute personnalité turque, Hassan pacha et les Mamelouks. Le pacha avait réussi à prendre en otages une dizaine de beys et les avait enfermés dans une prison d'Istanbul. Ces hommes étaient de mes amis. Je conçus un plan audacieux et je demandai l'autorisation de leur rendre visite dans leur cellule, et là, au nez et à la barbe des Turcs, je me suis arrangé pour les faire évader par une fenêtre de la prison[1].

Le Grec conclut en écartant les bras :

— Comme récompense de cet exploit, Mourad bey m'a nommé commandant de sa flottille. Une flottille que j'ai entièrement organisée, dont les équipages sont en majorité des Grecs.

Il leva la main et la plaça contre le soleil.

1. Dans le but de mettre fin aux exactions commises par les Mamelouks et à leur outrecuidance, le sultan Abdel Hamid chargea Hassan pacha de débarquer en Égypte à la tête d'une armée. Le débarquement eut lieu le 7 janvier 1786 ; toutefois l'équipée s'acheva un an plus tard, sans avoir jamais atteint ses objectifs.

— Fidèles et solidaires comme les doigts de cette main.

Karim s'étonna :

— C'est toi qu'ils servent ou Mourad bey ?

— Je sers Mourad bey. Mes marins me servent[1].

Il se tut un moment avant de demander :

— Tu as l'air d'aimer le fleuve.

— Oui. Très fort.

— Ça te plairait de faire un tour ?

— Tu veux dire...

— Je veux dire ce que tu as entendu. Ça te plairait ?

— Ce... ce serait le plus beau jour de ma vie.

— C'est parti, petit ! Va dénouer le cordage et installe-toi.

Il ajouta très vite avec emphase :

— Fils de Soleïman, tu vas connaître la fin du monde !

---

1. Les équipages formés par Papas Oglou prouvèrent qu'ils étaient prêts à prendre les armes contre Mourad bey, lorsque celui-ci essaya de sévir contre eux à la suite des rixes avec la population du Caire. Le Mamelouk dut prudemment faire marche arrière.

CHAPITRE 2

Nadia Chédid but d'un trait la dernière goutte de café turc et posa délicatement la tasse sur la soucoupe, le fond tourné vers le haut. Selon un rituel désormais familier elle fit pivoter par trois fois la tasse sur elle-même, et interpella l'une des deux femmes, la plus âgée, qui était assise non loin d'elle.

— Dame Nafissa. Cette fois tu n'y échapperas pas. Tu vas devoir me lire l'avenir.

Penchée sur un lot d'étoffes de soie, la femme adopta une mimique ennuyée.

— Ma chérie, pourquoi chercher à connaître notre destin puisque de toute façon nous n'y pourrons rien changer. D'ailleurs je t'avouerai que je ne lis plus les tasses depuis que j'ai annoncé à mon époux qu'il connaîtrait l'échec alors qu'il avait décidé de s'emparer de la citadelle du Caire. Il ne m'a pas écoutée, hélas...

Comme Nadia allait protester, elle se hâta d'ajouter :

— Mais tu ne tiens pas mon sort entre tes mains. Aussi je ferai exception. Cependant, patiente. Pour l'heure je dois me décider. Cette étoffe est tout à fait splendide, mais la couleur m'ira-t-elle ?

S'emparant du tissu, elle en déroula une longueur qu'elle plaça contre sa joue.

— Qu'en penses-tu ? Est-ce que cela ne contraste pas trop avec ma peau de lait ?

Sans attendre l'opinion de son amie, elle reposa le tissu sur le sofa en pestant :

— Dieu, que je ne m'aime pas !

En vérité, si le physique de Nafissa ne répondait en rien aux habituels canons de la beauté, il n'en demeurait pas moins qu'elle possédait un charme et une personnalité exceptionnels. Nafissa Khatoun était connue de tous sous le nom de dame Nafissa, ou encore la Blanche, en raison de ses origines caucasiennes. Ancienne esclave, elle avait épousé en premières noces un homme qui avait joué un rôle marquant dans l'histoire égyptienne, Ali bey, décédé quelques années plus tôt. Aujourd'hui, elle était l'épouse de l'un des maîtres tout-puissants de l'Egypte, le Mamelouk Mourad bey. Des liens d'amitié sincères s'étaient instaurés entre elle et Nadia Chédid, que la proximité de leurs résidences avait favorisés.

— Dame Nafissa ! Vous êtes bien sévère avec vous-même. Je connais plus d'une femme qui serait ravie de posséder une peau aussi claire.

La Blanche jeta un coup d'œil réprobateur vers celle qui venait d'intervenir.

— Françoise, vous savez parfaitement que j'ai horreur des faux compliments.

— Pourtant j'insiste. Vous avez une peau admirable.

Françoise Magallon, brunette d'une quarantaine d'années, possédait une allure affable et sympathique. Française, elle avait épousé un représentant marseillais de la maison Bardon, Charles Magallon, depuis peu second député de la Nation française[1].

---

1. Les marchands constituaient un corps qui portait un nom officiel : « Le corps de la Nation française établi au Caire. » Chaque année les marchands élisaient deux délégués qui les représentaient auprès du consul, et qui portaient le titre de « premier » et de « second député de la Nation ».

Associée à son mari, elle vendait en Egypte galons et rubans, étoffes rares, sortis des manufactures lyonnaises. Habile à satisfaire la coquetterie de ses clientes, elle avait conquis dans le monde féminin du Caire une situation unique, qui lui permettait d'accéder librement aux harems, ainsi qu'aux femmes des puissants ; grâce à quoi Charles Magallon avait été dispensé par les autorités françaises de l'interdiction pesant sur les commerçants d'avoir leurs épouses ou leurs enfants avec eux.

— Je trouve aussi que notre amie a raison, rétorqua Nadia. Mais qu'importe, ce bleu saphir te va à merveille.

Dame Nafissa glissa machinalement la main dans ses cheveux qui tombaient en anneaux frisés sur ses épaules.

— C'est bon. Vous êtes trop fortes pour moi. Toutefois, j'insiste. Françoise devra me faire un meilleur prix. Après tout ne suis-je pas sa cliente la plus fidèle ?

Françoise Magallon, que des années de présence en Egypte avaient familiarisée avec toutes sortes de marchandages, ne se montra pas le moins du monde étonnée par la requête ; au contraire, c'est avec son sourire le plus aimable qu'elle répondit :

— Sett Nafissa. L'argent n'a aucune importance. Vous payerez ce que vous voudrez. Rien, si tel était votre bon plaisir.

— Prenez garde que je ne vous prenne au mot. Vous le regretteriez. Mais soyons sérieuses, je trouve sincèrement que vos étoffes deviennent de plus en plus chères. Que se passe-t-il donc ? Les Turcs auraient-ils décrété un blocus sur les tissus ?

La Française eut l'air embarrassée.

— Puis-je être sincère ? C'est votre époux, Son Excellence Mourad bey, et son ami Ibrahim qu'il faudrait interroger. Ce sont eux qui sont les principaux responsables de cette inflation.

— Si je comprends bien, il s'agit toujours du même problème.

— Hélas, oui. Avanies[1] de toutes sortes ont recommencé de fondre sur les négociants français. La plupart sont injustifiées, pour ne pas dire toutes. Les maisons Varsy de Rosette, Neydorf, Caffe, Baudeuf, pour ne citer qu'elles, sont au bord du gouffre.

Dame Nafissa fronça les sourcils.

— Le Tout-Puissant m'est témoin : j'ai pourtant fait le nécessaire auprès de Mourad.

— Et Charles et moi vous en savons gré puisque les pressions s'étaient atténuées. Mais deux mois se sont écoulés depuis votre dernière intervention. Et il y a quelques jours...

Nafissa l'interrompit.

— Tout a recommencé. Très bien. Dès que l'occasion se présentera j'en parlerai à Mourad.

— Merci. Mille fois. J'espère cependant que vous ne me tiendrez pas rigueur de ma trop grande franchise. Hélas, il n'y a que vous qui puissiez faire entendre raison à Son Excellence.

— Je vous l'ai dit. Je ferai tout ce que je pourrai. Sachez toutefois que le pouvoir d'une épouse a ses limites, les colères de Mourad sont redoutables.

Nadia Chédid, qui s'était tue jusque-là, s'immisça dans le dialogue.

— Celles de Youssef le sont bien plus encore ! Lorsqu'il s'enflamme c'est tout Sabah qui prend feu.

Elle marqua une pause et s'adressa à la Française :

— A propos, vous n'avez pas oublié que c'est demain soir qu'aura lieu la fête. J'espère que Charles sera des nôtres ?

— Bien sûr. Il est rentré de Paris il y a peu. Je sais

---

1. Dans le langage des commerçants du Levant, le terme d'avanies s'appliquait aux extorsions de fonds.

qu'il se fait une joie de vous revoir. Et vous, sett Nafissa ? Vous viendrez, n'est-ce pas ?

La Blanche fit oui, l'esprit ailleurs :

— Sincèrement... Croyez-vous que ce bleu sied à mon teint ?

★

Des centaines de torchères projetaient leur lumière vacillante sur le domaine de Sabah, et le cortège des invités n'en finissait plus de se diluer le long des allées parmi les bavardages et les rires.

On avait installé de longues tables à tréteaux où s'entassaient une multitude de plats qui embaumaient l'air de cumin et d'anis : feuilles de vignes farcies, kebbeh fourrée de pignons, salades multicolores, fruits secs et sucreries gorgées de miel. A l'écart, des moutons embrochés tournoyaient dans une odeur d'huile chaude et d'épices.

Des tentes carrées avaient été dressées dans un coin du jardin pour abriter les invités de la fraîcheur nocturne. Des cohortes de souffraguis[1] — soudanais pour la plupart — vêtus de galabiehs d'une blancheur immaculée, la taille ceinte de larges ceintures pourpres, s'appliquaient à répondre au plus modeste des souhaits exprimés. Quelque part, derrière des rideaux de palmiers, montaient les échos d'un luth et d'une darbouka[2].

Tout ce que Le Caire comptait de personnalités était rassemblé ici ce soir. Ulamâs[3] enturbannés, inten-

---

1. Serviteurs.
2. Tambour conique qui ressemble un peu à un grand entonnoir.
3. Experts en science religieuse. Ils sont divisés en deux groupes. Le premier correspond à la hiérarchie judiciaire, élément essentiel de l'autorité ottomane et qui est un des instruments du maintien de l'autorité du pouvoir central. L'autre groupe représente la carrière religieuse. Ses membres enseignent dans les mosquées, dont la plus prestigieuse est celle d'El-Azhar au Caire. Ils se considèrent comme les conseillers essentiels des émirs, indispensables intercesseurs entre les puissants et la communauté des croyants.

dants coptes, Mamelouks, dignitaires ottomans, parmi lesquels Abou Bakr, le gouverneur du Caire, pacha à neuf queues[1], individu huileux et pansu qui se mouvait sous le ciel constellé d'étoiles comme lassé de porter le plus élevé des titres honorifiques turcs.

En vérité cette galaxie de personnages hétéroclites ne vibrait que par la présence de deux êtres. Les invités d'honneur des Chédid. Deux hommes au destin rare qui personnifiaient à eux seuls la puissance et la gloire, la faiblesse et la misère de l'Egypte : Mourad, l'époux de dame Nafissa, et Ibrahim bey. Tous deux Mamelouks. Tous deux anciens esclaves[2], et aujourd'hui, en dépit de la présence ottomane, véritables maîtres du pays.

Sous des apparences fraternelles ces deux êtres étaient rivaux d'ambition et également avides du pouvoir suprême. Il y avait entre eux une alternative continuelle de conflits et de raccommodements dont les frais étaient toujours payés par les populations. Car la seule chose sur laquelle les deux personnages se montraient invariablement d'accord, c'était le système de déprédations et de rapines dont ils écrasaient à l'envi le pays.

Sous la tente centrale, Mourad bey était à moitié allongé sur le divan d'honneur. La cinquantaine, rouquin, trapu, le trait était assombri par une barbe épaisse qui masquait partiellement la longue balafre de sabre, séquelle de ses multiples combats. Aux vêtements riches et pesants il préférait habituellement la

---

1. Décoration turque.
2. Paradoxalement, alors qu'en Occident le terme d'« esclave » est lourd d'humiliation, dans l'Orient de ce temps, au contraire, on se faisait gloire d'être ou d'avoir été l'esclave d'un grand. Bien plus, pour être considéré dans cette Égypte turque, il fallait d'abord avoir commencé sa vie dans la servitude.

41

simplicité d'une djellaba sur laquelle il jetait un caftan noir, sa couleur de prédilection. Mais ce soir, sans doute pour l'occasion, il s'était habillé d'une chemise de soie pourpre entrée dans un large pantalon bouffant. Un gilet de drap recouvrait son thorax recouvert d'une pelisse fourrée de martre.

Il se pencha vers son hôte :

— Soirée exceptionnelle, mon ami. Je te félicite. Ta réputation d'homme de goût trouve ici son couronnement.

Youssef opina modestement.

— C'est uniquement ta présence et celle de mes invités qui fait l'éclat de cette fête, Mourad bey. Tout l'honneur vous revient.

Le Mamelouk se tourna vers Ibrahim bey.

— Et en plus, notre hôte possède la richesse de mots.

Ibrahim approuva, sans cesser de grignoter des raisins mordorés dont il évacuait les pépins sur le sol. C'est à peine s'il leva la tête lorsque les tentures de l'entrée s'écartèrent, livrant passage à un homme de belle prestance, suivi par Charles Magallon.
En revanche, l'œil de Mourad s'illumina.

— Carlo Rosetti ! Mon ami. Qu'Allah t'éclaire ! Je suis heureux de te voir.

L'homme fit le geste de s'incliner, provoquant chez le Mamelouk une expression affectée :

— Pas de ça entre nous, Carlo. Te serais-je donc devenu étranger ?

Ignorant volontairement la présence de Magallon, il entraîna Rosetti vers le divan.

— Viens, prends place à nos côtés.

Avec embarras, le Vénitien désigna Charles.

— Excellence, vous connaissez sans doute...

Mourad hocha la tête, indifférent.

— Oui, oui. Bien sûr. Le second député de la Nation

française... Mais toi, Carlo — il montra Youssef — connais-tu notre hôte ?

— Evidemment. De surcroît nous sommes un peu du même sang, puisque mon épouse est aussi grecque catholique[1].

Rosetti salua respectueusement.

— Cette réception est un enchantement, Youssef effendi.

Tout en parlant le Vénitien saisit le bras de Magallon.

— Je crois que M. le Député ne vous est pas étranger non plus, murmura-t-il avec un sourire forcé.

— Comment le serait-il ? rétorqua Youssef en tendant chaleureusement la main au Français. Votre épouse couvre la mienne des soieries les plus belles. Venez, prenez place.

Magallon s'exécuta sous le regard irrité de Mourad bey. Avec une certaine rudesse le Mamelouk posa ostensiblement sa main sur l'épaule de Rosetti et lança à l'entourage :

— Savez-vous que je connais Carlo depuis plus de sept ans ?

— Six, rectifia Rosetti.

— Puisque tu le dis. C'était à Alexandrie. Bien sûr il n'était pas encore consul d'Autriche, mais simple négociant en tissus. Il débarqua chez moi les bras chargés de soieries des Indes ou de je ne sais où. Je m'empresse de vous dire que je n'avais alors aucune intention d'acheter quoi que ce soit, pas le moindre chiffon d'Alep. C'était sans compter avec le charme italien.

— Vénitien, corrigea à nouveau Rosetti courtoisement.

---

1. En effet, Carlo Rosetti avait épousé la veuve de Youssef el-Bitar, un Grec catholique d'Alep. Il fut toujours allié à cette communauté.

— Ah ! je reconnais bien cette fierté ! Ou serait-ce un amour de la précision ?

Le Mamelouk se mit à rire avec ostentation tout en pointant un index professoral sur l'assemblée.

— Ne jamais confondre un Vénitien et un Italien. Voici l'une des choses que notre ami m'a apprise... Hélas, vous pouvez le constater, je dois être un mauvais élève. Ou alors je n'ai aucune mémoire.

— Oh ! Mourad bey, protesta Youssef, à quoi servirait la mémoire sans l'instinct et l'esprit d'entreprise ? Deux qualités que vous maîtrisez mieux que personne.

— Tu entends, Carlo ? Voici quelqu'un qui sait s'exprimer. Voici des mots qui sont du miel à mon cœur.

Il fronça les sourcils et considéra amèrement le Français.

— En cela, on ne peut pas dire que certains soient très riches de miel. N'est-ce pas monsieur Magallon ?

— Excellence, ce n'est pas à vous que j'apprendrai que ce sont les abeilles qui fabriquent le miel. Et les abeilles manquent souvent de diplomatie quand elles se sentent agressées.

Mourad émit un petit ricanement :

— Je suis désolé mais je n'ai rien compris. Sans doute dois-je manquer de subtilité.

Il ajouta fielleux.

— Que voulez-vous, je ne suis qu'un simple Mamelouk. Les finesses occidentales m'échappent.

Quelques rires forcés fusèrent parmi l'assistance.

— De toute manière : je hais les abeilles. Je les méprise.

— Tout autant que vous méprisez le peuple, mon seigneur ?

— Le peuple ? Ne savez-vous pas que le peuple doit être traité comme le sésame ; il faut le fouler, l'écraser pour en tirer de l'huile !

Une tension soudaine envahit la tente.Très pâle, Youssef jeta un coup d'œil désespéré en direction de son épouse, laquelle affolée avait saisi machinalement la main de dame Nafissa.

Il y eut un temps. Le Mamelouk paraissait aux aguets.

Quelqu'un toussota. Rosetti chercha à capter l'attention de Magallon. Mais celui-ci semblait être ailleurs.

La lèvre un peu tremblante, le député se leva lentement et s'adressa à son hôte.

— Pardonnez-moi, mais il se fait tard. Et la route est longue jusqu'au Caire.

— Je comprends, dit Youssef avec un empressement maladroit.

Le Français s'avança ensuite vers Mourad, le toisa, avant de laisser tomber avec une courtoisie forcée.

— Que la nuit vous soit propice, Excellence.

A peine eut-il disparu que le Mamelouk laissa libre cours à sa fureur.

— Je suis fatigué d'avoir à supporter les gens de cette espèce ! Fatigué ! Cette race de cavadjas[1] n'est bonne qu'à gémir et à gémir encore ! Mais que veulent-ils donc ? S'ils ne sont pas satisfaits, qu'ils rembarquent ! La mer est vaste, le monde est infini. Je serai le premier à leur affréter un bateau ! Demain, ce soir même ! Allah m'est témoin qu'ils auront usé ma patience.

Des voix d'approbation s'élevèrent.

Il pointa son index vers l'entrée de la tente et redoubla d'exaspération :

— Il est des limites à ne pas franchir ! Sinon la foudre du ciel pourrait s'abattre sur leurs têtes ! Toi,

1. En turc : marchands.

45

Carlo, toi, peux-tu m'expliquer les raisons de cette agressivité constante ? Pourquoi ?

Le consul prit une courte inspiration.

— Mourad bey, vous savez de quoi il retourne. Les négociants français se sentent menacés dans la possession de leurs biens, et même dans leur sécurité personnelle.

— Il suffit ! Je ne veux plus entendre parler de ces balivernes ! La communauté occidentale n'a qu'à se plaindre auprès des instances ottomanes. A Istanbul ! Je n'ai rien à voir avec tout ça !

— Mais, Mourad bey, c'est dans votre intérêt que je m'exprime. Magallon vient de m'entretenir de ces nouvelles taxations que l'on voudrait leur imposer et...

— Sornettes ! Carlo. Ragots !

Mourad prit Ibrahim à témoin.

— As-tu jamais entendu pareilles inepties ?

Son coreligionnaire adopta d'emblée un air offensé.

— Pourtant, persista Rosetti, le problème demeure.

L'expression de Mourad bey se durcit.

— Ces gens ne trafiquent pas pour leur compte, que je sache ! Ils ne sont ici qu'en tant que représentants des grands négociants de Marseille, ceux qu'on appelle les « Majeurs », n'est-il pas vrai ?

Rosetti confirma.

— Et ceux-là, ces « Majeurs », ils sont couverts d'or ! Leur richesse dépasse celle du plus riche des Mamelouks. Alors, pourquoi gémissent-ils !

Ibrahim bey lança à son tour :

— Ils font de véritables fortunes sur notre dos ! Cela rien qu'avec le commerce des draps. Pouvez-vous le nier, Rosetti ?

— Honorable bey, nous savons tous que les draps sont l'essentiel du commerce en ce pays, et pour ainsi dire l'unique ressource qui reste aux établissements français. De plus, reconnaissez que la qualité...

— Parlons-en de la qualité ! Dès qu'ils le peuvent les fabricants nous roulent. En serrant un peu plus les fils ils les font passer pour des draps anglais. N'est-ce pas là un comportement qui mérite les pires avanies ?

— D'autre part, précisa Mourad, quand il s'agit de leur vendre de l'encens ou de la myrrhe, ils rechignent à payer le prix régulier. Même le séné nous est acheté pour une poignée de dattes.

L'agent consulaire adopta une moue impuissante.

— Ce n'est pas la faute des importateurs si les médecins occidentaux ne le prescrivent plus aux malades, et que par conséquent les apothicaires cessent de s'en procurer.

Mourad partit d'un rire ironique.

— En effet. Maintenant si les affaires vont mal, ce sont les apothicaires qui en sont responsables... Que ne faut-il pas entendre !

Une fois de plus il quêta le soutien d'Ibrahim. On aurait dit que les deux seigneurs étaient devenus jumeaux.

Un temps passa au terme de quoi les traits du Mamelouk parurent se détendre. Il se laissa tomber lourdement parmi les coussins.

— Tu me fatigues, Rosetti effendi. Pourquoi ? Pour une cinquantaine de négociants[1] ? Nous reparlerons de tout cela une autre fois. Veux tu ? Mais ce soir, par le Prophète, laisse-moi savourer mon plaisir.

Pour ceux qui ignoraient l'amitié qui liait les deux hommes, le recul du Mamelouk pouvait passer pour de la faiblesse.

Le Vénitien hocha la tête d'un air abattu.

---

1. Quatre-vingts Européens, dont une cinquantaine de Français, résidaient alors au Caire. Il y avait très précisément huit maisons de commerce françaises, cinq maisons vénitiennes et livournaises, et quelques maisons anglaises.

— En aucun cas je ne voudrais t'assombrir. Comme tu voudras, Mourad.

Mais l'abnégation de l'agent consulaire venait trop tard. L'atmosphère n'était plus à la fête.

★

Penchée à la fenêtre de sa chambre, Schéhérazade n'avait rien perdu des réjouissances. Fascinée, elle scrutait le détail de chaque vêtement, le mouvement des tuniques, et surtout l'allure des robes occidentales et la féerie des bijoux.

Elle aurait dû dormir à cette heure, mais elle s'en moquait bien. Pourquoi n'avait-elle pas eu le droit de se joindre à ces gens ? Pourquoi ces contraintes injustes de l'âge ? Si à l'instar de son frère elle avait eu le choix, elle n'aurait certainement pas eu l'ombre d'une hésitation. Or, à son grand étonnement, Nabil avait refusé tout net. Lorsqu'elle l'avait interrogé, il s'était contenté de répliquer avec un incroyable mépris : « Tu ne connais rien à la vie Schéhérazade. Rien. Tu n'es qu'une petite sotte qui ne voit pas plus loin que le bout de ses sandales. » Alors qu'elle insistait, il avait répondu avec encore plus d'arrogance : « Notre père vit à genoux. Moi je vivrai la tête haute. Je n'ai rien en commun avec cette fange abjecte. »

A l'opposé de son frère, Samira, elle, ne s'était pas fait prier. Et la fillette l'avait guettée avec envie tandis qu'elle passait d'une robe à l'autre, testait ses fards ou virevoltait devant sa glace comme un papillon fébrile.

Schéhérazade se pencha un peu plus en avant et chercha à retrouver la jeune fille parmi les invités. Elle examina une à une les silhouettes, s'efforçant d'apercevoir, dans cette débauche de couleurs atténuées par l'éclairage flou des torchères, la robe

48

d'organdi de Samira. Mais où donc était-elle passée ?
Pourtant elle était convaincue de l'avoir vue quelques
minutes plus tôt qui discutait avec un couple d'Occidentaux. Aurait-elle déjà regagné sa chambre ? Cela
eût été surprenant. Elle connaissait suffisamment sa
sœur pour savoir que jamais elle n'aurait abandonné
une telle soirée avant d'en avoir épuisé tous les plaisirs.

Mais n'était-ce pas elle qui s'éloignait à pas lents
vers la masse touffue des arbres en jetant des regards
furtifs par-dessus son épaule. Que manigançait-elle ?
Elle s'écartait de plus en plus. Bientôt elle allait disparaître à la vue de tous.

La dernière chose que vit Schéhérazade fut la robe
d'organdi qui semblait flotter dans l'air avant de
s'évanouir, absorbée par la nuit.

★

— J'ai bien cru que tu ne viendrais plus, chuchota
l'homme en découvrant Samira qui arrivait à sa hauteur.

— Ça n'a pas été facile. Mes parents.... Tous ces
gens. Mais j'avais promis. Aurais-tu oublié que je tiens
toujours mes promesses ?

Elle virevolta sur elle-même avec une expression
coquette.

— Est-ce que je te plais ?

— Comme toujours.

Il chercha à emprisonner son poignet, mais elle lui
échappa dans une nouvelle pirouette.

— Pourquoi ? Nous avons si peu de temps.Tu
n'imagineras jamais les stratagèmes que j'ai dû
inventer pour me faire inviter ici ce soir.

— Tu es un personnage important tout de même.

C'était dit sur un ton interrogatif.

— Bien sûr ! Que vas-tu imaginer ? Je suis craint et considéré !

— C'est bien. Je supporterais mal que mon amant fût quelqu'un d'anodin.

Il chercha à la prendre dans ses bras, mais elle se rétracta.

— Es-tu sûr de m'aimer ? demanda-t-elle avec un sourire ambigu.

— Je meurs de toi.

— Vraiment ?

Il fronça les sourcils, légèrement exaspéré.

— Mais enfin, Samira, à quel jeu joues-tu ? Depuis trois mois que nous nous voyons, ne t'ai-je pas prouvé cent fois mon amour ?

— Peut-être. Mais depuis trois mois, mon bien-aimé, n'as-tu pas encore compris que j'étais une buveuse ? Une insatiable.

— Une buveuse..., répéta-t-il troublé. Oui, je m'en suis aperçu.

Une sensualité animale avait soudainement recouvert ses traits. Il continua de la contempler, mais cette fois il n'essaya pas de l'attirer vers lui.

C'est elle qui s'avança.

Avec une lenteur étudiée, elle se mit à dégrafer les trois boutons supérieurs de sa tunique, et dénuda partiellement son thorax.

— J'aime ta peau...

Il ne broncha pas, la laissant infiltrer ses doigts sous le tissu damassé.

Elle le caressait lentement. Sa paume était froide, mais douce.

Elle appuya son corps contre le sien. Ils conservèrent tous deux les bras le long de leur corps ; comme par jeu ; pour éprouver leur résistance. Avec innocence, sa main se glissa furtivement vers l'entrejambe de l'homme et s'y immobilisa.

— Une buveuse..., fit-elle dans un souffle. Tu ne sais pas combien je...

Il ne la laissa pas achever sa phrase. Dans un élan fougueux il prit ses lèvres, les embrassa avec passion. Presque simultanément, ses mains enserrèrent sa taille, descendirent au-dessous de ses hanches, retroussèrent fiévreusement la robe afin de mieux percevoir le contact de ses cuisses, la cambrure de ses reins, des régions plus intimes de son corps. La jeune fille se laissa faire, attirée par une sorte d'appel muet qui anéantissait en elle toute résistance, et ses mains se crispèrent sur les épaules de son amant. Elle dit d'une voix presque inaudible :

— Tu es beau. Comme un soleil.

Il but encore à ses lèvres.

C'est vrai que dans sa tenue de janissaire, membre de la sixième compagnie, le Turc Ali Torjmane ressemblait à un demi-dieu.

CHAPITRE 3

Assis sur les marches de l'entrée principale, Karim observait Soleïman son père en train d'élaguer l'un des massifs qui fleurissaient autour de la demeure. Bien que l'on fût aux premiers jours de novembre, l'été n'avait nullement désarmé.

— Je t'admire, père. Tu peux travailler pendant des heures sans jamais te lasser.

Soleïman soupira.

— Si seulement tu pouvais en faire autant !

— Quoi que je fasse, tu sais bien que je ne serai jamais aussi capable que toi.

— Pourtant je t'ai appris tout ce que je sais. Depuis la mort de ta mère, alors que tu savais tout juste marcher, je t'ai montré chaque fleur, je t'en ai enseigné les noms, les formes, les couleurs. Qu'en as-tu retenu aujourd'hui alors que tu vas entrer dans ta dix-septième année ? Presque rien. Sais-tu seulement de combien d'eau a besoin un palmier ? A quelle époque de l'année peut-on dépoter ? Fais-tu la différence entre le parfum du fol[1] et celui du jasmin ?

— Est-ce ma faute si dès que je les approche les plantes pâlissent comme si ma bouche soufflait le

1. Variété de jasmin très répandue en Égypte.

52

khamsine[1]. La vérité est que les fleurs ne m'aiment pas.

— Tu ne t'es jamais dit que cela pouvait être l'inverse ?

Soleïman brandit son sécateur sous le nez du garçon.

— Fils, dis-toi bien que si tu ne mets pas un peu de plomb dans ta tête tu finiras par te retrouver mendiant à la porte des mosquées, ou au mieux porteur au débarcadère de Boulaq .

Il s'enquit brusquement comme si la question venait de surgir dans son esprit :

— A ce propos, où étais-tu hier matin ? Je t'ai cherché partout.

Karim ravala sa salive.

— Je... j'étais...

— Au bord du canal, c'est ça ?

— Oui, oui... au bord du canal[2].

Soleïman scruta son fils.

— Tu dis vrai ?

Karim ne répondit pas.

— Qu'Allah le Tout-Puissant te plaigne...

Il soupira et poursuivit avec une compassion attristée.

— Décidément, tu es un cas désespéré... Tu n'étais pas au canal, mais au fleuve. N'est-ce pas ?

D'un geste menaçant, il rapprocha le sécateur du nez de Karim.

— Attention ! Cette fois je te préviens, tu as intérêt

1. Vent chaud qui souffle en Égypte. Analogue au sirocco. Il survient en général vers la fin de l'hiver ou aux premiers jours du printemps. L'origine de son surnom « khamsine » est dérivée du mot arabe « 50 », qui sous-entend la période de cinquante jours au cours de laquelle le vent peut souffler.
2. En ce temps, un canal traversait Le Caire d'est en ouest.

à tourner ta langue sept fois avant de dire un nouveau mensonge.

— Oui, père. C'est vrai. Je suis allé jusqu'à l'île de Rodah.

Soleïman se raidit.

— Que le Seigneur des mondes te garde en sa miséricorde. Mais qu'est-ce que tu peux bien fabriquer là-bas pendant des heures ? Hein ? Veux-tu me répondre ? Qu'est-ce que tu cherches dans l'eau du Nil ? Tu crois inverser le cours du fleuve rien qu'en le regardant ? Tu te prends pour le Prophète ?

— J'aime voir naviguer les felouques. C'est tout.

— C'est tout. Et tu trouves ça normal ? Ecoute-moi bien, mon fils. Je ne suis pas éternel. Le jour où je plierai ma tente tu seras seul au monde. La famille Chédid est bonne et généreuse, mais les jardins de Sabah ont besoin d'être entretenus par quelqu'un de qualifié et de sérieux. Si grand soit son cœur, notre maître te mettra à la porte si tu manques à tes devoirs. Ce ne sera que justice. Tu comprends ?

— Oui, bâbâ.

— Ce n'est pas une réponse.

— Je te promets de faire un effort.

Soleïman étudia son fils tout en martelant nerveusement sa paume avec le plat du sécateur :

— Et tu ne retourneras plus à la capitale. Plus jamais.

Karim bondit.

— Quoi ?

— Tu m'as bien entendu. Je ne veux plus te voir gaspiller ta vie.

Le garçon eut une expression suppliante.

— Non, pas ça, père !

— C'est ma décision, Karim. Je n'y reviendrai plus.

— Mais si je m'applique. Si tu n'avais plus rien à me reprocher ? Je t'en conjure.

— Je te le répète : il n'en est plus question !

Les yeux de Karim s'embrumèrent de larmes.

Ne plus jamais voir le fleuve. Plus jamais la vision des bateaux filant sur l'eau. Et Papas Oglou... Depuis leur première rencontre, quatre mois plus tôt, il n'avait jamais manqué un seul de leurs rendez-vous. Bien plus, le Grec avait commencé à le traiter en égal, et une amitié sincère s'était nouée entre eux. Il avait entrepris de lui enseigner le secret des chebecs, la manipulation des canons. Il l'avait même laissé gouverner la sublime *Popi*, une heure durant. Qu'allait-il penser s'il disparaissait sans prévenir ?

★

Les épaules affaissées, il avait traversé comme un somnambule la moitié du jardin, droit devant, sans trop savoir où il allait. Un monde s'était écroulé, le Nil avait quitté ses berges et noyait toutes ses pensées.

C'est dans une sorte de brouillard qu'il reconnut la voix claironnante de Schéhérazade

— Karim !

Il y eut un bruit de pas précipités, et la fillette vint se camper devant lui.

— On t'a coupé la langue ? Qu'est-ce que c'est que ces manières ?

D'un mouvement brusque il l'écarta de son passage et repartit en accélérant le pas.

Elle se précipita sur ses traces en pestant :

— Le soleil a liquéfié ton cerveau ? Qu'est-ce que c'est que cette impolitesse ? Hein ?

— Laisse-moi en paix, Schéhérazade ! Je ne suis pas d'humeur à jouer.

Il s'était immobilisé et ses lèvres tremblaient un peu.

C'est alors seulement qu'elle se rendit compte que les yeux du garçon étaient rougis par les larmes.

Elle bafouilla :

— Mais... que... qu'est-il arrivé ?

Il était déjà reparti.

Bouleversée par ce qu'elle avait cru lire en lui, elle n'osa plus le harceler, se limitant à poser ses pas dans les siens.

Bientôt apparurent les premières avancées du désert. Au bout de l'horizon se devinaient la silhouette irrégulière du sphinx et les trois pyramides, guetteurs de pierre.

Parvenu au sommet d'une crête, Karim s'arrêta enfin et se laissa choir sur le sable.

Dans un premier temps elle faillit s'asseoir près de lui, mais elle se ravisa et prit place à l'écart.

Ce fut lui qui brisa le silence.

— Tu ne respectes donc jamais rien ?

Elle questionna doucement sans lever la tête :

— C'est quoi le respect ?

— C'est ficher la paix aux autres quand ils l'exigent.

— Je vois...

— Tu vois ? Alors qu'est-ce que tu fais là ?

— Et toi ?

— C'est moi qui pose les questions !

Il saisit une poignée de sable qu'il balança vers elle.

Le silence s'instaura à nouveau, à peine troublé par le chant du vent.

Schéhérazade murmura :

— Tu as remarqué ?

— Quoi ?

— Dans le désert, le silence ça fait comme le bruit de la mer.

Il eut un rire moqueur.

— Parce que tu as déjà été au bord de la mer.

— Bien sûr.

— Et quand cela, princesse ?

— Il y a quelques années. Trois ou quatre peut-être. Nous passions nos vacances à Alexandrie.

Un éclair de suspicion filtra dans ses yeux.

— Tu te moques de moi ?

— Mais non. Tu n'as qu'à demander à mes parents !

— Dis, tu ne mens pas ? Tu as réellement vu la mer ?

— Mais enfin ! Qu'est-ce qu'il y a d'extraordinaire ? Oui, je te le répète, j'ai vu la mer. Si tu veux, je te montrerai les coquillages que j'ai rapportés de là-bas. J'en ai des dizaines de toutes les couleurs, des...

— C'est comment ? Dis-moi.

— Je ne comprends pas.

— Raconte ! La mer, c'est comment ?

Elle parut réfléchir.

— C'est grand...

Elle désigna du doigt l'étendue de sable.

— C'est grand comme tout ça.

Il demanda encore :

— Et c'est très beau, n'est-ce pas ?

Elle haussa les épaules avec indifférence.

— Pourquoi ces questions, tu n'as jamais vu la mer ?

L'expression de Karim s'était tendue. Il contemplait les dunes avec tant d'intensité qu'on aurait cru qu'il y cherchait des traces d'écume.

— Mon père ne veut plus que j'aille sur le fleuve. Plus jamais.

Il lui raconta Papas Oglou. La felouque aux canons.

— C'est pour ça que tu avais de la peine ?

Il opina, le regard à nouveau voilé.

Elle se retint de parler de crainte que les accents de sa voix ne trahissent sa propre émotion, ou qu'elle ne se laisse aller elle-même aux pleurs. Finalement elle se leva doucement et vint s'asseoir plus près de lui. D'un geste timide elle commença par poser sa main sur la joue du garçon. Il n'eut aucune réaction. Enhardie, elle se rapprocha plus près encore et, dans un mouvement surprenant de femme, elle chercha à l'envelopper entre ses bras et le serrer contre elle. Curieusement il ne la repoussa pas, n'offrit aucune résistance, n'exprimant même pas son étonnement tandis qu'elle recueillait quelques larmes du bout de son index, pour les porter ensuite à ses propres lèvres.

— Tu sais, ce n'est pas grave.

— Pas grave ?

Il se détacha d'elle, abasourdi.

— Comment peux-tu dire une chose pareille ?

— Parce que c'est vrai. Si tu tiens tant à tes promenades sur le fleuve, je ne vois pas ce qui t'empêcherait d'y aller.

— Tu n'as donc rien compris ? Mon père m'a fait promettre ! Il a dit plus jamais !

D'un air nonchalant, elle saisit un peu de sable qu'elle fit glisser entre ses doigts.

— C'est important pour toi le fleuve ?

— C'est ma vie.

Elle insista :

— C'est vraiment très très important ?

— Plus que tout au monde.

— Dans ce cas tu iras quand même.

— Je mentirais à mon père ?

— Il n'est pas obligé de savoir.

— Et le mensonge, tu t'en fiches ?

— Tu m'as bien dit que d'aller au bord du fleuve c'était ton plus grand bonheur. Rien au monde ne doit vous empêcher de vivre un grand bonheur.

Décontenancé, il ne sut trop que répondre. Il y avait une logique tellement implacable dans ce qu'elle venait de dire. Et d'un autre côté...

— Pourquoi c'est si important pour toi le fleuve ?

Il répondit avec une sorte d'orgueil altier :

— Parce qu'un jour je serai grand amiral.

Schéhérazade écarquilla les yeux.

— Grand amiral ?

— Parfaitement.

— Mais l'Egypte est un désert !

— Ne sois pas stupide. Nous avons aussi la mer. Tu l'as bien vue, non ?

— Mais pour être amiral, il faut des bateaux, non ?

— J'aurai un bateau.

— C'est ça, et tu vas te l'acheter avec ton salaire de jardinier.

Il se leva d'un seul coup.

— Tu es sotte. Nous rentrons.

— Mais non, attends un peu. Explique-moi.

— C'est pourtant clair, non ? Quand je serai grand, je serai Qapudan pacha. C'est tout.

Elle se dressa à son tour et bomba le torse.

— Alors moi aussi.

Il secoua les épaules.

— Tu sais bien que c'est impossible. Maintenant viens. Mon père va s'imaginer que je suis encore parti pour la capitale.

Tout en lui emboîtant le pas elle l'interrogea :

— Un amiral, ça voyage loin ?

— Au bout du monde.

— Longtemps ?

— Des mois.

Elle le happa par la manche de sa galabieh.

— Et moi ?

— Quoi, toi ?

— Qu'est-ce que je vais devenir pendant ce temps ?

— Comment ?

— Lorsque tu partiras au bout du monde, qu'est-ce que je deviendrai ? Y as-tu pensé ?

— Qu'est-ce que tu racontes ? Tu as ta famille, non ?

Elle serra les poings.

— Tu répètes sans arrêt que je suis sotte. Mais sur toute la terre il n'y a pas plus stupide que toi !

— Tu perds la tête ou quoi ?

Ils n'échangèrent plus un seul mot. C'est seulement alors qu'ils arrivaient en vue du domaine que Schéhérazade s'exclama :

— J'ai réfléchi.

Il la regarda par-dessus son épaule, intrigué par le ton sûr de sa voix.

— J'ai réfléchi, poursuivit-elle, je ne serai pas Qapudan pacha. Je serai reine de tout l'empire.

Il partit d'un grand éclat de rire.

— Princesse ne te suffit donc plus ?

— Une reine a plus de pouvoir.

Il s'enquit, narquois :

— Et que fera ma reine de son pouvoir ?

Comme elle se taisait, il répéta la question.

Elle le regarda longuement.

— La reine ordonnera que jamais un bateau ne puisse quitter le port.

*

Malgré l'heure tardive, le quartier d'Entre-les-deux-Palais grouillait de monde. C'était le cœur battant du Caire, traversé du nord au sud par la Qasaba, l'épine dorsale de la ville depuis la fondation fatimide. Ici, l'air vibrait sans discontinuer, chargé de bruits et d'odeurs. Les rumeurs les plus folles couraient à propos de ce quartier. On parlait d'hommes qui suivaient les jeunes garçons et les femmes. On affirmait même que des couples ainsi formés se livraient, tout en marchant, à des attouchements lascifs sans que nul ne s'en rendît compte en raison de la densité de la foule. Que l'on accordât ou non crédit à ces histoires, force était de constater que l'animation était telle que tout pouvait survenir.

En ce moment précis, alors que Nabil Chédid traversait la Qasaba, on pouvait dénombrer plus de cinq mille personnes. Cette masse cheminait, se pressait, trottait sur des mulets, emportée dans un tourbillon, assourdie par les cris des âniers et des mendiants. Quelques femmes du peuple, vêtues de noir, la face cachée par leur taïlassan[1], promenaient leur lassitude. De temps à autre, mais rarement il est vrai, se reconnaissait à sa robe surchargée de broderies et d'ors, ou à son cachemire chatoyant, l'épouse égarée d'un dignitaire.

Le garçon poursuivit tant bien que mal sa route, attentif à ne pas écraser un enfant ou bousculer un aveugle, au milieu de cette cohue qui froissait et heurtait à tout instant.

Finalement, il réussit à s'engouffrer dans une ruelle moins fréquentée tendue entre des bâtisses délabrées. Il bifurqua sur la gauche et longea le Bayt el-Qadi, le centre de la justice, où s'exerçait le contrôle des corporations et des marchés. Bientôt apparurent les premières boutiques du khan el-Khalili, ce caravansérail fou que ses deux seules voies d'accès plaçaient dans un relatif isolement.

Des tentures bayadères tombaient en cascade pardessus la voie principale engluée de sueur, baignée d'une lumière violente. Entre la rue el-Mu'izz et la mosquée de Sayedna el-Husseïn, des dizaines d'échoppes se pressaient les unes contre les autres, dont certaines guère plus grandes qu'un cagibi. Créé près de cinq siècles plus tôt par le sultan mamelouk el-Khalili, fils de Qalawoun, ce marché n'avait fait que croître sous le regard indolent des fumeurs de nar-

1. Voile.

guilé. C'est en ce lieu que se regroupaient aussi les commerçants étrangers, et les voyageurs de passage — turcs pour la plupart — qui trouvaient ici des écuries pour leurs animaux de transport, des entrepôts pour leurs marchandises et des logements pour eux-mêmes. Comme au temps du sultan, les parfums délicats se mélangeaient aux odeurs fétides, l'ambre rivalisait avec l'encens et le cuivre avec l'or dans un embrasement de poussière et de friture.

Nabil Chédid se fraya un passage dans la masse polychrome où étaient alignés pêle-mêle les marchands de cierges, les changeurs attablés devant leurs piles d'aspres, de paras[1], et les enfants nu-pieds, la frimousse barbouillée de puanteur et de rires. Dans ce brouhaha infernal, résonnait plus fort que tout le cri têtu des porteurs d'eau, vêtus de cuir et de hauts-de-chausse.

Par-delà ce tohu-bohu incessant, les janissaires veillaient. Par leur présence ils rappelaient l'ordre ottoman.

Un sabre à la ceinture, ou un mousquet accroché à l'épaule, ils allaient nonchalamment, engoncés dans leur tunique, coiffés de leur bonnet de feutre blanc orné de mousseline. D'entre toutes les milices chargées par les Turcs de contrôler la capitale, les janissaires étaient de loin la plus puissante. A l'origine ces hommes étaient issus de populations chrétiennes soumises par les conquêtes. Enlevés à leurs familles alors qu'ils n'étaient encore que des enfants, on les avait convertis à l'islam et éduqués dans des écoles appropriées au métier des armes.

Lorsque Nabil parvint à leur hauteur, son cœur se mit à battre violemment. Aurait-il jamais pu se douter

1. Monnaies en cours.

que l'aga, le fringant colonel qui les conduisait n'était autre que Ali Torjmane, l'amant de sa sœur.

Dans son désir d'accélérer le pas il bouscula une femme grasse, le sommet du crâne enfoui sous un énorme ballot qui tenait en équilibre par enchantement. Il bredouilla quelques mots d'excuse et poursuivit sa route.

Quelques instants plus tard il arrivait devant l'entrée d'un petit immeuble crasseux. Après avoir vérifié qu'il était hors de vue des miliciens, il poussa la porte et s'engouffra rapidement à l'intérieur.

Un escalier vermoulu se dressait devant lui. Sans hésiter, il escalada les marches une à une jusqu'au deuxième étage, et s'immobilisa devant le seuil du seul appartement. Deux coups secs. Un temps d'arrêt. Trois coups. Il y eut un bruit de pas. Le battant s'écarta, laissant apparaître un jeune homme qui devait être sensiblement du même âge que lui.

— Boutros, mon ami, que la paix soit sur toi...

— Et sur toi, la paix... Entre vite. Tout le monde est là.

La petite pièce dans laquelle il fut conduit était encombrée de couffins et d'objets hétéroclites. L'unique fenêtre avait été condamnée par un rideau de lin et l'endroit était noyé d'ombre. A en juger par le parfum sec et le mince filet brumeux qui flottait à l'horizontale au-dessus des ballots, quelqu'un avait dû faire brûler des perles d'encens. Trois personnes étaient assises sur un tapis déroulé pour l'occasion.

Le jeune homme qui avait reçu Nabil fit les présentations :

— Salah, Osman et Charif. Hormis Salah qui travaille avec son père, les deux autres sont comme nous étudiants à l'Azhar.

Nabil les salua avec chaleur, tandis que Boutros reprenait la parole :

— Pardonnez-moi de vous recevoir dans un tel fouillis, mais nous sommes ici dans le dépôt de mon père, qui vous le savez tient boutique rue el Mui'z. Il n'a pas le faste d'un diwân[1], mais c'est tout ce que j'ai à vous offrir.

— C'est parfait, dit Osman. Qu'importe le lieu, c'est la qualité de l'assemblée qui compte.

Sa remarque déclencha un murmure approbateur.

— Je vous rappelle que c'est à l'instigation de notre frère Nabil que nous sommes réunis. Depuis longtemps, lui et moi en évoquions l'idée. Au début j'avoue franchement avoir hésité, car je trouvais la démarche dangereuse. Nabil le sait, nous en avons souvent débattu.

Un sourire complice se dessina sur ses lèvres.

— Ce qui explique la médiocrité de nos résultats de fin d'année.

A nouveau sérieux :

— Mais j'ai finalement changé d'avis, et mon désir de servir la cause a chassé mes craintes. Toutefois je reste convaincu que la prudence doit être notre mot d'ordre. Tout ceci doit rester secret. Une confidence, un mot maladroit et ce serait la fin. Vous savez aussi bien que moi le risque que nous encourons si par malheur nos propos parvenaient aux oreilles des autorités, si tant est que nos rencontres doivent se poursuivre. Mais sur ce point je préfère céder la parole à Nabil.

Le fils de Youssef Chédid se redressa parmi les ballots.

— Je suis grec catholique, Boutros est copte, Osman, Salah et Charif sont musulmans. Si nous

1. Mot turc qui signifie conseil d'État. Nom qu'on donne à toutes les salles où les souverains musulmans et leurs premiers ministres tiennent conseil ou donnent audience.

sommes ici, c'est qu'au-delà de nos croyances religieuses il est une même foi qui nous unit, le même amour de notre pays. Est-ce que je me trompe ?

Tous confirmèrent.

— L'Egypte n'est plus rien qu'une gigantesque ferme fiscale, dont la seule vocation est de faire parvenir son tribut annuel à la Porte. On nous a dépossédés de tout. Où que je me tourne je ne vois que compromissions et lâcheté. Les vieux vivent en esclavage, favorisant l'oppression, allant jusqu'à la soutenir dès lors qu'ils pensent en tirer un quelconque profit. A l'université, nos maîtres se taisent. Même notre recteur, le vénérable ulamâ, le cheikh el-Sadat, pourtant habitué à traiter les gens avec hauteur et mépris, plie comme une femelle devant l'autorité ottomane. Depuis près de deux siècles les Turcs occupent notre terre ; les Mamelouks en tirent tous les profits. Dans ces conditions qu'allons-nous devenir ? Qu'adviendra-t-il de l'Egypte, si nous qui en sommes le sang neuf ne réagissons pas ?

Nabil se tut pour jauger l'effet de ses paroles sur ses camarades. Apparemment satisfait, il poursuivit :

— Je crois qu'il est temps de former la résistance. Temps de mettre fin à des siècles de soumission. Les richesses de l'Egypte doivent revenir à l'Egypte.

Il y eut un léger flottement parmi les jeunes gens. Salah, le plus jeune d'entre eux, demanda :

— Mettre fin à des siècles de soumission, certes, mais comment ?

Osman enchaîna :

— Tu ne songes tout de même pas qu'à nous cinq nous puissions culbuter l'armée ottomane et la cavalerie mamelouke.

— Ils nous mangeraient tout crus, commenta Boutros.

— Des koftas, voilà ce qu'ils feraient de nous, renchérit Charif d'un air amusé. Ou encore...

65

Le fils de Chédid le coupa :

— Ecoutez-moi donc. Aujourd'hui nous sommes cinq. Mais demain nous serons dix, puis cent, puis des milliers. Prenez l'exemple de notre réunion. J'ai convaincu mon ami Boutros, lequel a trouvé Charif et Osman, qui à leur tour ont amené Salah. Il suffirait de poursuivre dans la même voie, continuer à recruter d'autres jeunes qui partagent les mêmes idéaux. Et sur ma vie, je vous l'affirme, l'heure viendra où nous serons suffisamment nombreux pour agir.

— Ça peut prendre des mois, fit observer le copte.

— Peut-être même des années.

Nabil demeura imperturbable.

— Nous possédons une force dont vous n'êtes pas conscients et qui vaut bien tous les sipahis de l'empire.

— De quelle force parles-tu ?

— Mais de notre jeunesse ! Le plus âgé d'entre nous, c'est moi, et j'ai tout juste vingt-cinq ans. Ne croyez-vous pas que cela nous laisse largement le temps ? Par ailleurs il existe un autre facteur tout aussi important que la jeunesse. Mon intention n'est pas ici de vous faire un cours d'histoire, nos maîtres de l'Azhar conservent encore quelque compétence, encore que ce genre de discours serait inimaginable entre leurs lèvres.

Les jeunes gens confirmèrent par de petits rires sarcastiques.

Nabil poursuivit :

— Depuis l'époque du sultan Sélim Ier , Mamelouks et Ottomans ne cessent de s'entre-déchirer. Aujourd'hui, face à Mourad et Ibrahim bey, la Porte demeure toujours aussi impuissante. Istanbul a beau noyer l'Egypte de contingents militaires, les deux serpents dominent avec le plus grand mépris.

— Qu'essayes-tu de nous dire ? fit Boutros avec une pointe d'impatience.

— Simplement que cette rivalité entre Turcs et Mamelouks finira par jouer en notre faveur. A force de chercher à s'anéantir, leur faiblesse ne fera que croître, et ils seront forcés tôt ou tard de relâcher leur étau sur l'Egypte. Ce jour-là nous devrons être au rendez-vous.

— D'où ta suggestion de tout à l'heure, observa Salah.

— Parfaitement. Le recrutement devra se faire avec rigueur. Il faudra choisir des êtres déterminés, fiables et — j'insiste sur ce point — uniquement des jeunes de notre âge. Les anciens sont déjà corrompus.

— Imaginons qu'un jour nous soyons assez nombreux. Ensuite ? Nous n'avons pas d'armes, pas de chevaux. Rien que nos mains nues. Si affaiblis soient-ils, Mamelouks et Turcs resteront une grande force. Ils possèdent des sabres, une cavalerie, la meilleure du monde. Alors ?

Boutros abonda dans le sens de son ami.

— C'est vrai, notre frère a raison, nous serons toujours aussi faibles.

Nabil secoua la tête en signe de désapprobation.

— Pardonnez-moi, mais vous semblez ignorer ce que peut représenter un peuple en mouvement. C'est plus fort que toutes les tempêtes, aussi irrésistible que mille vents de khamsine.

Il se leva, fit quelques pas vers le rideau de lin qu'il écarta machinalement :

— Avez-vous entendu parler d'un pays d'Occident qui s'appelle la France ?

Les jeunes gens parurent se concerter. Nabil fit volte-face. Et sur un ton passionné :

— Dans ce pays, il y a un an environ, ce sont les gens du peuple qui ont mis un terme à des siècles d'injustice et d'oppression. Rien que les gens du peuple. Ils ont chassé les tyrans qui les gouvernaient, libéré les prisons, pris le pouvoir. C'est les mains nues qu'ils ont réussi leur révolte.

À voir l'expression captivée qui avait envahi les traits des quatre jeunes gens, on devinait que les derniers mots de Nabil avaient ébranlé leur scepticisme.

— Ce pays dont tu parles... Il existe vraiment ? Ces événements se sont réellement déroulés comme tu le dis ?

— Sur Dieu... Je n'invente rien.

— Dans ce cas, lança Boutros avec une ferveur soudaine, il ne nous reste plus qu'à baptiser notre mouvement. Quel nom proposez-vous ?

Salah suggéra très vite :

— Puisque c'est le peuple français qui nous sert d'exemple, pourquoi ne pas appeler notre mouvement « France ».

D'abord incrédules, les jeunes gens pouffèrent de rire.

— Dis donc, Salah, gloussa Boutros, tu n'as rien de mieux à proposer pour un mouvement révolutionnaire égyptien ?

Charif désigna Nabil du doigt :

— C'est ta faute... A-t-on idée de raconter des histoires aux enfants ?

— Oh fit Salah, vexé, je ne le pensais pas vraiment.

— Quel mois sommes-nous ? s'informa brusquement Osman.

— Septembre, répondit Charif.

— Dans ce cas, pourquoi ne pas nous baptiser tout simplement du nom de ce mois ?

Une expression dubitative se dessina sur les visages.

— Quoi ? Qu'y a-t-il d'incongru ? C'est tout de même mieux que « France » non ?

— Ouais... Après tout pourquoi pas ? remarqua Nabil.

— Un mouvement se doit d'avoir un nom prestigieux, commenta Charif.

Il grimaça.

— Septembre...

— J'ai trouvé ! s'exclama Salah.

Tous se récrièrent :

— Ah non ! Pitié. Pas encore une de tes plaisanteries !

— Non, c'est sérieux... Ecoutez... *le Sang du Nil*...

Un silence interdit succéda à la suggestion du jeune homme. Le petit groupe se concerta des yeux. Finalement quelqu'un murmura avec une certaine solennité :

— Il faut prêter serment maintenant. Et que vive *le Sang du Nil* !

★

Dans une petite chambre située quelques maisons plus bas, très précisément à l'angle de la rue al-Mu'izz, l'aga[1] Ali Torjmane roula sur le corps dénudé de Samira.

Une demi-heure plus tôt il avait pris précipitamment congé de sa compagnie et remis le commandement à son second : les devoirs de sa tâche le réclamaient ailleurs.

La sueur inondait ses membres, son souffle était rapide.

Un rai de lumière perça la pénombre et glissa sur son avant-bras, laissant entrevoir un tatouage qui représentait un croissant de lune. Les janissaires faisaient ainsi graver l'emblème de leur compagnie.

Dans un geste plein de sensualité, Samira passa lentement sa langue le long du tatouage et, rejetant la tête sur les coussins, elle murmura d'une voix un peu rauque :

---

1. Lieutenant.

— Viens...Viens, mon bien-aimé.

D'un mouvement brusque des reins Ali s'enfonça en elle. Elle se contracta légèrement. Ses cuisses se refermèrent en ciseaux autour de celles de son amant, tandis qu'elle laissait échapper un gémissement de plaisir...

CHAPITRE 4

Les branches des arbres étaient couvertes de guirlandes aux couleurs vives. On avait décoré les allées et jusqu'à la couronne des palmiers.

Nadia, vêtue d'une ravissante robe occidentale achetée la veille à Mme Magallon, mettait la main aux derniers préparatifs. Elle avait décidé qu'entre tous les Nouvel An celui-ci serait le plus réussi ; pour les enfants, mais surtout parce que ce jour correspondait à l'anniversaire de son mariage avec Youssef. Elle avait beau se dire que vingt-cinq ans étaient passés. Pour elle, c'était hier.

31 décembre 1765... Damiette. La maison paternelle... Elle venait tout juste d'avoir seize ans lorsque Youssef était venu demander sa main. Aussi longtemps qu'elle vivrait, elle se souviendrait de l'émotion qui l'avait envahie lorsque celui qui allait devenir le compagnon de sa vie avait emprisonné délicatement son annulaire pour y introduire la petite alliance de brillants.

31 décembre 1790... Dans quelques heures le couchant allongerait ses ombres sur le plateau de Guizeh. La nuit viendrait, et dans sa traîne l'aube de la nouvelle année.

Elle redescendit du petit escabeau qui lui avait servi

71

à accrocher des rubans multicolores au-dessus du linteau de l'entrée, et retourna vers la salle à manger. Elle vérifia une dernière fois qu'Aïsha n'avait rien oublié, ajusta la corbeille de fleurs posée au centre de la table. Elle recompta les couverts... onze en tout. Elle avait invité sa voisine, dame Nafissa, la digne épouse de Mourad bey ; la Française, Mme Magallon, qui viendrait sans son mari -le député ayant dû se rendre en France pour quelque semaines -, trois autres couverts étaient pour le couple Chalhoub et pour Michel leur fils unique. A la vue du dernier couvert, Nadia ne put s'empêcher de faire la grimace ; il était réservé pour Zobeïda, la meilleure amie de sa fille aînée. Elle n'aimait pas beaucoup cette personne. Non qu'elle eût à lui reprocher un comportement discourtois, mais elle trouvait dans l'attitude de cette fille quelque chose d'indiscernable qui éveillait l'antipathie. Cette façon de se farder... D'ailleurs de quelle famille sortait-elle ? Sa mère était décédée, et son père était, paraît-il, patron d'un bain maure. Mais c'était jour de fête, et Samira avait tellement insisté.

Mais où était donc passée Schéhérazade ?

*

A moitié affalée sur l'encolure du cheval, les jambes molles contre les flancs de la bête qui filait à travers les dunes, Schéhérazade faisait songer à une poupée désarticulée. A chaque soubresaut, elle pestait, serrait les dents et, en dépit d'efforts héroïques, retombait lourdement sur ses fesses.

Non loin derrière elle, Karim suivait. Sans avoir besoin de se retourner (d'ailleurs l'eût-elle voulu qu'elle en aurait été tout à fait incapable), elle le savait qui devait galoper tranquillement, fier et assuré. Cette image la rendait folle de rage. Si encore il s'était contenté de la suivre en silence... Non, il y avait aussi ses éclats de rire qui ajoutaient à sa frustration. Elle avait eu beau tenter de mettre en pratique les conseils qu'il lui avait prodigués, rien n'y faisait. A aucun moment elle n'était parvenue à imposer sa loi à la bête.

A présent, Safir — c'était le nom de sa monture — ralentissait sensiblement le pas. Les soubresauts allaient s'atténuant. Ses genoux heurtaient moins violemment les flancs de l'animal. Elle n'éprouva pourtant aucun soulagement. Elle savait que l'accalmie serait de courte durée. Dans peu, sous l'impulsion du fils de Soleïman, Safir allait s'ébranler de plus belle, filer plus vite que le vent. Schéhérazade était convaincue que le garçon devait être magicien ; sinon, comment expliquer que, sans même effleurer la croupe de l'animal, il lui suffisait d'émettre une simple onomatopée, quelque chose qui rappelait le cri d'un crapaud, pour qu'aussitôt la bête s'envolât.

Le cri de crapaud ne se fit pas attendre.

Schéhérazade serra les dents. Sa monture repartit à toute allure vers l'immensité du désert.

Ce petit jeu dura jusqu'à ce que Karim décidât d'y mettre fin. Il remonta à la hauteur de Safir, agrippa les rênes et l'immobilisa.

— Alors, demanda-t-il avec un sourire malicieux, toujours autant envie d'apprendre à monter ?

Elle ne répondit pas tout de suite. Elle aurait voulu hurler, se jeter sur lui, lui lacérer les joues. L'avait-elle jamais détesté autant ? Elle lui offrit pourtant son plus beau sourire.

— C'est merveilleux.

Il plissa le front.

— Tu as vraiment aimé ?

— Rien au monde ne m'a plu autant. Nous recommencerons demain ?

Il eut l'air perplexe.

— Oui... bien sûr. Si tu y tiens...

— Parfait. Maintenant il faut que je rentre vite aider ma mère.

Karim acquiesça mollement. Il émit une nouvelle onomatopée — un claquement de langue contre son palais —, aussitôt le cheval de Schéhérazade se mit en mouvement, mais cette fois dans un trot docile.

Tout en progressant aux côtés de la fillette, il demanda :

— Ce soir vous allez fêter le nouvel an ?

— Oui, pas toi ?

— Aurais-tu oublié ? Je suis musulman. Chez nous la grande fête c'est le Eïd el-Kabir.

Schéhérazade hocha la tête d'un air entendu. Elle n'avait jamais rien compris à ces différences. Elle préféra changer de sujet.

— Comment va ton ami Papas Oglou ?

— Hier il m'a laissé accoster tout seul. Tu aurais dû être là. C'était extraordinaire.

— Si tu gouvernes la felouque en baragouinant les mêmes bruits bizarres que lorsque tu montes à cheval...

Karim se mit à rire.

— Hélas, une felouque n'a pas d'oreilles.

Le garçon reprit, sérieux :

— J'ai très peur que mon père ne découvre un jour que je n'ai pas tenu parole.

— Tu crois qu'il se doute de quelque chose ?

— Je n'en sais rien. Il vaut mieux pas.

Il y eut un bref silence. Schéhérazade laissa tomber avec un détachement feint :

— Dis-moi, pourquoi Safir réagit-il à tes gargouillis ?

— Parce que j'ai grandi avec lui. Et que tous les enfants du désert savent parler aux chevaux.

— Tu veux dire que moi je ne saurai jamais ?

— Toi tu es une princesse, Schéhérazade. Une enfant de riche habituée à vivre dans les maisons de pierre.

Elle lui jeta un coup d'œil méprisant.

— Et tu imagines que Safir le sait ?

★

Françoise Magallon joignit les mains nerveusement tandis que dame Nafissa s'efforçait de la rassurer.

— Je vais faire de mon mieux. Je vous promets que dès demain j'en parlerai à Mourad.

L'épouse du député français s'exprima avec empressement :

— Sachez que jamais je ne vous aurais importunée si M. Mure, le consul de France, n'avait laissé entendre à mon époux qu'il ne pouvait plus faire face à la situation.

— Je comprends, Françoise, je comprends. Mais n'ayez crainte, je ferai le nécessaire. D'ailleurs...

Sett Nafissa marqua une pause tout en glissant un œil espiègle vers ses amies.

— Nous les femmes disposons d'un pouvoir redoutable. N'est-il pas vrai ?

Nadia et Amira Chalhoub approuvèrent de concert.

Le dîner s'était achevé depuis une heure déjà. Schéhérazade et les jeunes gens s'étaient dispersés dans la demeure, les adultes avaient gagné la qâ'a, la grande salle de réception.

La nuit était venue, et on avait allumé les lustres et les lampes de verre. La caresse chaude des lumières s'était posée au creux des mosaïques d'ivoire et de nacre, recouvrant l'ébène des portes et le marbre de la fontaine érigée au centre de la pièce.

75

— C'est donc aussi grave que cela ? s'inquiéta Georges Chalhoub en s'adressant à Françoise.

La jeune femme eut l'air embarrassée.

— Il ne faut pas dramatiser, mais tout de même, le poids des amendes imposées aux commerçants étrangers est pénible. Tous les jours mes concitoyens subissent de nouvelles avanies. Bientôt ils ne seront plus en mesure de payer. Et Mourad bey...

Dame Nafissa l'interrompit en balayant l'air d'un geste dépité :

— Mourad bey perd la tête ! Il n'est bon qu'à crier : A moi les Mamelouks, à moi la communauté de Mohammed ! Lui et les autres s'imaginent que l'on peut indéfiniment tirer l'eau du puits sans que jamais la source ne tarisse. Ah ! Si seulement mon défunt mari, Ali bey — qu'Allah bénisse son souvenir ! —, était encore de ce monde. Je peux vous affirmer que jamais nous n'aurions connu de tels excès.

Elle se pencha vers son hôte.

— Vous qui l'avez connu, ne pensez-vous pas que j'ai raison ?

Youssef déposa délicatement sa taamira[1] sur le fourneau du narguilé.

— Sans aucun doute, sett Nafissa. Le défunt Ali bey fut un grand homme.

Il aspira quelques goulées de tabac, faisant du même coup ronronner l'eau du vase et demanda à Françoise Magallon :

— Est-il vrai qu'en raison de l'insécurité qui règne dans la capitale, le consulat français va demeurer à Alexandrie ?

— Je le pense. Il y a bientôt quatorze ans qu'il a été transféré, et il n'est toujours pas question de le

---

1. Tabac roulé en boule.

76

ramener au Caire. Remarquez, ça ne change pas grand-chose... A Alexandrie la conjoncture n'est guère meilleure.

— Quand je pense qu'il a menacé de détruire vos églises ! lança Nafissa. Mon époux a oublié que toutes les religions citées dans le Livre sont sacrées !

— Pourtant, fit remarquer Youssef en tendant la main vers un bol de pistaches, il y a cinq ans à peine les deux beys ont signé avec un certain — il parut chercher le mot — Truguet, je crois, un traité permettant aux Français de naviguer en mer Rouge. Le mari de Mme Magallon a d'ailleurs contribué largement au succès de cette affaire. Alors pourquoi ces revirements, ce serait tellement plus simple si...

— Oh ! tout cela commence à m'exaspérer ! lança Nafissa en ordonnant machinalement les plis de sa robe de soie sauvage. Comme si mon époux n'avait pas assez de mal avec les Ottomans pour se mettre à dos les puissances occidentales ! Décidément le cerveau de l'homme est bien fragile.

— Calmons-nous, fit doucement Nadia. Les eaux retourneront à leur lit... Ce soir est soir de fête. Laissons les mauvaises choses de côté, voulez-vous ? Et surtout...

Elle se tut avant de chuchoter sur le ton de la confidence :

— Aujourd'hui voici vingt-cinq ans que je suis l'honorable épouse de Youssef Chédid.

Le premier instant de surprise passé, les trois femmes se précipitèrent vers Nadia en se répandant en félicitations et vœux de toutes sortes.

— La bague ! maugréa Youssef avec une mauvaise humeur feinte. Pourquoi ne montres-tu pas à tes amies ce que m'ont coûté ces années !

— La bague ? interrogèrent simultanément Nafissa et Françoise Magallon.

— Où est-elle ? Pourquoi ne la portes-tu pas ? s'enquit Amira tout excitée.

— Parce que après vingt-cinq ans de mariage, expliqua Nadia avec une douce ironie, mon tendre époux n'a toujours pas en mémoire la finesse de mes doigts. Il faudra donc que je fasse resserrer l'anneau si je ne veux pas le porter à mon pouce. Venez, je l'ai rangée là-haut.

— Que Dieu vous donne encore mille ans de bonheur ! cria Georges Chalhoub alors que les trois femmes s'éclipsaient vers l'étage supérieur.

Il précisa pour Youssef :

— Les couples heureux sont si rares.

— Pourquoi s'en étonner ? L'homme et la femme ne sont-ils pas différents ? S'ils font partie du même luth, l'un et l'autre jouent sur deux cordes séparées. Alors...

Georges écarta un coussin et se rapprocha un peu plus de son hôte.

— Puisque nous parlons du bonheur des couples, il est un sujet dont j'aimerais t'entretenir. Il s'agit de l'avenir de nos enfants. Je veux parler de Schéhérazade et de mon fils, Michel.

Youssef inspira une longue bouffée qui fit rougir les braises incandescentes du narguilé. Savourant son plaisir, il ferma les yeux, laissant l'autre poursuivre :

— Ta fille est un être de grande qualité. Elle est belle comme une pleine lune et dans quelques années elle sera plus belle encore.

— Je te remercie, Georges. Mais je m'empresse de te rappeler que pour ce qui est des qualités, ton fils n'est pas en reste. C'est un garçon charmant. Bien éduqué. A son âge... à propos quel âge a-t-il exactement ?

Georges répondit rapidement pour ne pas perdre le fil de ses pensées :

— Il entre dans sa vingt-deuxième année... De plus,

nous les Grecs catholiques sommes bien peu de chose face aux coptes et à cet islam dominant.

— C'est vrai. Nous ne serions pas plus de quatre mille dans toute l'Egypte... Des grains de riz dans une rizière.

— Aussi j'ai songé que...

— A l'union de nos deux enfants. J'y ai pensé aussi et je m'empresse de te dire que l'idée me séduit. Néanmoins, il existe un obstacle à cette union. Schéhérazade n'est pas fille unique. Elle a une sœur. Une sœur aînée qui n'est pas encore mariée.

— Evidemment.

— D'autre part elle achève à peine ses treize ans. Nous n'allons tout de même pas imiter les illettrés qui poussent leurs enfants au mariage dès la puberté. N'est-ce pas ?

— Bien sûr, Youssef. Loin de moi cette idée. Mais j'ai cru utile d'en parler car je sais combien Michel apprécie ta fille. J'oserai même dire, combien il la vénère.

— Je m'en suis rendu compte. Il suffit d'observer la manière dont il la couve, pour n'avoir aucun doute sur ses sentiments.

Youssef tendit à son ami le tuyau enveloppé de maroquin pourpre et le chant des grillons se joignit aux glouglous du narguilé.

— Si tu veux mon avis sincère, c'est une petite insolente à ses heures.

— Comme tous les enfants de cet âge. Michel aussi a eu ses moments.

— Détrompe-toi. Schéhérazade n'est pas une enfant comme les autres. Elle méritera plus d'une fois la maison de l'obéissance[1].

---

1. Un homme mécontent de sa femme pouvait la faire enfermer dans une maison privée en ville sous la surveillance de la force publique. Métaphore courante désignant la maison conjugale.

Son interlocuteur eut l'air choqué.

— Youssef, mon frère, crache ces mots de ta bouche ! C'est une enfant admirable. Un jour elle fera une épouse exceptionnelle.

— Dieu t'entende, mon ami. Laissons faire le temps. Sache simplement qu'une fois Samira mariée, c'est avec joie que j'accorderai la main de Schéhérazade à ton fils.

— Inch Allah, fit Georges doucement.

★

Les dés roulèrent dans un furieux cliquetis sur l'un des compartiments du trictrac avant de s'immobiliser sur un double-six.

— Zut ! Flûte ! pesta Schéhérazade. Que Dieu maudisse Satan ! Je te déteste !

— Schéhérazade ! se récria Michel Chalhoub, choqué. Comment peux-tu jurer de cette façon ? Tu sais que c'est très grave ?

— Quatre doubles-six en une seule partie ! Tu devrais avoir honte !

Michel écarta les mains en signe d'impuissance.

— Ce n'est pas ma faute. C'est le hasard. Je...

— Je n'aime pas le hasard. Le trictrac n'est fondé que sur le hasard !

— Ecoute, je crois que tu exagères un peu. Ce jeu demande quand même une certaine stratégie. On ne gagne pas trois parties d'affilée simplement sur la chance.

— Oh ! que oui ! La preuve !

— Tout de même ! J'avais déjà placé la moitié de mes pions, alors que toi...

— Quatre doubles-six ! Tu te rends compte ? Tu n'aurais jamais pu gagner autrement.

De guerre lasse sans doute, mais surtout par élégance, le garçon choisit d'abdiquer.

— Tu as peut-être raison. J'ai eu beaucoup de chance.

— Oh ! pas de pitié je t'en prie ! Je sais parfaitement que tu dis ça pour me faire plaisir !

— Pas du tout. Je suis sincère.

Il prit un peu de recul et se ressaisit.

— Il n'en reste pas moins que je suis meilleur joueur que toi.

L'œil noir de Schéhérazade parut virer au violet. Elle mit les poings sur ses hanches, rejeta légèrement la tête en arrière dans un mouvement qui lui était devenu une seconde nature.

— Dans ce cas je vais te prouver la différence qu'il y a entre une victoire remportée par le hasard et une autre par l'intelligence.

Sous le regard interloqué de Michel elle se rua à l'intérieur de la maison et revint chargée d'un damier et d'une petite boîte en marqueterie. Elle disposa le tout sur le sol et désigna la boîte.

— Ici, il n'y a plus de hasard.

— A quoi veux-tu jouer ?

— Aux dames.

Le garçon sursauta.

— Dieu te garde en sa miséricorde ! C'est mon jeu favori. Mon père est un véritable champion, c'est lui qui me l'a enseigné.

— Eh bien, c'est parfait. Nous allons voir si tu as été un bon élève.

Sans plus attendre, la fillette versa les quarante pions sur le sol et commença de les ranger.

★

Au premier étage, assise sur le lit de Samira, Zobeïda trépignait littéralement.

81

Les deux jeunes filles avaient exactement le même âge, mais ce n'était pas le seul point qu'elles avaient en commun ; l'une et l'autre dégageaient la même volupté un peu grossière.

— Je n'arrive pas à y croire.

Son amie prit un air amusé :

— Remets-toi. On dirait que tu vas t'évanouir.

— Tu te rends compte ? Un janissaire ! Toi et Ali Torjmane... C'est fou...

— Pourquoi donc ? Il m'aime... et moi... disons que je l'aime bien.

— Disons que tu apprécies surtout ses qualités - elle prit un air grivois - militaires.

— En quelque sorte, fit Samira, lui rendant la même expression. Un homme en uniforme m'a toujours fait frissonner. Pas toi ?

— Oh ! que oui !

D'un air songeur elle promena ses doigts le long de ses cheveux noués en tresses, dans lesquelles s'entremêlaient de fins cordons de soie noire et de petites grappes de perles.

— Ah ! si seulement ce genre d'histoire pouvait m'arriver ! Un janissaire... Sais-tu qu'il doit être très riche ?

Samira accueillit la nouvelle sans passion.

— Le hammam que tient mon père est très fréquenté par les militaires. Je l'ai souvent entendu dire que, de tous les corps de l'armée turque, les janissaires étaient les mieux nantis.

— Et alors ? Tu ne crois pas que ma famille est suffisamment riche ? Non, j'ai une nette préférence pour ses autres avantages.

Zobeïda pouffa à nouveau :

— Toi alors... Mais reconnais quand même qu'il n'est jamais désagréable d'épouser un homme riche. En tout cas, moi, je ne demanderais pas mieux. A propos... ton père... est-ce que tu comptes lui en parler ?

— Ça ne m'enchante pas beaucoup. Mais je suis bien forcée...

Zobeïda parut surprise.

— J'attends un enfant.

Elle s'était exprimée d'une voix neutre, sans émotion.

— Quoi ! Tu en es certaine ?

— Tout à fait.

— Mais alors...

— Torjmane m'a demandé de l'épouser.

C'en était sans doute trop pour la jeune fille. Elle bondit, véritablement déboussolée.

— Dois-je rire ou pleurer ?

— Peut-être les deux ?

— Un enfant... C'est merveilleux...

Samira haussa les épaules.

— Je ne partage pas ton enthousiasme, hélas.

Elle caressa son ventre.

— Neuf mois défigurée... Une outre pleine... S'il ne tenait qu'à moi, je m'en serais bien passée.

— Tu ne crois pas que tu exagères un peu ?

— De toute façon le problème n'est pas là. C'est surtout la discussion avec mon père que j'appréhende. Tu penses bien que la nouvelle ne va pas le ravir.

— Tu comptes lui dire toute la vérité ?

— Tu n'es pas un peu folle, non ?

Zobeïda leva les yeux au ciel.

— C'est vrai, Seigneur, quelle horreur... Si le brave Youssef Chédid découvrait que sa fille est plus experte à déboutonner une tunique qu'à faire un point croisé...

— En tout cas, je sais une chose : Ali Torjmane est ma seule chance de quitter cette maison où j'étouffe depuis vingt-trois ans. Entre mon cher frère qui n'arrête pas de me faire la morale, et...

Le reste de sa phrase demeura en suspens. Un cri strident venait de résonner de la cour.

— Qu'est-ce que... c'est..., bégaya Zobeïda en portant la main à son cœur.

— Oh, rien... C'est Schéhérazade. Elle a encore dû gagner au jeu de dames...

★

La petite main s'empara d'un pion noir, qu'elle posa fermement sur un autre. Elle le déplaça avec une incroyable vélocité le long des diagonales du damier, et « mangea » les trois derniers pions de son adversaire.

— Et voilà ! jubila-t-elle. C'est ainsi que l'intelligence l'emporte sur le hasard !

Contre toute attente, Michel Chalhoub approuva avec un sourire franc.

Elle s'étonna :

— Mais... tu n'es pas en rage ?

— Pourquoi le serais-je ?

— Tu viens de perdre quatre parties d'affilée !

— Si, et alors ?

— Quand on perd, on est fou de rage, non ?

— Les autres peut-être. Pas moi... Moi, je suis heureux de voir ta joie, quand tu gagnes.

Incrédule, la fillette scruta les traits de son partenaire. Elle n'y découvrit aucune contrariété. Il avait l'air vraiment sincère.

— Tu ne serais pas un peu fou ?

— Pas du tout. On ne joue pas toujours pour gagner.

— Alors pourquoi on joue ?

— Tout simplement pour le plaisir de jouer.

Elle ferma les paupières en signe de perplexité. Apparemment le raisonnement la dépassait.

— Tu fais beaucoup de choses pour le plaisir ?

Il ne répondit pas. Il la regarda seulement un peu plus tendrement.

CHAPITRE 5

— Jamais ! Tu m'entends ! jamais !

Les traits défaits, Samira entendait la voix de son père qui résonnait comme dans un brouillard. Elle tourna la tête vers Nadia et comprit à son expression que sa mère était aussi désarmée qu'elle.

Faisant un effort pour réprimer le tremblement de ses mains elle reprit, le souffle haché :

— Je t'en prie, père. Dieu m'est témoin que je l'aime... Je...

— Tu l'aimes ! Malheureuse, ne vois-tu pas que l'excuse est pire que la faute !

Il martela la table du poing et reprit, impérieux :

— Je te le répète, il est hors de question que tu épouses cet Ali Torjmane !

— C'est parce qu'il est janissaire, c'est ça ! Une fille Chédid n'épouse pas un janissaire. Mon père peut frayer avec tous les notables de la ville, Turcs ou Mamelouks, mais pas sa famille !

Pour la première fois, Nadia se risqua à intervenir :

— Ma fille, là n'est pas le problème. Que cet homme soit janissaire ou pas, cela ne fait aucune différence. Il s'agit d'autre chose.

— Alors, pourquoi ? Dites-moi pourquoi ?

— Parce qu'il n'est pas de notre sang ! vociféra

Youssef. Tu es une chrétienne, une Grecque catholique. Il est musulman.

— Quelle importance !

— Tu n'as donc aucun principe ? Ignores-tu qu'en acceptant de faire de cet homme ton mari tu seras forcée de renier ta foi pour te convertir à l'islam ?

Il pointa un index menaçant.

— Prends garde, Samira. La colère de Dieu est terrible pour ceux qui le trahissent !

La jeune fille tendit une main vers le vide comme si elle cherchait à prendre appui quelque part.

— Père, je t'en conjure...

— Sois raisonnable. Tu es encore jeune, avec les années tu apprendras que le temps guérit de tout... même de l'amour.

— Mais, père, ne comprends-tu pas ? Je ne veux pas guérir. Je veux faire ma vie avec Ali.

Youssef la considéra gravement, tout en faisant rouler l'une des pointes de sa moustache entre le pouce et l'index.

— Viens, ordonna-t-il à son épouse. La discussion est close.

Nadia s'exécuta à contrecœur. Alors qu'ils atteignaient le seuil, Samira lança sur un ton saisissant :

— Je l'épouserai quand même !

Elle ajouta :

— Rien au monde, vous m'entendez, rien ne m'empêchera de quitter cette maison de vendus et d'être la femme d'Ali Torjmane !

Youssef fit volte-face.

— Veux-tu répéter, Samira ?

— J'épouserai Ali Torjmane. Que vous le vouliez ou pas.

— Tu as dit cette maison de vendus...

L'œil de Youssef Chédid ne voyait plus sa fille qu'à travers un rideau de brume.

— Demande à ton fils. Il saura t'expliquer bien mieux que moi.

Youssef accusa le coup sans broncher.

— C'est bon. Puisque tel est ton choix, tu seras donc la femme du janissaire. Mais sous ce toit tu ne remettras plus jamais les pieds. Il n'est plus à ta mesure. Je te déshérite, dès demain tu quitteras le domaine de Sabah.

Nadia étouffa un petit cri d'effroi.

— Non, Youssef ! C'est notre enfant ! C'est ta fille !

— *C'était* notre fille.

— Pitié pour elle. Haram[1]. Cette fois c'est moi qui te supplie. Ouvre ton cœur à l'indulgence. Elle a encore besoin de nous.

Sans s'en rendre compte, elle avait refermé ses doigts sur le bras de son mari et ses ongles s'enfonçaient dans sa peau.

— Femme... Aide ta fille à faire ses valises...

★

Samira ne partit pas le lendemain, ni les jours qui suivirent. Etait-ce l'amour de sa mère qui la retint, ou la crainte de franchir un pas qui aurait fait basculer sa vie et l'aurait exilée du même coup loin des êtres de sa chair. Il n'en demeura pas moins que la fin janvier la trouva toujours à Sabah. C'est à ce moment-là que les choses durent se décanter dans son esprit. Ses vêtements lui serraient de plus en plus la taille. Ses malaises devenaient plus fréquents. La nuit, seule dans sa chambre, il lui suffisait de frôler son ventre

---

1. Ce qui est sacré, interdit. À l'origine le mot s'employait pour désigner l'appartement des femmes : harem, et le territoire d'un lieu saint. Par extension, dans le langage populaire, haram signifie aussi « c'est un péché ».

pour en éprouver les premières rondeurs. Le 2 février, au matin, elle fit des adieux sans émotion à la famille. Il n'y eut pas de mots pour traduire la déchirure de Nadia Chédid. C'est toute vêtue de noire qu'elle accompagna sa fille jusqu'à la calèche qui attendait à l'entrée du domaine. Nabil contint son désarroi. Youssef, lui, guetta le départ de la calèche à travers le rideau des moucharabiehs. Quand elle eut disparu au bout de la route, il enfourcha Safir et fila au grand galop vers le désert. Quant à Schéhérazade, lorsque sa sœur la serra contre elle, elle ne parut pas comprendre. La seule chose qui la frappa dans ce bouleversement et qui devait par la suite tourmenter ses nuits, c'était cette phrase entendue : Une chrétienne n'épouse pas de musulman. Elle ne put s'empêcher de songer à Karim, le fils de Soleïman. Les différences pouvaient-elles être synonymes de malheur ?

Samira partie, il régna sur Sabah un climat pesant. La fillette surprit sa mère pleurant plus d'une fois et Youssef se ferma sur lui-même et n'autorisa plus que l'on mentionnât le souvenir de la sœur en allée. Souvent on le trouvait assis dehors, sous le toit de vigne, fumant son narguilé, pensif, l'œil noyé dans des volutes de fumée. Une fois, cherchant à soulager la mélancolie de son père, Schéhérazade aborda le sujet interdit. D'entre eux tous, elle seule avait pu oser.

— N'interroge pas les tombeaux sur les secrets qu'ils recèlent..., fut la seule réplique du vieil homme.

Dans les jours qui suivirent on apprit le mariage de Samira avec Ali Torjmane. Ce fut, paraît-il, une grande noce, célébrée selon les rites de l'islam, à laquelle succéda une fête où rien ne manqua.

Ce fut ensuite les premiers jours du printemps et l'odeur revenue des jasmins. L'été s'annonça plus chaud que de coutume. Les marchands de décoction de karroub et de réglisse connurent une saison bénie. Les gens aisés se gavèrent de schareb el-benefseg[1].

Vers le 5 juillet Samira donna naissance à un garçon qu'elle appela Ali, du prénom de son époux.

Le lendemain, Schéhérazade entendit parler pour la première fois de la ferme aux Roses.

— Lève-toi, mon cœur, nous partons...

Le soleil venait à peine de poindre à travers les persiennes closes. Schéhérazade battit des paupières et se souleva sur son lit.

— Que se passe-t-il ?

— Ta mère est en train de te préparer quelques affaires. Je t'emmène avec moi.

— Mais où ? Pourquoi ?

— Tu verras bien.

Un peu plus tard, sans trop comprendre ce qui lui arrivait, elle se retrouva dans la calèche familiale. Youssef déploya la capote à soufflet et prit place à son tour. Le coup sec du corbac[2] claqua sur l'échine des deux chevaux bais et l'équipage s'ébranla en direction du sud.

Le voyage dura trois jours au cours desquels la fillette découvrit une Egypte qu'elle avait ignorée jusque-là. Ils longèrent les rives poudreuses du Nil où dormaient des maisons de boue et des saules pleureurs, des bois de palmiers disséminés entre des taches de tamaris. De temps à autre, des enfants nupieds, noirs de poussière, surgissaient sur leur chemin en faisant de grands signes ou se ruaient dans

---

1. Sorbet à la violette. On dépouille les fleurs de leurs pistils, on en pétrit les pétales avec du sucre, et on laisse sécher la pâte ainsi obtenue. On la réduit ensuite en poudre fine qu'on délaye dans de l'eau.
2. Espèce de fouet très souple, fait avec de la peau de rhinocéros.

le sillage de la calèche. Aux abords des rares hameaux, des femmes entièrement drapées de noir se dénouaient gracieusement le long du fleuve ; ondulantes porteuses de cruche qui rappelaient à leur démarche le balancement lent des cyprès. La nuit, ils couchèrent à la belle étoile. Youssef lui parla bien sûr de la ferme aux Roses, baptisée ainsi à cause de la passion du grand-père Chédid pour celle qu'il appelait « la reine des fleurs ». Roses sauvages, roses rouges ou roses thé. Où que l'on se déplaçât autour de la maison ce n'était, paraît-il, que massifs inondant l'air du parfum suave, reconnaissable entre tous.

Ils dépassèrent bientôt le hameau de Dahchour à hauteur des cinq pyramides de pierre et de brique, empreintes de lointains pharaons, traversèrent la campagne étonnamment verte aux alentours du village de Nazleh jusqu'aux berges de birket el-Fayoum. Non loin du lac s'élevait la ferme.

Le soleil déclinait lorsque Youssef immobilisa les chevaux. Il saisit Schéhérazade par la taille et la souleva très haut de manière qu'elle pût embrasser la plus grande partie du paysage.

— Regarde bien ma fille... C'est ici que dorment nos racines. Cet endroit fut la première richesse de mon père.

Devinant confusément combien ce lieu avait d'importance pour Youssef, elle ouvrit grands les yeux. Presque aussitôt ce fut la déception. C'était donc ça la ferme aux Roses ? Cette maison de bois vermoulu avec ces murs prêts à vaciller au moindre coup de vent, deux ou trois feddans de terre à l'abandon cernés par une clôture rapiécée, des arbres fatigués. Certes, le site était beau. Sur la gauche, on pouvait apercevoir la lumière argentée du crépuscule qui venait s'éteindre sur la surface étale du petit lac de Fayoum. Mais là s'arrêtait l'enchantement.

Tandis que son père reposait la fillette sur le siège, elle fit un effort pour masquer son désappointement.

— Alors, n'est-ce pas magnifique ?

Elle fit oui en baissant les yeux.

— Qu'y a-t-il ? Tu n'as pas l'air convaincue.

— Si, si. C'est très beau.

Youssef fit claquer le corbac.

— Tu verras, murmura-t-il très sûr de lui. C'est un lieu magique.

La calèche commençait à rouler vers la ferme. Une brise imperceptible dispensait des senteurs atténuées, pareilles aux couleurs de cette fin de jour. Ils n'échangèrent plus un mot jusqu'à ce qu'ils fussent parvenus devant l'entrée de la propriété. Une barrière délabrée barrait le passage. Youssef sauta à terre. Il écarta les battants de la barrière qui pivotèrent avec un effroyable grincement. C'est à ce moment qu'une petite musique s'éleva dans le ciel, un air de naï[1] venu d'on ne sait où.

Schéhérazade s'étonna.

— Qu'est-ce que c'est ?

Youssef tendit l'oreille.

— Ce n'est rien... C'est le vent.

— Le vent ? Mais pas du tout, écoute...

Elle leva l'index en l'air, attentive.

Le chant se poursuivit. Léger.

— C'est quelqu'un qui joue du naï.

Elle scruta les bosquets, mais elle ne vit rien.

Youssef voulut relancer les chevaux.

— Attends ! Tu ne veux pas savoir qui...

— C'est inutile, ma fille. En vérité, voici des années que joue cette musique, et que personne n'est parvenu à savoir d'où elle vient.

---

1. Flûte.

— Mais c'est impossible ! Celui qui joue est caché quelque part.

— Sans doute. Mais je te répète, personne ne sait où. Je peux t'assurer que ce n'est pas faute d'avoir cherché, d'autant que cela se produit toujours à l'heure du crépuscule.

Tandis que la calèche roulait vers la ferme, Schéhérazade se mit à gigoter, tournant la tête dans tous les sens pour essayer de situer l'endroit où pouvait être tapi le mystérieux joueur de flûte.

— C'est tout de même incroyable... répéta-t-elle à plusieurs reprises, avec une certaine fascination.

— Je te l'ai pourtant dit. Tu ne semblais pas me croire. La ferme aux Roses est un endroit magique...

Les notes continuèrent à s'égrener dans l'air longtemps encore, bien après qu'ils eurent déballé leurs bagages.

★

Contre toute attente, sa première nuit à la ferme aux Roses l'enchanta.

A peine installé, Youssef avait ranimé un vieux poêle rouillé, puis ils étaient repartis - à pied cette fois - jusqu'au hameau de Nazleh au bord du lac de Fayoum. Ils l'atteignirent juste à temps pour assister à la rentrée des pêcheurs. Un véritable déferlement de joie salua leur arrivée, des youyous, des bénédictions, des cris de bienvenue. Certains, parmi les plus anciens du hameau, allèrent même jusqu'à chercher à baiser la main de Youssef, ce qui tout à la fois choqua Schéhérazade et la remplit de fierté. Un cercle s'était formé autour d'eux où l'on se bousculait pour mieux les voir. On questionnait Youssef sur sa longue absence. Les femmes déversaient les compliments les plus excessifs sur la beauté de Schéhérazade. On l'interrogeait sur le devenir de la ferme aux Roses. Allait-on la faire revivre ? La famille reviendrait-elle s'y installer comme au temps du vénérable grand-père Chédid ?

A toutes ces questions, Youssef répondit de manière évasive. Il distribua ensuite quelques dizaines de paras, ce qui donna lieu, bien sûr, à de nouvelles effusions. Des pêcheurs se disputèrent l'honneur de leur offrir leurs plus belles pièces. On les combla de dattes, de raisins, de melons, que l'on porta pour eux jusqu'à la ferme. Même les plus démunis avaient insisté pour leur donner ne fût-ce qu'une galette de pain. Pour Schéhérazade il ne faisait pas de doute que la générosité dont faisaient preuve ces pauvres gens, valait cent fois plus que les quelques pièces distribuées par son père. C'est sans doute ce jour-là qu'elle comprit que le petit peuple d'Egypte avait à la place du cœur un morceau de pain blanc.

Une dernière surprise, peut-être plus agréable encore, l'attendait. A la fin de leur dîner, son père commença d'apprêter une chambre pour la nuit.

— Y a-t-il un autre matelas ? s'enquit Schéhérazade.

— Pour quoi faire ? rétorqua Youssef.

Et elle comprit qu'ils dormiraient dans le même lit.

★

Le chant du naï montait vers le ciel tandis que le soleil coulait à nouveau vers le lac.

Accroupie derrière des buissons, les coudes écorchés à force d'avoir rampé parmi les rocailles, Schéhérazade avait les yeux braqués sur l'ombre qui se mouvait dans l'épaisseur du feuillage. La patience dont elle avait fait preuve au cours de ces trois derniers jours allait enfin trouver sa récompense.

La musique volait toujours. Le souffle des notes était presque palpable.

Le corps tendu, elle se rapprocha un peu plus de l'endroit où évoluait la silhouette.

— Hush ! Hush ! Felfela !

Qu'est-ce que c'était que ce cri ?

Prise de panique elle voulut prendre ses jambes à son cou, mais elle n'en eut pas le temps.

— Hush ! Hush !

Elle sentit tout à coup quelque chose qui s'agrippait à ses épaules, et son sang se glaça dans ses veines.

— Hush ! Felfela !

Elle poussa un hurlement de terreur tout en essayant de se dégager de cette chose qui maintenant s'était nouée autour de sa gorge. Ses bras battirent l'air. C'est sûr, son cœur allait exploser dans sa poitrine.

Près de sa joue, elle vit nettement un faciès brun et velu avec une bouche démesurée, des lèvres largement écartées qui laissaient entrevoir une série de dents plantées sur d'épaisses gencives rosâtres. Au-dessous d'un front presque inexistant, il y avait ces pupilles glauques dans leur globe veiné, rougi de sang.

Elle hurla à nouveau tout en s'efforçant de se débarrasser de la chose.

— Laisse-la, Felfela !

L'ordre avait claqué. La chose sauta immédiatement à terre et disparut derrière les buissons. Presque simultanément quelqu'un apparut ; un individu à la face angulaire, au sourire narquois. D'une certaine manière elle fut rassurée de constater que l'inconnu avait un aspect humain. Le sommet de son crâne disparaissait sous un épais turban, lui-même entouré d'un châle[1]. Le visage était découpé en fines lames, la

1. Mot d'origine persane. Longue pièce de mousseline de laine ou cachemire que l'on plisse et tourne plusieurs fois autour du turban.

peau sillonnée par mille ridules. Il pouvait avoir trente ou mille ans.

— Ahlane wa sahlane, ya aroussa[1].

Il s'était exprimé d'une voix graveleuse, avec un accent moqueur qui piqua au vif la fillette. En toute autre occasion sa réplique eût été cinglante. La frayeur qu'elle venait de vivre la laissait sans voix.

Il poursuivit :

— C'est Felfela qui t'a fait si peur ?

Elle voulut articuler quelque chose, mais les mots restaient au fond de sa gorge.

Il demanda goguenard :

— Tu n'as jamais vu une guenon ?

Une guenon ?

Il dut lire son étonnement, car tout aussitôt il s'écria :

— Felfela ! Ici !

En un éclair, la chose qui l'avait tant terrorisée débaula. Schéhérazade se jeta en arrière, tandis que l'homme sans âge éclatait de rire.

— Ne crains rien. Elle n'a jamais mangé personne.

Schéhérazade étudia avec incrédulité la bestiole qui piaffait, bondissait sur place tout en émettant de petits cris rauques.

Se reprenant un peu, elle réussit à murmurer :

— C'est lui qui m'a attaquée ?

— C'est elle. Je te l'ai dit, c'est une guenon. Et pour l'amour d'Allah, poupée, elle ne t'a pas attaquée. Elle a juste voulu grimper sur tes épaules.

Un peu rassurée, Schéhérazade retrouva une pointe d'arrogance.

— Elle aurait pu me tuer ! Je raconterai tout à mon père !

L'homme rit de bon cœur.

1. Sois la bienvenue, poupée.

— Qu'est-ce que tu dis, poupée ! Felfela est aussi douce qu'un agneau et aussi obéissante qu'un chien fidèle. Tiens, regarde. Je vais t'en donner la preuve sur-le-champ.

Liant le geste à la parole, il extirpa de la poche de sa galabieh le naï qu'il porta à ses lèvres, se mit à jouer quelques notes, et aussitôt l'animal cessa de tournicoter pour se figer sur place. Il y eut une autre série de sons. Felfela entama un roulé-boulé, se redressa sur ses pattes arquées et parut attendre un nouvel ordre. L'homme souffla une fois encore. L'animal se lança dans une suite de figures acrobatiques, l'une plus savante que l'autre. Hypnotisée, Schéhérazade observa le spectacle avec un émerveillement qui croissait au fur et à mesure que la guenon, réagissant aux impulsions musicales, enchaînait mouvement après mouvement. Le postérieur rebondi et rougeâtre de Felfela tournoyait dans l'air du couchant, poursuivi dans sa course par sa longue queue effilée. Il y eut une dernière séquence musicale, une note, une seule, et la bête redevint immobile.

— Je ne t'ai pas menti, n'est-ce pas ?

La fillette, encore sous le charme, secoua la tête docilement.

Il plongea sa main dans la poche de sa galabieh et en extirpa une pleine poignée de graines d'arachide.

— Tout travail mérite récompense, fit-il en déployant généreusement sa paume sous le nez de Felfela.

Schéhérazade en profita pour examiner plus sereinement l'étrange personnage. Quelque chose la frappa dans son expression : son œil gauche était blanc, éteint.

— C'est toi qui joues du naï tous les jours à l'heure du couchant ?

Il acquiesça.

— Mon père m'a dit que ça fait des années que l'on cherche à t'attraper.

— Peut-être... Comment le saurais-je puisque nul ne m'a trouvé ?

— Mais pourquoi te caches-tu ?

Il s'accroupit sur le sol et dodelina de la tête avec fatalisme.

— Quand tu seras vieille, il se peut que toi aussi tu n'attendes plus rien des hommes.

Il caressa son œil gauche.

— La moitié de ma vision est dans la nuit. Les hommes sont cruels. Seul le Tout-Puissant est miséricordieux.

Emue, elle interrogea :

— Qui t'a fait ça ?

— Un Mamelouk, un Turc, un Egyptien, quelle importance.

Il dévia le sujet.

— Tu es la fille de Youssef Chédid ?

Elle confirma.

— Je me souviens du temps où la ferme aux Roses était un coin de la Jannah[1].

— Oui. C'était quand mon grand-père y habitait.

— Magdi Chédid. Un homme sage et bon, qu'Allah bénisse sa mémoire.

Il se releva péniblement et cala son turban sur sa tête.

— Viens, Felfela, nous partons. Que la paix soit avec toi, petite-fille de Chédid.

Elle s'empressa de demander :

— Pourrai-je revenir te voir ?

— Pourquoi pas ?

— Ici, au même endroit où je t'ai trouvé ?

1. Le Paradis terrestre, l'Eden.

97

Ses lèvres s'écartèrent en un sourire indulgent.

— Disons... là où nous nous sommes trouvés.

— Tu m'apprendras à faire danser Felfela ? Je pourrais te donner de l'argent tu sais. Mon père en a beaucoup.

Il ne fit aucun commentaire, il répliqua seulement :

— Je t'apprendrai à faire danser Felfela...

Alors qu'il allait disparaître derrière les broussailles, elle l'entendit qui disait :

— Un jour, aroussa, quand toi aussi tu seras fatiguée des hommes, souviens-toi de la ferme aux Roses. C'était un coin de l'Eden.

*

Quand elle raconta à son père l'histoire du joueur de naï, il l'écouta avec intérêt. Pourtant elle aurait juré qu'il n'en avait jamais rien ignoré. Une fois qu'elle eut terminé son récit, il lui déclara :

— Si la danse d'une guenon et le chant d'une naï ont pu contribuer à te faire apprécier la ferme de ton grand-père, je serai l'homme le plus heureux de la terre.

— Mais si tu aimes tellement cet endroit, pourquoi plus personne ne s'en occupe ? Pourquoi l'avez-vous abandonné ?

— La raison d'être de cette ferme a toujours été l'agriculture. Ensuite ton grand-père s'est lancé dans le commerce du café, et la ferme a progressivement perdu sa raison d'être. Elle ne devint plus qu'un lieu de délassement où nous nous rendions seulement à l'occasion des fêtes. Lorsqu'il y a une quinzaine d'années Magdi Chédid est mort, j'avais déjà fait construire le domaine de Sabah. J'ai donc estimé qu'il était inutile et trop coûteux d'entretenir une seconde résidence. C'est Sabah qui a dévoré la ferme aux Roses.

— Mais tu as continué à y venir n'est-ce pas ?

— Chaque fois que j'ai connu un grand chagrin.

— Alors tu n'as pas dû venir souvent.

Youssef ébouriffa tendrement les cheveux de Schéhérazade.

— Peut-être, mais je ne me souviens plus. Dans ma tête il n'y a plus que les jours heureux.

— Père, pourquoi as-tu chassé Samira ?

Elle avait posé la question d'un seul coup, sans réfléchir.

Comme s'il s'y était attendu Youssef répliqua immédiatement :

— Je ne l'ai pas chassée. C'est elle qui nous a quittés. Entre mon amour et celui d'un homme indigne, elle a choisi.

— Moi aussi tu pourrais me chasser un jour ?

— Comment peux-tu dire une chose pareille !

Il lui tendit spontanément les bras et la serra contre sa poitrine.

— D'entre tous, Schéhérazade, tu es la seule qui serait incapable de faire de la peine à ton père. Je sais que le jour où tu te marieras ce sera avec un homme bien. Un homme de notre sang.

Tandis que son père parlait, ses paupières se fermaient sur l'image de Karim.

CHAPITRE 6

— Dieu soit loué, s'exclama Nadia, vous êtes de retour !

Au ton de sa voix, Youssef comprit que quelque chose de grave avait dû se passer pendant leur absence.

Il sauta à terre et marcha vers elle.

— Qu'y a-t-il ?

Elle fit semblant de ne pas avoir entendu la question et prit Schéhérazade entre ses bras.

— Alors ? fit-elle avec un détachement feint. Tu as aimé la ferme ?

— Beaucoup. Il faudra que nous y retournions tous ensemble.

— Va saluer ton frère. Il se languissait de te voir. Ensuite je m'occuperai de toi.

— J'aimerais parler à Karim avant. Je peux ?

Nadia se raidit.

— Il... Karim n'est pas là...

Le ton hésitant employé par sa mère l'intrigua.

— Où est-il ? Il ne...

La silhouette de Karim venait d'apparaître. Il leur tournait le dos et se dirigeait vers le fond du jardin.

Elle s'écria spontanément.

— Karim !

Elle voulut courir vers lui, mais Nadia la retint.

— Non, Schéhérazade. Pas maintenant.

— Qu'est-ce que ça veut dire ? Pourquoi ?

Elle essaya de se débattre.

— Non ! Je te le répète, ce n'est pas le moment. Tu le salueras plus tard. Pour l'instant il a besoin qu'on le laisse seul.

Cette fois Youssef s'inquiéta sérieusement :

— Mais enfin, que se passe-t-il, femme ?

Nadia serra Schéhérazade contre elle et laissa tomber d'une voix hachée.

— Soleïman... Soleïman est mort.

La fillette tressaillit, stupéfaite.

— Le papa de Karim !

Ce fut au tour de Youssef de s'affoler.

— Quand cela s'est-il passé ?

— Le soir même de votre départ. D'après Karim, il se serait plaint dans la nuit de douleurs à la poitrine. Avant même que le garçon n'ait eu le temps de me prévenir, le malheureux se serait effondré, sans connaissance. Lorsque je suis arrivée, il était trop tard. La vie l'avait quitté.

— Karim... hoqueta Schéhérazade...

Le visage enfoui dans la robe de sa mère, elle éclata en sanglots, tout le corps pris de tremblements.

— Calme-toi, ma fille. Dieu l'a voulu. Ce qu'Il a ôté à la vie de Soleïman il le rendra cent fois à son fils. Calme-toi.

— Je vais aller lui parler, décida Youssef, déterminé.

— Il ne veut voir personne. Je lui ai même offert l'hospitalité de notre maison. Il n'a rien voulu savoir.

— Moi, fit Schéhérazade entre deux hoquets, moi je lui parlerai.

— Tu vas rentrer avec ta mère, ordonna Youssef avec force. Tu verras Karim plus tard.

Trop bouleversée pour résister, elle se laissa entraîner docilement dans la maison.

★

La nuit avait enveloppé la salle à manger. Les globes des lampes à huile éclairaient d'une lueur laiteuse les visages de Nadia et de son époux. Nabil se racla la gorge et se versa un verre de khoushaff[1] avant de tendre la carafe à son père.

Youssef la repoussa.

— Où a-t-il pu passer ? Je ne comprends pas. Il ne doit pas avoir d'argent, en tout cas pas assez pour aller bien loin.

— Il est peut-être rentré, observa Nadia. Et nous ne l'avons pas entendu.

Elle demanda à Nabil :

— As-tu vérifié les écuries ?

— J'en viens, mère.

Youssef tendit son verre.

— Finalement j'en prendrais bien un peu.

Tout en le servant, Nabil demanda :

— Penses-tu qu'il serait capable de ne plus revenir au domaine ?

— Je n'en vois pas la raison. Après tout nous avons toujours traité Karim comme un membre de la famille. Non... Je crois que le chagrin lui a fait perdre la tête. Il reviendra, c'est sûr.

Il avala d'un seul trait son verre de khoushaff et enchaîna à l'intention de Nadia :

— Schéhérazade a fini par s'endormir ?

— La fatigue du voyage a eu raison de ses larmes. Mais Dieu qu'elle est triste !

1. Eau sucrée dans laquelle on fait bouillir des raisins, des cerises mêlées à de l'eau de rose.

— C'est naturel. Elle a grandi avec le fils de Soleïman et se sent aussi proche de lui que de moi, son frère.

— Schéhérazade n'est qu'une enfant. C'est la première fois qu'elle est confrontée à l'image de la mort. Je crois que c'est surtout cela qui l'a bouleversée. Le temps aidant, dans quelques jours elle aura oublié. Si Dieu le veut.

★

Schéhérazade écarta doucement le battant de la porte de sa chambre en faisant bien attention de ne pas faire grincer les gonds, et, sur la pointe des pieds, descendit une à une les marches qui conduisaient au rez-de-chaussé.

Elle marqua un temps d'arrêt, tendit l'oreille. Les voix familières continuaient de s'élever de la salle à manger. Alors elle s'engouffra dans le couloir qui menait au vestibule.

Le vent frais du soir s'infiltra sous sa mince chemise de nuit et la fit frissonner. Au-dessus d'elle, la pleine lune avait inondé le paysage d'une lumière ivoire, qui permettait de voir loin devant soi. Sans hésitation, elle prit la direction des écuries. Une fois là, elle attendit.

Il y eut un piétinement de sabots. Puis à nouveau le silence.

Aussitôt elle se dirigea vers la stalle qui abritait Safir, et s'arrêta devant le cheval qui à sa vue gigota le museau nerveusement. Elle écarta lentement la petite barrière de bois. Le cheval ne broncha pas. Sa patte racla seulement une ou deux fois la terre. Schéhérazade écarta doucement l'animal et fit un pas en avant. Karim était accroupi dans un coin, les genoux repliés sur sa poitrine.

Cédant à son désir, elle s'élança vers le garçon et se serra contre lui.

— Tu m'as trouvé, princesse... Comment as-tu fait ?

— Tu ne pouvais être qu'ici, ou au bord du fleuve.

Il eut un sourire forcé.

— Et maintenant ?

— Je voulais seulement te voir.

Il demanda d'une voix lointaine :

— C'était bien la ferme aux Roses ?

Elle fit oui de la tête.

Il effleura la mince chemise de nuit.

— Tu vas attraper froid.

— Non, non, ça va.

Du dehors on entendait les stridulations métalliques d'un grillon. Safir hennit et s'agita un peu.

— Viens, fit Karim. Nous le dérangeons. Pour lui il est l'heure de dormir.

Ils quittèrent l'écurie et allèrent s'installer au pied d'un dattier, hors de vue de la maison.

— Je suis désolée, dit Schéhérazade au bout d'un moment.

Elle ajouta d'une voix presque inaudible :

— Pour Soleïman.

— Maintenant qui va s'occuper de tout ça ?

— Toi, bien sûr. Qui d'autre ?

Ses lèvres s'écartèrent en un sourire triste.

— Aurais-tu oublié ce que tu me disais il y a quelques mois à peine ? *C'est Soleïman ton père qui a fait de ce jardin ce qu'il est. Toi tu n'es même pas capable de faire la différence entre un jasmin et un dattier. Tu te souviens ?*

— C'était pour rire, Karim. Je voulais juste te taquiner, mais...

— Non. Tu avais raison. Je n'y connais rien aux fleurs. Et les fleurs ne m'aiment pas.

Elle voulut protester, mais il poursuivit :

— Ce domaine mérite quelqu'un de compétent. Si je m'en occupais, Sabah deviendrait un désert. Je vais partir.

— Partir ? Mais où ?

— Retrouver le Grec.

— Papas Oglou ?

— Oui. Il m'a toujours dit que si un jour je voulais travailler pour lui, il suffirait que je frappe à sa porte.

— Il est encore commandant de la flottille de Mourad bey ?

— Il l'était il y a deux semaines.

— Karim, tu ne peux pas faire une chose pareille ! Ici c'est ta famille. Mon père m'a dit qu'il était disposé à t'héberger dans notre maison. Tu ne manquerais de rien.

— Non, princesse ! Je veux aller vers le fleuve. Dois-je te rappeler une fois encore tes propres mots ? N'est-ce pas toi qui disais : *Rien au monde ne doit vous empêcher de vivre un grand bonheur ?*

Elle se mordit les lèvres, furieuse contre elle-même. Furieuse aussi qu'il eût autant de mémoire.

— Tu ne peux pas partir. Je t'en prie. Reste pour moi.

— C'est mon bonheur que tu veux, Schéhérazade, ou le tien ?

— Je ne sais pas. Je ne vois pas la différence.

Elle relâcha sa main et dit dans un souffle :

— Si tu pars, je mourrai.

— Si je reste... je mourrai aussi. Ne peux-tu comprendre cela ?

Elle laissa tomber comme un ultime recours :

— Ton père ne l'aurait pas voulu.

Il se redressa furieux.

— Je t'interdis ! De quel droit tu...

— Pardonne-moi... je ne voulais pas.

A bout d'arguments elle se prit le visage entre les mains.

— Mais que veux-tu de moi ? s'écria-t-il exaspéré. Tu as ta vie, ta famille. Tu es riche, je suis pauvre. Je ne suis qu'un bouseux, tu me l'as souvent répété, et toi tu es fille de notable. Ne vois-tu pas que tout nous sépare ? Jamais je ne pourrai t'offrir l'existence que tu mérites, que tes parents souhaitent pour toi. Ouvre donc les yeux. Cesse de te comporter en gamine, Schéhérazade. Laisse-moi partir.

Elle se leva et le défia.

— Fils de Soleïman, si tu t'en vas, j'épouserai Michel Chalhoub.

Il redressa le menton avec mépris.

— Tu épouseras qui bon te semblera, princesse. Ce n'est pas mon problème.

Elle rejeta la tête en arrière et demeura longuement silencieuse, accusant le coup.

— Très bien, fit-elle enfin, mais au moins accorde-moi une faveur.

— Laquelle ?

— Mon anniversaire est dans une semaine. Le 27. Attends au moins jusque-là.

Il parut réfléchir.

— D'accord. Mais dès le lendemain je quitterai Sabah.

Elle le jaugea.

— J'espère que ce n'est pas une promesse de bouseux, laissa-t-elle tomber d'une voix sèche.

★

Nabil leva haut son gobelet de bière.

— Au Sang du Nil ! annonça-t-il fièrement.

Ses amis l'imitèrent.

— Au Sang du Nil !

Salah, Osman, Charif, Boutros. Nabil les avait tous invités pour l'anniversaire de Schéhérazade.

106

— Vous voyez, reprit le jeune homme, il y a quelques mois vous aviez du mal à cacher votre scepticisme. Nous n'étions alors que cinq. Aujourd'hui nous sommes une vingtaine. Je vous repose la question : doutez-vous encore que notre mouvement puisse devenir un jour une véritable force ?

— Jamais nous n'en avons douté !

— J'y ai toujours cru ! s'exclama Charif.

— Surtout lorsque tu nous as parlé de l'autre révolution ! fit remarquer Osman.

Quelqu'un éclata de rire en montrant Salah du doigt.

— Et lui qui voulait appeler notre mouvement « France » !

— C'est ça, moque-toi. Il n'empêche que c'est tout de même moi qui ai fini par trouver.

— A propos des Français, fit avec enthousiasme Nabil, savez-vous ce que certains négociants ont eu le courage de faire ? Ils ont planté un arbre qu'ils ont appelé *l'arbre de la Liberté*. Vous avez certainement dû l'apercevoir, n'est-ce pas ?

— Oui ! Je l'ai vu à l'entrée du souk de bab el-Sha'r-rieh.

— As-tu déchiffré l'inscription qu'ils y ont accrochée ?

Cette fois, Boutros fut forcé de répondre par la négative.

— « Guerre aux tyrans ! A tous les tyrans[1] ».

Un murmure admiratif parcourut le groupe.

— Bravo ! s'écria Osman, c'est ça le courage ! Ces gens nous donnent une leçon de fierté.

---

1. L'inspirateur de cette action était un certain Hippolyte Daniel. En plantant cet arbre, il se piquait d'imiter les sans-culottes de France.

— Si seulement nous avions la même audace, renchérit Salah.

— A douze contre l'artillerie ottomane et mamelouke ? ironisa Boutros.

— Il faudrait que la Hassîbeh[1] se porte à notre tête ! Salah bomba le torse avec une fierté puérile.

— Je préfère mourir à poil, mais dignement, que vivre vêtu, mais humilié !

— Soyons sérieux, suggéra Nabil.

Il baissa un peu la voix, et poursuivit sur un ton confidentiel :

— La route est longue. Il nous reste encore tout à faire. S'il faut continuer à recruter sans faiblir, cette démarche ne doit pas être une fin en soi. Je crois l'heure venue d'envisager une première forme d'action.

— Déjà ?

— Je ne vois pas très bien ce que nous pourrions faire dans l'état actuel des choses, objecta Charif. Nous sommes peut-être un peu plus nombreux et alors ?

Devant l'expression sereine de son ami, il ajouta :

— Je suppose que tu as déjà ta petite idée.

— Suivez-moi bien. A partir de ce soir, chacun d'entre nous va être chargé d'une mission. Une mission très précise, qui, bien accomplie, servira nos actions futures. Oh ! je vous rassure ! il n'est pas question de prendre d'assaut la citadelle, d'assiéger le palais des beys ou d'assassiner le pacha. Non, il s'agit d'une démarche plus subtile que je résumerai ainsi : voir, écouter, mémoriser.

---

1. L'un des surnoms attribués à Zeynab, la petite-fille du Prophète, particulièrement vénérée par le petit peuple du Caire. Elle est considérée comme faisant partie des intercesseurs qui, même après leur mort, continuent de veiller sur l'humanité.

La petite assemblée échangea un coup d'œil dubitatif.

Nabil développa :

— Dans nos familles, à l'université, dans la rue, chaque fois que l'occasion d'obtenir un renseignement, politique ou militaire, se présentera, il faudra la saisir. Nous allons devenir les yeux et les oreilles de l'Egypte.

— De l'espionnage, en quelque sorte.

— Pourquoi pas ? Oui. De l'espionnage. Il ne faudra rien négliger. Un mot, une phrase. L'information la plus anodine pourra se révéler essentielle pour la suite des événements ; qui sait même ? pour la survie de notre groupe.

— Pas bête, dit Salah. J'adhère complètement à l'idée.

— Moi aussi, fit Boutros, enthousiaste, suivi immédiatement par les deux autres.

Nabil allait poursuivre, mais il se ravisa en voyant son père qui venait de faire irruption.

— Décidément, vous êtes incorrigibles ! Vous n'avez pas quitté cette pièce depuis le début de la soirée. Je sais que c'est la plus belle de cette maison, mais tout de même...

Il poursuivit à l'égard de son fils :

— Il ne faudrait pas oublier que c'est l'anniversaire de ta sœur. On n'attend plus que vous pour souffler les bougies.Vous reprendrez plus tard vos conciliabules.

★

Vêtue d'une robe de soie blanche, ses longs cheveux noirs maintenus par deux rubans vermeils, les pieds moulés dans de petits escarpins brodés de fil d'argent, Schéhérazade était l'objet de tous les égards. Tout particulièrement ceux de Michel Chalhoub.

Elle se souleva légèrement de son siège et se pencha vers le gâteau géant sur lequel se détachait son prénom illuminé par quatorze bougies.

Son regard se déplaça le long des visages pour s'arrêter sur celui de Karim. Le garçon se tenait en retrait, l'air un peu coincé entre Nadia, Françoise Magallon et l'exubérante dame Nafissa. Il leva une main discrète et lui fit un petit signe d'encouragement.

Elle baissa les yeux et essaya de se concentrer sur les bougies.

— Vas-y ! princesse ! Souffle-les d'un seul coup !

Elle n'eut pas besoin de relever la tête pour savoir que c'était lui qui venait de parler. Submergée par un flot d'émotions, elle souffla de toutes ses forces. Les quatorze petites flammes vacillèrent et s'éteignirent presque en même temps.

CHAPITRE 7

26 juillet 1797

— Six ans..., murmura-t-elle avec incrédulité. Six ans...

Deux anniversaires demeuraient gravés dans sa mémoire. Celui de ses quatorze ans, et celui de la veille. Ses vingt ans.

Nue. Elle donna un dernier coup de peigne à ses longues mèches noires et entreprit de les nouer en chignon. Quand elle eut terminé, elle traversa la pièce éclairée par un lustre d'argent, et alla se camper devant la glace apposée contre le mur. Elle mit ses mains sur la courbe prononcée de ses hanches, contempla attentivement les lignes pures de son corps. Ses jambes étaient belles, dénouées en fuseau, hautes, à peine musclées, admirablement galbées. Ses seins avaient mûri dans une parfaite harmonie, ronds, fermes, légèrement remontés. Elle se tourna doucement, posa de profil. Tout de suite une expression de mécontentement apparut sur ses traits : cette cambrure que d'autres auraient sans doute enviée, elle la jugeait par trop excessive. Elle haussa les épaules et reporta son attention sur ses seins. C'est dans un mouvement naturel qu'elle emprisonna l'un des globes

111

dans sa paume, qu'elle en caressa le contour, effleurant à peine le mamelon et son aréole, se procurant du même coup un plaisir délicieux.

Sa main se déplaça au-dessous du galbe, glissa avec la même délicatesse jusqu'à son bas-ventre. Elle marqua une légère hésitation, qui ressemblait fort au désir retenu, avant de descendre plus bas et de se nicher dans cette tiédeur qui l'émouvait parfois et la bouleversait. Dans une caresse à l'innocence incertaine, sa main s'appuya un peu plus contre le duvet, éveillant une onde de plaisir qui la parcourut tout entière. La tiédeur de cette part secrète d'elle-même se diffusait à travers tout son être.

Elle aimait son corps de femme. Au cours de ces six années, elle en avait suivi la métamorphose dans l'œil des hommes qui lui avait apporté jour après jour la confirmation de sa beauté.

— Schéhérazade ! Nous allons être en retard !

La voix tonitruante de son père la tira de sa songerie narcissique, et elle se précipita vers les vêtements qu'Aïsha avait alignés sur le bord de son lit.

★

Lorsqu'elle fit son apparition dans la qâ'a, Michel Chalhoub ne put s'empêcher d'exprimer son admiration.

Schéhérazade tournoya gracieusement autour de lui, en prenant garde de ne pas déranger l'ordre du voile qui recouvrait partiellement ses cheveux.

— Pardonne-moi si je t'ai fait attendre, fit-elle avec un sourire éblouissant. Je te plais ?

Michel répliqua tout de suite.

— Le soleil et la lune ont trouvé leur rivale.

C'est vrai qu'elle resplendissait dans son abbaya de soie noire brodée de fils d'or. Le taïlassan immaculé

112

qui encadrait son visage faisait ressortir clairement le dessin de ses yeux bordés de khôl, le bronzage naturel de sa peau. Depuis deux ans elle ne s'habillait plus qu'à l'arabe, préférant de loin l'évanescence des tenues égyptiennes à la lourdeur chargée des robes occidentales de Mme Magallon.

Assis près de son épouse et de Nabil, Youssef déclara :

— Prends garde, Michel, de tels compliments pourraient un jour causer ta perte. Il ne faut pas donner trop de certitudes au sexe féminin.

Nabil répéta avec ironie :

— Le soleil et la lune ont trouvé leur rivale... Et moi qui m'interrogeais sur la fadeur du jour et de la nuit.

Schéhérazade toisa son frère avec une moue hautaine :

— De toute façon tu ne comprends rien aux femmes.

— Si tu veux dire que je ne sais pas les flatter, tu as raison ; j'ignore tout des femmes. La preuve : aujourd'hui à trente-deux ans passés, je n'en ai pas trouvé une seule qui ait voulu de moi.

Nadia se hâta de rassurer le jeune homme :

— Allah exaucera tes vœux, mon fils. Mais ta sœur a raison. Tu devrais peut-être faire preuve de plus de douceur envers les jeunes filles.

— Mère, je suis ce que je suis.

Schéhérazade protesta :

— C'est trop facile ! Prononcer un mot aimable ne coûte rien. Tu devrais savoir que dès qu'il sait exprimer un compliment, l'homme le plus anodin — elle précisa d'un air taquin — toi par exemple, devient tout à coup un être captivant. Or comment te comportes-tu ? Tu fais exactement l'inverse. Tu rabroues tes rares amies, tu les bouscules.

Nabil leva la main en signe d'armistice.

113

— Stop ! Pitié pour ton pauvre frère. Ne me fais pas regretter d'être des vôtres, sinon...

Schéhérazade céda immédiatement devant la menace. Bien que ce soir — Youssef étant présent — elle eût pu se passer de la compagnie de son frère, elle savait que jamais elle n'aurait pu se rendre à ses soirées qu'elle appréciait tant, sans que Nabil acceptât de jouer le rôle ingrat de chaperon.

— Tout à fait de ton avis, reconnut-elle très vite. D'ailleurs il est temps de partir. Tu viens, père ?

Youssef se leva à contrecœur.

— Tu n'as pas changé d'avis ? dit-il à son épouse. Tu ne veux pas te joindre à nous ? Tu sais, Mourad bey regrettera ton absence.

— Non. Sincèrement. Et je t'avoue que dame Nafissa, si adorable soit-elle, m'épuise un peu.

— Il y aura aussi Mme Magallon, rappela Schéhérazade.

— Cette chère Françoise... Depuis que son époux a été nommé consul général de la République française, sa tête est devenue aussi grosse qu'une pastèque.

En réalité, derrière ce désir de solitude, Schéhérazade savait qu'il se cachait autre chose. Nadia n'oubliait pas. Le souvenir de sa fille aînée demeurait toujours aussi vif dans sa mémoire. Et bien qu'elle s'évertuât à ne jamais aborder le sujet devant son époux, le nom de Samira revenait souvent à ses lèvres lorsqu'elle et Schéhérazade se retrouvaient seules.

— Bon, soupira Youssef en rectifiant la tenue de son tarbush, j'ai compris, tu n'as pas envie de sortir, un point c'est tout.

Il déposa un baiser sur le front de sa femme et donna le signal du départ.

★

La demeure de Mourad bey n'était qu'à une lieue à peine du domaine de Sabah. Dans le quartier de Qûsûn.

— C'est un véritable palais..., fit remarquer Michel Chalhoub en apercevant la bâtisse.

— Plutôt une forteresse, rectifia Nabil.

Le jeune homme exagérait à peine.

Les portes étaient armées de solides ferrures. L'enceinte formée de murs épais contenait les logements militaires des Mamelouks appartenant au bey, ainsi que des fortifications qu'il avait fait ériger afin d'être à l'abri d'une attaque surprise ou d'un mouvement de parti. La demeure centrale était bâtie en briques et en pierres, élevée sur deux étages couverts par une immense terrasse. Et la cour était assez vaste pour qu'une cinquantaine de cavaliers, des chevaux en main, deux ou trois chameaux pussent s'y mouvoir sans difficulté.

Nabil observait les moindres détails du décor avec une attention tout à fait particulière.

Lorsque six ans plus tôt il avait imposé au Sang du Nil sa première mission, il s'était efforcé de faire honneur à son rôle de chef. L'espionnage était devenu pour lui une seconde nature. Jusqu'ici force était de reconnaître que les informations glanées ne s'étaient guère révélées d'une importance capitale. En revanche, au travers de conversations, de lectures, ceux qui formaient le noyau « pensant » du groupe — dont Nabil était la pierre angulaire — interprétaient mieux les enjeux en cours, l'extraordinaire complexité du monde politique qui les entourait.

Un serviteur leur souhaita la bienvenue, les pria de le suivre jusqu'au salon où se déroulait la réception. Les quatre personnages traversèrent un jardin planté de toutes sortes d'arbres fruitiers, ils longèrent une grande galerie couverte, meublée de divans en bois de

115

cèdre où — expliqua le serviteur — il arrivait à
Mourad bey et ses amis de se délasser en fumant. Pour
l'heure, l'endroit était occupé par une dizaine de
Mamelouks en faction, armés jusqu'aux dents.

— Une résidence étonnante, mais qui fait froid
dans le dos.

— Une caserne sous des bananiers, surenchérit
Schéhérazade rebutée. Je n'en voudrais pas.

Les critiques du père et de la fille étaient d'autant
plus sévères qu'aucun des deux n'ignorait que les
puissants réservaient tout le luxe pour l'intérieur.

Une première salle succéda à une autre dallée de
marbres multicolores. Les parois étaient couvertes de
paysages peints. Les plafonds garnis de poutres appa-
rentes, peintes elles aussi.

Finalement, les quatre invités débouchèrent dans le
salon de réception, noir de monde où là aussi ce n'était
que richesse et débauches d'ornements. Des frises
couraient le long des murs. On pouvait lire sur l'une
d'entre elles une inscription gravée en lettres d'or :
« Cette demeure bénie a été élevée avec la largesse de
Dieu suprême pour Mourad bey en l'année 1778 de
l'hégire. »

Dépassée, Schéhérazade mit un temps avant de
prendre conscience que le propriétaire des lieux était
en train de la saluer.

— Pardonnez-moi, Mourad bey, mentit-elle, mais
j'étais sous le charme de toutes ces merveilles.

Le Mamelouk adopta une expression modeste :

— Les beautés de cette maison sont bien pâles
devant vous, bien-aimée fille de Chédid. Toutefois,
sachez qu'ici tout vous appartient. Exigez simplement.

Schéhérazade accueillit avec une confusion feinte
l'ostentation du bey, songeant au fond d'elle-même
que son hôte eût été bien embarrassé si elle décidait
de le prendre au mot.

Mourad bey salua successivement Youssef, à qui il donna l'accolade, Michel Chalhoub, enfin Nabil.

— Fils de Chédid. La dernière fois que je t'ai vu tu n'étais pas plus haut qu'une jeune pousse. Te voilà un véritable chêne.

Nabil remercia avec une imperceptible pointe d'ironie :

— Malgré tous mes efforts, je n'ai hélas pas pu grandir aussi vite que vous, Excellence.

Le Mamelouk partit d'un rire franc.

— Bravo... Je vois que le fils n'a rien à envier au père dans l'art de manier les mots.

Il se tourna vers Youssef.

— Tu peux être fier, mon ami. Tu as fait là de superbes enfants. Que Dieu les garde et prolonge leur vie de mille ans. Savourez les plaisirs de cette soirée. Cette maison est la vôtre.

Et à Schéhérazade :

— Fille de Chédid, permettez-moi de vous redire que jamais ce lieu n'a connu pareille beauté.

Il ajouta, mais à voix basse :

— Hélas, la laideur est aussi présente parmi mes invités, et mon devoir d'hôte m'impose de m'y consacrer aussi. Pardonnez-moi donc...

— Décidément, fit-elle en regardant le Mamelouk s'éloigner, quel personnage ! A l'image de son décor : lourd et vaniteux.

— Un vautour..., persifla Nabil... Rien qu'un vautour.

— Dois-je te rappeler, gronda Youssef, que ce n'est ni l'heure ni l'endroit...

— Pardon, père... Un oubli.

Avec sa diplomatie coutumière Michel Chalhoub dévia la conversation.

— Regardez. Les deux inséparables Ibrahim bey et Elfi bey. Lord Baldwin, le consul d'Angleterre, Saïd

117

Abou Bakr, notre gouverneur, le grand douanier, Youssef Cassab...

— Protecteur, surintendant et surtout bon conseiller des négociants français, récita Nabil. C'est vrai... Quel beau monde...

— Il faut d'ailleurs que je parle au douanier, dit Youssef. Cela fait plus d'une semaine que trois lots de tissu sont bloqués à Boulaq. Tu m'accompagnes, Schéhérazade ?

A peine le couple éloigné, Nabil chuchota :

— Dis-moi, Michel, cela ne te choque pas d'être ici présent parmi ces charognes ?

— Mon ami, je n'ai jamais eu l'intention de changer le monde. Le monde est ce qu'il est.

— Observe donc. Français, Anglais, Autrichiens, Vénitiens... Il n'est pas un seul qui n'ait souhaité ou ne souhaite s'accaparer un morceau de l'Egypte ou l'Egypte tout entière. Jusqu'à la Russie...

— Je te le répète, tout ça c'est de la politique. Une matière que j'ignore, dont je me désintéresse allégrement.

Tout à sa critique, Nabil poursuivit :

— Il y a une dizaine d'années à peine, Catherine II a délégué en Egypte un individu appelé le baron de Thonus avec mission d'inspirer aux beys de se rendre indépendants de la Porte et de se mettre sous la protection de la souveraine. L'envoyé a naturellement fait des avances à Mourad et Ibrahim. Si le premier lui opposa une fin de non-recevoir, l'autre - devant être déclaré chef de cet éventuel gouvernement - ne fut pas éloigné d'entrer dans ce projet... Une Egypte russe... Quelle bouffonnerie...

— Et comment a fini ce pauvre baron ? interrogea distraitement Michel dont la seule préoccupation était de ne pas perdre des yeux Schéhérazade.

— Emprisonné, étranglé dans une des cellules de la citadelle.

— Triste fin...

Nabil allait se lancer dans un autre discours lorsque, un peu en retrait, il aperçut Carlo Rosetti. Tout de suite quelque chose l'intrigua dans le comportement de l'agent consulaire. L'expression tendue, il gesticulait nerveusement, cherchant de toute évidence à attirer l'attention de quelqu'un. Nabil se souleva légèrement sur la pointe des pieds pour tenter de découvrir l'homme à qui ces signes s'adressaient. Il ne fut pas long à conclure qu'il s'agissait de Charles Magallon. Finalement, le nouveau consul de France finit par intercepter les appels muets du Vénitien, et Nabil vit les deux hommes qui se dirigeaient vers la sortie.

— Je crois que Schéhérazade a besoin de toi, lança-t-il fiévreusement à l'intention de Michel.

Le jeune homme eut l'air surpris :

— Si, si...

Saisissant l'amoureux de sa sœur par le bras, il l'encouragea du geste.

— Rejoins-la. Je te suis.

★

— Mais c'est extrêmement grave, s'alarma Rosetti. Vous savez ce que cela signifie, n'est-ce pas ?

Magallon acquiesça avec indifférence.

— Les beys n'auront que ce qu'ils méritent. La prolongation de cette situation scandaleuse serait outrageante pour une République qui donne des lois à l'Europe et dont le nom est la terreur des tyrans.

— Tout de même, Charles... Est-ce que cela vaut une guerre ?

Le consul parut choqué.

— Mais n'avez-vous pas conscience de ce que nous subissons depuis plus de dix ans ? Dois-je vous énumérer la liste des avanies infligées par ces deux despotes que sont Mourad et Ibrahim ?

— Je sais tout cela...

— Les capitulations ont fixé la douane à trois pour cent. Le mois passé, malgré l'intervention de Youssef Cassab, les douaniers du Caire l'ont encore augmentée par une foule de droits nouveaux dont les noms barbares ne sont connus que dans ce pays ! Chaque fois qu'ils ont besoin d'argent, les beys frappent à la porte des négociants et demandent quinze à vingt mille piastres à titre de prêt. Dois-je vous préciser que, de toutes les sommes prêtées à ce jour, aucune n'a été remboursée.

Rosetti grimaça avec impatience.

— Oui, répéta-t-il, je sais.

— Ainsi que je n'ai cessé de le clamer dans mon pays : qu'on nous ôte le titre de citoyens français ou qu'on nous en restitue les droits !

— Tout cela bien sûr vous l'avez communiqué à votre assemblée législative.

— De même qu'à Bertrand-Moleville, le ministre de la Marine, et à Verninac, envoyé de la République à Istanbul.

— Je connais par cœur le contenu de cette lettre : *La République est assez forte pour mettre à la raison quelques individus qui n'ont en partage que de l'arrogance et point de force réelle... Je te prie, citoyen, de ne pas négliger les moyens de donner l'Egypte à la France. Ce serait un des beaux cadeaux que tu puisses lui faire. Le peuple français trouverait dans cette acquisition des ressources immenses.* Néanmoins, je persiste à croire qu'une invasion de l'Egypte par les forces françaises aurait des conséquences incalculables sur le reste du monde. Sans compter la réaction d'Istanbul. Auriez-vous oublié que la France est alliée de l'Empire ottoman ? Croyez-vous que les Turcs resteront les bras croisés devant l'annexion d'une de leurs plus importantes provinces ?

— La Porte sera au contraire ravie que nous la débarrassions de cette vermine que sont les Mamelouks et les beys.

— En remerciement vous vous imaginez qu'ils vous abandonneront les richesses de l'Egypte ? Permettez-moi d'en douter fortement.

— Auront-ils le choix ?

L'agent consulaire fit une nouvelle tentative.

— Je m'adresse à votre raison : il faut dissuader vos gouvernants de se lancer dans une telle entreprise.

Charles Magallon confia d'une voix neutre :

— J'ai l'intention de rencontrer M. de Talleyrand, notre ministre des Relations extérieures, et de lui remettre un mémoire détaillé sur la situation. Ce sera à lui d'intervenir ou non auprès du Directoire[1]. Néanmoins, au risque d'anéantir vos espoirs, je sais déjà que nous avons la même vision de l'affaire.

— D'où tenez-vous cette certitude ?

— J'ai appris qu'il y a un an environ, devant un auditoire d'élite réuni dans une séance publique de l'Institut national des sciences et des arts, M. de Talleyrand a évoqué l'idée d'une expédition en Egypte. Une idée sœur de la mienne.

Rosetti murmura atterré :

— Donc tout est joué. Si Monsieur de Talleyrand est convaincu du bien-fondé d'une telle opération, il ne se trouvera personne pour le contredire. Bien plus, il convaincra la France entière.

---

1. Charles Magallon rencontrera effectivement Talleyrand quelques mois plus tard aux alentours de janvier 1798. Le ministre s'inspirera de très près du mémoire en question, et ira même jusqu'à le paraphraser dans le « Rapport au directoire exécutif sur la conquête de l'Égypte », qu'il communiquera au gouvernement le 14 février 1798, à la demande de Bonaparte.

— Vous savez aussi bien que moi qu'en politique rien n'est jamais joué. La seule chose dont je sois certain, c'est que les vexations faites aux Français doivent être réparées.

Le Vénitien explosa tout à coup :

— Allons, mon ami... Allons... Ressaisissez-vous ! La situation des commerçants pose sans doute problème. Mais ne croyez-vous pas que vous trouvez là un merveilleux prétexte pour parvenir à vos fins ? En vérité, et vous le savez parfaitement, ce n'est pas l'honneur bafoué de la France qui vous tourmente à ce point. Non, il s'agit de tout autre chose.

Il s'arrêta le temps de reprendre son souffle.

— Il m'a été communiqué une lettre datant d'il y a un an. Du 18 août, pour être précis. Elle était adressée au Directoire et signée de la main de votre petit général, Bonaparte... Une phrase m'a paru essentielle. Voudriez-vous que je vous la rappelle ?

Ignorant le refus du Français, Rosetti poursuivit, appuyant les mots :

— *Les temps ne sont pas éloignés où nous sentirons que, pour détruire véritablement l'Angleterre, il faut nous emparer de l'Egypte.*

Le diplomate conclut sèchement :

— L'Angleterre, Charles, l'Angleterre et la route des Indes. Les Indes sont le fondement de la puissance anglaise. Les Indes capturées c'est l'Angleterre à genoux. Voici la seule vérité. L'unique enjeu.

Il se tut et, fixant Magallon avec gravité, il ajouta :

— Il existe aussi un autre élément, tout aussi déterminant.

— Tiens donc ?

— Depuis qu'il est rentré d'Italie votre Bonaparte s'ennuie. Or rien n'est plus dangereux qu'un héros au chômage. Votre Directoire le sait, qui tremble qu'un jour il ne prenne sa place. On le veut toujours ailleurs.

N'importe où, mais surtout pas à Paris. Sinon pourquoi lui aurait-on donné le commandement de l'armée d'Angleterre ? Comme si une invasion des îles britanniques n'était pas une immense utopie. Votre général est peut-être un tyran en puissance, mais il n'est certainement pas stupide.

Magallon fit mine de l'interrompre, mais le Vénitien l'ignora une fois de plus.

— Il a fait semblant d'inspecter cette armée destinée à débarquer sur les côtes anglaises, mais au fond de lui c'est l'Egypte qu'il vise : « Tout s'use, ici, je n'ai déjà plus de gloire, cette petite Europe n'en fournit pas assez. Il faut aller en Orient : toutes les grandes gloires viennent de là. » N'est-ce pas là ses propres mots ? Alors soyez gentil, arrêtons de larmoyer sur le sort d'une quarantaine de cavadjas. Depuis peu, Alexandre le Grand a trouvé son double corse.

Magallon eut un petit rire ironique :

— Que de rancœur à l'égard de ce *petit général*. C'est vrai que par moments il m'arrive d'oublier que tout étant vénitien vous n'en êtes pas moins consul d'Autriche. Campo-Formio reste pour les vôtres un souvenir bien amer.

Il marqua un temps, et dit encore :

— Mais vous me plaisez, Rosetti. D'accord, jouons franc jeu. Tel fut aussi l'essentiel de mon courrier adressé au ministère de la Marine. Indépendamment de sa valeur intrinsèque, l'Egypte pourrait effectivement servir de place d'armes à une armée française qui, partie de Suez, atteindrait les Indes en quarante-cinq jours. Dix mille Français chasseraient les Anglais du Bengale. La possession de l'Egypte serait pour la France ce que l'on pourrait acquérir de plus essentiel et qui lui donnerait des avantages, dont il est bien difficile de prévoir toutes les suites.

— Nous voilà donc d'accord.

Il parut réfléchir et s'informa :

— Si je tentais d'expliquer la situation à Mourad bey ? Peut-être qu'un arrangement...

— Vous avez perdu la tête ? Ou c'est la mienne que vous voudriez voir sur le billot. Je vous ai fait confiance au nom d'une vieille amitié. Ces propos doivent rester secrets.

— Je vois...

— Vous ne direz rien, Rosetti ?

L'agent consulaire secoua la tête.

— Au nom d'une vieille amitié, comme vous dites...

Au moment où ils allaient se séparer, le Vénitien fit observer, sarcastique :

— Lorsqu'il y a cinq ans, l'*Eclair* vous a débarqué à Alexandrie, fraîchement promu consul général de la République française, Ibrahim et Mourad bey vous ont offert un accueil des plus flatteurs, n'est-ce pas ?

Magallon confirma.

— A votre place, je ne conserverais pas la pelisse d'hermine[1] qu'ils vous ont offerte, je la restituerai avant qu'apparaissent à l'horizon les premiers bâtiments de la flotte... Les Mamelouks, les Arabes en particulier sont très sensibles au sort que l'on réserve à leurs présents...

*

Abasourdi, Nabil se demanda s'il ne venait pas de rêver. Etait-ce possible ? La France envisageait d'occuper l'Egypte ? Aux Mamelouks, aux Turcs viendrait s'ajouter un nouvel envahisseur ? Et quel envahisseur... Des soldats issus de ce pays qui jusqu'à ce jour lui avait servi de symbole.

---

1. C'était la coutume d'honorer un hôte en lui offrant une pelisse d'hermine.

Et si nous baptisions notre mouvement « France »...

Jamais la suggestion de ce pauvre Salah n'avait paru si grotesque.

Il fallait que ses amis soient prévenus le plus tôt possible. Par le feu de Dieu, l'envahisseur payerait le prix du sang versé. C'est qu'ils n'étaient plus vingt à présent. Mais quatre cent cinquante.

★

La fumée des perles d'encens donnait à la pièce une atmosphère bleu pâle. Mourad bey et ses derniers invités avaient pris place autour d'un grand plateau de cuivre sur lequel on avait disposé quantité de sucreries, le nécessaire d'un narguilé.

Ibrahim bey absorba une bouffée qu'il exhala voluptueusement vers les frises du plafond.

— Fille de Chédid, susurra-t-il, vous me surprenez. Comment connaissez-vous autant de détails sur la marine fluviale de notre ami Mourad ? Le nombre de felouques qui la composent. L'origine des canons. C'est stupéfiant.

Mourad bey jeta vers Youssef Chédid un regard soupçonneux :

— Ta fille serait-elle devenue une espionne de la Porte ?

— Cela m'étonnerait beaucoup, mon seigneur. Elle n'a jamais rien compris à la politique.

Dame Nafissa protesta :

— Dites tout de suite que les femmes sont stupides, Chédid effendi !

— Loin de moi cette pensée. Néanmoins, j'insiste : ma fille ne connaît rien en cette matière.

— Mais elle s'intéresse tout de même à ma flottille, objecta Mourad bey avec malice.

Apparemment ravie du trouble apparent qu'elle

125

avait provoqué dans l'esprit du Mamelouk, Schéhérazade poursuivit avec innocence :

— Pour vous fournir en artillerie, n'auriez-vous pas fait appel à des Grecs de Zante[1] ? Ce sont eux, me semble-t-il, qui ont organisé la fonderie de canons qu'on aperçoit non loin de votre palais.

— Tout à fait remarquable.

— Quant au nombre de marins qui constituent les équipages de votre marine fluviale, il n'est pas loin de trois cents. Des Grecs pour la plupart d'entre eux, commandés par un certain Nikos. C'est bien ça ?

L'œil du Mamelouk s'écarquilla.

— Vous connaissez aussi mon ami Papas Oglou ?

— Je sais tout, Excellence. Tout...

Elle se tut avant de rectifier :

— Tout sauf une chose...

Mourad bey poussa un soupir de soulagement.

— Enfin.

— J'ignore où sont mouillés vos bateaux.

Le Mamelouk émit un petit rire franc.

— Qui cherche trop les détails de la fresque, perd la vision de l'ensemble. Vous ne savez vraiment pas où Papas Oglou range nos felouques ? Pourtant c'est ce qu'il y aurait eu de plus facile à découvrir. Tandis que de connaître le nombre de mes marins, les particularités de mon artillerie...

— Schéhérazade, s'étonna Michel, je ne savais pas que tu te passionnais autant pour les choses de la marine. Je croyais que seuls l'équitation et le jeu de dames occupaient tes pensées.

— Le jeu de dames ? s'écria Mourad bey.

1. Les trois frères Gaeta. Convertis à l'islam, ils furent aussi mamelouks. L'aîné s'était lancé en 1796, sous le patronage de Rosetti, dans l'établissement d'une artillerie pour le royaume soudanais de Darfour. Il devint le conseiller militaire du roi, tout en préparant une invasion du pays par les hommes de Mourad bey.

Il examina la jeune fille avec un intérêt nouveau.

— Vous savez vraiment y jouer ?

— Si elle sait ? ironisa Nabil. Je la soupçonne d'avoir inventé ce jeu. Avec tout le respect que je vous dois, Excellence, elle ne ferait de vous qu'une bouchée.

Le Mamelouk frappa dans ses mains.

— Un damier ! ordonna-t-il. Vite ! J'ai hâte de me mesurer avec mon égal.

Tandis qu'un serviteur s'exécutait, Schéhérazade s'exclama :

— Attendez, Mourad bey ! Il est une chose que vous devriez savoir.

— Je vous écoute.

— Je ne joue jamais pour rien.

Les prunelles de Mourad s'illuminèrent.

— Cela tombe bien. Moi non plus. Que parions-nous ?

— L'endroit où mouille votre marine fluviale.

— Elle a de la suite dans les idées ! s'écria dame Nafissa amusée.

— Tu ne crois pas que tu sollicites trop l'indulgence et la courtoisie de notre hôte, sermonna Youssef, mal à l'aise.

Il ajouta à l'égard du Mamelouk :

— Pardonnez-lui. Elle vient d'avoir vingt ans, mais elle a l'inconscience d'une enfant.

— Pas du tout. J'adore ce genre de défi.

Mourad plongea des yeux fauves dans ceux de la jeune fille.

— Semblable à une pièce d'argent, un pari a deux faces. J'assumerai le côté pile. Que sera le côté face ?

— J'ai proposé. Exigez.

Le Mamelouk glissa sa main le long de son épaisse barbe dans une attitude méditative.

— Chalhoub effendi a laissé entendre que vous

étiez aussi une cavalière émérite. Si j'emportais la partie, viendriez-vous avec moi courir dans le désert ?

— Ce n'est point un gage, Mourad bey, mais un honneur.

— Ce soir même, précisa le Mamelouk.

Youssef Chédid faillit s'étouffer.

Le regard vrillé dans celui de la jeune fille, Mourad acheva :

— Ce soir même...

Une pause, et il précisa :

— Jusqu'au matin.

Un silence succéda à ses dernières paroles, à peine dérangé par le froissement de la robe de dame Nafissa.

— Vous plaisantez, Mourad, murmura la Blanche avec un sourire forcé.

— Absolument pas, ma bien-aimée. Mais il va de soi que la fille Chédid peut annuler cette partie.

Le serviteur venait de poser le damier sur la table de cuivre.

— Blancs ou noirs ? demanda Schéhérazade.

CHAPITRE 8

— C'est impardonnable ! fulmina Youssef.

Ils avaient regagné Sabah depuis un moment déjà, ni le père ni le fils aîné ne parvenaient à maîtriser leur fureur.

Nabil renchérit :

— Es-tu seulement consciente de la situation dans laquelle tu nous aurais mis si tu avais perdu ? Y as-tu seulement songé ? Réponds !

Schéhérazade chercha un appui auprès de Michel Chalhoub, en vain.

— C'est vrai, Schéhérazade, tu as joué avec le feu. Lorsqu'il est allé à dame pour la seconde fois, j'ai bien cru la partie perdue.

— Moi aussi.

— Tu l'admets ! rugit Youssef. Une question, une seule : si Mourad bey avait remporté la troisième manche, qu'aurais-tu fait ?

La jeune fille répondit avec fatalisme.

— J'aurais honoré le pari.

— Ma fille et Mourad bey dans le désert, jusqu'au matin... Tu imagines que j'aurais pu tolérer une chose pareille alors que tu te doutes bien que le Mamelouk ne se serait pas contenté d'une simple promenade ! Mon devoir de père, l'honneur de la famille, impo-

129

saient donc que je m'oppose à une telle ignominie ! Tu vois d'ici l'affront !

Il conclut les paupières affaissées :

— De plus, tu as osé nous demander de nous rendre sur-le-champ en amont du château de Guizeh.

— Il a bien affirmé que c'était là, à six lieues de son palais, que mouillent ses bateaux. Qui pourrait faire confiance à un Mourad bey ?

Youssef se leva péniblement.

— Je vais me coucher, cela vaudra mieux car nous risquerions de nous dire les mots qui font mal. Mais avant, Schéhérazade, retiens bien ceci : la prochaine fois, si pour ton malheur il devait y avoir une prochaine fois, c'est ta tête que tu joueras, tranchée de ma propre main !

Il traversa la pièce le dos voûté ; il avait pris cent ans en quelques heures.

A peine son père sorti, Nabil reprit son invective :

— Tu vois dans quel état tu as mis ce pauvre homme ? Tu es un monstre !

Pour toute réponse, la jeune fille s'empara d'un chapelet d'ambre qu'elle se mit à égrener avec nervosité.

— Aurais-tu la mémoire aussi courte pour avoir oublié ce qu'il en a coûté à Samira de manquer à la morale ?

— Quoi ? Tu es ignoble ! Comment peux-tu comparer ce qui s'est passé ce soir avec l'attitude de ma sœur ?

— C'est pareil ! On ne badine pas avec la tradition et le respect. Devant son père par-dessus le marché ! Ne crois-tu pas qu'il a assez souffert ?

— Mesure tes mots, Nabil. Jusqu'aujourd'hui, que je sache, tu n'as jamais porté notre père en haute estime. Il n'est pas si loin le temps où tu l'accusais de *vivre à genoux*... Alors, ce n'est sûrement pas à toi de me faire la morale !

Nabil devint blême. Sa main se dressa, prête à s'abattre sur la joue de sa sœur.

Affolé, Michel s'interposa :

— Calmez-vous... Je vous en prie. Pas plus Mourad bey qu'un autre ne vaut la peine que vous vous déchiriez de cette façon. Je vous en prie.

La main resta suspendue dans l'air, puis retomba.

— Que la nuit te soit propice, fit Nabil.

Il se leva, suivi immédiatement par Michel.

— Je rentre aussi. Il est tard.

L'autre le rassura d'un geste amical.

— Tu peux rester encore un peu... Si bien sûr tu as la patience de supporter cette créature du diable.

★

— Sortons, j'étouffe...

Il la suivit jusqu'au jardin.

L'air était doux. Embaumé de fol.

— Je ne dois pas être une femme comme les autres...

Michel répondit doucement :

— Je ne le crois pas, Schéhérazade. Je pense que tu es seulement terriblement impétueuse, qu'il t'arrive de ne pas mesurer la retombée de tes actes.

— Ce que j'ai fait ce soir est donc si grave ?

— Au risque de t'exaspérer, je te répondrai que oui.

— Mais c'était un jeu. Rien qu'un jeu !

— Il est des jeux qui brûlent, Schéhérazade. Neuf ans nous séparent ; ils m'autorisent à te donner ce conseil : Joue, puisque le jeu et le goût du défi sont ta seconde nature, mais avant, assure-toi d'être la seule à en payer le prix.

La jeune fille parut se détendre. Le chapelet n'avait pas quitté ses mains. Tout en marchant elle en caressait les grains d'un mouvement saccadé.

Alors qu'ils progressaient dans le jardin, Michel en profita pour la contempler à son insu.

Pourquoi chaque battement de ses paupières lui apparaissait-il comme une chose nouvelle ? Son parfum ; le flottement du voile sur son épaule ; cette façon qu'elle avait de respirer, de bouger qui n'appartenait qu'à elle. Jusqu'à ses impatiences, ses volte-face, jusqu'à l'absence de perception qu'elle avait de l'amour qu'il éprouvait pour elle. Car il l'aimait, ô combien ! Le lui avouer ? Lui confier tout ce qu'il portait en lui depuis si longtemps ? Elle l'éconduirait sans doute ; elle en rirait. Et lorsqu'il lui arrivait de penser que même ce rire-là aurait pu l'émouvoir ou, pire encore, l'attendrir, naissait en lui l'effrayante certitude que vraiment l'amour pouvait rendre fou.

Elle venait de parler. Perdu dans ses réflexions, il n'avait pas entendu. Elle répéta la question :

— Crois-tu vraiment que la flottille de Mourad bey se trouve en amont du palais ?

★

Le jour s'était levé depuis peu.

Elle avait enfourché Safir et filait sur la route qui conduisait au Caire. Ce détour lui était imposé par la prudence. Si quelqu'un s'était avisé de la suivre, elle pourrait sans difficulté le semer à travers le dédale des ruelles.

Bientôt surgirent les minarets et, à travers les premières brumes de chaleur, les contreforts du Mokattam[1] et l'ombre austère de la kalaat el-Gabel, la citadelle érigée quelque sept cents ans plus tôt par le grand Saladin. Hier palais des sultans qui gouvernè-

---

1. Mont qui surplombe Le Caire.

rent l'Egypte, aujourd'hui lieu de cantonnement des janissaires.

Schéhérazade longea au trot l'ancien mur de Qara-qouch au cœur du quartier de Fustat, le lieu où tout commença, où selon la légende Amr ibn el-As, fier commandant des armées d'Omar, avait posé sa tente avant d'entamer la conquête de l'Egypte[1].

La ville s'éveillait lentement à grands renforts de poussière et de cris, entre les moulins à grain et les fontaines attiédies, les aveugles qui traînaient le pas et les enfants en haillons, indifférents à ces grappes de mouches qui collaient à leurs yeux.

C'est à peine si les passants échevelés prêtaient attention à ce cavalier qui tentait de les éviter dans sa course. Il en aurait été tout autrement si seulement l'un d'entre eux avait imaginé qu'il s'agissait d'une femme. Mais le voile noir qui recouvrait entièrement ses cheveux, l'autre qui dissimulait le bas de son visage, avaient métamorphosé Schéhérazade en une silhouette androgyne.

Assuré que nul n'était sur ses traces, elle fit demi-tour et reprit son chemin dans l'autre sens jusqu'à ce qu'elle se retrouvât devant le Nil, à l'endroit désigné par Mourad bey. Le Mamelouk n'avait pas menti.

A la vue des felouques alignées en rangs de deux, son cœur fit un bond dans sa poitrine. Les rênes nouées en bracelets autour de ses poignets, elle resta comme hypnotisée devant les matelots affairés.

---

1. La légende veut qu'au moment de lever le camp pour marcher vers Alexandrie, deux colombes ayant fait leur nid sur sa tente, Amr exigea qu'on la laissât sur pied jusqu'à son retour. D'abord point de ralliement des troupes victorieuses, la tente devint bientôt le centre d'une véritable ville militaire à laquelle on conserva le nom de Fustat = la tente. Sa qualité de métropole lui valut peu après d'être connue sous celui de Masr, qui servait à désigner l'Égypte tout entière.

— Hé ! Fils d'chien. Strivé[1] ! Tire ton cul d'là immédiat !

Choquée, elle chercha celui qui venait de l'agresser avec autant de vulgarité.

— T'es sourd ou c'est d'quoi ? ouste ! Ou qu'mes amis et moi allons te batafioler !

Mais qu'est-ce que c'était que ce charabia ?

L'individu, un géant de près de deux mètres, avait une étrange tête. Une tête d'assassin avec ses yeux globuleux, sa mâchoire en avant, ses joues creuses. Juste au-dessous, à droite de sa lèvre inférieure se détachait un énorme grain de beauté, une olive qui n'arrangeait rien à ce masque torturé. Un bandeau noir ceignait son front ; un long poignard pendait à sa taille. Il portait une sorte de chemise à pourpoint fendue sur la poitrine, et des cuissardes qui sentaient la mauvaise peau.

Il n'était pas seul. Une bande d'énergumènes, guère plus rassurants, l'entourait.

Schéhérazade fit un effort surhumain pour ne pas lancer sa monture dans la fuite, et prenant sa voix la plus grave elle demanda avec autorité :

— Qui es-tu pour faire la loi ? De quel droit te permets-tu d'injurier les gens ?

Le géant explosa d'un rire tonitruant.

— Qui suis-je, moi ? Et toi... de quel coin d'l'enfer tu d'barques pour ignorer Barthélemy Serra, de tous connu du nom de Grain de Grenade[2] ?

— Je ne connais ni de Barthélemy ni de Grain de Grenade. Et je ne comprends rien à ton baragouinage. Maintenant laisse-moi tranquille.

---

1. En grec : tourne. Par extension : fous l'camp.
2. Son vrai nom était Petro Saferlu. Originaire de Chios, île de la mer Égée. Son surnom arabe était une corruption de Barth le Grec, soit Barth el-roumi, qui donna en arabe Fart el-Roumann, traduit par Grain de Grenade.

L'homme fit un pas en avant et dégaina le poignard qui étincela sous le soleil.

— Je vais donc t'instruire à ton ignorance, mon frère. Ton sang t'barbouillera tous les trous d'corps.

Il tapota l'encolure du cheval.

— C'est une belle bête. Et j'm'y sais.

Au moment où il esquissait un pas de plus, Schéhérazade tira avec force sur les rênes, tout en frappant de la pointe des talons sur les flancs de Safir. Aussitôt le cheval se souleva sur ses pattes avant, manquant de renverser le géant.

— Que Dieu te déchire ! fulmina la jeune fille. Je te le répète, laisse-moi en paix !

Dans sa colère, elle avait oublié de masquer sa voix. Grain de Grenade se figea, l'œil rond.

— J'erreur, ou c'est qu'd'une femme que nous avons à faire ?

Des plaisanteries salaces fusèrent, des rires grossiers soulignés de gestes obscènes.

D'un air provocateur, Schéhérazade dénoua son voile.

— A présent toi et tes amis aurez plus de courage.

Pour bien marquer sa détermination elle sauta à terre, le menton relevé face à son adversaire.

Le trait d'audace ne parut aucunement troubler Grain de Grenade. Il vint se camper tout près d'elle. Presque nez contre nez. Elle pouvait sentir son haleine fétide, l'odeur acide qui montait de ses aisselles à travers la chemise fendue.

Un rictus aux coins des lèvres, il souleva son poignard et appuya la pointe contre le cou de la jeune fille.

— T'as p't'être l'crâne haut, mais il ne m'impressionne pas. Il n'existe pas de femme courageuse, seulement des farfelettes inconsciencieuses. Je vais t'le prouver, moi.

A son expression démente, Schéhérazade fut convaincue qu'il mettrait sa menace à exécution . Elle attendit, le corps en apnée.

— Il suffit, Barthélemy ! Laisse-la.

Une nouvelle voix venait de claquer, sèche.

— Yassou[1], salua Grain de Grenade. Tu connais de bon cette personne ?

Le nouvel arrivant affirma que oui.

— C'est une parente. C'est la fille Chédid.

Schéhérazade écarquilla les yeux. Comment cette homme savait-il son nom ?

Barthélemy loucha vers elle.

— Chédid ? Une christianne donc ?

Elle répondit par l'affirmative, supposant que par « christianne » il entendait « chrétienne ».

— Dans ce cas — Barthélemy se plia en une révérence maladroite —, m'excuse, seigneuresse. J'suis christian moi-même. Et j'la connais la charité.

Schéhérazade faillit l'interroger sur le sens qu'il donnait au mot « charité », mais elle se retint. De toute façon elle n'en avait plus rien à faire de ce fou, elle était sauvée.

Sur un signal de son chef, la bande se dispersa. Au moment où il arrivait près de celui qui était intervenu, Grain de Grenade lui lança un clin d'œil complice.

— Félicitâtes... La ragazza é la piu bella dei mounares[2].

L'inconnu fit signe qu'il approuvait, et la bande s'éclipsa.

Dès qu'ils furent seuls, le « sauveur » de Schéhérazade croisa les bras et la considéra avec une expression indicible.

---

1. Grec : salut.
2. Grec : terme trop grossier pour que la pudeur de l'auteur s'autorise à le traduire.

— Le fils de Soleïman avait raison. Vous êtes très belle.

— Vous connaissez donc Karim ?

— Si je le connais... c'est mon fils adoptif. Ou tout comme. Je me présente : Nicolas Papas Oglou. Nikos pour mes amis.

— En effet... J'ai beaucoup entendu parler de vous. Mais comment m'avez-vous reconnue ?

— Vous étiez bien chez Mourad bey hier soir ?

— Oui.

— J'étais présent aussi.

— Vous ? Mais...

— Oh ! rassurez-vous, je ne me trouvais pas parmi les invités d'honneur. Les collaborateurs du bey ont droit à des réceptions beaucoup plus modestes.

— Ça ne m'explique toujours pas.

— On est venu m'informer que la fille de Youssef Chédid s'intéressait beaucoup trop à la flottille de Son Excellence. Je me suis donc rendu dans la pièce où vous étiez réunis et je vous ai observée en toute discrétion.

— Ainsi, le bey a réellement cru que je pouvais être une espionne de la Porte ?

— Vous savez, sayyeda, nous vivons des temps difficiles. Plus personne ne sait à qui il a affaire.

— Comme ce fou qui a failli me décapiter... A propos, qui est-il ?

— Certains disent qu'il fut l'ancien artilleur d'Elfi bey ; d'autres le dresseur de chevaux de Mourad. Ce qui est certain, c'est qu'aujourd'hui il est libre et affranchi, chargé par Son Excellence de la protection de sa marine fluviale.

— Mais c'est un tueur !

Papas Oglou leva les bras en signe d'impuissance.

— De la pire espèce, je sais. Je vous l'ai dit. Nous vivons des temps difficiles.

Un temps passa, puis Papas Oglou demanda :

— Je suppose que vous désirez voir le fils de Soleïman ?

Schéhérazade baissa les yeux.

— Il... vous a parlé de moi ?

— Bien sûr. Quelque chose me dit qu'il vous aime beaucoup... Mais que voulez-vous y faire, entre deux maladies, l'homme ne devrait-il pas choisir celle qui fait le moins souffrir ? Venez. Je pense qu'il sera heureux de vous revoir.

★

— Alors, tu as failli mourir, princesse...

Elle voulu répondre, et fit simplement oui de la tête.

Cette émotion tant de fois éprouvée revenait à nouveau par vagues. Elle s'était pourtant juré de se maîtriser ; elle se haïssait pour sa faiblesse. Ces retrouvailles, elle les avait vécues, elle en avait fixé l'ordre, le temps, jusqu'aux mots qu'elle prononcerait et ceux qui seraient interdits.

Il fit un pas vers elle. Lui aussi avait changé. Sa silhouette juvénile avait cédé la place à une stature d'homme. Sa musculature s'était développée sans excès, harmonieusement, son thorax avait pris de l'ampleur, ses traits se libéraient des imprécisions de l'adolescence. Il dit encore en riant doucement :

— Je vois d'ici ce que tu as dû ressentir devant ce fou de Grain de Grenade.

Elle se taisait toujours. Elle aurait tout donné pour qu'il en fît autant, qu'il se jetât à son cou, qu'il étreignît son corps, qu'il se couchât sur elle. Même si ça ne devait être qu'un jeu ; ses lèvres collées à son oreille, il lui dirait : *Tu ne peux rien contre la puissance du lion...*

Ce fut l'inverse qui se passa. Lorsqu'il alla s'asseoir avec indifférence sur l'une des caisses alignées le long du débarcadère, la mosaïque qu'elle avait rêvée explosa d'un seul coup. Elle s'appuya contre les flancs de Safir.

— Comment va la famille ? Ton père ?

Elle prit une profonde inspiration.

— Ils vont bien. Samira s'est mariée.

— Mariée ? Quand cela ?

— Quelque temps après ton départ de Sabah.

— Un bon parti ?

Elle fit oui machinalement.

— C'est bien. Et toi ? C'est pour bientôt ?

Pouvait-elle l'étrangler ? La colère livrait bataille dans sa tête. Mais il ne la voyait donc pas ? Fallait-il qu'il soit toujours aussi sot et aveugle pour ne rien lire de son désir, ne rien entendre du tumulte qui criait dans tout son être ?

Devant son manque de réactions, il ajouta en montrant les felouques.

— Elles sont belles, n'est-ce pas ?

Elle répondit laconiquement tout en caressant la crinière de Safir.

— Oui. Mourad bey peut être fier.

Un marchand de jus de karroub venait dans leur direction en faisant tinter entre ses doigts une paire de petites cymbales argentées.

Karim proposa :

— Tu as soif ?

Sa bouche était plus sèche que le vent de khamsine, mais l'idée que quiconque puisse troubler la fragilité de leur dialogue lui était intolérable. Elle répondit que non.

Il héla le marchand.

Une sorte de gros fût de verre et de cuivre ciselé bringuebalait contre son dos. Avec une habileté naturelle, il décrocha une timbale qu'il plaça très bas, à distance du petit robinet encastré à la base du fût, et fit jaillir un long jet de karroub.

— Tu es sûre ? demanda Karim en lui tendant la timbale. Tu n'en veux vraiment pas.

Elle secoua la tête. Elle le détestait.

L'homme encaissa son dû et repartit en tintinnabulant de plus belle.

Elle demanda :

— Tu es heureux ici ?

— Ça va. La paie est bonne.

— Tu as donc réalisé ton rêve. Te voilà marin.

— Une partie de mon rêve seulement. J'aspire à autre chose. Je...

Elle le coupa.

— Oui, je sais. Qapudan pacha... Grand amiral.

Elle précisa avec une ironie à peine masquée :

— Tu vois...Je n'ai rien oublié.

Il quitta la caisse sur laquelle il était assis et marcha vers elle.

Elle se raccrocha à Safir.

A présent il était tout près d'elle. Sa main se tendit. Elle retint son souffle.

Il ne fit que poser ses doigts sur les naseaux du cheval.

Safir frétilla et se mit à racler le quai de ses sabots.

— Lui non plus n'a pas oublié, observa-t-il amusé.

Sa main se promena sur le poil de la bête.

— Tu le soignes bien.

Et si maintenant elle l'envoyait rejoindre ses felouques, ses canons, les poissons du Nil, que jamais plus il ne remonte à la surface, qu'il disparaisse de sa vue, à jamais emporté, broyé par la course des eaux ?

— Je vais rentrer, dit-elle d'une voix qu'elle ne se connaissait pas.

— Déjà ?

— Il se fait tard. Mon père ignore que je suis ici.

— Ah... Je comprends.

Il comprenait... *Avait-il jamais rien compris ?*

Elle se sentait humiliée, meurtrie dans sa chair.

Elle sauta sur le dos de Safir et empoigna les rênes fermement.

— Fils de Soleïman, je te souhaite bonne chance. Que la paix soit sur toi.

Elle lui aurait dit d'aller au diable, le ton eût été plus tendre.

Il la dévisagea, perplexe.

— Ça ne va pas ? J'ai dit quelque chose ?

— Toi ? Sais-tu seulement réfléchir ?

Il secoua la tête avec résignation.

— Toujours l'injure au bord des lèvres. Décidément, princesse, tu n'as pas changé.

— Toi non plus, fils de Soleïman : tu es toujours le bouseux que j'ai connu.

Elle se tut avant d'ajouter :

— Le 15 février, il y aura une grande fête à Sabah. Nous comptons sur ta présence.

Elle tira d'un coup sec sur les rênes, forçant Safir à faire demi-tour.

Karim s'étonna :

— Le 15 février ? Mais c'est mon anniversaire !

— Peut-être. Mais c'est surtout le jour de mon mariage avec Michel Chalhoub ! Adieu, fils de Soleïman !

Elle frappa la croupe de Safir qui s'élança droit devant.

CHAPITRE 9

Les youyous striaient l'air de la nuit, et se mêlaient au son des darboukas et des tambourins. Alignés de part et d'autre de l'allée principale, des dizaines de porte-torchère formaient un muret flamboyant qui s'allongeait jusqu'au seuil de la maison.

Les derniers invités avaient franchi depuis un moment déjà l'entrée de Sabah. Cousins, arrière-cousins. Parents plus ou moins éloignés. Surtout des tribus d'oncles et de tantes.

On n'attendait plus que les nouveaux mariés.

Ce matin même, Schéhérazade et Michel Chalhoub avaient vu leur destin scellé. Dans une robe éblouissante de dentelle immaculée, la jeune fille avait franchi au bras de son père le seuil de la petite église grecque catholique de Qoubbeh. Ensemble ils avaient parcouru la courte distance qui menait au pied de l'autel. Là, Schéhérazade avait marqué un léger temps d'hésitation avant de quitter la main de Youssef pour celle de Michel.

Radieuse, bien qu'un peu pâle sous le maquillage, elle avait offert à tous l'image d'un bonheur authentique. Seul un témoin attentif et avisé aurait peut-être su déchiffrer dans son expression une réminiscence mélancolique.

De son côté, Michel avait affiché un air serein, porté sans doute par l'absolue certitude que son amour trouverait avec le temps l'écho tant espéré.

Le couple venait d'apparaître à l'entrée du domaine. Ils avançaient sous un dais de velours pourpre. La musique redoubla, couvrant les cris d'allégresse et les applaudissements effrénés. Les youyous fusèrent de plus belle. Des pétales de roses et des pièces d'or se mirent à pleuvoir au-dessus des mariés, tandis que leurs deux visages éclairés par les flammes dansantes donnaient l'impression de se mouvoir dans un écrin d'ombre et de pastel.

Autour du couple chantaient des almées, les cheveux noués en longues tresses ruisselantes de pièces d'or -hélas fausses pour la plupart. Une danseuse, le nez percé d'un anneau, le visage fardé de rouge et de bleu, ouvrait le passage, ondulante et par moments impudique.

Deux longues files de serviteurs suivaient en retrait, qui portaient des coffres et des corbeilles emplis des présents faits à la mariée par son époux et sa famille.

— Mabrouks ! Mille mabrouks[1], lança dame Nafissa à l'intention de la mère de Schéhérazade, absolument éperdue.

Celle-ci regarda son mari. Tout de suite, sans qu'aucun d'eux eût besoin de parler, elle sut que leur cœur était habité par le même sentiment. Ce soir, si à travers cette euphorie de couleurs et de rires c'était un peu leur mariage qu'ils revivaient, une autre noce avait surgi d'un passé plus proche : celle de Samira et d'Ali Torjmane. Qu'était donc devenue leur fille aînée. Ou était-elle à cette heure ?

Schéhérazade progressait toujours le long des haies d'honneur. De temps à autre elle saluait de la tête

1. Expression très populaire en Égypte qui signifie : félicitations.

quelqu'un de familier, rendait un sourire, remerciait d'un petit signe pour les souhaits de toutes sortes qu'on ne cessait de lui prodiguer. La pluie de pétales et d'or avait formé un tapis sous leurs pas et le rythme endiablé des darboukas cognait de plus en plus vite l'air de la nuit.

Dans un geste fraternel, Nabil passa son bras autour des épaules de Karim.

— Je n'arrive pas à y croire. Jamais je n'aurais imaginé voir ma peste de sœur mariée. J'étais convaincu que son caractère aurait fait fuir le plus amoureux des prétendants.

Le fils de Soleïman ne fit aucun commentaire. Nabil ajouta :

— Il faut reconnaître que Michel est un saint homme. Tu sais ce qu'on dit dans ce cas : « La casserole a trouvé son couvercle. »

Il eut un petit rire :

— Si elle m'entendait...

Karim adopta une moue de circonstance, mais ne répondit toujours rien.

Nabil et lui se tenaient à l'entrée de la demeure, derrière le dernier porte-flambeau. Dans quelques instants les mariés seraient tout près d'eux.

— C'est bien d'être venu. Elle va être heureuse de te voir. Sais-tu qu'elle t'aimait beaucoup lorsque vous étiez plus jeunes ? Je crois même qu'elle avait un petit faible pour toi... Mais qu'y a-t-il ? Tu as perdu ta langue ?

Le fils de Soleïman essaya de répondre, mais aucun mot ne venait à son esprit. Qu'avait-il donc ? Il se sentait ridicule. Gauche. D'où lui venait cette sensation de malaise ? Comme si une main avait emprisonné son cœur, et le serrait jusqu'à l'empêcher de battre.

Elle n'était pas de son monde, il le savait ; ses rêves ne rejoindraient jamais les siens. Elle n'était pas de son univers. Pourtant, ce soir, quelque chose bougeait au fond de lui qu'il ne comprenait pas.

Tu dis toujours que je suis sotte ; mais il n'y a pas plus stupide que toi...

Tout à coup il trouva au son des tambourins une résonance métallique, froide ; et les darboukas lui rappelèrent les roulements de tambour qu'on entend parfois aux funérailles des notables.

— Elle est rayonnante...

Il leva les yeux. Schéhérazade était à un souffle de lui. La robe de dentelle le frôla presque, l'air porta son parfum jusqu'à ses narines et lui donna le vertige. Il crut qu'elle ralentissait le pas, ce n'était qu'un effet de son imagination. Elle poursuivait son chemin. Il était pourtant certain qu'elle l'avait aperçu. Il ne pouvait pas avoir échappé à sa vue. Elle pénétra dans la maison, poursuivie par le flot désordonné des invités. La marée s'engouffra derrière elle, balayant tout sur son passage.

★

Youssef prit la main de son gendre et l'étreignit avec force.

— Je suis fier, mon fils. Rends-la heureuse.

— C'est mon seul désir. Je ne souhaite rien d'autre au monde que d'offrir à Schéhérazade un peu du bonheur que vous avez su si bien lui donner.

— Et faites-nous un bel héritier ! lança le père de Michel. Un mâle, fort et courageux.

— Pourquoi un mâle ? protesta dame Nafissa en piochant une konafa[1] engorgée de pistaches. Vous les hommes ne cesserez donc jamais de penser que la

---

1. Pâtisserie. Pâte fibreuse ayant l'aspect de vermicelles, obtenus par aspersion sur une plaque chaude.

naissance d'une fille est une offense à votre virilité ?
C'est incroyable tout de même !

— Un mâle d'abord, insista avec orgueil Georges
Chalhoub. Ensuite nous verrons.

— Les hommes sont têtus, commenta son épouse.

— L'intéressée ! Si nous demandions l'opinion de
l'intéressée ? s'exclama avec un peu trop d'exubérance Françoise Magallon.

La Française venue en compagnie de son époux
paraissait quelque peu éméchée.

Schéhérazade laissa tomber avec indifférence :

— Je crois que je préférerais un garçon.

Georges Chalhoub applaudit spontanément, imité
par tous les hommes présents à table.

— Bravo, ma fille ! Bravo... Tu es bien la digne
enfant des Chédid.

— Soit, fit Michel en levant son verre, puisque tel
est le désir de ma princesse, nous aurons donc un
enfant mâle.

Karim, assis en bout de table, crut qu'une lame
chauffée à blanc venait de toucher sa chair. Ce mot prononcé par une autre bouche ressemblait à un pillage,
on saccageait le jardin de Sabah. *Princesse*... N'était-ce
pas lui et lui seul qui avait le droit de l'appeler ainsi. Il
fixa intensément la jeune fille dans l'espoir qu'elle réagirait ne fût-ce que par un simple battement de cils.

Il vit qu'elle levait sa coupe à son tour.

— A l'héritier ! clama-t-elle d'une voix forte en faisant tinter discrètement son verre contre celui de son
mari.

Elle invita l'assemblée à l'imiter.

Après avoir vidé la coupe d'un trait, elle la reposa
devant elle et, sans raison apparente, se mit à rire aux
éclats.

— Alors, Karim ! Tu ne bois pas à la santé du futur
bébé ? s'étonna Amira Chalhoub.

Pris au dépourvu, le fils de Soleïman sursauta.

— Si, si, j'ai bu..., répliqua-t-il avec une expression empruntée.

— Alors tu as juste trempé tes lèvres, fit remarquer Nabil en désignant d'un air taquin la coupe de Karim encore pleine.

Avec une mauvaise foi évidente, le jeune homme répéta :

— Si... si... j'ai bu.

— Notre jeune ami est peut-être l'un de ces soufis[1] ? fit Charles Magallon, amusé.

Quelqu'un se mit à glousser. Il sentait toutes les têtes tournées vers lui. Il aurait voulu que la terre s'entrouvre. Il n'aimait pas ces gens, il n'avait rien de commun avec eux. C'est l'argent et la puissance qui leur donnaient cette arrogance. L'idée de se lever et de quitter la table traversa son esprit. Non. Un jour viendrait où lui aussi serait grand, où lui aussi s'approcherait des étoiles, et ce serait avec crainte et dignité que le fils de Soleïman serait considéré.

— Pardonnez-moi, mais il est une chose que vous semblez oublier, Karim est un enfant de l'islam.

Il reconnut la voix de Schéhérazade qui concluait :

— Un croyant ne boit pas de vin.

Elle s'était exprimée avec une telle ferveur qu'une certaine gêne envahit la petite assemblée.

Youssef Chédid jugea opportun d'intervenir à son tour :

— Mais laissez donc ce jeune homme tranquille ! S'il préfère l'eau au vin c'est son droit.

Et il révéla avec gentillesse :

— Il est marin, ne l'oublions pas !

— Au service de Mourad bey, précisa dame Nafissa avec ostentation.

1. Sorte d'ascètes dans la religion islamique.

147

Schéhérazade reprit sur le même ton que tout à l'heure :

— Et un jour il sera Qapudan pacha.

Karim la dévisagea. Il s'était attendu à trouver dans ses yeux de la moquerie ; à son grand étonnement il ne vit que de la sincérité, voire même une lueur affectueuse.

— Mais, mon enfant, l'Egypte n'a pas de marine.

— Schéhérazade exagère peut-être, fit amira Chalhoub dubitative. Amiral...

— Ou alors, pouffa Françoise Magallon, peut-être amiral d'un troupeau de dromadaires ? Après tout, n'appelle-t-on pas ces bêtes « les vaisseaux du désert » ?

Apparemment enchantée de son bon mot, elle partit d'un rire sonore et saccadé.

Nabil lui jeta un coup d'œil méprisant.

Charles Magallon s'interrogea dans une attitude affétée :

— Peut-être notre ami parle-t-il de la marine française, ou turque ? Après tout...

Nabil bondit littéralement de son siège.

— Non, monsieur le Consul ! Egyptienne ! Une marine et des amiraux égyptiens ! C'est cela que sous-entend Karim.

S'emparant prestement d'une carafe, il se versa une large rasade et leva son verre en s'inclinant devant Karim.

— Mon ami... A toi... A l'Egypte, à sa marine, à notre premier Qapudan !

Touché par la réaction du jeune homme, Karim se leva et dit d'une voix forte :

— A Schéhérazade !

★

Mourad bey ne fit son apparition que beaucoup plus tard dans la nuit.

148

La plupart des hôtes avaient regagné Le Caire. Charles Magallon avait pratiquement dû porter son épouse complètement noyée dans les brumes de l'alcool ; le lendemain ils reprendraient la route d'Alexandrie. Karim avait tout de suite disparu après que les jeunes époux eurent découpé le traditionnel gâteau des mariés. Il ne restait plus à Sabah que les intimes.

On avait servi au Mamelouk un narguilé sur lequel il tirait nerveusement depuis son arrivée. Il eût été inutile de l'interroger sur son humeur. Ses gestes saccadés, son front soucieux, traduisaient largement son état d'âme. Il n'était pas venu seul. Un autre Mamelouk l'accompagnait : Elfi bey. Tout juste la quarantaine, gras et rond, il avait été l'esclave de Mourad, qui s'en était rendu acquéreur en échange de mille ardabs de grain, d'où son surnom d'Elfi[1]. Une fois affranchi, l'ascension de cet ancien esclave avait été fulgurante. Pour preuve, le palais somptueux qu'il s'était fait construire quelques mois plus tôt sur la rive ouest de l'Ezbekieh et dont on disait qu'il rivalisait en splendeur avec celui du sultan Sélim III.

Youssef essaya de détendre l'atmosphère.

— Alors, Mourad bey. Conduirez-vous la caravane[2] cette année ?

— Douze millions de paras dépensés pour cette mascarade, grommela le bey. Quarante mille personnes, un millier de soldats, tout ça pour transporter un voile[3] jusqu'à La Mecque.

1. Mille en arabe se dit alf. Par extension elfi. D'où le surnom du bey.
2. Sous-entendu la caravane du pèlerinage de La Mecque.
3. Le palanquin du pèlerinage, « mahmal », était promené à dos de chameau à travers les rues du Caire à l'occasion du départ pour La Mecque. Il transportait le grand voile en soie noire fabriqué en Égypte, renouvelé chaque année, destiné à habiller la Ka'ba, le sanctuaire. Ces fêtes qui dataient du XIIIe siècle ont été supprimées en 1952.

Youssef eut l'air consterné. C'était la première fois qu'il entendait ainsi critiquer le pèlerinage sacré entre tous ; plus grave encore, de la bouche même d'un musulman aussi important que Mourad bey.

— La stupidité des religieux mène à tout, ajouta le Mamelouk. Un jour j'aurai définitivement la peau de ces ulamâs.

— Les ulamâs ? Mais que vous ont-ils fait, Excellence, s'enquit Nabil avec un intérêt soudain. Je vous concède que leur prestige est considérable, mais tout de même ce ne sont que de simples fonctionnaires.

— C'est ça, ricana Elfi bey en happant quelques pistaches. De simples fonctionnaires, qui contrôlent les waqfs[1], qui sont partie prenante de l'exploitation des iltizams[2], qui s'allient aux grands commerçants et — je le reconnais hélas — même avec certains d'entre nous, pour former une véritable classe dirigeante ! Ils ne valent guère mieux que les chiens turcs !

— Ils ont pourtant bonne réputation, risqua Nabil. Ne dit-on pas que nous leur devons une renaissance intellectuelle ? Sous leur impulsion, la culture islamique classique n'est-elle pas revenue à l'honneur. Certains d'entre eux ne sont-ils pas des savants ?

Mourad, qui allait reprendre une bouffée de narguilé, suspendit son geste.

— Fils de Chédid, je m'étonne de tes propos. Ignores-tu qu'il y a cinq ans à peine ces savants ont

---

1. Fondations pieuses chargées de financer toutes les activités religieuses de la société.
2. Système créé au XVIe siècle par les Ottomans dans le but d'exploiter administrativement l'Égypte agricole par le biais d'un concessionnaire fiscal (le multazim), lequel recevait l'usufruit d'une portion du domaine public. L'iltizam se transformera au cours du XVIIe siècle en quasi-propriété privée au profit du seul concessionnaire, et le produit des redevances prélevées sur les paysans sera multiplié par quatre.

soulevé les paysans contre moi, que j'ai dû affronter leur révolte. Sous ma fenêtre ! Aux portes de ma demeure, ils gesticulaient comme des singes, ils criaient.

Il récita :

— « Conformément aux volontés de nos seigneurs les ulamâs, toutes les iniquités et les impositions sont abolies dans le royaume des terres d'Egypte ! » Voilà ce que mes oreilles ont dû supporter à cause de ces savants !

— Calmez-vous, Mourad bey, s'affola Nadia Chédid. Vous vous faites du mauvais sang pour rien.

— Ma mère a raison, approuva Schéhérazade. Il vaudrait mieux conserver votre énergie pour des heures plus agréables... Des parties de dames par exemple.

Le Mamelouk cilla. Ses traits se détendirent.

— Des parties de dames, certainement. Mais dont je sortirais gagnant. Ce qui serait bien mieux encore.

Il s'inclina doucereusement en avant, cherchant à saisir la main de Schéhérazade.

Michel Chalhoub fut le plus rapide.

— Au risque de vous décevoir, mes seigneurs, nous allons être obligés de nous retirer.

— Déjà ? Mais nous venons tout juste d'arriver. Ne pensez-vous pas que...

Schéhérazade l'interrompit.

— Excellence... c'est notre nuit de noces. L'auriez-vous oublié ?

Mourad bey leva les bras au ciel et quitta le divan, affolé.

— Impardonnable ! Qu'Allah me déchire. Comment n'y ai-je pas songé ! Votre nuit de noces...

Il fixa avec outrance la jeune fille.

— J'implore votre indulgence.

— Elle vous est acquise, Mourad bey.

151

— M'accorderez-vous un instant. L'éclair d'un instant ?

Schéhérazade parut hésiter.

— J'aimerais vous remettre un modeste présent.

Elle jeta un coup d'œil interrogatif vers Michel, qui lui fit signe d'accepter.

— Si tel est votre souhait, dit-elle doucement.

A peine eut-elle formulé son acquiescement que le Mamelouk se rua à l'extérieur de la maison. Lorsqu'il ressurgit il était accompagné de plusieurs soldats. Deux d'entre eux ployaient sous le poids d'un coffre d'ébène. Le troisième portait une balance de taille impressionnante.

Des ordres claquèrent. Le fléau installé, Mourad saisit la main de Schéhérazade et, faisant fi de ses protestations, l'invita à s'asseoir sur l'un des plateaux.

Il frappa dans ses mains. Un soldat descella le couvercle du coffre qui se rabattit avec fracas, laissant apparaître sous les regards ébahis le fabuleux éclat de milliers de pierres précieuses.

— Votre poids en pierreries ! cria le Mamelouk emphatique.

Il commanda à l'un des soldats :

— Versez ! Versez jusqu'à ce que les deux plateaux se trouvent absolument à niveau.

L'homme s'exécuta sur-le-champ. Plongeant ses mains dans le coffre, il les ressortit gonflées de diamants, de rubis, d'émeraudes, qui roulèrent dans un crissement feutré sur le plateau demeuré vide de la balance.

— Mourad bey, c'est de la folie ! se récrièrent presque en même temps Amira Chalhoub et Nadia.

De son côté, Elfi, paupières mi-closes, paraissait complètement absent. Quant à Youssef, il se contentait d'observer la scène avec une curiosité amusée.

Sous les premiers effets du contrepoids, insensiblement, le fléau commença à osciller. Bientôt, dans la lumière jaunâtre des lampes, topazes et lapis-lazuli, saphirs et turquoises formèrent une pyramide étince-lante, des bris de soleil, qui jetaient des feux dans le coin du salon.

Il fallut longtemps pour que le fléau s'immobilise en un trait parfaitement horizontal. Alors seulement Mourad bey fit signe au soldat d'arrêter.

Le Mamelouk s'approcha du coffre d'ébène. Il avait été vidé aux trois quarts. Une expression désappointée se traduisit sur son visage.

— C'est tout ? Bien-aimée Schéhérazade, vous êtes bien frêle. C'est Elfi bey qui aurait dû prendre votre place. Qu'à cela ne tienne. Nous allons remédier à cela.

Il tendit la main vers la jeune fille et l'aida à descendre du plateau.

— Voyez, il reste tout juste le poids d'un nouveau-né. Nous ne savons pas ce que l'avenir me réserve. Aussi permettez-moi d'anticiper. Le restant des pierres appartient désormais à votre futur enfant. Que le Maître des Mondes lui accorde bonheur et santé.

Le lendemain matin, Youssef — qui à aucun moment n'avait été dupe — eut le triste privilège d'annoncer à la famille que le trésor fabuleux offert par le Mamelouk ne valait guère plus que de la vul-gaire verroterie. Il fallut toute la patience et la diplo-matie de Michel pour apaiser l'état de fureur indes-criptible dans lequel entra Schéhérazade. Si on ne l'avait pas retenue, elle aurait sans doute déboulé chez le Mamelouk pour lui faire manger ses pierres une à une.

★

Aux premières heures d'avril, elle sut qu'elle était enceinte. Elle en fut effrayée autant qu'émerveillée. Une vie allait grandir, frémir au fond d'elle, se couler dans un invisible moule et surgir un jour de son ventre dans une forme extraordinairement achevée, qui ne serait rien de moins qu'une partie d'elle-même, Schéhérazade.

Ainsi qu'il avait été prévu, Michel Chalhoub avait emménagé à Sabah. Le même jour, Youssef avait fait venir un scribe, et à la nuit tombée le domaine était devenu à titre de dot, propriété de son gendre et de sa fille. La ferme aux Roses irait à Nabil.

— J'espère que vous ferez bon usage de cette terre, avait recommandé Youssef. Je n'aimerais pas qu'après ma mort — le plus tard possible, inch Allah — Sabah se fane et perde de sa beauté. Conservez précieusement ce domaine. Conservez-le quoi qu'il advienne. L'or, l'argent, les pierres — ses lèvres s'écartèrent en un large sourire moqueur —, surtout celles de Mourad bey, peuvent perdre leur valeur. La gloire est éphémère et peut s'éteindre au premier couchant. La terre, elle, demeure envers et contre tout.

Le printemps arriva. Schéhérazade entrait dans son troisième mois. Si tout se passait bien, elle accoucherait aux alentours de décembre. Peut-être même à Noël. Et cette idée l'enchantait.

Parfois, lorsque le soir fondait entre les palmiers centenaires du domaine, elle allait s'asseoir sur les marches de l'entrée et laissait son esprit vagabonder vers ces détours du destin qui l'avaient poussée à lier son existence à celle de Michel.

C'était un être merveilleux. Dans son âme il n'y avait de place que pour la tolérance et la bonté. Indiscutablement, un être rare. Mais alors, mon Dieu, pourquoi ne parvenait-elle toujours pas à l'aimer aussi fortement que lui l'aimait, ou s'approcher ne fût-ce qu'à mi-chemin de son amour. Pourquoi ne possédait-elle pas cette faculté qu'il avait de donner, intensément, sans limites. Les mois passant se révélait en elle une frustration secrète qui l'amenait à croire en son incapacité de vibrer pour tout autre qui ne serait pas Karim. Elle se haïssait pour cela. Elle se méprisait surtout pour son incompétence à savoir étouffer une fois pour toutes ces réminiscences qui dérangeaient son cœur. Elle luttait pourtant. Elle luttait de toutes ses forces.

Aux premiers jours de mai elle fut prise de malaises et l'on eut très peur pour l'enfant. Un médecin appelé d'urgence ordonna un repos formel. Dès lors elle demeura couchée et ne quitta plus sa chambre qu'épisodiquement.

Tout naturellement la solitude de son lit ne fit que raviver ses réflexions. Maintenant c'étaient les images de sa nuit de noces qui lui revenaient par vagues. Le corps de Michel sur son corps. La moiteur de l'air enveloppant la chambre grise, qu'éclairait à peine un chandelier. Cette bouche qui avait pris la sienne, tendrement il est vrai, mais sans lui procurer ni trouble ni bien-être. Elle avait entrouvert les cuisses dans un mouvement naturel, le même qu'il lui était arrivé de commettre certains soirs, toute seule, et qui la poussait si fortement à toucher ce point de source d'où montaient ses plaisirs.

Dans ces caresses solitaires elle avait toujours eu la prescience d'un manque indicible. La vision d'un voilier qui naviguerait sans voiles, que seul un homme comblerait.

Michel entra en elle. Elle n'éprouva rien. Ni douleur ni contentement. Juste une brûlure furtive. Elle entendit qu'il lui disait qu'il l'aimait, qu'elle était sa fleur, son adorée. Son souffle fit vaciller la flamme jaunâtre des chandeliers. Il se détacha d'elle. Quand

155

elle se releva, le drap était maculé de quelques gouttes de sang. Pourquoi pensa-t-elle à ce moment précis à la ferme aux Roses ?

Allongée sur son lit, elle se retourna sur le côté et chercha une fois de plus à faire le vide dans sa tête.

Et si ses luttes ne servaient à rien ? S'il existait en un endroit secret de son esprit quelque chose de maladif qui l'encourageait à entretenir indéfiniment le souvenir ; comme si, une fois ce souvenir abrogé, sa vie n'était plus qu'un immense désert.

Nous étions le 19 mai 1798. Pour certains, le 30 floréal.

Le sommeil a enfin eu raison des batailles que se livre l'esprit de Schéhérazade. Elle s'évade vers des aubes plus tranquilles.

Dans le même instant, à des milliers de milles de la nuit de Sabah, une flotte de guerre quitte le port de Toulon. 13 vaisseaux, 7 frégates, 8 bricks et avisos, 6 tartanes canonnières, 4 bombardes, en composent l'essentiel. Le nombre total des bâtiments approche les trois cents.

A la tête de ces navires, l'*Orient* armé de 118 canons ; à son bord un modeste soldat, François Martin Noël Bernoyer, chef de l'atelier d'habillement de l'armée d'Egypte[1], ainsi qu'un général : Bonaparte.

Sur leur passage on ne voit plus la mer, mais seulement des vaisseaux et le ciel.

Quarante mille hommes sont en route pour porter le feu et le sang sur la terre de Pharaon.

---

1. François Bernoyer nous a laissé 19 lettres, envoyées à sa femme et à son cousin. Ces lettres ont été retrouvées et présentées par Christian Tortel (collection Le Temps traversé, éditions Curandera).

Deuxième partie

CHAPITRE 10

« Il n'y a pas d'autre dieu que Dieu, il n'a pas de fils ni d'associé dans son règne.

« De la part de la République française fondée sur la base de la liberté et l'égalité, le général Bonaparte chef de l'armée française fait savoir au peuple d'Egypte que depuis trop longtemps les beys qui gouvernent ce pays insultent la nation française et couvrent ses négociants d'avanies : l'heure de leur châtiment est arrivée.

« Depuis trop longtemps ce ramassis d'esclaves achetés dans le Caucase et la Géorgie tyrannise la plus belle partie du monde ; mais Dieu le Seigneur des Mondes, le Tout-Puissant, a ordonné que leur empire finît.

« Egyptiens, on vous dira que je viens pour détruire votre religion ; c'est un mensonge, ne le croyez pas ! Répondez que je viens vous restituer vos droits, punir les usurpateurs ; que je respecte plus que les Mamelouks, Dieu, son prophète Mohammed et le glorieux Coran.

« Dites-leur que tous les hommes sont égaux devant Dieu ; la sagesse, les talents et les vertus mettent seuls de la différence entre eux.

« Or, quelle sagesse, quels talents, quelles vertus

distinguent les Mamelouks, pour qu'ils aient exclusivement tout ce qui rend la vie aimable et douce ? Y a-t-il une belle terre ? Elle appartient aux Mamelouks. Y a-t-il une belle esclave, un beau cheval, une belle maison ? Cela appartient aux Mamelouks. Si l'Egypte est leur ferme, qu'ils montrent le bail que Dieu leur en a fait. Mais Dieu est Juste et Miséricordieux pour le peuple ; et avec l'aide du Très-Haut, à partir d'aujourd'hui, aucun Egyptien ne sera empêché d'accéder à une fonction éminente : que les plus sages, les plus instruits, les plus vertueux gouvernent, et le pays sera heureux. »

A ce point de la proclamation, le modeste soldat François Bernoyer interrogea respectueusement le général :

— Ne croyez-vous pas que tout cela est un peu démagogique ?

— Non, mon ami. C'est du charlatanisme ! Il faut être charlatan ! C'est comme cela qu'on réussit !... Je reprends[1] :

« Il y avait jadis parmi vous de grandes villes, de grands canaux, un grand commerce : qui a tout détruit, si ce n'est l'avarice, les injustices et la tyrannie des Mamelouks ?

« Qadis[2], cheikhs, shorbagis, dites au peuple que nous sommes de vrais musulmans. N'est-ce pas nous qui avons détruit le pape qui disait qu'il fallait faire la guerre aux musulmans ? N'est-ce pas nous qui avons détruit les chevaliers de Malte, parce que ces insensés

1. Le soldat François ne fut certainement pas le témoin direct de la rédaction de ce discours ; mais la réplique de Bonaparte, elle, est avérée (*Bonaparte*, André Castelot, Librairie académique Perrin).
2. Juge.

croyaient que Dieu voulait qu'ils fissent la guerre aux musulmans ? N'est-ce pas nous qui avons été dans tous les siècles les amis du Grand Seigneur[1] (que Dieu accomplisse ses désirs) et l'ennemi de ses ennemis ? Les Mamelouks au contraire ne se sont-ils pas toujours révoltés contre l'autorité du Grand Seigneur, qu'ils méconnaissent encore ? Ils ne font que leurs caprices.

« Trois fois heureux ceux qui seront avec nous ! Ils prospéreront dans leur fortune et leur rang. Heureux ceux qui sont neutres ! Ils auront le temps d'apprendre à connaître, et ils se rangeront avec nous. Mais malheur, trois fois malheur à ceux qui s'armeront pour les Mamelouks et combattront contre nous ! Il n'y aura pas d'espérance pour eux : ils périront !

« *Article Ier :* Tous les villages situés dans un rayon de trois lieues des endroits où passera l'armée, enverront une députation au général commandant les troupes pour les prévenir qu'ils sont dans l'obéissance, et qu'ils ont arboré le drapeau de l'armée (bleu, blanc, rouge).

Article II : Tous les villages qui prendraient les armes contre l'armée seront brûlés.

Article III : Tous les villages qui seront soumis à l'armée mettront, avec le pavillon du Grand Seigneur[2] notre ami, celui de l'armée.

Article IV : Les cheikhs feront mettre les scellés sur les biens, maisons, propriétés qui appartiennent aux Mamelouks, et auront soin que rien ne soit détourné.

Article V : Les cheikhs, les qadis et les imams conserveront les fonctions de leurs places ; chaque

1. Bonaparte sous-entend le sultan Sélim III. Chef de l'Empire ottoman.
2. Surnom donné au sultan d'Istanbul.

habitant restera chez lui et les prières continueront comme à l'ordinaire. Chacun remerciera Dieu de la destruction des Mamelouks et criera : Gloire au sultan, gloire à l'armée française son amie ! Malédiction aux Mamelouks et bonheur au peuple d'Egypte. »

★

Mourad bey arracha la proclamation des mains de Rosetti et la déchira en deux, balançant les feuilles qui virevoltèrent à travers la pièce.

— Du vent ! de la poussière que ces mots !

— Mais, mon seigneur, gémit Rosetti, Malte est tombée. Dans quelques jours la flotte française sera devant Alexandrie. El-Koraïm, le gouverneur d'Alexandrie, réclame de l'aide. Il faut agir !

— Carlo ! Vous perdez la tête ! Malte est tombée pour des raisons que même un enfant comprendrait. L'effectif des troupes chargées de défendre l'île n'a jamais dépassé 1 500 hommes. De plus, c'est un fait connu que ces troupes n'ont jamais possédé l'ombre d'une expérience militaire. Et, détail non négligeable, la plupart de ces fameux « gardes du grand maître » étaient d'origine française et n'ont certainement pas eu l'intention de se battre. Je vous l'affirme. Moi seul, armé d'un simple mousquet, j'en aurais fait autant que vos Français. En quelques heures, ces prétendus chevaliers seraient tombés au creux de ma main, comme un gruch dans une escarcelle.

— Excellence. L'Egypte...

— En revanche, que voulez-vous que nous ayons à craindre de ces gens, surtout s'ils sont à l'image de ces cavadjas que nous avons ici ? Quand il en débarquerait cent mille, il me suffirait d'envoyer à leur rencontre les jeunes élèves mamelouks, qui leur couperaient la tête avec le tranchant de leurs étriers ! Nous les briserons plus facilement que des verres d'Europe.

— Vous faites erreur, Mourad bey... Je vous en conjure. Répondez à la demande d'el-Koraïm. Ne sous-estimez pas la puissance de feu des Français.

Poursuivant têtu le fil de son discours, Mourad enchaîna sans reprendre son souffle :

— Et Istanbul ? Croyez-vous que les Turcs vont tolérer ce débarquement ? Que je sache, l'Egypte est toujours province de l'empire.

— Je n'en sais rien, Excellence. Vous avez lu la proclamation. Ce général compte certainement sur vos dissensions. En assurant qu'il vient non en conquérant, mais en qualité d'ami du sultan, il compte sur la neutralité de la Sublime Porte. C'est votre anéantissement qu'il annonce, pas celui des Ottomans.

— Je vous répète, je n'ai rien à craindre de ces gens. Si c'est la mort qu'ils recherchent, je vous garantis qu'ils la trouveront. Maintenant laissez-moi, j'ai à faire. En ce moment, ce ne sont pas les navires français qui m'empêchent de dormir, mais les ulamâs.

L'agent consulaire se résigna.

— Comme vous voudrez, Mourad. Mais dès cet instant je vous conseille de prier avec toute l'ardeur d'un vrai fidèle. Croyez-le ou non, le 10 juillet au plus tard le drapeau ennemi flottera sur la ville d'Alexandrie.

*

Carlo Rosetti ne s'était pas trompé de beaucoup dans son estimation. Ce n'est pas le 10, mais le 1er juillet au matin que les navires français prirent position dans l'anse du Marabout, à l'ouest d'Alexandrie.

A 11 heures du soir très précisément les chaloupes françaises furent mises à l'eau et les troupes commencèrent à s'y embarquer. La mer était houleuse. Nombreuses furent les embarcations qui chavirèrent sur les récifs. A 1 heure du matin, le général Bonaparte prit pied sur la terre d'Egypte. A 3 heures, il passa en revue cinq mille hommes au moral exécrable. A 3 heures et demie du matin, les troupes s'ébranlèrent en direction d'Alexandrie.

La division Menou chemina sur les dunes qui bordent la mer, la division Bon le long du lac Mareotis, la division Kléber au centre. Aucun cheval n'avait été débarqué. Le général en chef marcha à pied ainsi que son état-major. Le général Caffarelli du Falga s'avançait sur sa jambe de bois.

Avant l'aube, quelques bédouins harcelèrent les colonnes, ainsi qu'un détachement de cavalerie venu d'Alexandrie conduit par le kashef[1] de la région. Des traînards furent faits prisonniers et abandonnés après avoir été violés. Au point du jour, à la tête d'une vingtaine de Mamelouks, le gouverneur d'Alexandrie fondit sur les tirailleurs de l'avant-garde, coupa la tête de l'officier qui les commandait et disparut, emportant son trophée sanglant, qu'il promena dans les rues de la ville pour exalter la population.

Bientôt apparurent la colonne de granit rouge de Pompée et les deux obélisques de Cléopâtre.

Le général Bonaparte contempla longuement ce décor qui se découpait dans la lumière rougeoyante de l'aube. Les minarets et les coupoles émergeant de derrière les remparts. Et il dut se dire que l'ombre du grand Alexandre venait de sanctifier la sienne.

---

1. Quand un Mamelouk de sa maison s'était distingué, le bey l'affranchissait et lui faisait donner le titre de kashef. Il lui déléguait son pouvoir dans les provinces dont il était titulaire. En fait dans l'Égypte ottomane, les kashefs furent de véritables gouverneurs de province. Leur nombre s'élevait dans le premier quart du XIIIᵉ siècle à trente-quatre.

Parvenu au pied de l'enceinte dite mur des Arabes, il essaya de parlementer ; mais la population regroupée sur les murailles appela à la résistance. En trois assauts simultanés les fortifications tombèrent.

Au début de l'après-midi une vive fusillade eut lieu dans la ville même ; la population tentait encore de résister.

Au couchant, submergés par le nombre et le manque de munitions, les habitants conduits par les notables décidèrent de se rendre. El-Koraïm fut le dernier à capituler.

Kléber fut blessé à la tête. Menou atteint moins gravement.

Dans les heures qui suivirent l'occupation d'Alexandrie, sur ordre de Bonaparte, tous les habitants furent sommés de porter la cocarde tricolore.

★

— Et maintenant ? Mourad bey..., interrogea Rosetti, très pâle.

— Sache avant toute chose que je n'accepterai aucun commentaire ! Si je t'ai fait venir, c'est pour te faire part de certaines décisions. J'ai convoqué un diwân. Il se tiendra dans moins d'une heure. Y participeront les émirs ainsi que les principaux cheikhs religieux, les notables les plus importants et l'incontournable Bakr pacha, le gouverneur ottoman.

— C'est une démarche des plus sages. Hélas, je ne crois pas que votre réunion aboutisse à grand-chose. C'est avant qu'il aurait fallu réagir. Sauf votre respect, il...

— D'autre part, coupa sèchement le Mamelouk, je vais écrire au général des troupes françaises.

— Dans quel but ?

165

— Je vais les sommer de décamper et de se retirer immédiatement d'Alexandrie !

Rosetti crut avoir mal entendu.

— Oui. Je leur donne vingt-quatre heures pour plier bagage et rentrer chez eux.

— Excellence ! Comment pouvez-vous croire un instant les persuader de faire pareille chose ! Ils ne sont pas venus ici pour s'en retourner sur la première injonction !

Mourad bey serra les poings et les tendit vers le ciel.

— Mais alors ! Que veulent donc ces infidèles, ces morts de faim ? envoyez-leur quelques milliers de pataques[1] et qu'ils partent d'Egypte !

— Permettez-moi de vous faire observer que cela ne payerait pas seulement le nolis du plus petit des navires qui les a transportés.

— Vous ne m'avez pas répondu : que veulent-ils ? Je n'ai peut-être pas la finesse occidentale, mais personne ne me fera croire que l'on déplace autant d'hommes pour une affaire de souk et de marchands !

Rosetti fixa gravement le Mamelouk.

— Vous venez de poser le véritable problème. Ce déploiement de force vise à atteindre l'Angleterre dans son empire des Indes. C'est l'Egypte qui en payera les frais. Non, Excellence. Je vous le répète, il faut vous préparer à la défense.

Mourad bey plissa le front, apparemment ébranlé par le ton de son ami.

— Viens, dit-il d'une voix sombre. Tu m'attendras à la sortie du diwân.

★

1. Environ cinquante mille de francs actuels.

Assis en tailleur sur un épais tapis de laine, les membres du diwân réunis au grand complet avaient la mine sombre des mauvais jours. Des restes de myrrhe achevaient de se consumer au creux d'une cassolette. Sur les douze personnes présentes, dix d'entre elles avaient saisi leur chapelet et par saccades faisaient glisser les perles entre pouce et index avec un art consommé. D'entre toutes ces vénérables personnalités, celle qui paraissait peut-être la plus affectée était le cheikh el-Sadat, recteur de l'université d'el-Azhar.

Il pointa un index accusateur sous le nez de Mourad bey.

— Le malheur qui nous menace est de ton entière responsabilité ! Si ta rapacité ne t'avait conduit à infliger ces exactions répétées contre les commerçants nous n'en serions pas là ! Toi et les tiens, Ibrahim, Elfi, el-Bardissi et les autres de ta race ! Qu'Allah vous pardonne.

En guise de réplique, le Mamelouk lissa sa barbe nerveusement. Il connaissait la réputation du cheikh. Il connaissait aussi sa puissance. Il ne répondit rien.

El-Sadat en profita pour poursuivre avec la même véhémence :

— Peux-tu nier qu'il y a deux semaines encore tu as intimé l'ordre à Magallon de te livrer trente ballots de drap ?

Mourad interrogea avec innocence :

— Trente ballots ? Qu'en aurais-je fait ?

— Tu le sais parfaitement. Ils étaient prévus pour l'habillement de ta résidence.

— Peut-être, je ne m'en souviens plus... De toute façon j'aurais payé. Comme je l'ai toujours fait, d'ailleurs.

Sadat se mit à ricaner.

— Tu aurais payé... Bien sûr. C'est sans doute pourquoi tu as dit à Magallon que tu ne disposais pas du moindre para.

— Erreur, cheik el-Sadat. J'ai promis que je réglerais ma dette après le départ de la caravane pour La Mecque.

— La parole donnée..., fit Sadat, railleur... Nous savons ce que c'est.

Mourad serra les lèvres. Un jour le cheikh payerait son arrogance. Un jour.

— Il y a pire encore que cette affaire d'avanies ! attaqua à son tour un ulamâ. Vous les Mamelouks n'avez jamais songé à la défense de nos ports. Vous les avez laissés vides de fortifications, d'artillerie, d'hommes. Aussi vulnérables que des nids d'oiseaux. Aujourd'hui nous ne pouvons que constater les méfaits de votre négligence.

El-Sadat ajouta son fiel à celui du notable :

— Lorsque je songe au courage dont a fait preuve le malheureux cheikh el-Koraïm, luttant avec les plus braves de sa maison dans le phare d'Alexandrie. Jusqu'au dernier instant. Je me dis que ce n'est pas dans l'âme d'un Mamelouk qu'on trouverait cette sorte de témérité.

— Il suffit !

Elfi bey s'était levé d'un seul coup, l'œil fou.

— Malheureux ! comment osez-vous nous reprocher de n'avoir pas fortifié nos ports ! Si seulement nous l'avions envisagé, ceux-là — il désigna les ulamâs avec mépris — nous auraient accusés de préparer une rébellion contre le sultan !

Il marqua une pause et s'élança vers le gouverneur ottoman.

— En vérité, le véritable responsable de nos malheurs, le voici ! Les Français n'ont pu venir dans ce pays qu'avec le consentement de la Sublime Porte, et nécessairement toi, le représentant d'Istanbul, tu as dû avoir connaissance de leurs projets.

— Parfaitement ! s'empressèrent d'approuver les autres Mamelouks. Cela ne fait aucun doute : ils sont là avec la bénédiction du Sultan.

— Infamie ! protesta Bakr pacha.

Il se mit debout, faisant mine de déchirer ses vêtements.

— Vous n'avez pas le droit de tenir un pareil langage ! La Sublime Porte n'aurait jamais pu permettre aux Français d'envahir un pays de l'Islam ! Jamais !

— Tu peux dire tout ce que tu voudras, persista Ibrahim bey, sache seulement que le destin nous aidera contre vous et contre eux.

Le gouverneur prit un air contrit et blessé.

— Repousse de telles paroles, Ibrahim. Elles ne sont pas dignes de toi.

Il se tut, et poursuivit d'une voix qui semblait être sincère :

— Pour vous prouver que les Ottomans ne sont pour rien dans cette invasion, je vais écrire à la Porte et réclamer d'urgence l'aide du Grand Seigneur. Quant à vous, au lieu de vous entre-déchirer je vous conseille de faire preuve de courage, levez-vous comme des braves que vous êtes, préparez-vous à combattre et à résister par la force, puis remettez-vous à Dieu.

Un long silence succéda aux propos du gouverneur. On n'entendit plus que le glissement feutré des perles. Nul ne semblait trop savoir comment réagir.

Le pacha en profita pour reprendre sur un ton moins passionné, mais tout aussi grave :

— Si vous acceptez mes conseils, autorisez-moi à vous signaler un détail autrement plus sérieux que ces allégations mensongères.

— Un détail, marmonna el-Sadat, nous sommes assiégés de détails.

— Je suis persuadé que celui-là devra faire l'objet de toute votre attention. Il s'agit du sort des chrétiens et des Européens résidant au Caire. Si nous laissons ces gens en liberté, ils représenteront une menace à l'intérieur de la capitale.

— Bakr pacha a tout à fait raison ! intervint quelqu'un qui jusque-là s'était gardé de tout commentaire — il s'agissait d'Omar Makram, représentant des chérifs[1]. — Laisser les Occidentaux et les chrétiens en liberté pourrait nous coûter très cher. Après tout, les êtres qui ont envahi notre terre ne sont-ils pas du même sang qu'eux ?

— Parfaitement, confirma un ulamâ. Il faut nous débarrasser d'eux dans les plus brefs délais.

Elfi bey suggéra avec froideur :

— Exterminons-les donc.

— Excellent, approuva doctement une majorité des membres du diwân. Cela aiguisera nos sabres.

A l'idée d'en découdre immédiatement - même si la cible envisagée n'était pas l'ennemi direct - une certaine fièvre s'empara de l'assistance. Les suggestions les plus folles fusèrent les unes après les autres quant aux moyens à mettre en œuvre pour éliminer le plus rapidement le plus grand nombre d'infidèles. Il fallut toute la diplomatie de Bakr pacha et, contre toute expectative, la détermination de Mourad bey et d'Ibrahim, pour faire entendre raison aux esprits surchauffés.

— Oubliez ce projet, insista une dernière fois Bakr pacha. Il va à l'encontre de tous les principes fondamentaux de la politique ottomane. Ces chrétiens sont

---

1. Un chérif est un descendant du Prophète. Ce titre donne droit à un certain respect de nature religieuse, mais ne constitue pas en soi un signe d'aristocratie. On trouvait des chérifs dans toutes les strates sociales des sociétés urbaines de l'Empire ottoman. Ils y formaient un groupe puissant, exerçant une forte influence sur le petit peuple.

avant tout des sujets de notre souverain maître le sultan, possesseur de gloire et de grandeur. D'ailleurs ces gens représentent un nombre insignifiant. Quatre-vingts tout au plus. Cinq maisons vénitiennes et livournaises, deux ou trois anglaises.

— Très bien, fit à regret le représentant des chérifs, alors que suggérez-vous ? Nous n'allons tout de même pas laisser ces individus nous poignarder dans le dos pendant que nous livrerons bataille !

— La citadelle, proposa Bakr. Nous y internerons les plus en vue d'entre les Européens, ainsi que les notables chrétiens. Enfermés derrière les remparts, ils ne pourront plus rien contre nous.

Critiquée dans un premier temps, la suggestion du pacha finit par recueillir l'unanimité.

— L'affaire des Européens est donc réglée, fit le cheikh el-Sadat. Et l'envahisseur, qui va se charger d'arrêter sa marche ?

Mourad bey emprisonna son chapelet de perles au creux de sa paume, et se leva.

— Moi. Moi et ma flottille. Je vais immédiatement donner à mes marins l'ordre de remonter le fleuve. Si l'armée ennemie a pris la décision de marcher sur Le Caire, elle ne pourra éviter le village de Chebreïss[1]. Là-bas, le fleuve forme un coude. C'est à cet endroit que je les affronterai.

— Sur le fleuve ? interrogea perplexe el-Sadat.

— Oui, vénérable cheikh, confirma Mourad avec un mépris appuyé, sur le fleuve. Vous l'ignorez certaine-ment, les fantassins français seront soutenus par six chaloupes canonnières. C'est elles que j'anéantirai dans un premier temps. Et ce — il détacha les derniers mots — bien que mon âme de Mamelouk soit dépourvue de témérité.

1. Village situé sur la rive gauche du Nil. Dans le Delta.

171

Ce fut au tour du pacha d'avoir l'air étonné.

— Six chaloupes ? Mais, Excellence, comment pouvez-vous être aussi sûr du nombre ?

Mourad bey adopta un air altier.

— Sachez que pas une feuille d'un arbre ne tombe en Egypte sans que j'en sois tenu au courant.

Penché vers Sadat, il ajouta, narquois :

— Heureusement qu'à défaut de courage il nous reste la ruse.

A la sortie du diwân, Rosetti l'attendait comme prévu.

— Alors ? interrogea avec fièvre l'agent consulaire.

— Tous des chacals... Un jour je leur réglerai leur sort. Pour l'heure, il y a plus essentiel : à partir de cet instant, les Européens ainsi que les chrétiens les plus en vue sont consignés dans la citadelle.

Rosetti écarquilla les yeux.

— Comment ? Mais c'est inacceptable !

Mourad posa sa main sur l'épaule du Vénitien.

— Carlo. C'était l'internement ou la mort pour vous tous.

★

— Il est hors de question qu'un seul membre de ma famille quitte le domaine de Sabah ! Rien à faire !

Pour bien souligner sa détermination, Youssef frappa du poing sur la table de cuivre.

Schéhérazade, Michel et Nadia observaient Rosetti avec une incrédulité croissante. Seul Nabil avait l'air maître de lui.

— J'ai pris tous les risques pour vous prévenir, insista le consul. Faites preuve de sagesse, je vous en prie. Si vous demeurez à Sabah tout peut arriver. Dans les jours qui vont suivre, les musulmans feront un amalgame dont vous serez les premiers à souffrir.

— C'est impossible ! s'écria Nabil. Chrétiens ou musulmans, tous sont des enfants d'Egypte ! Le peuple ne bougera que si l'on excite sa haine. Nous avons toujours vécu en parfaite entente. Tout ceci n'est rien qu'une nouvelle manipulation des chiens turcs et mamelouks.

— Pardonnez-moi, mais vous vous égarez. Nous sommes en guerre. Les Français ont pris Alexandrie. Le fort d'Aboukir est occupé. Et il y a moins d'une heure, alors que j'étais en route pour Guizeh, on m'a communiqué la chute de Rosette. Bonaparte dispose désormais de la voie du Nil. Face à ce déferlement — et pour reprendre vos termes — nous n'avons que ces « chiens de Mamelouks » pour nous défendre. Mourad bey s'est placé en première ligne. A l'heure où je vous parle, sa flottille est en route pour Chebreïss. Est-ce clair ?

— La flottille ! s'exclama Schéhérazade.

— Oui. Le bey va tenter de freiner l'avance ennemie.

— La flottille..., répéta la jeune fille d'une voix inaudible.

Et dans sa tête elle imagina les cris et la fureur. Et le fils de Soleïman.

CHAPITRE 11

Le soldat François Bernoyer contemplait l'immensité du désert. A perte de vue ce n'était que désolation et sécheresse. Pas le moindre ombrage. Une immense plaine de sable aride.

Le cadavre mutilé d'un dragon assassiné par des bédouins gisait devant lui. Il n'eut pas l'air surpris. Depuis qu'ils avaient quitté Alexandrie c'était chose courante. Il allongea le pas. Sans qu'il sût pourquoi, lui revinrent certains mots du discours que le général Bonaparte avait prononcé avant leur départ de Toulon : *Je promets à chaque soldat qu'au retour de cette expédition il aura à sa disposition de quoi acheter six arpents de terre.*

Les poumons desséchés par trois jours de marche, écrasé par la soif et la fatigue, François s'accrocha à cette idée, à sa femme qui l'attendait dans leur maison tranquille d'Avignon, au chant des cigales et aux pins parasols.

L'armée progressait en ordre sur deux colonnes, sans approvisionnement ou presque.

Disséminés à l'arrière-garde les ânes suivaient tant bien que mal. Curieusement ce qualificatif ne s'adressait pas aux bêtes, mais aux civils qui accompagnaient la troupe. Pour des raisons qui échappaient encore à

Bernoyer le général en chef avait emmené avec lui une horde de savants enrôlés sous le nom de « commission scientifique ». On y remarquait des académiciens, des ingénieurs, des naturalistes, des mathématiciens, la plupart issus de l'Ecole polytechnique récemment fondée. Et ce n'était rien de moins que ces esprits brillants que les soldats avaient baptisés du nom de l'un des plus stupides des quadrupèdes. S'étant aperçus que partout où l'on rencontrait des vestiges antiques on s'arrêtait pour les fouiller avec soin, les militaires en avaient conclu que ces gens devaient être les vrais inspirateurs de cette expédition, responsables par conséquent de tous les maux qui les accablaient. Depuis, ces savants étaient appelés des ânes, et aux ânes véritables ils donnaient le nom de savants.

Un flottement parmi la troupe éveilla l'attention de Bernoyer. Au soleil levant venait de surgir un corps de cavalerie composé de bédouins. La colonne se rassembla. On les laissa s'approcher jusqu'à portée de canon, puis on fit feu. Au premier coup la cavalerie disparut. Elle revint quelques instant plus tard, et elle poussa l'audace jusqu'à harceler les rangs. Une nouvelle fois l'artillerie provoqua leur fuite.

Bernoyer reprit sa marche. Ses genoux tremblaient de faiblesse. Il chercha machinalement le petit bidon qui pendait à son ceinturon et, renversant la tête en arrière, il essaya de laper les dernières gouttes d'eau. Il savait pourtant que le bidon était vide depuis six heures déjà.

La veille, ils avaient fait halte près de deux puits que le général Desaix avait fait nettoyer. Très vite les puits furent taris. Dans un désordre indescriptible les soldats s'étaient bousculés pour y descendre ; la plupart moururent étouffés, écrasés. D'autres encore, désespérés de ne pas trouver d'eau, s'étaient suicidés.

Le soldat qui marchait à ses côtés s'écroula, à bout de résistance, une épaisse écume sur les lèvres.

★

Un village succède à un autre. Lamentables de misère et de désolation, n'offrant aucune chance de véritable ravitaillement, trop pauvres pour se suffire à eux-mêmes. Des scènes de pillage se déroulent sous l'œil impuissant des officiers. On détruit. On ravage. Les villageois fuient en masse, vers on ne sait quel coin du désert.

Un aide de camp est tué pour s'être un peu trop avancé. C'est une femme, son enfant au bras, qui lui arracha les yeux à l'aide d'un coutelas. On la fit fusiller sur-le-champ.

Ils avaient quitté Alexandrie le 4 juillet à l'aube. On était le 10. Vers 2 heures de l'après-midi François eut l'impression d'être victime d'une hallucination, un mirage, un de plus : le ruban lumineux du Nil se profilait droit devant. Sur l'une de ses rives on pouvait voir les contours miséreux du village Rahmanieh.

Des hurlements de femmes montèrent vers le ciel. Les habitants fuyaient en soulevant des nuages de poussière.

Quand l'armée pénétra dans le bourg, ce fut pour le trouver totalement déserté, sans ressource aucune. Alors dans un de ces mouvements que seuls le dépit et la frustration pourraient expliquer, on se vengea en mettant le feu aux maisons. Quelque deux heures plus tard, Rahmanieh ressemblait à un paysage lunaire.

L'armée y bivouaqua tout de même.

En compagnie de quelques officiers de la 22e légère, François Bernoyer courut à travers les ruines, semblable à un chien de chasse. Il trouva dans un grenier épargné par les flammes la moitié d'un sac de blé.

176

Avec ses compagnons, il se mit à le moudre avec des pierres, le pétrir sur une planche. Ils en firent de petits pains cuits sur la braise. Jamais le dicton « On n'est jamais mieux servi que par soi-même » ne lui parut plus justifié.

Une vingtaine d'heures plus tard, la flottille composée de deux chaloupes canonnières, de deux demi-galères et d'une vingtaine de bateaux de transport chargés de vivres et de munitions les rejoignit sur le fleuve. Elle était commandée par le capitaine de vaisseau Perrée.

Bonaparte fit un nouveau discours. La seule chose que François conserva de ces mots enflammés, c'est que leurs souffrances n'étaient pas près de se terminer, qu'il y aurait d'autres combats à soutenir, des déserts à traverser. Mais une fois Le Caire atteint, les hommes trouveraient enfin tout le pain qu'ils désiraient. Et François songea — un peu naïvement sans doute — qu'on aurait pu répondre au général en chef qu'il n'eût pas été nécessaire de les mener jusqu'en Afrique pour se procurer ce que l'Europe fournissait à foison. Il rangea sa rancœur et alla s'accroupir au bord du fleuve. Puisant à pleine main l'eau du Nil, il s'aspergea à plusieurs reprises.

C'est à ce moment qu'on lui annonça que l'ordonnateur l'avait porté sur la liste de ceux qui allaient embarquer à bord de la flottille. Cette nouvelle le combla de bonheur puisqu'il n'aurait plus à marcher, ni le souci de sa nourriture.

Ils embarquèrent le lendemain, à la pointe du jour, et commencèrent à remonter le Nil. Bientôt, un vent des plus favorables leur fit dépasser les fantassins. Et la flottille se retrouva seule, sans protection.

★

A l'ombre du village de Chebreïss, accroupi derrière
l'un des canons de la felouque de tête, Karim guettait
avec impatience la flottille ennemie. Les lèvres desséchées, il avala péniblement sa salive. Il sentait sa
bouche noyée de cendre. C'était peut-être ça le goût de
la peur.

— Ti kaniss pédimou[1] ?

Karim leva ses yeux sur Papas Oglou. Le Grec avait
l'air dans une forme éblouissante ; étonnamment
détendu pour quelqu'un qui allait affronter la mort.

— Tout va bien, Nikos. Je trouve seulement le
temps un peu long.

— Tu n'es pas le seul. Mais je crois que tout va aller
très vite maintenant. Les Français ne sont plus bien
loin. Nous attendons le signal de Mourad.

Il leva la main vers un coin de la berge.

— Regarde... Ne sont-ils pas superbes ?

Caracolant sous le soleil brûlant, mille cavaliers
mamelouks, Mourad en tête, attendaient devant le village. Magnifiques dans leurs vêtements multicolores,
leurs armes scintillantes, ils offraient un spectacle
prodigieux. Un tromblon, une carabine, deux pistolets, l'un à l'arçon, l'autre sur la poitrine, deux autres
encore pendus à la selle, un poignard, un sabre courbe
à la lame très fine, faisaient de ces hommes de véritables arsenaux mouvants. Au pied de chacun d'entre
eux se tenait un valet prêt à recharger les armes de
son maître pour lui permettre de renouveler librement ses assauts.

Ce qui frappait dans l'ensemble de cette cavalerie,
c'était surtout la manière dont étaient apprêtés les
chevaux. Des chevaux fins, proportionnés, nobles, de
la plus belle prestance.

1. Ça va, petit ?

De la selle à l'étrier rien n'était commun. Le trousse-quin était plus élevé qu'à l'ordinaire, le pommeau montait haut. Le cavalier était par conséquent presque encastré, soutenu de part et d'autre, ce qui lui évitait de tomber une fois blessé.

L'étrier était formé d'une plaque de cuivre plus longue et plus large que le pied. Les bords relevés et coupants piquaient le flanc de la bête à l'instar de l'éperon, et pendant le combat pouvaient blesser l'ennemi et son cheval.

Les brides aussi étaient exceptionnelles. Le mors ainsi fait qu'au moment où le Mamelouk levait les rênes, le cheval éprouvait une telle douleur qu'il s'arrêtait court. Ainsi la soumission de la monture au cavalier était absolue.

A tout cela s'ajoutait un luxe inouï. Les selles et les brides étaient plaquées d'argent, les étriers dorés, les sabres et les pistolets damasquinés. Argent et or brillaient de toutes parts sur les harnais, et leur éclat éblouissait les yeux.

— C'est vrai, confirma Karim admiratif. Ils sont uniques. Leur vue seule suffira pour que les Français battent en retraite. Sans oublier ceci...

Il montra la batterie d'artillerie installée sur la rive droite qui couvrait le fleuve sur plusieurs lieues.

Papas Oglou allait répondre, lorsque la voix de Mourad retentit.

— Nikos ! Ils arrivent !

★

François crut qu'un déluge de feu tombait du ciel.

Jusque-là, toute leur attention s'était portée sur cette cavalerie mamelouke qui se déployait le long du fleuve et que nul n'avait prise au sérieux. Surtout pas le général Yaounsky qui commandait la canonnière et

179

qui avait considéré ces manœuvres avec amusement. « Attendez, avait-il dit, qu'ils soient à portée de nos canons et nous jouirons de leur surprise. Ces barbares vont découvrir l'artillerie. »

Les Mamelouks ne s'étaient pas approchés. Les batteries qui tonnaient étaient celles de l'ennemi.

Un vent de panique courut sur la flottille. Les marins turcs réquisitionnés à Alexandrie se précipitèrent les uns après les autres dans le fleuve, préférant devenir la proie des eaux plutôt que celle des Mamelouks.

La stupeur avait rendu muet le général Yaounsky.

A deux encablures, une demi-galère venait d'être prise à l'abordage. Son équipage fut immédiatement décapité. Exhibées en trophées, les têtes ensanglantées apparurent au bout des lances. En revanche, un peu plus loin, le chebec du capitaine de vaisseau Perrée tenait bon.

A travers un rideau de fumée, François entr'aperçut une felouque ennemie qui se plaçait en position de tir. C'était sa canonnière qu'on visait.

Debout derrière le canon de tribord, il distingua clairement celui qui allait allumer la mèche. Un Arabe, grand, vingt-cinq ans tout au plus. Silhouette longue et musclée. Le temps d'un éclair, l'œil du jeune homme croisa celui de Bernoyer. Presque simultanément un boulet partit, qui transperça le bateau français de part en part.

Le fleuve se déversa sur le pont avec fracas. Alors, sans plus hésiter, François quitta ses bottes et plongea dans le Nil. C'est à ce moment qu'il se souvint n'avoir jamais nagé. Mais en pareil cas l'instinct de survie donne tous les talents.

Il atteignit un bateau ami et demanda qu'on l'aidât à monter à bord ; ce qui lui fut refusé sous prétexte de surcharge. On le repoussa impitoyablement. En désespoir de cause, il s'agrippa au câble qui tenait l'ancre, mais très vite ses forces le trahirent et il dut lâcher prise. Autour de lui l'affolement était général. On entendait les cris d'agonie des hommes capturés par l'ennemi, égorgés sans pitié. Un à un les équipages tombaient aux mains de l'adversaire.

Par quelle bonté du sort Bernoyer fut-il sauvé ? Il n'aurait su le dire. Une main le happa et le traîna jusqu'à la rive où on l'aida à prendre pied.

Là, un capitaine des dragons avait pris l'initiative de rallier les survivants. Peut-être espérait-il ainsi pouvoir repousser une nouvelle attaque, où empêcher un débarquement. Pourtant, en dépit du courage dont faisait preuve ce chef improvisé, François demeura convaincu que sa fin était proche. Derrière les dunes, l'immense cavalerie mamelouke s'apprêtait à fondre.

Le général Yaounsky se trouvait tout près de lui. Toujours aussi dépassé. Deux pistolets pendaient à sa ceinture. Sans hésiter, François s'empara de l'un d'eux. Sa décision était prise. Dans l'instant où la cavalerie donnerait l'assaut, il se brûlerait la cervelle.

C'est alors que le miracle se produisit[1].

A l'opposé venait de déboucher l'avant-garde de l'armée conduite par le général en chef. Puis ce furent cinq divisions au complet qui se dévoilèrent entre les dunes.

---

1. En réalité, Bonaparte savait depuis plusieurs jours que Mourad bey l'attendait à Chebreïss. La flottille devait se diriger de manière à pouvoir appuyer la gauche de l'armée pendant la bataille. Malheureusement le vent souffla ce jour-là avec tant de violence que les dispositions de Bonaparte ne purent être suivies. La flottille dépassa les fantassins, gagna une lieue sur eux et arriva seule en présence de l'ennemi.

Sous l'œil hagard de François Bernoyer, les divisions se formèrent en carré, canons aux angles, équipages et cavalerie protégés au centre[1].

Son regard se reporta naturellement vers les Mamelouks et il fut étonné de constater qu'au lieu de fuir devant une masse aussi redoutable, ils prenaient du recul, prêts à s'élancer au grand galop, sabre à la main.

Ce qu'ils firent.

Dans un tourbillon de sable, les cavaliers, leur chef en tête, se jetèrent sur les carrés, espérant sans doute les rompre par la violence du choc. Bernoyer crut entendre quelqu'un qui jurait n'avoir jamais vu de toute sa carrière militaire charge poussée avec autant de vigueur.

Une première et terrible décharge d'artillerie et de mousqueterie frappa de plein fouet le raz de marée mamelouk. Ceux que les balles n'avaient pas atteints continuèrent leur course et vinrent s'abattre devant des haies infranchissables de baïonnettes. Dès lors, la fière cavalerie ne forma plus un bloc homogène ; elle se mit à flotter, indécise autour des carrés. Certains parvinrent à les contourner dans l'espoir d'y trouver un point faible, mais sans succès. Les feux croisés des bataillons les fauchaient, sans relâche.

Pourtant, avec un héroïsme qui frôlait le sublime, on les voyait qui revenaient à l'assaut, encore et encore. Touchés mortellement certains trouvaient même la force de ramper entre les rangs ennemis pour

1. Ce type de formation avait été mis au point par les Autrichiens et les Russes, dans leurs guerres contre les Ottomans au début du XVIIIᵉ siècle, pour faire face à une cavalerie similaire à celle des Mamelouks. L'armée française connaissait cette manœuvre depuis 1776 mais ne l'avait jamais pratiquée jusqu'à la bataille de Chebreïss. Ce fut la grande innovation militaire de l'Expédition.

tenter de porter un dernier coup de sabre ou de poignard.

Lorsque la bataille s'acheva, les Mamelouks abandonnèrent trois cents de leurs plus braves cavaliers. Pour la première fois des fantassins avaient bravé sans faiblir la fougue de leur charge.

A la nuit tombée, enveloppé dans son manteau, le soldat Bernoyer s'endormit le cœur plus léger.

★

Le 14 juillet, l'armée française passa la nuit à Chadour. Le lendemain elle reprit la route du Caire.

On pressa la marche sous la chaleur toujours aussi écrasante. On massacra allégrement des villages entiers afin de donner un exemple terrible *à ce pays demi-sauvage et barbare.*

Le 19 ils atteignirent Ouardane.

Somnolant dans un coin du campement, François Bernoyer perçut des éclats de voix et identifia tout de suite celle du général en chef. Il était entouré de Junot, Berthier et de Julien, son aide de camp.

Il le vit opérer une soudaine volte vers une silhouette demeurée en retrait, qu'il reconnut être celle de Bourrienne.

— Vous ne m'êtes point attaché. Les femmes !... Joséphine !... Si vous m'étiez attaché, vous m'auriez informé de tout ce que je viens d'apprendre par Junot : voilà un véritable ami. Joséphine !... Et je suis à six cents lieues...Vous deviez me le dire !... Joséphine, m'avoir trompé !... Elle !... Malheur à eux !... J'exterminerai cette race de freluquets et de blondins !... Quant à elle ! le divorce ! Oui, le divorce ! Un divorce public, éclatant !... Il faut que j'écrive ! je sais tout !... C'est votre faute, Bourrienne, vous deviez me le dire !

Et François de se dire que, décidément, le général en chef avait en ce moment d'étranges préoccupations...

★

Allongé sur le dos à la poupe de la felouque qui remontait vers Le Caire, Karim avait l'esprit perdu dans les étoiles. Ses vêtements étaient en lambeaux. L'odeur de la poudre imprégnait ses mains et ses cheveux. Depuis leur fuite de Chebreïss, il ne cessait de se remémorer les scènes de la bataille. Il revoyait clairement l'air terrorisé de ce soldat français, à l'instant où il allait faire feu. Le bateau ennemi avait volé en éclats. Le soldat s'était jeté à l'eau.

Qu'importe si Mourad bey avait perdu la bataille de Chebreïss.

La marine, elle, avait remporté *sa* victoire.

CHAPITRE 12

— Karim est vivant, annonça Youssef en pénétrant dans la chambre à coucher.

Schéhérazade, la mine fatiguée, était allongée sur le lit. Son époux, assis près d'elle. Elle poussa un soupir de soulagement et se laissa aller doucement contre son épaule.

Comme tous les habitants du Caire, elle avait appris la nouvelle de la défaite de Chebreïss et la débâcle de Mourad bey. Depuis, elle avait vécu dans un état second, l'esprit tourmenté par l'angoisse de perdre l'enfant qu'elle portait, et la peur que quelque chose de grave ne fût advenu à Karim. Elle poussa un nouveau soupir, la poitrine libérée en partie de son étau.

Youssef expliquait :

— Je tiens mes informations de la bouche même d'Elfi bey. Il m'a affirmé que la plupart des marins de la flottille sont sains et saufs. Hélas, on ne peut pas en dire autant de la cavalerie. On parle de trois cents tués.

— Mes parents, s'enquit Michel avec anxiété. Etes-vous parvenu à les joindre ?

— Rassure-toi. Ils seront parmi nous dès ce soir. J'ai eu tout de même beaucoup de mal à les convaincre, ils avaient l'intention de partir pour Minieh, dans la maison de ton oncle.

— Dieu soit loué. Vous avez toute ma gratitude, père.

Schéhérazade interrogea faiblement :

— Que va-t-il se passer à présent ?

— Je n'en sais rien, ma fille. J'ai bien peur que les jours qui viennent ne soient porteurs de chagrins.

— Ils vont tout de même se battre ! Ils ne laisseront pas Le Caire tomber comme un fruit mûr !

— Il faut dire qu'en ce moment règne la plus grande confusion. Nous savons que l'ennemi est en route, mais nous ignorons de quel côté du fleuve il surgira. J'ai cru comprendre que les Mamelouks ont décidé d'établir des retranchements sur les deux rives, devant Le Caire. Ibrahim sera en charge de la rive droite. Mourad de la rive gauche. Toute la population...

— Mourad ? interrompit Schéhérazade. Ce qui voudrait dire que la flottille livrera à nouveau bataille ?

— Elle s'est, paraît-il, très bien comportée à Chebreïss. Je ne vois pas pourquoi Mourad bey s'en priverait.

— Certes, fit Schéhérazade l'œil dans le vague.

Michel lui lança un regard curieux.

Voici que revenait cette affaire de flottille. Mais en quoi diable ces chebecs pouvaient-ils autant l'intéresser ? Il se jura de poser la question dès que l'occasion se représenterait.

— Comment réagit le peuple ? interrogea-t-il en se reprenant.

— Les marchés sont fermés, les rumeurs les plus folles circulent. Le chérif des chérifs est monté à la citadelle et il a fait déployer le grand pavillon. Il s'est ensuite rendu à Boulaq, escorté de plusieurs milliers d'hommes armés de bâtons et de massues, récitant des prières et priant Allah de donner la victoire sur les Français.

186

Schéhérazade se redressa faiblement et s'adossa contre la tête de lit.

— Et les chrétiens ? Les Européens dont parlait Rosetti ? Ont-ils subi des attaques ?

— Pas à ma connaissance. La plupart des Occidentaux sont actuellement internés dans la citadelle. D'autres, et c'est peut-être le plus surprenant, ont trouvé protection dans la demeure de dame Nafissa[1].

— Des Européens chez dame Nafissa ! s'étonna Michel. C'est inouï. Pas des Français tout de même !

— Détrompe-toi. Elle a ouvert sa porte à tous. Français inclus.

— Pour quelles raisons a-t-elle fait cela ? Après tout son époux n'est-il pas en train de livrer bataille contre ces gens ?

— Michel, rétorqua Schéhérazade, tu n'as pas beaucoup connu la Blanche. Mais c'est un personnage assez exceptionnel. Je pense que si elle a décidé d'offrir son aide aux étrangers c'est qu'elle doit estimer que les civils n'ont pas à supporter les conséquences d'une guerre décidée par les puissants. De plus, tout le monde sait qu'elle a un cœur d'or. Il n'y a qu'à voir le nombre de fois où elle a intercédé en faveur de Charles Magallon.

— Il n'empêche... Si Mourad bey venait à l'apprendre, je me demande comment il réagirait.

---

1. Les Cairotes se montrèrent souvent hospitaliers en cette occasion : ainsi l'épouse d'Ibrahim bey donna l'hospitalité à 27 Français résidant au Caire, lors du débarquement. Elle leur recommandait de se tenir sur leurs gardes même avec son personnel domestique (Norry, 9). *L'Histoire scientifique*, 188, rapporte le même fait et a conservé la réplique que fit cette femme courageuse à un cheikh fanatique qui réclamait la tête des Français qu'elle hébergeait : « Allez combattre ceux qui s'avancent vers nous ; les pères de famille que je garde ici sont tous sous la protection de Dieu, malheur à qui oserait les toucher. »

— Ainsi qu'il a toujours fait, dit Youssef. Il criera, gesticulera, finira par céder aux explications de sa favorite.

— Et nous, père ? s'enquit Schéhérazade. Est-ce que nous ne risquons rien en restant ici ?

— Nous ne quitterons pas Sabah, fut la seule réponse du vieil homme.

Il y eut un bref silence.

Elle demanda encore :

— Quel jour sommes-nous ?

— Le 20 juillet. Pourquoi ?

La jeune femme passa doucement sa paume sur son ventre.

— Dans huit jours j'entrerai dans mon quatrième mois...

*

La journée du 21 s'annonça plus douce que les précédentes. Pour la première fois depuis plusieurs semaines, Schéhérazade s'était réveillée avec une sensation de boulimie aiguë. L'état nauséeux qui ne l'avait presque jamais quittée les derniers temps s'était dissipé, elle avait retrouvé ses couleurs.

Elle bondit hors du lit, écarta les rideaux de velours.

Sous ses yeux Sabah resplendissait sous un soleil superbe. La chevelure des palmiers frémissait imperceptiblement. Un vol de pigeons blancs traçait une ligne dans le ciel immensément bleu.

Elle ouvrit grande la fenêtre et respira à pleins poumons l'odeur enivrante de la terre. Une sérénité rare dominait le paysage, une sensation de sécurité que venait accroître la présence lointaine mais rassurante des pyramides.

Les hommes ont peur du temps. Le temps a peur des pyramides.

Cette phrase l'avait toujours séduite. Il faudrait qu'un jour elle en retrouve l'origine.

Sur ce décor admirable, l'idée de la guerre n'avait pas de prise. Son père avait raison. Ici à Sabah la mort n'aurait jamais accès. Sabah était l'oasis privilégiée entre toutes.

Elle conserva encore un instant son attention sur le paysage. Au moment où elle allait s'en détacher quelque chose l'intrigua. Un élément nouveau venait de s'inscrire à l'horizon. Un épais nuage de sable qui montait au nord des géants de pierre. Il devait être assez important pour qu'on l'aperçût d'ici.

Elle fronça les sourcils. Un retour de khamsine ? Ce serait étonnant. Il avait tellement soufflé tout le mois de juin. Elle observa les arbres. La brise soufflait, pas assez toutefois pour soulever autant de sable. Peut-être une caravane... Des bédouins ?...

Elle enfila une djellaba, ses sandales, et descendit vers la cuisine.

Il était aux alentours de 11 heures du matin.

★

Sous le nuage de sable entrevu par Schéhérazade, près du village d'Imbaba, le colonel Chalbrand jura avoir entendu :

« Du haut de ces pyramides quarante siècles vous contemplent, et vont applaudir à votre victoire ! »

Croisier affirma que seulement la première partie de la phrase avait été citée.

Beauharnais : « Allez, et pensez que du haut de ces monuments quarante siècles nous regardent. »

Bernoyer, lui, n'entendit rien, il était trop loin de la scène[1].

---

1. Du village d'Imbaba aux pyramides la distance est d'environ douze kilomètres. Les premières positions françaises s'en trouvaient plus éloignées encore.

De toute façon, aurait-il été plus proche du général en chef que cela n'aurait rien changé. Son esprit était ailleurs, fasciné par la ligne d'or et d'acier que venaient de dessiner les six mille hommes de Mourad bey.

★

Schéhérazade engloutit une dernière bouchée de foul et d'œufs, et s'attaqua à une dernière tranche de pain du sérail[1].

Elle s'étira encore une fois, et se dit qu'il était temps d'aller rejoindre le reste de la famille dans le jardin.

A l'ombre du toit de vigne, Youssef et Michel étaient en pleine partie de trictrac. Nabil, assis entre les deux hommes, paraissait compter les points. Nadia devisait avec Amira et Georges Chalhoub arrivés la veille, comme prévu.

Nadia se leva spontanément en apercevant sa fille.

— Ma vie... Pourquoi t'es-tu levée ? Tu ne crois pas que c'est imprudent ?

— Laisse-la donc ! grommela Youssef. Si elle est là c'est que ses forces le lui permettent. Un peu d'air frais ne lui fera pas de mal.

— Viens t'asseoir près de nous, proposa Michel en disposant quelques coussins sur la banquette contre le mur.

Fermant à demi les paupières, elle s'étira à la manière d'un chat paresseux.

— Je me sens revivre...

Elle pointa un doigt professoral sur Michel.

— Je te préviens. Pour le prochain bébé, nous attendrons au moins deux ans.

---

1. Soit « le pain des riches ». Pâtisserie à base de miel.

Il lui caressa tendrement le front.

— Nous jouerons cela aux dames, si tu veux bien. Le gagnant décidera.

Elle s'empressa de répliquer avec assurance :

— Dans ce cas, c'est sûr. Nous attendrons deux ans.

— Ya bent[1] ! gronda Youssef. Ce n'est pas à toi qu'il convient de décider ce genre de chose ! Respecte donc ton mari comme il se doit !

— Cesse de la tourmenter, protesta Georges. Tu sais bien qu'elle ne parle pas sérieusement.

Schéhérazade haussa les épaules et referma les paupières.

★

Karim se demanda si cette fois encore la marine l'emporterait. Depuis que les bateaux de Papas Oglou avaient pris position à l'ombre du village d'Imbaba une angoisse irraisonnée s'était emparée de lui.

Pourtant il aurait dû être rassuré. Sur la rive droite du fleuve, il y avait Ibrahim bey avec ses deux mille Mamelouks. Sur la gauche, Mourad et ses hommes. Le pacha Saïd Abou Bakr et douze mille janissaires couvraient les remparts du Caire. Il y avait surtout les quarante pièces de canons en batterie alignés le long des berges.

Toute cette puissance ne parvenait quand même pas à dénouer le nœud qui s'était formé au creux de son ventre. Jusque-là, les Français ne s'étaient-ils pas montrés les plus forts ? Sans trop savoir pourquoi, sa pensée alla vers Schéhérazade. Que faisait-elle en ce moment ? Etait-elle encore à Sabah ? Ou avait-elle trouvé refuge avec les siens dans la citadelle ?

---

2. Expression péjorative qui pourrait signifier : Eh toi ! Fille !

Il caressa de ses deux mains le fût du canon, et trouva le bronze plus froid que jamais.

*

— Décidément ! s'exclama Schéhérazade, c'est bien ce que j'appréhendais : un retour de khamsine.

Le petit groupe regarda vers le nord, là où le ciel était d'un gris sombre.

— Effectivement, confirma Nadia. On dirait que le vent se lève.

— Le khamsine à cette période de l'année ? s'étonna Nabil. Ce serait un peu fou, non ?

— Peut-être n'est-ce qu'une simple tempête de sable, suggéra Michel.

Et sans plus y penser il lança les dés.

Schéhérazade demanda :

— Quelqu'un a-t-il des nouvelles fraîches du Caire ?

Youssef, occupé à déplacer ses pions, secoua la tête.

Nabil dit avec humeur :

— Les Français se sont tous noyés dans le Nil !

— Ou ont été dévorés par le sphinx, fit Amira Chalhoub.

Un roulement de tonnerre succéda à leurs paroles.

Tous se figèrent.

Il n'était pas loin de 3 heures de l'après-midi.

*

— A vos rangs !

Les officiers battirent le rappel des hommes qui s'étaient répandus dans les jardins de Bechtil pour y cueillir des raisins et des grenades.

En quelques secondes, les divisions Reynier et Desaix formèrent leurs carrés sur six rangs de profondeur.

L'œil toujours braqué sur les cavaliers étincelants de Mourad bey, François Bernoyer était convaincu qu'après l'expérience de Chebreïss l'ennemi modifierait sa tactique. A sa grande surprise, il n'en fut rien.

Les six mille Mamelouks commencèrent leur course vers la mort.

★

Un cri strident retentit dans la maison.

Le soleil était au couchant. La famille au complet avait regagné l'intérieur de la maison et s'apprêtait à dîner.

Schéhérazade qui se trouvait déjà dans la salle à manger sentit son sang se glacer. Sa mère s'écria :

— C'est Aïsha ! C'est la bonne.

Youssef laissa tomber le tuyau de son narguilé.

— Qu'est-il arrivé, au nom de Dieu !

Nabil et Michel se précipitèrent presque en même temps, et dans leur course ils faillirent renverser la Soudanaise qui venait à leur rencontre.

Elle tomba dans leurs bras, bredouillant des mots sans suite.

— Aïsha ! gronda Michel. Ressaisis-toi !

Comme elle ne paraissait pas l'entendre, il la traîna avec l'aide de Nabil jusqu'à un fauteuil où elle s'affaissa de tout son poids.

Nadia revenait des cuisines, un verre de fleur d'oranger à la main. Elle s'efforça de faire boire quelques gouttes à la servante. Tandis que Nabil cherchait toujours à la raisonner.

Finalement elle parut se reprendre un peu. Elle rejeta la tête en arrière en battant des paupières.

— Malheur sur nous... Ils ont mis le feu au Nil...

— Elle a perdu la tête, fit Georges Chalhoub. Qu'est-ce qu'elle baragouine ? Le feu au Nil ?

— Je vous jure que c'est vrai... Par la miséricorde du Seigneur des Mondes... Le fleuve est en flammes. De la terrasse... Je l'ai vu...

Nabil fut le premier à se ruer dans les escaliers, immédiatement suivi du reste de la famille.

Dans un premier temps, ils crurent que la pauvre Aïsha avait dit la vérité. C'était vraiment la fin du monde. Des flammes couraient vers le ciel, qui montaient de la surface du fleuve. Les berges étaient rouges, l'horizon incandescent ; on aurait pu jurer que, du plus lointain de sa source, le Nil ne charriait plus que des torrents de lave en fusion. Le feu se reflétait jusqu'aux pyramides, jusqu'à la capitale, transformant ses trois cents minarets en colonnes de porphyre.

Au bord de l'évanouissement la mère de Michel se signa.

— Que Dieu nous garde... Aïsha avait raison.

— Le fleuve est vraiment en feu, souffla Nadia se signant à son tour.

— Ne dites pas de bêtises, femmes ! gronda Youssef. Le Nil ne peut pas s'embraser comme un vulgaire parchemin. Non. Il s'agit d'autre chose.

— C'est exact, père, murmura Nabil, blême, ce n'est pas la fin du monde, c'est la fin de l'Egypte.

— Qu'est-ce que tu dis ! cria Schéhérazade.

Ce fut Michel qui lui répondit :

— Ton frère a raison. Les Français ont dû attaquer. Ces flammes doivent provenir du champ de bataille.

— Mais alors, dit Youssef, ce serait le village d'Imbaba qui brûlerait ainsi ?

— Probablement.

★

Michel se trompait.

Les divisions Vial et Rampon avaient investi au pas

de charge le village d'Imbaba. Mais elles n'y avaient pas mis le feu.

Cet embrasement qui recouvrait le soleil couchant, c'était la flottille de Mourad bey en flammes. Les felouques, les chebecs et leur contenu se consumaient dans un rougeoiement apocalyptique.

Quelque deux heures plus tôt, la fière cavalerie mamelouke était allée se briser contre les carrés hérissés de baïonnettes, et les hommes étaient tombés par centaines au pied des rangs français.

Les masses tournant bride s'étaient ensuite rejetées inlassablement du carré de Desaix à celui de Reynier. Quand elles voulurent faire demi-tour, elles trouvèrent la division Dugua qui leur barrait la route. Chaque fois qu'elles changeaient de direction, c'était pour croiser les feux de l'artillerie.

Dans un ultime sursaut, avec l'espoir de faciliter sa retraite, Mourad bey tenta de briser l'étau qui l'enserrait, de rouvrir la voie de communication avec son camp que contrôlait le général Rampon et ses deux bataillons, mais il échoua. La retraite se transformait en débâcle. Autour de lui, les hommes et les chevaux s'effondraient par grappes. Certains d'entre eux se précipitèrent dans le Nil pour essayer de gagner l'autre rive à la nage ; ce faisant, ils s'exposèrent plus encore. Ce n'était plus un combat, mais un véritable massacre.

C'est alors que Mourad ordonna l'incendie de sa flottille.

Les richesses qui se trouvaient à bord des bateaux seraient mieux au fond du fleuve qu'entre les mains de l'ennemi.

★

A la tombée de la nuit la famille Chédid et leurs amis eurent connaissance de la vérité.

Les premiers flots de réfugiés se déversaient sur la route de Guizeh. Des janissaires, des fellahs, des femmes, des enfants, hésitant entre l'est et le sa'îd. Cette nuit-là, la plus grande partie des habitants quitta la capitale.

Au Caire, les troupes du pacha Abou Bakr avaient déserté les remparts, et s'étaient enfuies en emportant leurs femmes, leurs esclaves et leurs trésors. Ibrahim bey avait fui lui aussi, mais pour le Delta. Campé sur l'autre rive, constatant la déroute de Mourad, il avait détalé sans livrer bataille.

Alors que les premières étoiles commençaient à poindre dans le ciel, Le Caire ne possédait plus la moindre autorité légitime. Seuls, dans les prémices de la panique et de la fureur, montaient du fin fond de la ville les cris d'imploration des ulamâs et des soufis qui remettaient leur existence entre les mains d'Allah.

— Karim..., souffla Schéhérazade. Il est peut-être blessé, ou...

Elle n'osa pas aller au bout de sa phrase de peur que le mot prononcé n'attirât le malheur sur le fils de Soleïman.

Nabil s'efforça de l'apaiser.

— N'aie crainte. Karim est fort. Il a dû s'en sortir.

Cette fois Michel ne résista pas. Il coupa son beau-frère et s'adressa à Schéhérazade avec une sécheresse inattendue :

— Voudrais-tu enfin m'expliquer pourquoi tu te préoccupes tant de ce jeune homme ? Il serait de ton propre sang que tu n'agirais pas autrement.

Déconcertée par le ton employé, elle répondit sans conviction, en cherchant le mot juste.

— C'est un ami. Il a travaillé pour nous, à Sabah.

— Tout de même, ce n'est rien de plus qu'un subalterne !

Nabil vint à la rescousse.

— Pardon de te contredire, mon ami, mais Karim n'a pas été qu'un subalterne. Il a grandi parmi nous. Il est né dans cette maison. De ce fait nous l'avons toujours considéré comme faisant un peu partie de notre famille.

Michel hocha la tête. Apparemment l'explication lui convenait à peine. Il décida malgré tout de ne pas insister.

— Youssef..., suggéra timidement Nadia, il faudrait peut-être quitter Sabah. Nous serions...

— Je l'ai dit et répété cent fois ! Nous ne partirons pas d'ici. Cet endroit est notre terre, nul ne nous en délogera. Est-ce clair ?

Il prit une profonde inspiration et s'adressa au couple Chalhoub :

— Mes amis lorsque je parle de nous, c'est à vous aussi que je songe. Néanmoins, si vous estimez que ma décision manque de sagesse, ou si vous envisagez une autre alternative, vous êtes bien évidemment libres d'agir selon votre cœur.

Il se tourna vers Michel :

— Ces propos te concernent aussi. Tu es l'époux de ma fille, mais depuis que vous avez été unis par les liens sacrés du mariage tu es aussi son maître. Si tu crois qu'ailleurs vous serez plus en sécurité, Schéhérazade et toi pourrez quitter Sabah.

Amira et Georges Chalhoub se concertèrent. Michel, lui, demeura impassible.

— Alors ? Que décidez-vous ?

Georges Chalhoub lui répondit avec gêne :

— Tes propos me soulagent, Youssef. J'avoue que je n'osais pas aborder le sujet. Ne nous en veux pas, mon ami, mais je crois plus prudent de nous en aller. Mon épouse et moi partirons dans l'heure. Quelque chose me dit qu'il n'y a plus de temps à perdre.

— Quitter Sabah ? rétorqua Nadia. Mais où irez-vous ?

— Youssef le sait. J'ai un frère qui possède une maison dans le Sud. A Minieh. Je pense que là-bas nous serons beaucoup plus en sécurité.

— Minieh ? fit Nabil. Il y a plus de deux cents kilomètres à franchir ! Qui vous dit que vous arriverez à destination sains et saufs. Dans peu, toute l'Egypte ne sera plus qu'un champ de bataille. Pardonnez-moi, mais ma mère a raison, c'est de la folie.

— Peut-être, mon fils. Il n'empêche que pour l'instant, et dans les jours qui viennent, le champ de bataille se situera au nord. Ici. Croyez-moi, Le Caire et sa banlieue vont connaître les pires tourments.

Il conclut très vite :

— D'ailleurs, si vous désirez vous joindre à nous, nous pourrons...

— Sois remercié, coupa Youssef, mais rien ne me fera changer d'avis. Nous restons à Sabah.

— Nous de même, annonça sereinement Michel.

Georges se leva et vint se tenir devant son fils.

— Tu es sûr, Michel ? Je suis persuadé qu'à Minieh...

— Non, père. Je reste.

— Il est une chose que tu oublies, mon fils.Tu ne décides pas uniquement de vos deux existences. Une autre vie est en jeu.

Schéhérazade s'empressa de répliquer :

— Pardonnez-moi, Georges. Mais je reste à Sabah. D'ailleurs dans l'état où je suis, jamais l'enfant ne résistera à un voyage aussi long.

Ce dernier argument balaya l'insistance de Georges.

— Viens, Amira. Nous avons juste le temps de faire nos valises.

Tandis que Youssef se levait pour les accompagner, Nadia agrippa la main de Schéhérazade et chuchota :

— Samira... ta sœur, que va-t-elle devenir ?

★

Allongée dans son lit, Schéhérazade ne parvenait toujours pas à trouver le sommeil. Les yeux grands ouverts, elle observait les éclairs rougeoyants qui venaient par intermittence se projeter sur le plafond. Pourquoi voyait-elle parmi ces ombres diffuses le fils de Soleïman ? Pourquoi l'imaginait-elle couvert de sang.

Michel dormait à poings fermés.

Alors elle écarta les draps avec d'infinies précautions.

★

Les naseaux de Safir écumaient. Harcelé par sa cavalière il fendait la nuit à la vitesse du vent. Tout proches, se devinaient les contours du fleuve, les maisonnettes boueuses d'Imbaba illuminées par les flammes.

A l'entrée de la plaine de sable qui entourait le village, la main de Schéhérazade se crispa nerveusement sur les rênes.

Etait-ce possible ? Etait-ce cela un champ de bataille ?

Elle ajusta d'une main tremblante le voile noir qui recouvrait ses cheveux, et ne put rien faire d'autre que de se laisser envahir par l'horreur.

Entre les centaines de corps déchiquetés, les chevaux pétrifiés, le ventre béant, les boyaux dilués sur le sable, des soldats allaient et venaient, dépouillant les cadavres de leurs vêtements, de leurs armes, de leurs bijoux[1]. On proposait un prix en brandissant un har-

---

1. Dans de telles circonstances, les Mamelouks portaient avec eux le maximum d'or et de bijoux, puisqu'ils laissaient le reste de leurs biens au Caire.

nais. Des voix lançaient des offres. On surenchérissait. On marchandait. Ici se vendait à l'encan un turban de cachemire encore frais de sang. Là-bas, les boutons dorés d'une tunique. On troquait. Une selle contre un poignard ; une dague contre un tromblon. Un nouvel acquéreur vantait la légèreté de son cheval. Un autre la pureté d'une pierre précieuse. Quelqu'un avait revêtu une pelisse et accomplissait un pas de danse. Plus loin on mangeait et buvait accroupi, et des éclats de rire frustes couvraient le râle des agonisants.

En cette nuit du 21 juillet 1798, sous l'œil glacé du sphinx, la plaine d'Imbaba était devenue un champ de foire, un bazar à ciel ouvert[1].

— Hé ! Toi !

Schéhérazade n'eut pas le temps de réagir. Des mains l'avaient saisie. Jetée à terre, elle sentit le métal froid d'une arme posée contre son front, la pointe d'une baïonnette appuyée contre son ventre.

---

1. Ce jour-là, certains firent fortune. *Dans l'affaire qu'a eue ma brigade*, écrivait le général Dupuy à un ami, *elle a gagné plus de trois cent mille francs. L'or roule, et cent louis sont une chose commune parmi les volontaires.*

CHAPITRE 13

Youssef, le cheveu hirsute, l'œil encore plein de sommeil, crut qu'il était victime d'un cauchemar.

Répondant aux coups répétés frappés contre la porte, il avait dévalé l'escalier qui conduisait au vestibule, pestant contre l'intrus responsable d'un tel chahut à une heure aussi tardive.

A présent qu'il avait entrouvert le battant, ce qu'il découvrait défiait sa raison. Des soldats français, barbouillés de poussière, fusil en bandoulière, se tenaient sur le seuil. Ils soutenaient une jeune femme à moitié voilée, dans laquelle Youssef eut du mal à reconnaître sa propre fille, Schéhérazade, inconsciente, avec le masque de la mort. Affolé, il tendit les bras vers elle en bégayant des mots où se mêlaient tour à tour le français et l'arabe.

— Citoyen, déclara une voix, cette personne est-elle bien de vos parents ?

— Oui...oui...c'est ma fille. Que lui est-il arrivé ?

— Rassurez-vous, elle n'est pas blessée. Seulement évanouie. Il faudrait l'allonger.

Youssef ouvrit grande la porte et invita les soldats à le suivre jusqu'à la qâ'a, où ils couchèrent la jeune fille sur l'un des divans.

— Que s'est-il passé ? Je vous en prie, dites-moi.

201

— Votre fille a fait preuve d'une grande imprudence en se rendant sur le champ de bataille. Elle aurait pu y trouver la mort. Nous l'avons trouvée à proximité du village. Elle était à cheval. La bête a été confisquée.

— Ma fille ? A Imbaba ?

Abasourdi, Youssef avait du mal à se persuader que cet individu n'était ni fou ni menteur.

— Mais comment pouvait-elle être si loin de chez nous ? Elle dormait.

— Apparemment elle était à la recherche de quelqu'un. Un Mamelouk nous a-t-il semblé. Un de vos proches.

— Un Mamelouk ! Jamais un Mamelouk n'a fait partie de notre famille ! Nous sommes des Egyptiens, des chrétiens, Grecs catholiques. De plus...

Il s'interrompit, et porta la main à son front.

— Mon Dieu !... Elle devait essayer de retrouver un ami. Le fils de notre jardinier. Elle était inquiète pour lui.

Désignant sa fille inconsciente.

— Pourquoi ce malaise... J'espère que vous ne... ?

Il laissa volontairement son interrogation en suspens.

— Non, citoyen. Elle n'a en aucune façon été maltraitée. Je m'en porte garant. Mais pendant que nos supérieurs l'interrogeaient, elle s'est sentie défaillir. L'émotion, la peur peut-être. Entre-temps elle nous avait expliqué où vous logiez.

— Elle est enceinte... Elle est à son troisième mois.

— Dans ce cas, cela pourrait être beaucoup plus grave. Il serait prudent de faire venir un médecin. En connaissez-vous un ?

Youssef n'eut pas le temps de répondre. Nadia venait de pénétrer dans la pièce. Devant le spectacle de ces hommes en armes entourant sa fille, elle eut un

202

mouvement de recul avant de se précipiter vers le divan.

— Schéhérazade, mon cœur, qu'est-il arrivé ? Ma petite fille...

— Rassurez-vous, citoyenne, elle n'est qu'évanouie.

— Que lui avez-vous fait ! Qu'avez-vous fait à mon enfant !

Elle se jeta contre l'homme, martelant son thorax. Youssef s'interposa.

— Femme ! Arrête ! Je t'en conjure, arrête ! Ces gens n'y sont pour rien. C'est notre fille qui a perdu la tête ! Uniquement notre fille ! Pendant que nous dormions elle s'est rendue à Imbaba ! Comprends-tu ?

— Imbaba ?

— Citoyenne... Il faut un médecin.

— Un médecin, gémit Nadia. Mais où trouverons-nous un médecin à cette heure. N'est-ce pas la guerre ? N'est-ce pas le malheur partout ! A cause de vous !

Au moment où son interlocuteur allait répondre, Schéhérazade entrouvrit faiblement les yeux.

— Mama... J'ai mal...

— Ne t'inquiète pas, ma fille, tout va aller bien.

Michel et Nabil les avaient rejoints. Il leur fallut un temps avant d'assimiler les explications qu'on leur communiquait.

— Le copte ! proposa immédiatement Nabil. Le Dr Chéhab. C'est un vieil imbécile, mais il est notre seule chance. Il n'a peut-être pas quitté Guizeh.

— Voudriez-vous que nous vous escortions, proposa le soldat. Notre avant-garde est aux alentours. Vous pourriez être arrêté.

Nabil lui jeta un regard méprisant et fila à l'extérieur.

★

— C'est grave, ânonna le vieux docteur la mine sombre. Très grave. J'ai eu beaucoup de mal à maîtriser l'hémorragie. Elle a perdu beaucoup de sang.

— Elle ne va pas mourir, dites. Promettez-le-moi, je vous en supplie.

— Sett Chédid. Je ne peux pas me prononcer, hélas ! La vie appartient à Dieu. C'est lui seul qui décide de nos destinées.

— C'est stupide ! se révolta Michel. Stupide ! Dieu n'a rien à voir avec tout ça. Vous vous réfugiez derrière la fatalité pour ne pas avouer votre incompétence. Vous devez la sauver ! Il le faut !

— De toute façon, l'enfant est perdu. Vous le savez.

— Et vous voudriez que la mère le soit aussi !

— Calme-toi, Michel, dit Youssef. Le Dr Chéhab fait ce qu'il peut.

— Et ce qu'il peut n'est pas suffisant ! scanda Nabil.

Il vrilla un œil dur dans celui du médecin.

— Votre opinion ?

Le copte prit un air embarrassé.

— Laisser faire le temps.

— Le temps ? explosa Michel. Depuis quand le temps sauve-t-il de la mort ?

— Il est souvent le meilleur remède.

— L'opérer. Y avez-vous songé ?

— C'est une éventualité. Effectivement. Mais...

— Naturellement vous en êtes incapable.

— Je vous rappelle que je ne suis pas chirurgien, mais généraliste !

— Dites plutôt que vous êtes un âne ! injuria Nabil.

Il grimaça avec dédain.

— Cela ne m'étonne pas de vous. A l'instar de tous les coptes de ce pays vous n'êtes bon qu'à jouer le rôle d'intendants, de larbins, de vulgaires collecteurs de taxes à la solde des Ottomans. Vous accumulez des fortunes colossales en rampant aux pieds de vos maîtres, mais nul aussi bien que vous ne sait sévir et mépriser le fellah. Les beys ont bien raison de vous considérer comme leur bouffon[1] ! Bien sûr, vous pouvez toujours vous vanter d'être le nombril de l'Egypte. Les fameux descendants directs des pharaons[2] ! Mais pour le reste...

— Comment osez-vous ! Je vous interdis de parler de la sorte ! Je n'accepterai pas un mot de plus !

Sans plus attendre, il enfourna ses instruments dans un petit sac de cuir et se dirigea à longues enjambées en direction de la porte.

Nadia esquissa un geste pour le retenir.

— Laisse faire, soupira Youssef. Nabil a raison. Cet homme est un incompétent.

La femme éclata en larmes.

— A présent, qui sauvera mon enfant ?

★

C'est vers la fin de l'après-midi que le soldat français revint à Sabah. Cette fois il était seul. Il était venu s'informer de l'état de Schéhérazade — en voisin avait-il expliqué — car depuis une heure à peine le quartier général avait pris résidence dans le palais abandonné de Mourad bey.

1. En général, les beys plaçaient leur bouffon sur le même plan que leur médecin.
2. Les coptes représentaient environ sept pour cent de la population égyptienne. Ils possédaient la clef de la comptabilité des opérations financières. Appliqués, adroits, mais peu scrupuleux, ils accumulèrent d'énormes fortunes et vivaient fastueusement. Chaque bey avait auprès de lui un intendant copte. Chaque Kashef un sous-intendant. La vanité l'emportant sur la prudence, les coptes riches donnaient parfois de grande fêtes ; mais généralement ils affectaient un train de vie modeste. Les intendants coptes jouirent d'une situation considérable. Entre autres, Girgès el-Gawhari, l'intendant de Mourad et d'Ibrahim bey.

Constatant le désarroi de la famille et surtout l'état dans lequel se trouvait leur fille, il réussit à les convaincre d'accepter le secours de l'un des médecins qui suivaient l'armée.

Il fut de retour à la tombée de la nuit. Un certain Desgenettes l'accompagnait. François expliqua qu'il était le médecin-chef de l'armée.

Quelques heures plus tard, le médecin fut en mesure d'annoncer que, sauf complications, la jeune femme serait sauvée. Les deux hommes se retirèrent sous les bénédictions et les remerciements du couple. Ce fut au dernier instant, alors qu'il enfourchait son cheval, que Youssef songea à demander son nom au soldat bienfaiteur. Il crut entendre quelque chose qui ressemblait à Bernoider ou Bernoyer. François.

★

Les jours qui suivirent furent pour toute la famille des jours de grande peine.

A plusieurs reprises, les êtres qui l'aimaient crurent Schéhérazade perdue. Une forte fièvre s'était emparée d'elle peu après le départ du Dr Desgenettes. Elle s'était mise à délirer, le front brûlant. Des phrases sans suite sortaient de ses lèvres. Une sudation intense trempa ses membres, ses joues se creusèrent. Autant d'indices qui indiquaient que le corps livrait son combat. Cette période d'incertitude dura quatre jours, quatre siècles, pendant lesquels les visages de ses proches ne furent plus que des miroirs où se reflétait l'évolution de son état.

— Je ne pourrai plus avoir d'enfants...

C'était au matin du cinquième jour. La fièvre l'avait enfin quittée, et bien que sa pâleur fût encore grande, on devinait dans ses traits les premiers signes de guérison.

Michel secoua la tête avec force.

— Non, Schéhérazade, tu as tort. Ce n'est pas du tout ce que le Dr Desgenettes a laissé entendre. Une fois sur pied tu seras aussi saine qu'avant.

Il posa sur le front de son épouse un linge humide et le passa ensuite sur ses joues.

Dehors il faisait grand jour. Le soleil était au zénith. Les grillons avaient retrouvé leur voix. Dans Sabah rien ne bougeait. Et l'on aurait pu croire qu'au-delà des murs il n'y avait pas de guerre. La tragédie d'Imbaba n'avait jamais existé. Mais cette illusion s'évanouissait très vite dès lors que passait la rumeur des cavaliers trottant sur la route, et qu'on entendait le cliquetis des armes qui ponctuait le pas des troupes en mouvement.

— Me pardonneras-tu jamais...

— Schéhérazade... Oublions, veux-tu ? En ce moment rien n'est plus important que ta santé.

Elle lui prit la main et la serra avec le peu de force qu'il lui restait.

— Non, je t'en prie. Il faut que je sache. Je t'ai fait du mal. J'ai trahi.

— Tu as suivi ton cœur. C'est tout. Et l'esprit est souvent dupé par le cœur.

— Je dois être folle. Je te l'ai dit un jour, je ne suis pas une femme comme les autres.

— Ce jour-là, qu'ai-je répondu ? « Schéhérazade, le jeu et le goût du défi sont ta seconde nature. »

— Tu oublies l'essentiel. Tu as dis aussi : « Joue, mais assure-toi d'être la seule à en payer le prix. » J'ai joué, Michel, et...

Il posa un index sur ses lèvres.

— Tu as payé, Schéhérazade. Le prix fort. Peut-être le plus élevé qu'il soit donné à une femme de payer.

— Non. *Nous* avons payé. Cet enfant était aussi le tien.

Elle enserra un peu plus ses doigts.

Il répondit à son étreinte, mais on n'aurait pu affirmer si dans ce serrement de main c'était sa tendresse qu'il exprimait ou son désespoir.

— Il faut que nous en parlions, Michel. Je t'en prie. J'y tiens.

Il se leva soudain à la manière de quelqu'un qui suffoque, se dirigea vers la fenêtre.

— Tu y tiens vraiment ?

Il laissa tomber d'une voix rauque :

— Alors pourrais-tu me dire ce que Karim représente pour toi ?

Il devança sa réponse, faisant volte-face :

— Non, Schéhérazade... Je ne crois pas à l'explication de ton frère. Je n'y ai jamais cru. Encore moins depuis ce qui s'est passé.

Elle croisa ses doigts à la manière d'une enfant prise en faute.

— Tu n'es pas forcée de me répondre. Je me satisfais de ton silence.

— Je l'ai aimé...

Le mot fatal avait jailli de sa bouche, volontairement égaré dans sa voix, rendu presque inaudible par la pudeur.

Elle dit encore :

— Comme on peut aimer à treize ans.

A peine la phrase prononcée, elle se détesta. Cette affirmation n'était qu'une quête déguisée vers l'indulgence de Michel. Plus grave, elle était le dénigrement de son amour. Sans le vouloir, elle venait de poser un masque sur d'autres vérités, plus intimes.

Il était revenu au pied du lit.

— Depuis...

— Rien. Je te le jure. Cela fait plus de six ans qu'il a quitté Sabah. Et...

— Il était à notre mariage.

Elle enfonça ses ongles dans sa paume.

— Oui...

— Invité par toi.

Elle secoua la tête en signe d'acquiescement.

— Le château de Guizeh... C'est là-bas que tu l'as retrouvé.

Elle perdait pied. Depuis le début de leur dialogue, une transformation s'était opérée sur le visage de Michel. Un léger tremblement agitait les commissures de ses lèvres. Il était devenu plus pâle qu'elle ne l'était elle même.

Contre toute attente, son corps fut secoué de spasmes, il se laissa tomber au bord du lit.

— Qu'est-ce qui fait que l'amour peut rendre fou ! cria-t-il presque. Pourquoi ? Mon Dieu, pourquoi ? Pour subsister, pourquoi lui faut-il toujours espérer et craindre ? Cette tentation du pardon alors qu'on devrait haïr... Qu'on devrait bannir l'autre. Si tu le peux, Schéhérazade, je t'en conjure, donne-moi donc la réponse.

Il vint s'écrouler contre elle, chercha sa main à tâtons comme si toute la pièce venait de sombrer dans la nuit.

Bouleversée, elle ne sut quoi faire. Quelque chose lui criait qu'il lui fallait parler, apaiser. Elle entrouvrit les lèvres, sachant d'avance qu'elle ne saurait pas.

— Je t'aime, Schéhérazade. Je t'ai aimée et je sais qu'il en sera toujours ainsi, sans espoir de retour. Tout devrait me pousser à quitter cette maison, partir, et pourtant mes jambes se refusent à me porter plus loin que le seuil de cette chambre. Je devrais agir en mari fier, et la faiblesse qui m'habite est celle d'une femme sans dignité ni orgueil. Je devrais te crier ma déception, meurtrir ton cœur, essayer de te briser ; ma bouche n'est pleine que de mots d'amour. Finalement la seule meurtrissure que je puisse t'imposer sera celle de ma présence.

209

— Non, Michel !

Dans un élan déchirant, elle se jeta contre son époux, l'enserra du plus fort qu'elle pouvait, cherchant à étouffer sa souffrance. Elle se maudit pour son inconscience, sa déraison, pour la femme qu'elle était, et se prit à supplier les dieux que le feu qui avait soufflé sur Imbaba brûle à jamais sa mémoire et le prénom du fils de Soleïman.

C'est à ce moment que l'on frappa à la porte.

— Michel ? Schéhérazade ?

Ils reconnurent la voix de Nabil.

Michel fit signe à son épouse de répondre.

Comme si elle pressentait un nouveau drame, elle hésita avant de demander :

— Qu'y a-t-il ?

— Karim. Il est là. Blessé.

★

Karim demeura trois jours à Sabah.

Le bras déchiré par un obus, le torse brûlé par les flammes qui avaient ravagé la flottille, il avait réussi à fuir le champ de bataille dans la nuit du 21. Sa première intention fut naturellement de se rendre à Sabah. Mais les Français avaient amorcé leur avance sur Guizeh et Le Caire. Toute la région fourmillait de soldats ennemis. Alors, au prix d'incroyables efforts, il avait marché jusqu'à une palmeraie située à trois lieues d'Imbaba. Là, se nourrissant exclusivement de dattes, il avait attendu que les mouvements de troupes s'atténuent. Un bédouin avait soigné l'infection de son bras, mais ses brûlures cicatrisaient mal, et le faisaient souffrir atrocement.

Avec sa venue impromptue, il apportait des nouvelles récentes du Caire, entendues sur la route qui le menait à Sabah.

Dans la nuit qui avait suivi la bataille d'Imbaba, de graves désordres avaient éclaté dans la capitale. Les Mamelouks et les notables ayant déserté, le peuple - se voyant sans maître et trahi -s'était livré à tous les excès. Les maisons des beys ainsi que les palais mamelouks avaient été entièrement dévastés de même que les résidences des riches négociants de toutes les nations. Les choses auraient pu aller plus mal encore et le sac de la ville se poursuivre, si un certain Moustafa bey — seul fonctionnaire public resté présent — ne s'était rendu au quartier général de Guizeh pour proclamer la reddition du Caire[1].

Le 23 à la tombée du jour, un détachement conduit par un chef de brigade dont Karim ne se souvenait plus du nom[2], pénétra dans la ville.

Le lendemain, ce fut au tour du général en chef de faire son entrée dans la capitale au son du tambour. Certains racontent que sur son passage des ululements de femmes retentissaient des harems, que le ciel était couvert de tourbillons de fumée qui s'échappaient par les fenêtres des maisons en flammes. Aux dernières nouvelles, ce général avait établi sa résidence dans la somptueuse maison d'Elfi bey située sur la place de l'Ezbékieh ; ses troupes casernées dans les habitations des Mamelouks. Mais le plus étonnant pour Karim était que ce général avait un nom curieux, un nom à consonance italienne. Napollioné. Napollioné Buonaparté. On murmurait même qu'il n'était

1. Ce Moustafa bey était l'un des lieutenant du pacha. Ce fut sur les conseils d'un négociant français nommé Baudeuf — lequel remplissait officieusement au Caire les fonctions de consul — qu'il se rendit auprès de Bonaparte.
2. Le chef de brigade Dupuy. Il fut nommé commandant de la ville du Caire, et à cette occasion élevé au grade de général de brigade.

pas d'origine française, mais toscane. Que faisait donc un Italien à la tête d'une armée française ? Cette révélation intrigua beaucoup la famille Chédid.

Le pillage des maisons des Mamelouks se poursuivait toujours malgré les scellés apposés par les Français. Les soldats eux-mêmes y participaient activement, ouvrant généralement la voie aux voleurs égyptiens. Pour mettre fin au désordre, les conquérants avaient désigné un homme à la tête du corps d'infanterie chargé de rétablir le calme. Il s'agissait de quelqu'un que Karim connaissait bien. Un géant à la tête d'assassin : Barthélemy Serra, celui-là même qui quelques mois plus tôt avait failli prendre la vie de Schéhérazade[1].

A l'aube du quatrième jour, Karim quitta Sabah pour la capitale, à la recherche de Papas Oglou.

Tout le temps que dura son séjour, et jusqu'à son départ, pour des raisons qui échappèrent à tous, sauf à Michel, Schéhérazade conserva la chambre et se refusa à revoir le fils de Soleïman.

---

1. Les Français avaient formé cinq compagnies de polices issues des anciennes milices ottomanes. Leur chef, en l'occurrence Barthélemy, dépendait étroitement du commandant de la place, le général Dupuy.

CHAPITRE 14

Mon cher Joseph.

La conquête de l'Egypte a été assez disputée pour ajouter une feuille à la gloire militaire.

Je peux être en France dans deux mois, je te recommande mes intérêts. J'ai beaucoup de chagrin domestique, car le voile est entièrement déchiré. Toi seul me restes sur la terre. Ton amitié m'est bien plus chère. Il ne me reste plus pour devenir misanthrope qu'à la perdre ou à te voir me trahir... C'est une triste position que d'avoir à la fois tous les sentiments pour une même personne dans un même cœur... Tu m'entends... Fais en sorte que j'aie une campagne à mon arrivée, soit près de Paris, soit en Bourgogne ; j'y compte passer l'hiver et m'y enfermer ; je suis ennuyé de la nature humaine. J'ai besoin de solitude et d'isolement ; les grandeurs m'ennuient ; le sentiment est desséché. La gloire est fade à vingt-neuf ans ; j'ai tout épuisé : il ne me reste plus qu'à devenir bien vraiment égoïste. Je compte garder ma maison ; jamais je ne la donnerai à qui que ce soit. Je n'ai plus de quoi vivre. Adieu, mon unique ami, je n'ai jamais été injuste envers toi. Tu me dois cette justice, malgré le désir de mon cœur de l'être... Tu m'entends ! Embrasse ta femme et Jérôme.

Nous étions vers la fin de juillet.

Le général en chef posa sa signature au bas de la lettre destinée à son frère, et la confia au courrier en partance pour Rosette.

Reprenant le dessus sur sa mélancolie passagère, il rédigea ensuite un document d'une tout autre teneur — adressé cette fois au général Zajonchek, qui depuis le 25 juillet était le nouveau gouverneur de la province de Menouf.

« ...Vous avez dû recevoir hier les ordres pour l'organisation de votre province. Il faut que vous traitiez les Turcs avec la plus grande sévérité. Tous les jours ici, depuis mon arrivée, je fais couper trois têtes et les promener dans Le Caire. C'est le seul moyen de venir à bout de ces gens-ci. »

Sa mélancolie était-elle revenue ? Il fallait en tout cas qu'il fût bien sombre le lendemain ; car dans une lettre au général Menou, lequel dix jours plus tôt s'était emparé de la ville de Rosette, ce n'était plus trois, mais cinq ou six prisonniers qu'il donna l'ordre de décapiter.

« Les Turcs ne peuvent se conduire que par la plus grande sévérité. Tous les jours je fais couper cinq ou six têtes dans les rues du Caire. Nous avons dû les ménager jusqu'à présent pour détruire cette réputation de terreur qui nous précédait. Aujourd'hui, au contraire, il faut prendre le ton qui convient pour que les peuples obéissent. Et obéir, pour eux, c'est craindre... »

En vérité, les instructions données à Menou n'avaient pas beaucoup d'importance. Ce militaire — qui conservait sans doute la mémoire du temps où il servait la révolution en Vendée — avait depuis longtemps devancé les vœux de son supérieur : depuis qu'il s'était attaqué à l'organisation de Rosette, la ville vivait sous le règne de la terreur.

Le général en chef posa un instant sa plume, et songea à ce qu'il lui restait à accomplir pour parachever l'occupation de l'Egypte.

Finalement, ces diables de Mamelouks lui donnaient du fil à retordre. Mourad bey s'était retiré avec le reste de ses troupes, en Haute-Egypte, décidé à entamer une guerre d'usure. L'idée d'un arrangement traversa l'esprit du général, mais on s'occuperait de cela plus tard. Pour l'heure c'était de l'autre qu'il fallait se débarrasser en priorité : Ibrahim bey. Aux dernières nouvelles, il s'était fixé à Belbeïss, à une dizaine de lieues du Caire, d'où il dominait la province de Charkieh et le Delta oriental. Une pareille force à si petite distance restait une menace constante.

Kléber commandait à Alexandrie. Menou à Rosette, Murat à Kelioub, Belliard à Guizeh. Le général Zajonchek occupait la province de Menouf. Vial celles de Mansourah et de Damiette, l'adjudant Bribes la Bahiré, le général Fugière la ville de Mahallet el-Koubra ; lui, le général Bonaparte, se chargerait en personne de régler son compte à Ibrahim bey.

Ses réflexions achevées, il reprit la plume.

Fidèle à sa volonté d'arriver à un accommodement avec la Porte, il écrivit une longue lettre (la troisième) au pacha Abou Bakr, pour essayer de le persuader de revenir au Caire.

Là aussi, il y avait pléthore de soucis.

Pour la bonne marche de ses projets, il était indispensable qu'Istanbul demeurât neutre.

Mais que pouvait bien foutre M. de Talleyrand ! Lui seul, mieux que personne saurait amadouer le sultan Sélim III pour qu'il se tienne hors de l'affaire. Or, nommé ambassadeur à Istanbul depuis plus de deux mois, M. de Talleyrand n'avait toujours pas occupé son poste. Il s'y était pourtant engagé. Il avait donné sa parole[1] !

Rendu furieux par ces dernières pensées, le général balança sa plume qui alla rouler sur la table, et décida de porter son esprit vers des choses moins irritantes.

Il fit convoquer le chef de l'atelier d'habillement de l'armée d'Orient, le soldat François Bernoyer, et lui demanda de lui confectionner rapidement des modèles de différents uniformes pour la troupe, afin qu'il pût en choisir un qui conviendrait mieux au pays et au climat.

Trois jours après, on réquisitionna tous les tailleurs français et turcs, et un atelier fut organisé avec plus de mille ouvriers, capables de fournir, selon le vœu du général, dix mille uniformes en trente-cinq jours.

Satisfait, le cerveau dégagé, il revint à sa conquête.

Il constitua un diwân, composé en majorité des ulamâs et des cheikhs issus de ce qu'il avait surnommé la Sorbonne de l'Orient, l'université d'el-Azhar.

Le 30 juillet, il nomma le copte Girgès el-Gawhari, ancien collaborateur de Mourad bey, intendant général de toute l'Egypte.

1. Dans sa dépêche du 22 floréal an VI, (11 mai 1798), Talleyrand annonçait au chargé d'affaires de France, Pierre Ruffin, l'arrivée prochaine d'un négociateur à Istanbul ; or cet ambassadeur devait être Talleyrand en personne. Faisant fond sur son concours, Bonaparte, du bord de l'*Orient*, le pressait de partir. Plus tard, dans sa dépêche du 19 août 1798, il demandera au Directoire : « Talleyrand est-il à Istanbul ? » Et dans celle du 7 octobre 1798, il insiste : « Vous enverrez par Vienne un ambassadeur à Istanbul ; cela est essentiel. Talleyrand doit s'y rendre et tenir sa parole. » Mais en vérité, Talleyrand n'eut jamais sincèrement l'intention d'accomplir sa mission. Il ne se souciait aucunement de tenter lui-même l'aventure. Jugeant plus sage de laisser un autre courir les risques auxquels il se dérobait, il fit nommer par le Directoire Marie-Descorches de Sainte-Croix. Mais celui-ci ne partit jamais pour le Levant. Ce sera seulement cinq ans plus tard, en 1803, qu'un ambassadeur de France, le général Brune, paraîtra à Istanbul.

Le 1ᵉʳ août, les femmes des Mamelouks furent lourdement taxées pour pouvoir conserver légalement les propriétés de leurs maris. Sett Nafissa à elle seule se vit condamner à payer la somme astronomique de 600 000 livres.

★

— C'est un crime ! hurla la Blanche. Pire encore, c'est de la traîtrise et l'exemple le plus parfait de votre ingratitude ! N'ai-je pas déjà versé 120 000 ryâls pour moi-même et pour les autres épouses de Mamelouks ? Il y a trois jours à peine, M. Eugène de Beauharnais, propre beau-fils du général en chef, n'est-il pas venu en personne pour me tranquilliser ? Se répandre en compliments, me remercier pour l'aide que je n'ai cessé d'apporter toutes ces années durant aux négociants français — Charles et Françoise Magallon sont là pour le prouver. Et ce diamant...

Elle leva les yeux pour prendre le ciel à témoin.

— Ce diamant que j'ai eu la naïveté d'offrir à ce M. de Beauharnais pour lui témoigner ma gratitude, et — je le précise en passant — qu'il s'est empressé d'accepter ! Ce présent ne devait-il pas affirmer l'exception de nos liens ? Sinon, pourquoi l'avoir conservé ? Pour mieux souligner sa duperie[1] sans doute ! 600 000 livres ? Mais où voulez-vous que je les trouve ?

L'officier, qui avait été chargé par le quartier général d'annoncer la nouvelle de son imposition à l'épouse de Mourad bey, maudit intérieurement ceux qui lui avaient confié cette mission. Dieu merci, le

1. Le général Berthier, à la demande de Magallon, lui avait effectivement accordé une sauvegarde générale pour elle et l'ensemble de ses gens.

copte Girgès el-Gawhari l'accompagnait. Entre gens du même sang, les deux personnages s'arrangeraient bien pour trouver un terrain d'entente. Aussi, en réponse à l'ouragan verbal de la Blanche, il jugea plus prudent de se limiter à un geste d'impuissance.

Ce fut donc le copte qui prit la parole.

— Sett Nafissa...Vous ne semblez pas comprendre la situation. Votre époux...

— Mourad bey n'a rien à voir dans cette affaire !

— Mais, comment pouvez-vous dire pareille chose ! Il est toujours en guerre contre les troupes françaises. S'il a perdu la bataille d'Imbaba, il n'a pas baissé les armes pour autant.

— Et alors ? Monsieur Girgès ! Qu'y a-t-il d'anormal dans cette attitude, en quoi est-elle critiquable ? Tous les Egyptiens ne sont pas coptes, l'auriez-vous oublié ? Il n'est pas donné à tous de posséder l'admirable esprit de collaboration qui vous anime !

L'intendant releva le menton, la face cramoisie.

Elle poursuivit :

— Mourad est attaqué. Des hommes ont envahi ses terres, on l'a dépossédé de tout. En quoi la résistance est-elle une infamie ? Hein ? Répondez-moi !

— Je vous répète que le problème n'est pas là. De plus, vous n'êtes pas obligée de débourser toute la somme d'un seul coup. Demain 100 000 livres et 50 000 les jours suivants.

Dame Nafissa tendit une main les doigts écartés en direction de l'intendant.

— Cinq dans l'œil de celui qui ne prie pas pour le Prophète[1] ! Honte à vous !

---

1. Expression fondée sur un jeu de mots sur le chiffre cinq (khamsa), qui signifie aussi en arabe « la main de Fatma » que l'on oppose au visage du mécréant.

Devant l'air égaré d'el-Gawhari, le Français estima qu'il ne pouvait rester silencieux plus longtemps.

— Citoyenne, si vous persistez dans votre refus, tous vos esclaves, les cinquante-six femmes et les deux eunuques, ainsi que les biens de votre époux seront regardés comme propriétés nationales. Vous ne pourrez conserver que vos meubles.

— Je vous le répète, je ne possède pas cet argent !

— Citoyenne, dans chaque guerre, le vaincu doit payer. C'est la loi, la rançon des défaites.

Dans un déploiement de voiles, la Blanche se dressa, furieuse.

— Dans votre loi, n'y a-t-il pas de récompense prévue pour les vies que l'on sauve ? Dois-je vous rappeler une fois encore les services que j'ai rendus à votre nation ? Les Français que j'ai hébergés sous mon propre toit au moment où ils couraient les plus graves dangers ? Mes interventions sollicitées quotidiennement par Mme Magallon afin que mon époux allégeât ses avanies ? A ce propos...

Elle s'interrompit, dégrafa avec fébrilité la petite montre en or qui ornait son poignet, et la jeta aux pieds du Français.

— Tenez ! Rendez ceci à cette chère Françoise, ou mieux encore, prenez exemple sur Monsieur le beau-frère de votre général, conservez-le. C'est l'un de ces témoignages de gratitude que je ne saurais garder plus longtemps maintenant que je sais le peu de considération que vos chefs ont pour les symboles.

L'officier ne broncha pas. Il se leva nonchalamment, et déclara à l'intendant que l'entrevue était close.

Fixant la Blanche droit dans les yeux, il laissa tomber :

— Vous paierez... dame Nafissa... c'est ainsi. Pas autrement.

— Monsieur, retenez bien ce que je vais vous dire.

Dans ce pays il existe quelque chose d'étrange et de pervers que nous appelons le mauvais œil. Abuser comme que vous le faites de la situation et surtout renier votre parole ne vous portera pas chance. Croyez-moi. Vous et les vôtres connaîtrez le malheur et l'humiliation.

C'était le 31 juillet 1798.

★

La Blanche possédait-elle un pouvoir maléfique ?

Lorsque la nouvelle de l'effroyable désastre qui s'était abattu sur l'expédition fut connue de l'officier percepteur, le pauvre homme dut en être sinon convaincu, du moins profondément troublé.

Le drame se déroula le lendemain de leur entrevue ; le 1er août, au coucher du soleil très précisément. Mais le général en chef n'en eut vent que 13 jours après, alors qu'il se trouvait dans le village de Belbeïss.

Cela faisait plus d'une semaine qu'à la tête de dix mille hommes il était parti du Caire à la poursuite d'Ibrahim bey. Deux jours plus tôt, il avait défait le Mamelouk près du village de Salahieh. Le combat avait été rude. Les pertes importantes. Mais le but était atteint : Ibrahim bey était en fuite pour la Syrie.

On finissait de déjeuner. L'atmosphère était détendue.

Les troupes avaient enlevé aux Mamelouks le butin qu'ils venaient de dérober à une caravane. Le général en chef avait décidé que dès leur retour au Caire les soldats pourraient vendre les marchandises à leur profit. Tous les convives avaient le sourire, lorsqu'au milieu du repas le général annonça, presque flegmatique :

— Parfait. Vous vous trouvez bien dans ce pays,

cela est heureux car nous n'avons plus de flotte pour nous ramener en France.

La consternation frappa les personnes présentes.

— Eh bien, reprit le général. Nous voilà dans l'obligation de faire de grandes choses ! Nous les ferons ! De fonder un grand empire. Nous le fonderons ! Des mers dont nous ne sommes pas maîtres nous séparent de la patrie, mais aucune mer ne nous sépare ni de l'Afrique ni de l'Asie.

L'événement auquel il faisait allusion s'était déroulé treize jours plus tôt. Au moment où nul ne l'attendait, un contre-amiral anglais[1] avait surgi dans la rade d'Aboukir, à l'est d'Alexandrie où la flotte française commandée par l'amiral Brueys avait jeté l'ancre. Ne disposant ni de cartes exactes ni de pilotes, les sondages que l'amiral avait fait opérer auparavant l'avaient convaincu de l'impossibilité de faire entrer dans le Port Vieux l'*Orient* et les vaisseaux de quatre-vingts canons. L'infortuné était pleinement conscient de la vulnérabilité de sa position. Mais curieusement, pas plus que ses collègues Menou ou Kléber, il n'avait reçu la moindre nouvelle du général depuis que les troupes avaient débarqué en Egypte[2].

C'est donc encastré dans cette rade d'Aboukir que l'Anglais le trouva. La manœuvre fut simple. Elle

1. Est-il besoin de préciser qu'il s'agissait de sir Horatio Nelson qui venait de reprendre du service après une convalescence de huit mois passée à se guérir de la blessure, suivie de l'amputation du bras droit, qu'il avait reçue l'année précédente devant Santa Cruz des Canaries.
2. De surcroît le ravitaillement de la flotte était devenu catastrophique : « La flotte n'est plus en position de mettre la voile, elle risquerait d'être affamée ; elle ne peut pas non plus rester au mouillage sans recevoir des vivres sous peine de se voir réduite à la dernière galette. Il importe qu'elle ne soit pas forcée par des secours tardifs, à consommer ce qui lui reste de biscuit, parce qu'il est indubitable qu'une nourriture journalière de riz nuirait à la santé des équipages. »

consista à prendre chaque vaisseau français sous des feux convergents .

En quelques heures, ce fut l'apocalypse.

Au terme de l'affrontement qui se prolongea jusqu'au 3 août, deux frégates et deux vaisseaux français furent coulés ou brûlés. Neuf autres tombèrent entre les mains de l'ennemi. Dix-sept cents hommes périrent. Mille cinq cents furent blessés, les deux tiers prisonniers. L'amiral Brueys lui-même succomba à 7 heures et demie sur le pont de son navire, la cuisse emportée.

Vers les 9 heures du soir, l'*Orient*, le fier bâtiment qui avait porté le général en chef vers les terres d'Egypte, se transforma en une gigantesque torche. Une heure quinze plus tard, il explosa dans un vacarme assourdissant ; tous les autres navires vibrèrent, et l'écho fit trembler la ville d'Alexandrie. A cette horrible explosion succédèrent vingt minutes de silence, les deux armées frappées de stupeur.

Côté anglais, pas un vaisseau ne sauta ni ne fut incendié. Leurs dégâts se limitèrent à des avaries majeures.

Leurs pertes en hommes s'élevèrent à 218 morts et 677 blessés.

La nouvelle de cette victoire arriva le 2 octobre 1798 à Londres. Sa renommée s'en répercuta à travers toute l'Europe. Le contre-amiral anglais fut comblé d'honneurs. La Compagnie des Indes lui fit don de dix milles livres sterling, la Compagnie du Levant d'un vase d'argent, la Cité de Londres d'une épée et de deux cents guinées. Il fut nommé par le roi « baron du Nil et de Burham Thorpe » avec une pension de deux mille livres sterling. Le tsar Paul Ier lui offrit son portrait dans une boîte valant deux mille cinq cents livres ; le sultan Sélim III, une aigrette de diamants d'une valeur de deux mille livres. Le 19 août 1798, le contre-amiral quitta l'Egypte sur le *Vanguard*, laissant derrière lui six bâtiments qui exerceraient le blocus des ports égyptiens. Il fit ensuite voile vers Naples où l'attendaient des dangers d'une autre nature[1].

Bonaparte[2] et ceux qu'il avait entraînés dans sa folle aventure étaient désormais prisonniers de leur conquête.

★

Les ombres des arcades s'allongeaient dans l'immense cour d'el-Azhar. Au pied des créneaux ajourés des centaines de fidèles étaient prosternés vers La Mecque. Une voix était tombée qui avait arrêté le temps. Et le temps était à Allah.

Plus loin, de l'autre côté de la cour, la lumière, un instant coupée par la muraille de pierre grisâtre, renaissait vers l'iwân. Ici, cent quarante colonnes délimitaient le foyer de l'ardeur, le centre de la connaissance du monde de l'Islam.

Du côté des quartiers réservés aux étudiants étrangers, l'atmosphère était différente. Syriens, Persans,

---

1. Il arrivera à Naples le 22 septembre où il retrouvera... lady Hamilton.
2. Celui-ci va faire porter sur Brueys, dans son rapport au Directoire, l'intégralité de la responsabilité de la défaite. L'amiral lui aurait désobéi en se maintenant à Aboukir au lieu de se rendre dans le Port Vieux ou de se retirer à Corfou. En fait (comme l'avait constaté Brueys), les passes du Port Vieux étaient très dangereuses pour les gros bâtiments français et Bonaparte n'a jamais donné l'ordre explicite de se rendre à Corfou, ce qui paraissait de surcroît difficile en raison du manque d'eau et de ravitaillement de la flotte. Pour plaider sa cause, Bonaparte donne de faux extraits de sa correspondance avec l'amiral. Aussi, une fois devenu Premier consul, fera-t-il enlever des archives militaires les pièces les plus compromettantes et en modifiera-t-il d'autres. Les analyses de La Jonquière et de Douin convergent totalement sur les falsifications opérées par Bonaparte.

Kurdes, Nubiens, débattaient dans une rumeur continue de leur sujet favori : jurisprudence, algèbre, interprétation des Ecritures, et surtout philosophie — matière pourtant en disgrâce, il y a peu de temps encore[1]. Parfois, quand le directeur chargé de la surveillance faisait irruption dans l'une des salles, ceux des jeunes gens qui étaient en train de discuter d'un sujet susceptible d'offenser la rigueur du lieu faisaient silence en se rabattant sur l'égrenage rassurant de leur chapelet.

Venus des régions les plus diverses du Levant, ces étudiants — plus de trois mille — vivaient ici dépourvus de préoccupations matérielles. Leur nourriture était garantie pour l'essentiel par la distribution quotidienne d'environ dix-huit quintaux de pain. On leur fournissait aussi l'huile nécessaire à l'éclairage des lampes. Quant à leurs frais éventuels, on y pourvoyait chaque mois par une rétribution en numéraire.

Si el-Azhar était avant tout un centre d'enseignement, sans nul doute le plus prestigieux de tout l'Orient, la charité s'y voulait présente.

A l'écart du quartier des étudiants, une aile avait été consacrée à soigner gratuitement les indigents frappés de cécité, l'infirmité la plus répandue en Egypte.

A l'est de cet hôpital de fortune se trouvait le bâtiment administratif. C'est dans une des pièces mises à leur disposition que les membres les plus influents du Sang du Nil tenaient en ce moment réunion. Le ras-

1. D'abord enseignée, la philosophie fut bannie d'el-Azhar. L'originalité et l'indépendance d'esprit qui caractérisent naturellement cette matière éveillèrent la méfiance des docteurs de la Loi. Il fallut toute l'ardeur de Jamal el Dine al Afghani — célèbre réformateur — pour que Platon, Aristote et les autres retrouvent leur place au programme de la prestigieuse université.

semblement de ces sept personnages tenait lieu du prodige. Joindre, communiquer, se déplacer dans ce Caire en état de siège étant devenu une gageure.

La pénombre s'était quelque peu accentuée. Mais il n'était pas question d'éclairer.

Nabil déploya la carte du Caire sur la table en bois de Damas, et pointa son doigt sur l'endroit où était située la citadelle.

— C'est là qu'ils ont placé leur artillerie. Ils ont vidé la kalaat el-gabel[1] de ses habitants, saccagé un site historique et fait de l'ancienne résidence des sultans une position fortifiée. De ce point, ils pourront, quand bon leur semblera, faire pleuvoir un déluge de feu sur la capitale.

Boutros frappa la table du plat de la main.

— Dire que jusqu'à cette heure le visage de l'oppresseur était turc ou mamelouk ; celui de notre idéal, la France ! Désormais les deux visages ne font plus qu'un. Quelle ironie du sort...

Nabil poursuivit :

— Tout ça, c'est la faute de ce gnome italien.

— Quel Italien ? interrogea Salah interloqué.

— Mais leur général en chef ! Son véritable nom serait Buonaparté. Napollioné Buonaparté.

— Ça alors..., murmura Salah, partageant sa surprise avec le reste du groupe.

Nabil haussa les épaules avec détachement :

— De toute façon, italien ou non, cette occasion que nous attendions tous depuis si longtemps, c'est lui qui nous la fournit. Toutes ces années durant les janissaires ont tenu la ville en respect pendant que Mourad et les siens se gavaient. Fini tout cela ! Le nouvel occupant aura beau jeu d'organiser polices et brigades, tôt

---

1. La forteresse de la montagne. Surnom donné par les habitants du Caire à la citadelle.

ou tard ils ne pourront plus faire face. La destruction de leur flotte en est la preuve flagrante.

Il leva le pouce, prêt à énumérer sur ses doigts l'inventaire de la situation :

— Il y a la guerre d'usure que leur livrent les Mamelouks. Car si Ibrahim est en fuite, Mourad n'a toujours pas rendu les armes. Le harcèlement quotidien des bédouins, les agressions des fellahs dans les villages occupés, la flotte anglaise qui exerce le blocus de nos ports, exilant définitivement les Français en terre d'Egypte, et enfin il y a les Ottomans. Car ça doit certainement bouger du côté d'Istanbul.

Osman extirpa de sa galabieh une feuille imprimée et enchaîna à la suite de Nabil :

— De plus, si mes renseignements se révèlent exacts, ton Italien tente mais sans résultat de se concilier les bonnes grâces de nos voisins. Il a fait distribuer aux gouverneurs des pays frontaliers une circulaire — destinée bien évidemment à répandre la propagande française, et dont j'ai obtenu une copie que je vous livre.

— Cela confirme ce que je disais, observa Nabil. En débarquant sur le sol égyptien, ce Buonaparté n'a pas mesuré l'absurdité de son entreprise. En ce qui nous concerne, l'heure n'est plus aux discours, mais à l'action.

— Ce ne sera pas simple, fit remarquer Boutros. Ils sont en train de mettre en place un système d'alerte très précis. Je les ai observés depuis qu'ils sont entrés dans la ville. La population a dû livrer toutes ses armes. Les contrevenants encourent des châtiments corporels — on m'a parlé de cent coups de bâtons — et, s'il s'agit de canons ou de réserve de poudre, la décapitation. Ce Barthélemy qu'ils ont nommé à la tête de leur police m'a l'air d'un fou furieux. Ce n'est pas tout. Ils ont ordonné de détruire toutes les portes qui ferment les rues, pour interdire les communications.

Nabil émit un petit rire ironique.

— Excellente nouvelle. Vous vous doutez bien que cette dernière mesure sera ressentie par les petites gens comme un véritable viol. Depuis toujours ce système de portes offrait une certaine autonomie et un sentiment de sécurité aux quartiers de la ville. L'abroger ne pourra qu'attiser l'exaspération des habitants[1].

Il se tut un instant avant d'ajouter :

— Je suggère qu'à partir de la semaine prochaine, nous commencions à préparer le jour de la grande révolte. Il faudra que ce mouvement soit d'une telle ampleur que les Français en arrivent à perdre le contrôle de la capitale.

Une certaine perplexité apparut sur les visages.

— Un soulèvement ponctuel, murmura Osman dubitatif. Bien sûr. Mais comment mettre en œuvre une telle opération ? Elle ne pourrait connaître le succès qu'à travers un soulèvement de masse. Prévenir des centaines de gens, leur communiquer le jour et l'heure où ils devront se mettre en marche paraît impossible !

— Il existe un moyen. Savez-vous combien Le Caire possède de minarets ?

— Sans doute plus de trois cents, répondit une voix.

— On pourrait même suggérer trois cent cinquante. Eh bien, ces minarets seront notre arme secrète, nos tours de signalisation. Parmi les membres de notre mouvement, se trouvent de nombreux muezzins entiè-

1. La structure du quartier permettait en cas de désordre à l'intérieur, ou de présence de personnes étrangères suspectes, d'en assurer l'isolement et d'y poursuivre éventuellement une véritable enquête de police.

rement acquis à la cause. Je suggère qu'aux heures de la prière ils glissent au peuple les informations que nous leur communiquerons. Les Français ignorent notre langue, ils n'y comprendront rien, ou alors quand il sera trop tard.

— Génial ! lança Boutros avec enthousiasme.

Des exclamations passionnées se répandirent dans la salle. A l'évidence, l'idée de Nabil faisait l'unanimité.

— Mes frères, reprit-il d'une voix solennelle, désormais le temps est à la fitna[1] !

— La fitna ! s'exclama le groupe d'une seule voix.

— Mort aux Mamelouks ! Mort aux Ottomans et mort à Nabulio !

*

Dans le feu de ses préoccupations patriotiques, Nabil aurait-il jamais pu se douter que sa sœur, bannie de la famille depuis bientôt sept ans, vivait à quelques pas de là. Si proche d'el-Azhar que les invectives lancées par le Sang du Nil lui seraient peut-être parvenues si elles avaient été criées plus fort.

Samira ranima d'un cran la flamme de la lampe et remonta doucement la couverture sur son enfant. Le petit Ali dormait à poings fermés, loin de la mélancolie de sa mère.

Elle le contempla tout en essayant de refouler la sensation de vide qui depuis bientôt un mois ne ces-

1. Le terme de fitna, à l'origine « tentation » donc « épreuve » de la foi, a désigné très tôt dans l'Islam les troubles civils de la communauté. Dès lors il revêt le sens de « rupture » de l'ordre communautaire. Il perdra relativement de sa connotation religieuse pour signifier le mot « révolte ». Il sera utilisé d'ailleurs dans les premières décennies du xixe siècle pour désigner la Révolution française : « El fitna el faransawiyya. »

sait de torturer son cœur ; depuis le jour où on lui avait ramené la dépouille sans tête de son époux, le beau Ali Torjmane. C'était des voisins témoins du drame qui s'étaient chargés de cette funeste tâche. On lui avait expliqué que l'homme avait été pris en flagrant délit alors qu'il prêchait ouvertement la guerre sainte aux clients d'un café. Il ignorait sans doute que le chef de la police chargé de la répression, Barthélemy Serra en personne, faisait partie des consommateurs. C'est de sa propre main que le géant assassin trancha le cou au malheureux janissaire.

Voici que maintenant Samira était veuve, avec en plus un enfant de sept ans à charge. Dieu merci, le défunt lui avait laissé de quoi vivre pendant longtemps sans trop avoir à se soucier du lendemain. Mais dépensière comme elle était, ce pécule ne ferait pas long feu.

Les premiers jours qui avaient succédé au drame elle avait songé à retourner à Sabah. Après tout, son mari mort, plus rien ne s'opposait à ce qu'elle réintègre la famille. Mais ce pas franchi signifierait la fin de sa liberté. Non. Jamais elle ne pourrait supporter de se retrouver dans cette prison, fût-elle dorée.

Elle repensa à la visite que Zobeïda, l'amie de toujours, lui avait faite ce matin encore.

« Il faut sortir. Voir du monde. Le noir ne sied pas aux femmes, encore moins à des femmes comme nous. »

Indifférente aux critiques de son entourage, la belle Zobeïda fréquentait les Français. Pas n'importe lesquels. Des officiers, des chefs de brigade qui se montraient pleins d'une attention délicieuse pour ses charmes, et d'une courtoisie dont elle n'aurait jamais cru un homme capable.

« Dans deux semaines ce sera la fête du Nil... Accompagne-moi. Il y aura beaucoup de gens intéressants.

Nous serons parmi les mieux placés. Viens. Ne fût-ce que pour ton enfant. C'est à son bonheur aussi qu'il te faut penser. »

Samira quitta le lit sans faire de bruit et alla se regarder dans le petit miroir posé sur la commode.

Elle fit glisser délicatement ses deux mains le long de ses joues, effaçant le temps de son geste les premières rides que la trentaine avait insidieusement dessinées aux coins de ses yeux et aux commissures de ses lèvres.

Trente et un ans déjà.

Elle emprisonna ses seins et fut rassurée de les trouver encore fermes. Certes, sa silhouette s'était un peu plus arrondie avec les années, mais qu'importe ! la sensualité qu'elle avait toujours dégagée demeurait présente.

Elle entrouvrit avec précaution le tiroir de la commode et en sortit une écharpe de soie rouge, dernier présent du défunt Ali Torjmane. Elle la posa dans le creux de son cou et se contempla une nouvelle fois dans la glace.

Oui. Zobeïda avait raison. Le noir ne sied pas aux femmes.

CHAPITRE 15

Le ululement singulier des femmes éclatait par-dessus le martèlement des tablas[1] et des cymbales. C'était le 18 août, trois jours plus tôt on fêtait l'anniversaire du général en chef ; aujourd'hui c'est la fête du Nil. L'une des plus grandes fêtes nationales de l'Egypte[2]. On célèbre ce jour-là la montée du fleuve roi. Le jour béni de l'année où il est à son plus haut niveau.

Il est environ 6 heures du matin. La boule énorme du soleil s'élève lentement au-dessus de l'île de Rodah. L'horizon est rouge grenat, l'air immobile entre les eucalyptus et les saules pleureurs. Quelques milans dérivent sur le ciel. Les berges sont noires de monde, et les rives du canal, le khalig[3] qui traverse Le Caire, sont envahies elles aussi. C'est à travers ce fossé que dans quelques instants s'engouffreront les eaux sacrées. Elles inonderont une partie de la ville et porteront la fertilité dans les campagnes. Au fil des jours,

1. Tambour en cuivre recouvert d'un parchemin.
2. Cette fête remonte à la plus haute antiquité, à une époque où le Nil comptait parmi les principales divinités du pays.
3. Le Caire n'avait pas d'égouts, et le canal (khalig) qui traversait la ville servait aussi d'égout collecteur, purgé au moment de la crue du Nil.

le limon, l'engrais magique gonflera la terre, et redonnera vie aux boues asséchées.

Accompagné de tous les généraux et de l'état-major de l'armée, du kiaya[1] du pacha, de l'aga des janissaires, celui que le petit peuple n'appelle plus que Abounaparte ou le sultan el-kébir[2], s'avance en direction du nilomètre de ce pas sûr, propre aux conquérants, salué par plusieurs salves.

Qui aurait pu imaginer qu'il s'en était fallu de peu pour que le généralissime n'assistât à cette cérémonie fagoté comme un cheikh, le crâne recouvert d'un turban piqué d'une plume d'oie, le corps engoncé dans une longue robe damassée, la taille ceinte, les pieds chaussées de babouches. La veille, il avait porté l'habit oriental, ravi de son idée, mais lorsqu'il s'était présenté devant son état-major les éclats de rire qui saluèrent son apparition eurent vite fait de le ramener à de plus sobres options vestimentaires.

Alignée sur les rives du canal, une partie de la garnison française en armes projette ses ombres. Sur le fleuve même, la flottille est pavoisée ; ses fanions bleu blanc rouge font des taches lumineuses sur le fond du ciel.

Abounaparte s'arrête au pied du mekias et prend place sous un dais frangé d'or spécialement dressé pour la circonstance.

Un responsable se penche pour mesurer le niveau d'élévation du fleuve. Dans l'attente du résultat un silence recueilli s'instaure parmi la foule.

— Vingt-cinq coudées !

— Vingt-cinq coudées ! reprend la foule, que ce chiffre enthousiasme.

1. Lieutenant.
2. Le grand sultan.

232

Pour cause, c'est le niveau le plus favorable obtenu depuis près d'un siècle. La crue sera idéale. Ni trop peu ni trop abondante.

Le peuple laisse exploser sa joie. On déclame vers le ciel des actions de grâces où curieusement se confondent les noms du Prophète et celui du sultan el-kébir. A croire que la seule présence du généralissime n'était pas étrangère à cette faveur du ciel.

Le signal est donné d'abattre la digue qui retient les eaux. Dès les premiers coups de pioche, des musiciens français et égyptiens entament tour à tour des airs populaires.

Debout dans la calèche familiale, face à l'île de Rodah, Schéhérazade et Michel contemplent le spectacle. C'est la première fois qu'elle assiste à la fête du Nil. Lorsque son époux lui avait suggéré de s'y rendre elle avait commencé par refuser. Elle craignait ces réjouissances publiques et les excès qui pouvaient en découler. D'ailleurs le moral n'y était pas. La blessure causée par la perte de son enfant restait toujours aussi vive. A présent qu'ils étaient là, elle ne regrettait plus d'avoir cédé à l'insistance de son mari. Ces couleurs qui dansaient autour d'elle égayaient un peu la grisaille des derniers jours. Surtout, il y avait ce peuple, ce peuple en haillons qui depuis la nuit des temps avait rendez-vous avec la misère, la maladie, la faim et les mouches. Où puisait-il donc cette aptitude unique à pouvoir porter ses malheurs millénaires sans jamais se plaindre ? sans jamais se départir de son rire ou alors par inadvertance. Peut-être dans la magie du Nil ?

Et cet Abounaparte qui disait de lui : *Je n'ai jamais vu peuple plus misérable, plus ignorant et plus abruti.* Mais il fallait pardonner à ce roumi. Comment aurait-il pu savoir, lui qui venait d'un autre monde, que l'Egyptien naît avec un papyrus dans le cœur, où il est

écrit en lettres d'or que la dérision sauve du désespoir.

Les vieillards, les joues mangées par des barbes gri-
sonnantes, étaient soudainement devenus juvéniles.
Les prunelles rongées par l'ophtalmie avaient
retrouvé leur lumière. Sous la soumission de leur
voile, les femmes s'offraient, qui sait, le luxe de
quelques expressions libertines. Les enfants patau-
geaient dans la boue comme s'il se fût agi de la cour
d'un sérail. Le temps d'une heure, parce que c'était
l'heure de la fête, et qu'il eût été offensant vis-à-vis des
dieux et d'Allah de ne pas vivre pleinement l'instant.
Plus étonnant encore était cette manière bon enfant
d'ovationner en riant leurs nouveaux maîtres, de la
même façon que, dans des temps plus anciens, ils
avaient acclamé Ramsès, Alexandre, César et Saladin.

*Que de choses font rire les Egyptiens d'un rire qui
convoie les pleurs...*

La digue vient de se rompre. Le Nil se précipite tel
un torrent dans le canal. L'artillerie française tonne
pour porter au loin l'annonce de l'événement. Une
statue d'argile représentant la fiancée du Nil est jetée
dans les eaux. C'est aussitôt l'envol d'une formidable
manifestation de joie. Des hommes, des adolescents se
jettent tout habillés dans le fleuve[1]. Des femmes y lancent des mèches de leurs cheveux, des pièces d'étoffe
qui, à elles ou à l'un des leurs, serviront un jour de linceul. Simultanément, partant de Boulaq, des centaines de barques s'élancent vers le canal pour remporter la récompense destinée à l'équipage arrivé le
premier. Abounaparte remettra lui-même le prix.

La course finie, le général revêt d'une pelisse
blanche le fonctionnaire qui présidait à la distribution

---

1. La légende veut que des propriétés bienfaisantes soient atta-
chées au bain ce jour-là.

des eaux, d'une pelisse noire l'homme chargé de veiller à la surveillance du nilomètre, et se met à prodiguer de copieuses aumônes que le peuple se dispute avec la fièvre qu'on imagine.

Les musiciens des deux nations se déchaînent, les airs se chevauchent dans une cacophonie assourdissante.

Le général salue de la main. S'incline maladroitement à la manière orientale puis se décide à donner le signal du départ. Son état-major et les cheikhs lui emboîtent le pas : direction place de l'Ezbéquieh, l'ancienne demeure d'Elfi bey.

Par l'un de ces effets du hasard, François Bernoyer se retrouve marchant côte à côte avec le nouveau gouverneur du Caire, le général Dupuy.

Le chef de l'atelier d'habillement de l'armée d'Orient fait observer avec un enthousiasme sincère :

— C'est heureux, mon général, le peuple semble accepter notre présence. On croirait même qu'il l'apprécie. Ne trouvez-vous pas ?

Dupuy sourit.

— Tout à fait, mon ami. Tout à fait. C'est bien cela le but recherché. Nous trompons les Egyptiens par notre attachement simulé à leur religion, à laquelle Bonaparte et nous ne croyons pas plus qu'à celle de Pie le défunt. Cependant, et quoi qu'on en dise, ce pays-ci deviendra pour la France un pays inappréciable et, avant que ce peuple ignare ne revienne de sa stupeur, tous les colons auront le temps de faire leurs affaires.

Bernoyer parut dépassé. L'autre enchaînait :

— C'est vrai, le caractère des habitants s'adoucit. Notre aménité leur semble extraordinaire et peu à peu, ainsi que vous le faisiez justement observer, nous les rendons moins farouches, quoique nous soyons obligés de les tenir sous un régime sévère pour leur inspirer une crainte nécessaire en faisant punir quelques-uns de temps à autre ; cela les tiendra au point où ils doivent être[1].

Satisfait de ses propos, Dupuy repart sur un autre thème.

Mais François n'écoute plus. Il se dit que Dominique, sa tendre épouse avignonnaise, avait bien raison : mon Dieu, comme il pouvait être naïf !

— Regarde, fit Michel en désignant le cortège. C'est curieux. Je l'aurais imaginé plus grand de taille.

— Qui donc ? interrogea Schéhérazade, l'esprit ailleurs.

— Mais le sultan el-kébir ! Il ne doit pas faire plus de cinq pieds. C'est petit pour un général, tu ne trouves pas ?

— Peut-être, mais il a une grosse tête. Ceci compense cela.

Elle fronça les yeux pour mieux examiner le nouveau maître de l'Egypte. La figure ne lui parut pas très belle. Il avait les traits prononcés, un front large, des lèvres minces. Seule son expression avait quelque chose de singulier. Un œil très vif, inquisiteur, ce genre d'œil capable de vous transpercer le crâne. Que pouvait-il bien éprouver en ce moment, d'autant que des voix chantaient ses louanges et celles de l'armée française, maudissant les beys et leur tyrannie. Mais étaient-ce vraiment les voix du peuple ou seulement celles des coptes et des chrétiens[2] ?

Mais peut-être le généralissime songeait-il au lot de femmes d'Asie qu'il s'était fait livrer pour oublier

1. Correspondance du général Dupuy, IV, pp.534-539.
2. Nous possédons deux versions de l'événement. Si l'une est optimiste, l'autre l'est beaucoup moins. Si l'on en croit le célèbre chroniqueur Jabartî, lequel fut un témoin oculaire, à part quelques oisifs, les seuls qui aient participé aux réjouissances diurnes et nocturnes étaient les Français, les coptes et les chrétiens syriens.

l'infidèle Joséphine, et que malheureusement il n'avait pu consommer — en raison avait-il expliqué *de leurs abats canailles et de l'odeur qui émanait d'elles*. Ou alors ses pensées couraient-elles vers cette fillette de seize ans à peine, la petite Zeinab, fille du cheikh el-Bakri sur laquelle il avait jeté son dévolu[1]. Ce soir, c'est sûr il la chevaucherait. Il la prendrait de la même manière que deux ans plus tôt il avait pris l'Italie. Ce ne serait pas de l'amour, mais une razzia.

— Schéhérazade...

Quelqu'un venait de l'appeler par son nom.

— Que la paix soit sur toi.

Elle se retourna. Une femme était debout au pied de la calèche. Elle tenait un enfant par la main.

Si Michel mit un temps à la reconnaître, Schéhérazade, elle, n'hésita pas. Elle bondit à terre et prit sa sœur entre ses bras.

Les deux femmes restèrent un long moment enlacées. Samira la première se dégagea :

— Tu es toujours aussi belle...

— Et toi toujours aussi appétissante.

— Mon fils, dit-elle en montrant le garçon à ses côtés, Ali.

A l'enfant, elle précisa :

— Je te présente ta tante. Schéhérazade.

Schéhérazade souleva l'enfant jusqu'à ses lèvres.

— Il est beau. Que Dieu le garde.

— Le portrait de son père, fit Samira.

Elle ajouta sur un ton neutre :

— Sauf le nez. C'est celui de son grand-père.

Schéhérazade désigna son époux.

— Tu n'as pas oublié Michel.

— Bien sûr que non. Ta victime au jeu de dames.

---

1. Elle fut recrutée par l'épouse du général Verdier dans le Harem de cheikh el-Bakri, lequel s'était allié à Bonaparte.

— Et, depuis quelques mois, mon mari.

La jeune femme ne parut pas surprise.

— C'est bien. Mille mabrouks.

Elle s'adressa plus particulièrement à Michel.

— Ma sœur est une tigresse. Toi seul aurais eu la patience. Je crois qu'elle a fait le bon choix. Que Dieu vous donne prospérité et de longues années de bonheur.

Elle se voûta légèrement.

— Moi je n'ai pas eu cette chance. Ali est mort.

— Comment ?

— Il y a presque un mois. Assassiné par un fou.

Elle leur raconta en deux mots l'épisode de la taverne, le châtiment expéditif infligé par Grain de Grenade.

— C'est atroce, fit Michel, sincèrement choqué.

— J'ai croisé un jour cet individu, confia Schéhérazade. C'est Satan en personne.

Elle entoura l'épaule de sa sœur avec compassion.

— Ma pauvre Samira, je suis désolée.

— C'est la vie. Qu'y pouvons-nous ?

Schéhérazade demanda d'une voix hésitante :

— Si tu revenais à Sabah ? Ne serait-ce pas mieux. Pour toi... Pour le petit ?

— Je te remercie. Mais il n'en est pas question.

— Le passé est oublié. Père...

— Non, Schéhérazade. Ta bienveillance me touche, mais n'insiste pas. Je ne tiens pas du tout à vivre en coupable. Encore moins en contrite. Si je retournais à Sabah, un nouveau problème éclaterait tôt ou tard.

— Au moins viens nous rendre visite. Mère serait tellement heureuse de voir son petit-fils.

— Pourquoi pas ? Un jour peut-être.

— Promets-moi.

— Un jour peut-être...Inch Allah.

Elle tendit la main à Michel.

— Encore une fois, tous mes vœux de bonheur.

— Tu pars déjà ? se récria Schéhérazade. Attends un peu. Nous avons encore tellement de choses à nous dire.

— Une autre fois. Des amis m'attendent.

Elle montra des gens dans la foule. Une femme et deux hommes.

— Tu te souviens de Zobeïda, n'est-ce pas ?

Schéhérazade remarqua tout de suite que les deux personnages qui accompagnaient la jeune fille portaient des uniformes français. Son cœur se serra.

Sa sœur s'apprêtait à partir, elle la retint spontanément.

— Un instant. Je t'en prie. Si tu ne veux pas nous rendre visite à Sabah, laisse-moi au moins venir te voir de temps en temps. Cela me ferait tellement plaisir.

— Pourquoi pas ? J'habite en face d'el-Azhar, une maison qui fait l'angle avec la rue el-Mu'izz. Au deuxième étage. Tu trouveras l'entrée facilement. Il y a une fontaine près de la porte.

— Samira ! Tu viens ?

C'était Zobeïda qui s'impatientait.

— Adieu donc...

Elle ébouriffa les cheveux du petit.

— Prends garde à ta maman. Qu'il ne lui arrive rien de mal.

— Nous rentrons ? demanda Michel.

— Quelle tristesse, souffla-t-elle le visage mélancolique.

— Sans doute...

Il avait répondu sur un ton neutre, plus soucieux de la peine qu'il devinait chez Schéhérazade que de la condition de Samira.

Au moment où les chevaux s'ébranlaient, il fit tout de même remarquer avec gravité :

— Elle ne portait pas le noir...

Karim resta un long moment immobile à fixer la calèche qui s'éloignait vers Guizeh. Lorsque l'équipage ne fut plus qu'un tout petit point, il se décida à partir vers l'Ezbéquieh.

Il n'avait toujours pas compris pourquoi, lorsqu'il s'était rendu à Sabah, Schéhérazade avait refusé catégoriquement de le revoir. Pourtant Dieu sait combien il avait insisté. Elle lui manquait. Surtout en ce moment alors qu'il se sentait vaincu par le découragement et la solitude. Il ne possédait plus rien, si tant est qu'il eût possédé quoi que ce soit. Ses rêves de grandeur avaient été engloutis avec la dernière felouque de Mourad. *Qapudan pacha... grand amiral...* Il n'était plus rien désormais, seulement un errant, une ombre à la recherche d'une autre qui avait pour nom Papas Oglou, et qui demeurait toujours introuvable. Des marins rescapés pensaient que le Grec était parti dans le sillage d'Ibrahim bey, vers la Syrie, d'autres qu'il avait fui pour Smyrne.

Perdu dans ses pensées, il venait d'arriver sur la place de l'Ezbéquieh. Le général français avait regagné son fastueux palais d'Elfi bey. La place était envahie de jongleurs, de bouffons, de montreurs de singes.

Dans des temps plus anciens, l'endroit avait connu son heure de gloire. Quartier de résidence des émirs, la verdure envahissait alors les palais blancs, des flambeaux innombrables éclairaient la place, et les bassins étaient sillonnés au moment de la crue par des dizaines de voiliers. On raconte qu'à la nuit tombée les lampes suspendues au haut des mâts jetaient des feux vers les rives, donnant l'impression que la voûte céleste se vidait sur l'étang de toutes ses étoiles. La beauté du spectacle enivrait alors l'esprit comme une odeur de vin. Depuis, la main du temps et les Turcs avaient tout corrompu. Certes, les jardins demeuraient toujours, mais ils avaient perdu de leurs couleurs.

Karim s'arrêta un moment, fasciné par un escamoteur qui, avec une adresse inouïe, faisait apparaître et disparaître un morceau d'étoffe sous des gobelets de fer-blanc.

Il reprit sa route et songea qu'il serait bien qu'il existât des escamoteurs de destin, des hommes qui posséderaient le pouvoir de faire disparaître d'un simple tour de magie les mauvaises heures de la vie.

Il allait repartir vers le fleuve lorsque son attention fut attirée par un petit groupe dont les commentaires amers contrastaient avec les louanges adressées quelques minutes plus tôt au sultan el-kébir.

— Que cherche donc ce général ? chuchotait une voix. En se pliant à nos coutumes, en se métamorphosant en défenseur du Prophète, croit-il pouvoir nous faire oublier que nous avons été conquis les armes à la main ?

— Défenseur du Prophète, ricana quelqu'un. C'est pour cette raison que ses hommes transforment nos mosquées en cafés ! En agissant de la sorte, ils se comportent comme les pires des infidèles.

— Des hypocrites, voilà ce qu'ils sont !

— Pour preuve ! Dans trois jours c'est le Eïd el-Kébir. Les cheikhs ont fait savoir que cette année il n'y aurait aucune célébration publique. Le prétexte invoqué étant le manque d'argent. En vérité, le général a bien compris que ce refus de célébrer se voulait une forme de protestation contre sa présence et celle des siens.

— Bravo ! Les cheikhs ont bien agi !

— Sans doute, mais le général a poussé la fourberie

241

jusqu'à leur octroyer les sommes indispensables à l'achat des lampions et des flambeaux. Pour bien démontrer, a-t-il dit, son amitié pour l'islam.

L'homme conclut en faisant mine de déchirer son gilet :

— Qu'il crève ! Que le Seigneur des Mondes le jette en enfer ! Il faudrait que...

Surpris de ne pas entendre le reste de la phrase, Karim chercha des yeux celui qui venait de s'interrompre. Il avait l'air littéralement pétrifié. La figure blanche comme un linge il fixait deux silhouettes, un homme et une femme, qui venaient vers eux à grands pas. Une voix cria :

— Bora[1] !

En un éclair le petit groupe de protestataires se dilua le long des berges.

Interloqué, Karim essaya de comprendre la raison de cette débandade subite. Les deux silhouettes se trouvaient maintenant à un pas de lui. Derrière suivait une bande de janissaires. Et il comprit.

Il s'agissait de Barthélemy Serra et de sa femme. Le Grec se ruait déjà sur lui.

— V'là qu't'y pas le fils de Soleïman ! L'moussaillon de Papas Oglou. Salaud à toi le gars !

Il se tourna vers son épouse. Elle était énorme, charnue jusque sous les aisselles. Chose étonnante, sa tête était couverte d'un tortour[2], coiffe habituellement réservée aux hommes. Son corps était affublé d'une robe qui remontait au ras du cou, la serrait au point de l'étouffer, emprisonnait sa taille et filait jusqu'au-dessous de ses genoux. Sous le tissu tendu à craquer se devinaient des seins énormes. Elle arrivait à peine plus haut que la hanche de Barthélemy, ce qui

1. En turc : ici !
2. Espèce de haut bonnet des bédouins d'Egypte.

accentuait plus encore son aspect grotesque. Quant à son époux, il n'était pas vêtu de manière moins originale. Un plumet en soie de couleur était planté dans sa coiffure ; les épaules recouvertes d'une pelisse brodée de curieux dessins.

— Loula... Je t'introduis l'Karim. Ex-guerrier d'Mourad bey.

Elle répondit en italien d'une voix nasillárde :

— Oune amico di Mourad... Ché fortouna...

Karim ne broncha pas. Sur la défensive il gardait l'œil rivé sur le cimeterre qui battait contre la cuisse de Barthélemy.

— Sais-tu qu'les temps ont bifurqué, ami Karim ? Exit les Mamelouks. Finito les beys et leur despoture. Asto Diavolo ! Maint'nant c'est les Francs les patrons. Et la despoture c'est moi, Grain de Grenade. Capiche ?

Le fils de Soleïman laissa le Grec poursuivre.

— Suis très embarrassé. C'est que j'suis imposé par la loi d'arrêter les anciens collaborationnistes d'Mourad, d'Ibrahim et les autres. Tous ceux qui ont servi l'ancien Etat. Tutti.

— Tu as la mémoire courte. Aurais-tu oublié que pendant des années tu as été au service des Mamelouks ? Qu'importe ! Va donc au bout de ton idée, Barthélemy, et cesse de tournicoter autour de tes crottes, tu me donnes le vertige et tu pues.

Les yeux de Barthélemy parurent jaillir de leurs orbites. Il referma ses doigts sur la poignée argentée du cimeterre et dégaina.

Le fils de Soleïman feignit d'ignorer la menace et prit pour cible l'épouse du Grec.

— Il est courageux, ton homme. N'est-ce pas ? Tu dois être fier de lui. Armé il ne craint personne. Sûrement pas les malheureux qui lui opposent des mains nues.

Il poursuivit, mais cette fois à l'intention de Barthélemy :

— Je me suis toujours demandé ce que tu pouvais bien valoir dans un combat à armes égales. Je sais hélas que je ne vivrai peut-être pas assez longtemps pour connaître la réponse. Frappe donc, l'ami. Affirme ta virilité.

— Par mon tortour[1] ! mais il est fou ce ragazzo, se récria la femme. Qu'il meure donc ! Vas-y, mio amore. Confisque-lui sa tête, puisqu'elle est malade.

— Oui, s'écrièrent les janissaires. Vas-y ! C'est le sort que méritent les suppôts de Mourad.

Contre toute attente, indifférent aux encouragements des siens, le Grec demeura immobile, tenant toujours le cimeterre.

— Vas-y ! vociféra son épouse en gesticulant. Tue ce chien !

— Tais-toi, grosse panse ! aboya Barthélemy. Ta gueule. J'ai pas besoin d'conseilleurs.

Il rengaina d'un coup sec la lame dans son fourreau et grimaça un sourire :

— Le djerid... Tu connais ?

Karim pencha la tête, surpris.

— Le djerid ? Bien sûr. Comme tout le monde il m'est arrivé d'assister à des tournois.

— C'est parfait. Que dirais-tu d'une joute ? A armes égales, endaxi[2] ?

Karim réfléchit un instant. Le jeu proposé consistait en un affrontement entre deux cavaliers, chacun armé d'une tige de palmier — un djerid — longue de quatre à six pieds[3], empennée à l'une de ses extrémités, arrondie à l'autre. Lancés au galop, les deux

---

1. D'une manière générale, la coiffure était jadis considérée en Orient comme symbolisant l'honneur et la dignité de celui qui la portait ; on jurait volontiers par elle et inversement, y porter atteinte était considéré comme une injure extrêmement grave.
2. Grec : d'accord ?
3. 1,50 m environ.

adversaires devaient chercher à s'atteindre à l'aide de ce javelot improvisé. Karim n'ignorait pas, pour en avoir été le témoin, que sous l'impulsion d'un bras vigoureux un djerid pouvait blesser cruellement. Tout dépendait de l'adresse et de la force de l'adversaire. C'est pourquoi la suggestion de son interlocuteur n'avait rien de magnanime. Karim l'avait vu œuvrer alors qu'il était au service de Mourad bey. C'était certainement le cavalier le plus formidable qu'il eût jamais connu. Mais avait-il le choix ?

— Pourquoi pas. Mais j'aimerais bien savoir quel sera l'enjeu ?

— L'enjeu ?

— Vous entendez ? L'Karim demande l'enjeu !

Cette fois, il s'esclaffa ouvertement, imité par le reste du groupe, sa femme riant plus haut que tous.

— L'enjeu, c'est ta vie, ta p'tite cabessa ! Si tu perds : pffffft ! si tu gagnes... Mais n'le rêvons pas... Alors ?

— Où ? Quand ?

— Tout à l'heure. Au coucher d'soleil. Au pied des pyramides.

— Pour jouer au djerid il faut un cheval. Or je n'en ai pas.

— T'en auras. Un, dix, vingt. Autant qu't'en voudras.

— Dans ce cas, je serai au rendez-vous.

— T'y s'ras. L'choix tu l'as pas. Si tu cherchais la fuite, j'te retrouv'rais partout. Quand j'veux.

— Te fais pas de souci, Barthélemy. Ma virilité à moi, elle n'est pas dans un fourreau. Elle est là — il souligna sa phrase d'un geste cru — dans mon pantalon.

★

245

Le soleil s'enfonçait lentement dans le sable. L'horizon était mauve. Les trois pyramides avaient pris une teinte pastel. En contrebas, le sphinx contemplait de sa face camarde Le Caire, le Nil et l'immensité du désert.

Karim vérifia une dernière fois la rigidité de la tige qui allait lui servir de javelot. Après avoir ordonné les plumes qui ornaient l'une des extrémités, il se dirigea vers Barthélemy.

— Comparons, fit-il en appuyant la base de son djerid sur le sable.

— Quelle importance ! C'est pas la taille qui calcule, mais l'habileté du cavalier.

— Ce sont les pointes qui m'intéressent.

D'un air suffisant, Barthélemy lui tendit son djerid. Karim glissa ses doigts sur le bout effilé et constata tout de suite que la pointe était plus émoussée qu'à l'habitude. Si le palmier n'était pas assez dur pour s'enfoncer dans une chair, taillé ainsi il pouvait occasionner de sérieuses blessures. Jugeant que les deux tiges étaient de qualité égale, il restitua son djerid au Grec.

— Est-elle assez aiguë pour pénétrer ta trogne ?

— Peut-être pas ma trogne, mais certainement ton œil de rat.

Barthélemy s'esclaffa.

— Vous avez entendu ? Mon œil de rat... Ce vlakhos[1] est mort et il ne le sait pas de tout de suite.

— S'il cause comm'ça, commenta Loula, c'est qu'il ignore le cavalier unique que tu es. Il piu favoloso deï tutto l'Egytto[2] !

Barthélemy se dirigea vers les chevaux et enfourcha un superbe pur-sang aquilant.

---

1. Grec : paysan.
2. Le plus fabuleux de toute l'Egypte.

— Lui-ci c'est l'mien. A toi t'faire ton choix parmi ceux d'mes amis.

Karim s'apprêtait à examiner les bêtes lorsqu'un hennissement attira son attention. Il s'arrêta net. Etait-ce lui ? Etait-ce bien le plus bel étalon qu'il eût jamais connu ? Il tendit sa main vers le museau de l'animal, qui aussitôt répondit à sa caresse en secouant avec fougue sa crinière.

— Où avez-vous trouvé celui-là ?

— Réquisitionné par les Francs, répliqua l'un des janissaires. Pourquoi ? Il t'intéresse ?

— Je le prends.

Un éclat de rire salua son choix.

— L'plus vieux canasson ! Décidément notre ami a l'esprit bien malade !

Indifférent aux moqueries, Karim interpella Grain de Grenade.

— L'enjeu est bien ma tête, n'est-ce pas ?

— Exact. Yati[1] ?

— Puisque tu as bien voulu accepter un affrontement à armes égales, la justice voudrait que ton adversaire mérite aussi récompense. Si je viens à remporter le djerid, la bête sera mienne.

Quelqu'un, sans doute le nouveau propriétaire du cheval, protesta avec vivacité :

— Il n'en est pas question. Ce cheval m'appartient.

— Silenzio ! aboya Barthélemy.

Il posa ses poings sur les hanches et toisa Karim.

— Tu es quand même d'une grande arrogance.

— Tu as parlé d'un juste combat. Une vie d'homme vaut-elle celle d'un cheval ? Un vieux canasson ? Le fléau penche largement de ton côté.

Un rictus ourla les lèvres du Grec.

1. Grec : pourquoi ?

— Allons-y, ami. J'sais pas pourquoi tu m'fais gaspiller mon temps. C'est d'accord pour la bête. De toute façon elle tient plus debout, elle pourra même pas te suivre en enfer.

— Un instant ! Où fixons-nous l'issue du combat ? Aux points marqués ? A la première blessure infligée ?

Barthélemy ricana.

— Non, l'ami. La victoire ira à celui qui restera en selle. Sa peau serait-elle crevée de mille coups de djerid. D'accord ?

Dans un tourbillon de poussière, les chevaux s'élancèrent dans des directions opposées. Une fois à distance, ils s'immobilisèrent.

Sous lui, Karim devinait l'étalon beaucoup plus tendu qu'il ne l'avait jamais senti auparavant. On aurait dit que, d'avoir retrouvé son maître, il ne demandait qu'à bondir sans attendre un instant de plus. Il se pencha sur l'encolure et du bout des ongles effleura plusieurs fois la peau, juste entre les deux yeux. Un frisson de plaisir courut le long de la robe de Safir.

Se relevant, il agrippa les rênes fermement, la main droite nouée autour du djerid, et lança le cheval droit devant.

Les deux cavaliers longèrent à toute allure la base de la grande pyramide. Le sol vibrait sous leur pas. Ils couraient l'un vers l'autre presque de front, se rapprochant avec une incroyable fougue, réduisant à chaque galop l'espace qui les séparait.

Maintenant ils étaient tout proches. Barthélemy dressa le bras. Le djerid parallèle à son épaule, il se souleva presque à la verticale par-dessus la crinière de son étalon. On devinait tous ses muscles noués. Une expression dure animait son visage.

Il hurla :

— Allah bala versen[1] !

Et son cri de loup retentit à travers le désert, jus-qu'au sommet des monuments de pierre.

Karim n'hésita plus. Jugeant qu'il était assez proche, il se dressa à son tour haut sur ses étriers, lança son javelot de toutes ses forces, visant la poi-trine offerte du Grec.

Loula et les janissaires retinrent leur souffle. Le djerid coupa le vent. Il allait toucher à coup sûr. C'est au dernier moment, avec une agilité stupéfiante, que Barthélemy libéra l'une de ses jambes, vida la selle et bascula dans le vide. On aurait pu penser qu'il avait chuté. Non, uniquement retenu par la cheville à un seul étrier, il s'était dérobé, collé, aplati contre le flanc gauche de son coursier.

Le javelot le survola, parut flotter et alla se ficher dans le sable loin derrière.

Il y eut un rire triomphant. Le Grec réapparut, son djerid toujours à la main.

Emportés par leur élan, les deux cavaliers s'étaient croisés le temps d'un éclair. A peine Karim dépassé, Barthélemy freina net sa monture. Il le fit avec une telle violence que la bête se dressa de toute sa hau-teur. Il lui imposa une volte. Le cheval se cabra à nou-veau, tous ses muscles souffrant de subir cette contrainte brutale. Les talons de l'homme enfoncés dans ses flancs, l'animal repartit, mais cette fois à la poursuite de Karim.

Bien qu'il eût pressenti la manœuvre et malgré toute la docilité de Safir, le fils de Soleïman n'eut pas le temps d'accomplir un demi-tour. Il n'avait plus le choix. Il fallait distancer l'autre. Plus vite, toujours plus vite. Attendre le moment propice pour virer,

---

1. En turco-arabe : Dieu te maudisse !

revenir face à son adversaire ou éventuellement le contourner. Il se voûta instinctivement, jouant du mors et de l'éperon pour faire louvoyer son cheval. Safir avait-il pressenti le danger ? De lui-même il accéléra plus encore. Le martèlement de ses sabots faisait trembler les dunes, le vent giflait ses naseaux et ses lèvres déjà blanchis par l'écume. Derrière résonnait le galop fou de la poursuite. Détaché de sa monture Barthélemy talonnait sa proie. Il émanait de tout son être une telle fureur de vaincre qu'elle semblait décupler la puissance de la bête qui le portait.

Il se rapprochait. Les cris d'encouragement des janissaires couvraient le grondement de la cavalcade. Irrésistiblement, Grain de Grenade gagnait du terrain. Ils franchirent des dunes dans un ouragan de sable. Sans cesser de louvoyer Karim contourna le sphinx et repartit vers l'ouest de manière à imposer le soleil au regard de Barthélemy et rendre sa vision imprécise. Mais le souffle de Safir devenait rauque et bruyant. Il couvrait presque la résonance de son galop. Alors le fils de Soleïman comprit que l'âge avait joué. Plus de sept ans s'étaient écoulés. Safir n'était plus le cheval de son enfance. Derrière lui, l'autre ne devait plus être qu'à quelques toises. Dans un ultime effort il chercha à tourner bride. Trop tard. Il y eut un sifflement étouffé. Son corps se contracta. Le djerid heurta son dos de plein fouet. La pointe pénétra son gilet bayadère, laboura profondément sa peau avant de retomber sur le sol. Malgré lui, la morsure lui arracha un cri de douleur, auquel fit écho un autre cri, de victoire celui-là.

Les janissaires et Loula déchaînés applaudirent à tout rompre. Leur champion avait marqué le premier point.

— Bravo ! Seï il piu grande ! hurlait la femme, hystérique. Il piu grande !

— Alors, ami ! On repart ?

Barthélemy était revenu à sa hauteur. La sueur baignait ses traits accentuant plus encore son expression démente.

Deux hommes s'étaient précipités et rapportaient les djerids.

— On repart..., souffla Karim en tendant le bras vers l'un des javelots.

Le crépuscule gagna progressivement le désert et l'on ne distingua presque plus la courbe des dunes. Seuls se découpaient nettement la masse noire des guetteurs de pierre et le sphinx impassible.

Trois heures. Trois longues heures de poursuites, de reculs, de passes qui avaient couvert l'air de sueur, de sable et d'odeurs de cuir.

Lorsque Allah prive le cheval de sa force, il compte sur la cervelle du cavalier. Ce dicton aussi vieux que les pyramides, Karim ne cessait de se le répéter. A présent, tout laissait entrevoir que l'épilogue était proche. Les premiers signes de faiblesse étaient apparus chez son adversaire. Plus d'une fois, alors qu'il tenait sa cible à bout de bras, Barthélemy avait inexplicablement manqué ses assauts. Mais plus grave était la lassitude de son cheval. C'est lui qui le trahit. Cependant que, contre toute attente, Safir s'était repris et résistait superbement, le coursier du Grec s'était mis à rechigner, à moins se livrer, et son maître avait dû forcer sur le mors, jusqu'à déchirer ses lèvres, l'asphyxiant de son propre sang.

Maintenant il le tenait.

Dans un mouvement désespéré, alors qu'il tentait de se rapprocher, le Grec venait de chuter de sa monture. Etendu sur le ventre, la tête enfouie dans le sable, il était à sa merci. Karim sauta à terre, son djerid à la main, et marcha vers lui. Grain de Grenade ne broncha pas. Ses doigts se crispèrent. Il refoula un gémissement de douleur. Son bras gauche était replié sous lui dans une posture impossible, l'avant-bras brisé sous le choc.

Sous le regard affolé de Loula et des janissaires qui couraient dans leur direction, Karim appuya son djerid contre la jugulaire du Grec.

L'épouse de Barthélemy hurla de toutes ses forces.

— Ne le tue pas ! Ti prego !

— Qu'en penses-tu, ami... Dois-je t'achever ?

Barthélemy enfonça un peu plus ses doigts dans le sable et ne répondit rien.

— Amâne ! cria Loula. Amâne effendem[1].

Les craintes de Loula étaient sans fondement. Karim avait déjà jeté au loin son djerid. Il se pencha sur le vaincu. Un léger sourire éclaira ses traits gris de poussière.

— Ce fut un beau combat... Barthélemy Serra. Tu es fou, mais tu es un grand cavalier.

Dans un effort pénible, l'homme se renversa sur le dos.

— Asto diavolo ! Prends l'canasson et va-t'en. Va-t'en que jamais nos yeux ne s'revoient. La prochaine, il n'y aura pas de juste combat.

Loula se laissa tomber à genoux près de son mari.

— Amore... gémit-elle, éperdue.

Celui-ci trouva la force de la repousser avec brutalité de son bras valide.

— Qu'attends-tu ! Va-t'en ! répéta-t-il. Vite !

Le fils de Soleïman se donna le temps d'interroger les janissaires.

— Quelqu'un d'entre vous saurait-il où je peux trouver Papas Oglou ?

— Nikos ? Que veux-tu de cet impie !

---

1. En turco-arabe : pitié.

Il mentit :

— Il me doit deux mille paras.

L'un des hommes ricana.

— Dans ce cas tu n'es pas près de mettre la main sur lui ! Il a rejoint en Haute-Egypte les troupes de Mourad, ils doivent être près de la première cataracte[1].

— C'est fini ? aboya Barthélemy.Via ! Via !

1. A environ 900 kilomètres du Caire.

CHAPITRE 16

La brume lilas du tout petit matin enveloppait Sabah. Schéhérazade se redressa doucement au creux du lit. Elle observa un instant Michel qui, couché sur le côté, dormait encore. Dans un geste tendre elle effleura ses cheveux et se dit qu'il valait peut-être mieux se lever. Le sommeil n'était pas venu de la nuit. Il ne viendrait plus.

Il y avait tellement de pensées qui se heurtaient dans sa tête. Elle avait mal au-dedans d'elle. Mal d'être ce qu'elle était. A vingt et un ans pouvait-on sentir ce vide de tout ?

Son esprit revint vers son époux.

Son époux... Combien à mesure que le temps passait ce mot devenait plus lourd à porter.

Hier, ils avaient fait l'amour. Leurs corps s'étaient unis dans une étreinte que rien n'avait différenciée des étreintes passées, sauf peut-être dans un détail : la conquête de ce plaisir qui jusque-là lui avait échappé. Pour l'atteindre elle s'était livrée à un jeu. Un adultère de la mémoire. Les doigts de Michel courant sur sa peau ne lui avaient rien apporté de plus si ce n'est d'éveiller en elle ces lambeaux d'émotions, cette fièvre dont elle savait d'avance que celui qui la possédait ne parviendrait pas à l'apaiser. Alors elle s'était volontairement envolée ailleurs. Les mains de Michel étaient devenues celles d'un autre. Les lèvres, le sexe, l'odeur de son mari, elle les transposa vers son souvenir, gardant les yeux clos, avec une sorte de désespérance animale, afin de mieux emprisonner sous ses paupières l'imaginaire. *Karim*... C'est par ce stratagème seulement qu'elle parvint, sinon à toucher la crête, du moins à s'en approcher, les ongles plantés dans la chair de l'homme, s'arc-boutant de toutes ses forces, pour à la fois le retenir en elle, et surtout par peur que les images qui la conduisaient au plaisir ne lui échappent.

Au terme de toutes ces nuits, elle en arrivait à se demander si ses sens étaient bâillonnés ? Si son corps s'avérait incapable de vibrer sous l'inflexion de caresses étrangères aux siennes, ou alors uniquement sous la pulsion d'images inventées. Pourtant il y avait ces braises qui brûlaient en elle, elle les sentait qui la dévoraient, qui tourmentaient sa peau, alors pourquoi ? Pourquoi se refusaient-elles obstinément à devenir flammes... Elle était peut-être malade. L'idée qu'elle ne connaîtrait jamais la jouissance absolue entre les bras d'un homme la transperça d'un seul coup, et elle eut envie de crier.

— Tu ne dors pas ?

— Non. Sans doute la chaleur.

Il l'observa, les traits ensommeillés.

— Tu penses trop, Schéhérazade. La chaleur n'y est pour rien.

Comme elle allait se lever, il la pria :

— Attends. Reste un encore peu.

Il se souleva et cala son dos contre la tête de lit.

— Pour tout te dire, je ne faisais que somnoler. Je suis inquiet Schéhérazade. Pour notre devenir, celui de l'Egypte. Par-dessus tout, inquiet pour ton frère.

— Nabil ?

— Cela fait plusieurs jours que j'hésite à t'en parler. Finalement je me suis dit que peut-être toi seule d'entre nous tous pourrais le raisonner.

— Mais pourquoi ? Que s'est-il passé ?

— Tu connais le patriotisme exacerbé qui l'anime. Cette flamme qui le dévore lui fait adopter des attitudes excessives.

Elle eut un mouvement de désinvolture.

— Oh ! si ce n'est que ça ! Bien sûr. Mon frère est né ainsi. Déjà tout petit il s'amusait paraît-il à jouer au roi d'Egypte et dessinait à longueur de journée les drapeaux et les oriflammes qui un jour selon lui remplaceraient le croissant turc. Rassure-toi, il aboie mais ne mord pas.

— Détrompe-toi. Il mord. Hier avec le verbe, demain avec le geste.

— Mais enfin, Michel, qu'est-ce qui t'arrive ? Depuis quand te préoccupes-tu autant de mon frère ?

Il passa sa main dans ses mèches ébouriffées.

— Le Sang du Nil. Ça te dit quelque chose ?

— Non, rien.

— C'est le nom d'un groupe de résistants. Une organisation qui voudrait libérer l'Egypte du joug de l'occupant, de tous les occupants. Ces gens sont dirigés par un homme, celui-là même qui a été l'instigateur du mouvement.

— Cet homme, ce serait...

— Nabil.

Elle essaya de conserver une attitude sereine.

— Comment l'as-tu appris ?

— C'est tout simplement lui qui m'en a parlé. Il y a une semaine environ. Nous discutions de choses et d'autres, et le sujet a basculé — comme souvent avec Nabil — sur la politique. Il jugeait mon attitude trop « stérile ». Il me reprochait de ne pas m'émouvoir face aux événements qui secouent le pays. Comme je tentais de lui expliquer que nous ne pouvions pas faire grand-chose pour changer la situation, que le monde est ce qu'il est, il s'est mis en colère. Un peu malgré lui sans doute, il s'est livré.

S'efforçant de garder son calme, Schéhérazade murmura :

— Je ne crois pas que toute cette histoire soit bien grave. Ce ne sont que des gamins qui jouent à la guerre.

— Cherches-tu à t'en convaincre ? Tu sais parfaitement combien ton frère est impétueux. En ce moment au Caire, tous les jours il y a des têtes qui tombent. Du plus petit au plus grand, pas un d'entre nous n'est à l'abri. Tu n'ignores pas qui était le cheikh el-Koraïm ?

— Le gouverneur d'Alexandrie ?

— Pas plus tard qu'hier le cheikh a été fusillé en public et son cadavre décapité.

— Mais comment ! Pourquoi ?

— Je ne sais pas le détail de l'affaire. C'est encore une fois Nabil qui m'a appris la nouvelle. Il semblerait qu'el-Koraïm ait rechigné à collaborer avec celui qui l'a remplacé à la tête d'Alexandrie. Un certain Kléber je crois. Manquant de fonds, le Français aurait convoqué les commerçants de la ville pour leur signifier la levée d'un emprunt de 30 000 livres, réparti entre chrétiens et musulmans. Devant le refus d'el-Koraïm ou peut-être sa mauvaise volonté à réunir la somme, le Français se serait impatienté et l'aurait transféré au Caire. Une fois dans la capitale, c'est le général en chef qui a statué sur son sort[1].

1. Kléber commença par faire interner el-Koraïm sur l'*Orient*, et taxa, mais cette fois les commerçants musulmans uniquement, de cent mille livres. Le 30 juillet, quarante-huit heures avant la bataille d'Aboukir, el-Koraïm fut transféré à Rosette où Menou le fit consigner sur un aviso. Le 5 août, on amena le cheikh au Caire. Le 6 septembre, Bonaparte, convaincu que l'homme aurait joué un rôle d'informateur dans l'attaque d'une colonne mobile chargée d'aller rétablir l'ordre dans la ville de Damanhour, décida de le faire fusiller puis décapiter.

Michel prit une profonde inspiration avant de conclure :

— Comprends-tu maintenant pourquoi je m'inquiète autant pour ton frère ? Ce n'est pas seulement sa vie qu'il met en danger, mais aussi celle de son entourage.

Un frisson la secoua.

— Tu as raison. Je lui parlerai. Peut-être même faudrait-il que je prévienne père.

— Crois-tu vraiment que ce pauvre homme aurait besoin d'un souci supplémentaire ? A son âge et avec le caractère emporté qui est le sien, lui apprendre que son fils dirige un groupe de terroristes !... Non. Tu ne dois en souffler mot à personne. Seulement tenter de raisonner Nabil.

La jeune femme acquiesça. Après un temps de réflexion elle se leva et,tout en faisant glisser sur son corps dénudé une galabieh de coton, elle s'enquit :

— Veux-tu te rendormir ? Ou préfères-tu que je te prépare ton café ?

Michel s'était levé à son tour.

— Non, je descends aussi.

Il allait se vêtir lorsque, passant près de la fenêtre, quelque chose l'intrigua.

— Schéhérazade ! Viens voir. Vite ! Ne serait-ce pas...

La jeune femme qui avait déjà franchi le seuil de la chambre revint sur ses pas.

— Regarde donc ! Là, près du puits.

Elle se pencha légèrement en avant, cherchant le point désigné par son mari.

— Ce... ce n'est pas possible, balbutia-t-elle... Est-ce que tu crois que... ?

Sans attendre la réponse elle fonça au-dehors.

Médusée, elle s'immobilisa devant lui.

L'étalon la salua en secouant deux ou trois fois sa crinière.

Safir...

Emue, elle l'examina sous toutes les coutures pour se convaincre que c'était bien son cheval.

Par quelle magie était-il de retour ? Le soldat français, ce Bernoyer, avait pourtant bien dit que l'animal avait été confisqué le soir d'Imbaba. Alors ?

Cédant à sa joie, elle colla sa joue contre le museau de l'étalon et entoura l'encolure de ses bras.

Michel l'avait rejointe, Youssef et Nadia suivaient.

— C'est incroyable ! s'écria-t-il en caressant la robe poussiéreuse.

Nadia se signa.

— Seigneur des cieux et de la terre. Safir...

— Il aura fui sans doute.

— Et les Français n'auraient pas cherché à le rattraper ?

— Peut-être a-t-il profité de la nuit pour leur fausser compagnie ?

— C'est curieux, observa Youssef. On dirait qu'on l'a monté depuis peu.

— Il aura fait chuter son cavalier ?

Il fit un geste évasif.

— Comment connaître la réponse ? De toute façon il est de retour. C'est l'essentiel.

Il conseilla à sa fille :

— Allez. Ramène-le dans sa stalle et débarbouille-le. Je crois qu'il en a grand besoin.

— Veux-tu que je t'aide ? proposa Michel.

— Il n'en est pas question ! C'est mon Safir. C'est à moi de le rendre beau à nouveau.

A peine parvenue auprès des stalles, elle se hâta de débrider la bête. Elle décrocha le mors, stupéfaite de constater combien les commissures des lèvres étaient entaillées.

— Mais c'est une vraie brute qui t'a monté ! Mon pauvre Safir...

Puisant un peu d'eau dans une cruche, elle entreprit d'essuyer avec précaution les grains de sable incrustés dans les plaies.

— Traiter un cheval de la sorte... Je croyais que seuls les Mamelouks en étaient capables !

Elle s'attaqua à la selle. C'est alors qu'elle découvrit, bien calé dans un interstice du harnais, un petit carré de papier qui pointait à l'extérieur. Intriguée, elle le retira de sa cachette et le déplia. Des mots étaient écrits d'une main hâtive. Son cœur s'accéléra. L'écriture lui était inconnue, mais tout lui soufflait le nom de l'auteur.

Prends soin de lui... Prends soin de toi... Je pars demain matin retrouver le Grec en Haute-Egypte. J'aurais aimé te dire adieu avant le voyage, mais hélas, ma tête ne pèse pas bien lourd sur mes épaules. Barthé-lemy et ses sbires sont à mes basques. Tout ce temps j'ai trouvé refuge dans la ville funéraire. Dans le mau-solée de Qayt bey. Ce n'est pas Sabah, mais au moins j'y suis en sécurité. Tu me manques, princesse.

C'était signé : *Le bouseux.*

La marée déferlant dans l'écurie ne l'eût pas boule-versée autant. Ses jambes se dérobèrent sous elle. Elle dut se retenir à la porte de la stalle pour ne pas tomber. Elle relut le mot une deuxième, une troisième fois, porta la feuille à ses lèvres, cherchant fiévreuse-ment à retrouver une odeur qui matérialiserait le sou-venir.

Karim... Safir... comment... par quelle providence ?

Un simple mot. Quelque signes griffonnés à la hâte, et une fois de plus ce bouleversement, cette sensation violente au creux de l'estomac. Ce poing invisible qui la traversait de part en part. Elle ne voyait plus les lettres, seulement les contours d'un visage qui remontait à la surface de la feuille.

En filigrane, il y avait aussi les traits de Michel...

★

— Alors, Rosetti. On vous avait cru mort !

— Mon cher Nabil, vous devriez savoir que nous, Vénitiens, sommes pareils aux chats sacrés. Dieu nous a fait le don de sept vies.

Le fils de Chédid approuva en souriant.

La visite impromptue de l'agent consulaire avait pris de court toute la famille. Alors que l'on s'apprêtait à se mettre à table, il avait débarqué, pareil à lui-même. Après les salutations et les souhaits de bienvenue, on l'avait naturellement assailli de questions, chacun l'interrogeant sur les derniers événements, la situation au Caire, son bref internement dans la citadelle.

Il expliqua que, quelques jours après avoir été libéré par les Français, il avait été convoqué à l'Ezbéquieh sur ordre du sultan el-kébir, le général Abounaparte en personne. Ce dernier n'ignorait rien des liens qui unissaient le Vénitien à Mourad bey. Aussi, après lui avoir fait un discours — aussi long qu'ennuyeux — sur ses prétendus désirs de paix avec la Porte, le général lui avait demandé de se rendre toute affaire cessante auprès du Mamelouk.

— Mourad bey ? interrogea Nadia. Il est toujours vivant ?

— Vivant et plus que jamais décidé à poursuivre le combat. C'est pour cette raison que l'on m'envoie le retrouver. Ce qui, entre nous, ne me séduit guère. Plus de deux cent cinquante lieues à parcourir ne sont pas une sinécure !

261

Schéhérazade, qui jusque-là n'avait soufflé mot, s'enquit avec un détachement feint.

— Il se trouve bien en Haute-Egypte, n'est-ce pas ?

— Mais comment le sais-tu ? s'étonna Michel. Jusqu'à cette heure nous n'avons jamais rien appris sur Mourad.

Elle se pinça les lèvres.

— M. Rosetti n'a-t-il pas laissé entendre qu'il se trouvait à plus de deux cents lieues ? Le Nord est occupé par les Français, ne reste que le Sud.

— Toutes mes félicitations, apprécia le consul. Bel exemple de déduction.

— Ce serait plutôt un sixième sens, grogna Michel à peine convaincu.

Nabil s'enquit :

— Et que désire le gnome ? Il ne vous a tout de même pas chargé d'une demande en mariage ? Ou alors ce serait de la bigamie. Il a déjà fort à faire avec la petite Zeinab.

Rosetti émit un petit rire amusé.

— Non. Il s'agit d'une offre que je devrais transmettre à Mourad. Les Français sont prêts à lui accorder la Haute-Egypte, de Girgeh à la première cataracte, à condition qu'il se reconnaisse dépendant d'eux et qu'il leur paye un impôt.

Michel hocha la tête avec gravité.

— Croyez-vous qu'il acceptera ?

En guise de réponse, Rosetti leva les bras avec fatalisme.

— Toujours aussi pessimiste, Rosetti ! commenta Nabil. Ce qui me rappelle que la dernière fois que vous êtes venu à Sabah, vous avez bien failli nous communiquer votre terreur. A vous entendre, nous allions tous passer au fil de l'épée. A ma connaissance pas un seul chrétien n'a été agressé par le peuple.

— En effet. Je reconnais que les choses se sont

mieux passées que je ne l'appréhendais. Notre internement dans la citadelle n'a pas duré longtemps, mais il s'en est fallu de peu, de bien peu. Je persiste néanmoins à affirmer qu'il y avait un réel danger. Si Mourad et Ibrahim n'étaient parvenus à calmer les esprits, Dieu sait comment les événements auraient pu tourner.

Nadia découpa une tranche de basboussa[1] qu'elle tendit à l'agent consulaire.

— Tenez, Carlo effendi. Toutes ces émotions ont dû vous creuser.

Le Vénitien remercia.

— En vérité, nous vivons des temps périlleux.

Youssef balaya l'air à l'aide d'un chasse-mouches.

— Comme le dit mon fils, vous dramatisez une fois de plus. Après tout les Français ne sont pas pires que les Mamelouks ou les Turcs. Eux au moins ils ne se goinfrent pas avec les mains, ne rotent pas à table, et savent se montrer courtois. Pour ce qui me concerne, je n'oublie pas que Schéhérazade doit la vie à l'un des leurs.

— Une vie sauvée, pour des centaines de vies arrachées, commenta sourdement Nabil.

Il enchaîna très vite :

— Est-ce vrai ce que l'on raconte ? Le général français aurait fondé un institut pour les sciences et les arts ?

— Parfaitement. Il l'a appelé l'Institut d'Egypte[2]. Et il a choisi le palais Khatchef pour en être le siège.

Schéhérazade fit mine de s'intéresser à la conversation.

---

1. Pâtisserie faite de farine, de beurre fondu et de sucre.
2. L'Institut d'Egypte se composa de 48 membres, et fut à l'image de celui fondé en France, divisé en quatre classes ou sections. Bonaparte qui s'était fait inscrire dans la section des mathématiques en fut le vice-président.

— Dans quel but ?

— Si ce que l'on m'a expliqué est vrai, cet institut aura pour objet de procéder à la recherche, à l'étude et à la publication de tous les faits et documents propres à éclaircir l'histoire de l'Egypte.

Nabil se mit à rire.

— Décidément, l'Italien se prend de plus en plus pour Alexandre le Grand.

— Je ne vois pas le rapport, s'étonna Michel.

— Lorsqu'il a débarqué à Alexandrie, le Grec a lui aussi créé quelque chose de similaire[1]. Il voulait y rassembler toutes les connaissances humaines pour en faire la synthèse et les transmettre à la postérité. Seulement, à cette époque les classes dirigeantes vivant à Alexandrie, à Antioche, Athènes et Corinthe, parlaient la même langue, et puisaient leur savoir aux mêmes sources. Tandis qu'ici... Il existe un fossé profond entre les deux rives de la Méditerranée. Rechercher la fusion immédiate de l'Orient et de l'Occident me paraît impensable.

— Je suis désolé de vous contredire, déclara Rosetti. Je crois que le général français fait un pari sur l'avenir. Avec cet institut il propose à l'attention des savants les questions essentielles qui se posent à l'Egypte, et que celle-ci aura inévitablement à résoudre si elle veut un jour devenir un Etat moderne. Des siècles d'occupation mamelouke et ottomane ont entraîné une véritable stagnation des esprits de ce pays et ralenti de manière tragique son évolution. Puis il y a l'archéologie. Vous n'êtes peut-être pas au courant, mais, quelques jours après le débarquement, un officier du génie a mis la main sur une pierre éton-

1. Le *Museion*.

nante[1] . Un granite noir sur lequel étaient gravées trois inscriptions distinctes : la première en caractères hiéroglyphiques, la seconde en syriaques[2], la troisième en grecs. Que vous le croyiez ou non, cette découverte aura des retombées inouïes pour la compréhension de l'Egypte ancienne.

— Ce qui justifie des milliers de morts...

— Pitié ! se récria Youssef. A soixante-dix ans bientôt je me moque allégrement du devenir intellectuel de l'Egypte ! C'est aujourd'hui qui m'intéresse. Eventuellement demain...

Il se cala dans son fauteuil.

— Parlez-moi donc du présent, Rosetti. Que va-t-il nous arriver ?

Le consul acheva d'avaler une dernière bouchée de gâteau.

— A vrai dire, les Français s'installent comme s'ils comptaient ne jamais plus quitter le pays. Ils ont fêté avec les musulmans le Eïd el-Kébir. J'y ai moi-même assisté et je dois reconnaître que rarement cette fête a connu autant de fastes. J'avoue que c'était assez troublant de voir ce général assis au sol, jambes croisées, écoutant avec un parfait recueillement la centaine de cheikhs, accroupis en demi-cercle, récitant des versets du Coran.

— Mais enfin, Carlo ! persifla Nabil, à vous entendre, ce Buonaparté serait devenu un pieux

1. Le lieutenant Pierre Bouchard, polytechnicien de vingt-sept ans. Il fut nommé capitaine après sa découverte. Cette pierre, qu'on surnommera « pierre de Rosette », fut trouvée alors que s'accomplissaient des travaux de fortification dans l'ancien fort de Rachid, sur la rive gauche du Nil. C'est en majeure partie grâce à la pierre de Rosette que, des années plus tard, Champollion résoudra l'énigme des hiéroglyphes.
2. Plus tard on s'apercevra que la deuxième inscription n'était pas du syriaque, mais du démotique, ou version populaire et tardive des hiéroglyphes.

musulman, un véritable enfant du Prophète. Mais ne voyez-vous pas que tout ceci n'est qu'un simple trompe-l'œil ? En agissant ainsi, cet homme ne cherche qu'à s'attirer les bonnes grâces du peuple. C'est tout.

— N'ayez crainte. Je ne suis pas dupe. Je constate les faits, c'est tout. Et il m'arrive même d'en sourire.

Lorsque quelques jours plus tard les Français ont fêté ce qu'ils appellent le 1er vendémiaire, premier jour de leur calendrier républicain, je fus littéralement abasourdi. Le soir ils ont convié les notabilités égyptiennes à un banquet de deux cents couverts dans l'une des salles du palais d'Elfi bey. Il fallait vraiment le voir pour se convaincre de la réalité : de tous côtés couleurs turques et couleurs républicaines. Au sommet des faisceaux d'armes se confondaient le croissant et le bonnet phrygien. Le repas lui-même ne fut qu'un long contraste, un entrelacs de turbans et de panaches, de caftans et d'épaulettes.

— Rosetti, fit Youssef avec humeur, vous ne m'avez toujours pas répondu. Maintenant que vous êtes dans les bonnes grâces de ces gens, vous devriez pouvoir m'informer sur notre destin.

— Effendi, je vous dirai, hélas, que d'autres batailles se préparent. La Sublime Porte est à la veille de déclarer la guerre à la France. Aux dernières informations, le sultan aurait fait arrêter le chargé d'affaires Pierre Ruffin. A mon avis, la rupture entre Istanbul et la République française est consommée.

Nadia se prit la tête entre les mains.

— Encore du sang versé. Encore le malheur... Quand cela finira-t-il ?

— Quand tous ces gens quitteront le sol égyptien ! clama Nabil. Quand ces mécréants qui nous occupent seront balayés de notre terre ! Mamelouks, Turcs, Français et même des êtres comme vous, monsieur Rosetti ! Le jour où...

— Arrête ! l'interrompit Schéhérazade. A force de lancer des injures à tout va, un jour quelqu'un finira par te couper la langue. De plus, tu es injuste ! M. Rosetti a toujours été un ami fidèle.

— Bien sûr ! Tu as parfaitement raison. Mais alors, demande donc à cet *ami fidèle* pourquoi il n'a pas prévenu Mourad bey qu'une évasion se préparait ?

— Que dis-tu ?

Nabil plongea ses yeux dans ceux du consul.

— *En souvenir d'une vieille amitié*, vous vous souvenez ?

Très calme, le Vénitien répondit avec un sourire indulgent :

— Fils de Chédid. Au risque de vous étonner, sachez que j'ai rapporté ma conversation dans ses moindres détails à Mourad bey. C'est lui qui ne m'a pas cru. Pas un instant. D'ailleurs, eût-il donné foi à mes propos, que cela n'aurait rien changé.

Schéhérazade s'adressa au Vénitien avec une expression confuse :

— Laissez tomber, Carlo. Mon frère est fou.

— Fou et discourtois ! renchérit Youssef hors de lui.

Il pointa l'index sur son fils.

— Tu oublies que cet homme est sous notre toit ? Chez les gens de notre sang, on n'insulte pas un hôte. Un hôte est sacré ! Aussi sacré que le pain ! Excuse-toi immédiatement !

— Laissez, Youssef. Tout cela n'a pas d'importance. Je connais votre fils. Je suis sûr que ses mots ont dépassé sa pensée.

Nabil inspira profondément à plusieurs reprises. Sa figure était blême.

— Oui, c'est vrai. Je vous fais mes excuses, Rosetti.

Il ajouta comme se parlant à lui-même :

— Maintenant il faut que je parte. J'ai rendez-vous.

★

A l'est, hors les murs, une large plaine sablonneuse s'étend jusqu'au pied du Mokattam. Elle est hérissée de dômes qui poudroient dans cette fin d'après-midi : c'est la Cité des morts. Ici repose pour l'éternité la dernière dynastie mamelouke. Et sur les portails des mausolées sont gravés des noms aux consonances guerrières : Khanqa Barqûq, Qurqumâz, Inâl et enfin Qayt bey, sans nul doute le plus prestigieux des monuments. Par-dessus les grandes baies grillagées et les arcs, un minaret s'élance vers le ciel. Le plus beau, le plus pur de tous les minarets du Caire. En arrière-plan se détache le tombeau lui-même sur lequel pèse la coupole de pierre, enveloppée d'un délicat filigrane où le jeu de l'ombre et de la lumière n'altère jamais la pureté du galbe.

La Cité des morts est déserte. Un vent léger soulève à peine des volutes de sable. Seuls quelques chats errent dans le silence épais. Peut-être l'un d'entre eux fut-il jadis un sultan, un vizir tout-puissant, aujourd'hui condamné à n'être plus que le veilleur de sa propre tombe.

Enveloppée dans cette atmosphère lugubre, Schéhérazade ne peut s'empêcher de frissonner, impressionnée malgré elle. Même Safir piaffe nerveusement. Heureusement qu'il fait encore jour et que le soleil, bien qu'atténué, éclaire suffisamment le lieu pour tenir en respect les fantômes et les djinns.

Lentement, elle met pied à terre et marche vers le mausolée de Qayt bey. Parvenue devant le perron, elle s'arrête, fouille attentivement le décor autour d'elle. Où est-il ? Est-il encore là, ou serait-il déjà parti rejoindre Mourad bey ? Pourtant ce billet... Il était formulé — elle en était convaincue — comme une prière voilée, une invitation à venir le retrouver. Sinon pourquoi aurait-il trouvé nécessaire de lui communiquer autant de détails : *J'ai trouvé refuge dans la ville funéraire. Dans le mausolée de Qayt bey.* Elle n'avait pas pu faire erreur. Elle ne pouvait pas s'être méprise à ce point.

Elle voulut l'appeler mais elle se ravisa. Inquiet tel qu'il devait l'être, sur la défensive, il devait guetter le moindre pas. Il aurait dû la voir venir. Le ventre noué, elle gravit une à une les dix-sept marches donnant accès au vestibule.

A gauche la porte du sabîl, la pièce des offrandes. A droite l'entrée du corridor conduisant dans le sahn, la cour à ciel ouvert.

Hésitante un instant elle s'enfonce dans le corridor. L'écho de ses pas monte sous la voûte. Elle accélère. Entre ces murs règne une humidité ténue qu'elle éprouve comme un linceul.

Quand elle débouche dans la cour, son cœur bat à rompre. Elle a les mains moites et ses jambes tremblent un peu sous elle.

— Karim...

Le nom jaillit de sa bouche presque à son insu.

Elle le répète, volontairement cette fois.

— Karim...

Elle retire le taïlassan noir qui la protège et scrute les pierres.

Un raisonnement irrationnel lui crie qu'il doit être là, qu'il n'a pu que l'attendre ; son instinct de femme lui souffle le contraire. Rien autour d'elle ne laisse pressentir sa présence.

Elle repart. Pénètre dans la salle de prière qu'elle fouille des yeux, mais en vain, repart vers l'iwân. Sur la gauche se découpe une petite porte. Elle l'écarte doucement. Devant elle surgit une masse sombre entourée d'une clôture de bois. C'est le catafalque

269

dans lequel sommeille le maître posthume des lieux, le sultan Qayt bey mort il y a plus de quatre siècles.

Elle manque de perdre son souffle, s'enfuit sans refermer le battant.

Le soleil se fane dangereusement. Bientôt le crépuscule. Elle songe à Michel.

Il avait furieusement protesté lorsqu'elle avait eu l'audace de lui annoncer qu'elle partait galoper dans le désert ; pas plus loin que les abords de Sabah, avait-elle assuré ; une heure, pas plus. Pour Safir. Elle en avait été privée depuis si longtemps. Michel avait fini par céder.

Une heure... Pas plus.

Maintenant il faut qu'elle regagne Sabah. Il le faut. Elle a déjà fait assez de mal. Cette fois serait la fin.

Elle refait le chemin en arrière, elle ne marche plus, elle court presque.

J'aurais aimé te dire adieu avant le voyage, mais hélas, ma tête ne pèse pas bien lourd sur mes épaules.

La voix de Karim cogne à ses tempes. Elle doit être folle. Ou c'est un sort qui la possède.

Le cheval s'élance à travers le dédale de la Cité funéraire. Son galop martèle le sol et dérange la nuit des sultans.

Elle prend la route du Vieux Caire et fonce vers Guizeh.

Derrière l'un des murs du mausolée de Qayt bey, vient de surgir la tête de Barthélemy Serra. Le bras en écharpe, accompagné par trois de ses hommes.

— Cette femme... souffle-t-il. J'la sais. Mais où ? Où j'l'ai déjà vue ? Quand ? Où ? Avec qui ? Que faisait-elle ici, si ce n'est qu'elle est de complicité avec l'Karim.

— Sans doute, réplique l'un des janissaires. Il aurait fallu l'arrêter et l'interroger. Nous aurions su.

— C'est ça. T'es luisant. On l'aurait arrêtée, elle aurait fait un tambour d'enfer et s'il avait irrupté à cet instant l'fils du Soleïman nous aurait dégouliné entre les pattes. T'as pas encore pigé qu'c'est lui que j'veux. Lui. Ses entrailles.

— Ouais. Mais on l'a toujours pas ton Karim. T'es absolument certain de tes informations ?

— Comme j'te vois, on l'a vu. Aucun doute possible.

— Parfait. Mais depuis ce matin qu'on l'attend il aurait dû pointer son nez, non ?

— T'impatiente, Fahmi. T'impatiente, on l'aura ce tâ'jine khawanki[1]. Y a toute la nuit d'vant nous...

★

Elle entendit le bruit insistant du galop qui faisait écho dans son sillage et jugea préférable d'accélérer. Le crépuscule avait dilué les couleurs de la campagne. Dieu merci, Sabah n'était plus très loin.

Ses talons s'enfoncèrent dans les flancs de Safir qui força l'allure, soulevant derrière lui une petite tornade ocre. Elle eut alors la certitude qu'au même moment son poursuivant avait fait de même. Prise d'angoisse, elle allait se retourner lorsqu'elle entendit crier :

— Schéhérazade !

L'émotion fut telle qu'elle faillit perdre l'équilibre.

Elle n'avait pas rêvé, c'était bien la voix du fils de Soleïman. Elle tira de toutes ses forces sur les rênes, obligeant Safir à s'immobiliser.

Presque aussitôt Karim arriva à ses côtés.

Elle articula d'une voix hésitante :

— Où étais-tu ? Je viens de la Cité des morts.

1. En argot du Caire de cette époque : giton, efféminé.

271

— Oui, je sais. Je t'expliquerai. Nous ne pouvons pas rester ici. Viens, suis-moi.

D'un geste sec, il fit basculer à moitié l'encolure de son cheval et quitta la route pour se diriger vers l'intérieur des terres. Après une légère hésitation, Schéhérazade partit sur ses traces. Ils allèrent longtemps parmi les arbres rares, jusqu'au moment où apparut une maisonnette de˙ pisé, dressée en bordure d'un champ de dorah[1].

— Ici, fit Karim, ici nous serons en sécurité.

Il sauta le premier à terre et l'aida à descendre de sa monture. Les ténèbres avaient commencé à noircir l'horizon.

— Habituellement l'endroit est occupé par un marin grec. Stavros. Un ami de Papas Oglou. J'ai eu la chance de le croiser ce matin alors qu'il s'apprêtait à partir pour Alexandrie.

Il l'entraîna à l'intérieur.Une lampe en terre cuite, de la paille en guise de lit, un four à pain, une vieille table bancale, composaient l'essentiel du mobilier.

Une angoisse s'était emparée de Schéhérazade, qu'elle n'arrivait pas à réprimer. Un trop-plein d'émotion sans doute qui faisait vaciller son cœur.

Karim alluma la lampe. Une lumière pâlotte entoura leurs silhouettes.

— J'ai failli mourir lorsque je t'ai vue arriver dans la Cité.

— Je t'ai cherché. Où étais-tu ?

— Caché à quelques pas. Mais Grain de Grenade t'avait devancé. Je ne pouvais rien faire. J'ai dû attendre que tu repartes.

---

1. Maïs. C'est une ressource abondante pour l'Égypte. Les fellahs l'appellent aussi séfy, à cause de l'été et de sa couleur or. Il existe aussi une autre espèce, baptisée dorah-chamy, ou dorah syrien, qui se cultive à l'époque de la crue du Nil et se récolte courant mai.

— Barthélemy ?

— Oui. J'ignore comment il a pu savoir que j'étais là, mais il me guettait.

L'idée qu'elle était passée si près du monstre lui fit froid dans le dos.

— J'ai cru que tu ne viendrais plus.

— Quoi qu'il eût pu m'en coûter je...

Il effleura ses lèvres de l'index.

— Tais-toi. Ne dis rien. Je sais.

Il l'invita à s'asseoir sur le lit de paille.

— Viens. Ce n'est pas bien confortable, mais hélas, c'est tout ce que j'ai à t'offrir, princesse.

Elle secoua la tête.

— Michel m'attend. Il faut que je rentre.

— Juste quelques secondes. Un instant. Un seul.

Elle se laissa tomber à ses côtés contre le mur gris.

— Ainsi, dit-elle d'une voix hachée, tu pars pour la Haute-Egypte...

— Je n'ai pas tellement le choix. Le Caire est occupé. Barthélemy est à mes trousses. Il ne me reste plus que Mourad. Auprès de lui je trouverai au moins de quoi me nourrir.

Il s'efforça de sourire.

— Tu vois, princesse... Il n'est pas brillant le Qapudan pacha. Le bouseux, dans son jardin, était tout de même mieux.

— Pourquoi es-tu parti ?

Elle avait posé la question d'un seul trait, comme si elle n'en pouvait plus de l'avoir portée en elle si longtemps.

Sa tête s'inclina légèrement.

— Parce que mon souffle tuait les fleurs.

— Non, Karim, réponds-moi. J'ai besoin de savoir.

— Tu connais la réponse pourtant.

— Tes rêves de gloire ?

— Il s'agit de plus que cela, Schéhérazade. Toi tu es née grande, moi je dois le devenir. Et puis...

273

Il marqua une hésitation.

— Tu as vu ce qui est arrivé à Samira... Crois-tu sincèrement que tu aurais été capable d'imposer à Youssef une nouvelle épreuve ?

D'entre tous, Schéhérazade, tu es la seule qui serait incapable de faire de la peine à ton père. Je sais que le jour où tu te marieras ce sera avec un homme bien. Un homme de notre sang.

La réponse était là. Pourtant elle ne sentit pas le courage de l'admettre, encore moins de l'avouer.

— De toute façon, princesse, il est trop tard... Tu es dame Chalhoub désormais.

Elle acquiesça faiblement et murmura dans un souffle :

— Je t'aime...

Etait-ce bien elle qui avait prononcé le mot ou cette autre qui par moments prenait possession de son âme ?

Elle sentit les lèvres de Karim qui se posaient sur elle. Elle lui rendit son baiser comme dans un rêve. Une immense douceur l'avait enveloppée à laquelle succéda très vite ce désir de lui si longtemps contenu.

Ses mains firent glisser le voile qui recouvrait ses cheveux. Il effleura son cou, les pointes dressées de ses seins.

— J'ai envie de toi, princesse...

Silencieuse, elle s'écarta doucement et commença à se déshabiller, naturellement, sans aucune appréhension ni pudeur. De son côté il fit de même. Bientôt leurs deux silhouettes nues se détachèrent dans le clair-obscur.

Cette fois c'étaient bien les mains de Karim qui touchaient son corps. Ici, plus de jeu, plus d'adultère de la mémoire. Quand il se coucha sur elle, elle eut le sentiment de glisser sur la mer, la mémoire et les sens chavirés, et quand il la pénétra, elle éprouva l'envie absurde d'éclater en sanglots.

Les larmes noyèrent ses joues, tandis qu'il allait et venait dans son être, éveillant en chacun de ses mouvements des visions enchevêtrées, des gémissements de plaisir, un torrent d'eau et de feu.

Au paroxysme de leur étreinte, elle ouvrit brusquement les yeux. Affolée. Elle l'enserra plus fort, violemment, comme pour se convaincre que c'était bien le fils de Soleïman qui lui faisait l'amour et que cette réalité seule suffirait à l'amener au plaisir.

Presque aussitôt, elle sut que ce ne serait pas le cas.

Bien qu'elle ne fût jamais aussi intense, la dérive vers les étoiles s'arrêterait là. Une fois encore. Comme avec Michel.

Avec une sorte de rage elle referma les paupières et voulut de toutes ses forces s'envoler à nouveau, s'accrocher aux ailes de Karim pour qu'il l'emporte avec lui dans sa jouissance qu'elle sentait proche. En vain. Il prit son essor, l'abandonnant sur la grève.

Dans l'instant qu'il retombait sur elle, la certitude qu'elle ne connaîtrait jamais le plaisir dans les bras d'un homme s'ancra définitivement dans son esprit. Tout aussi vite, elle se rassura en se disant que cela n'aurait pas beaucoup d'importance puisqu'elle était tellement bien dans les bras du fils de Soleïman. Tout ce qui comptait c'est qu'il fût à ses côtés. Le toucher, sentir son odeur. Combien de temps ?

L'image de Michel qui l'attendait à Sabah se superposa d'un seul coup à son rêve.

— Qu'allons-nous devenir ?

Il secoua la tête, tout aussi perdu qu'elle.

— Et si je partais ? Si je quittais tout ?

Il la dévisagea, consterné.

— C'est impossible ! D'ailleurs où irais-tu ?

— Je n'en sais rien. Avec toi... Près de toi...

— Et moi je n'ai rien. Encore moins ce soir que lorsque je n'étais que le fils du jardinier de Sabah.

Non, Schéhérazade, sois raisonnable, tu ne peux pas. Songe au chagrin de ton père.

— Alors que je t'ai trouvé, tu voudrais que je te perde à nouveau, et que je survive à cette idée ?

Il caressa tendrement ses cheveux.

— Pourquoi se perdre ? La guerre finira bien un jour. Je reviendrai.

— Et je devrai attendre...

— Nous n'avons pas le choix, princesse. Tu le sais.

— Même si tu revenais, dans un mois, dans six mois, qu'est-ce que cela changerait ? Il y aura toujours Michel...

Elle se tut, ses traits s'animèrent d'une révolte brutale.

— Pourquoi ? Pourquoi n'as-tu rien fait pour empêcher ce mariage ? Pourquoi m'avoir laissée me perdre jusqu'au bout ?

Les larmes glissaient à nouveau sur ses joues, mais cette fois elles reflétaient son désespoir.

— Comment t'en aurais-je empêchée ? Je n'avais rien à offrir, rien à donner. Je n'étais et ne suis personne ! Qui voulais-tu avoir à tes côtés ? le fils de bouseux, ou un homme digne de toi ?

Elle fit un effort pour se calmer. Mais l'avenir lui paraissait tout à coup si noir. Elle avait l'impression d'être devenue plus prisonnière de sa vie que quelques heures plus tôt. Curieusement, dans ce terrible désemparement il y avait un sentiment positif : elle ne se sentait ni salie ni coupable de ce qu'elle venait de vivre.

Elle posa la tête sur l'épaule de Karim.

Si seulement le temps pouvait s'immobiliser...

CHAPITRE 17

— Ils ont arrêté dame Nafissa !

Schéhérazade dévisagea son frère avec incrédulité.

— Qu'est-ce que tu racontes ?

— La vérité. Hier matin des soldats français ont fait irruption chez elle et l'ont emmenée.

— Mais pour quel motif ?

— On aurait trouvé sur l'un de ses domestiques deux paquets de tabac, une pelisse et 500 pièces d'or. Interrogé, le serviteur a déclaré que c'était la Blanche qui les lui avait confiés à l'intention de son mari.

— Mais c'est impossible. Tout le monde sait que Mourad se trouve à des centaines de lieues d'ici. Comment ce domestique aurait-il pu le joindre ?

Nabil répliqua sur un ton railleur :

— Si tu crois qu'ils se sont posé la question.

— Et que vont-ils faire d'elle ?

— Le domestique incriminé a disparu dans la nature. Ils l'ont cherché toute la nuit, mais sans résultat. Ce matin certains cheikhs ont tenté d'obtenir la libération de la Blanche. Mais le commandant du Caire s'y est formellement opposé. Aux dernières nouvelles on doit la conduire chez le général en chef. C'est lui qui décidera.

— Ils lui ont déjà tout saisi, il ne lui reste que sa demeure. C'est injuste.

— Surtout lorsque l'on sait que cette pauvre femme a toujours tenté de soutenir les Européens.

Schéhérazade médita un moment avant de demander :

— Il y a tout de même quelque chose de bizarre. Pourquoi ont-ils appréhendé ce domestique ?

Nabil laissa transparaître une imperceptible hésitation avant de répondre :

— Les officiers soupçonnent depuis quelque temps l'existence d'un réseau de résistance. Pour parvenir à le démanteler ils ont fait appel à des agents coptes. Ce sont eux qui les renseignent. Le domestique a dû trop se confier. Il a été trahi.

— Je vois...

Elle s'approcha lentement de son frère et le fixa droit dans les yeux.

— Ce réseau de résistance...

Il devança ses propos.

— Ne jouons pas, puisque tu sais tout. Je me doute bien que ton mari a dû te rapporter mes confidences.

— C'est exact. Et je pense qu'il a bien fait. C'est grave Nabil, très grave. Aujourd'hui on arrête dame Nafissa. Demain ton tour viendra. Est-ce que tu en es conscient au moins ?

— Personne ne m'arrêtera. Jamais. De toute façon c'est mon affaire. Je t'interdis de t'en mêler.

La rudesse du ton employé alla droit au cœur de la jeune femme. Elle se contint néanmoins.

— Il ne s'agit pas seulement de toi, mais de nous. Si quelque chose devait arriver, c'est toute la famille qui en paierait le prix.

— Si tu crains pour ta petite vie...

— Ma petite vie, mais surtout celle de nos parents. Ce sont eux qui risquent de subir les méfaits de ton inconscience.

Il voulut l'interrompre.

— Non Nabil, cette fois tu vas m'écouter jusqu'au bout. Tu es l'aîné. Celui qui commande et, de plus, je ne suis qu'une femme. Notre père a dit un jour à Mourad bey : « Ma fille ignore tout de la politique », il n'avait pas tout à fait raison. Car si j'ignore en effet beaucoup, j'ai la conviction que la politique n'est que l'art de manier le mensonge et la duperie. Tu rêves d'une Egypte libre, elle le sera un jour. C'est inéluctable. Mais je crois que ce temps n'est pas venu, il est trop tôt. Pourquoi cette certitude ? Ne me le demande pas, je serai incapable de te répondre. Disons que c'est l'instinct féminin, disons aussi que trop de vautours guettent la même proie.Tu veux chasser les Mamelouks ? Les Turcs reviendront. Les Français ? Des Autrichiens ou des Anglais les remplaceront. C'est ainsi. Alors si à l'avenir tu veux malgré tout continuer à mettre en danger ton existence et celle de tes proches, cela signifiera une seule chose, c'est que tu es malade, Nabil. Tu es atteint d'une maladie que je connais parce que je l'ai subie et la subis encore. Elle s'appelle l'obsession. Et ça vous dévore comme un rêve inaccessible.

Tandis que le visage de Karim traversait son esprit elle conclut :

— Contre cette maladie, hélas, il n'existe aucun remède.

Si tout le temps qu'elle avait parlé, un témoin avait pu observer Nabil, il aurait vu tour à tour se succéder le long de ses traits de la moquerie, un intérêt progressif et finalement l'émotion. A présent qu'elle s'était tue, les yeux du jeune homme brillaient d'une lueur à la fois tendre et extraordinairement triste.

— Je t'aime, petite sœur. Dommage que nous ayons mis tant de temps à nous trouver.

— Il reste la vie. Toute la vie.

— Bien sûr. Mais c'est court une vie.

— C'est vrai, j'oubliais que dans quelques jours tu seras un vieillard de trente-trois ans...

— Le 21 octobre. Tu t'en souviens. C'est bien.

— Promets-moi. Promets-moi... répéta-t-elle avec insistance.

— De renoncer à combattre des chimères ?

— Je t'en prie.

Il prit le menton de la jeune femme entre ses doigts.

— Je te promets, fit-il avec un sourire mélancolique. Je te promets de rester vivant après le 21 octobre.

★

— Dugua ! Je vous ordonne de mettre à la raison ces maudits Arabes ! Brûlez le village de Sonbat, faites un exemple terrible et ne leur permettez plus de venir l'habiter à nouveau qu'ils ne vous aient livré dix otages que vous m'enverrez pour tenir à la citadelle du Caire ! Brûlez tout !

François Bernoyer se demanda si l'ordre du généralissime n'était tout de même pas excessif. Certes, il venait en réponse à la destruction d'une colonne qui maraudait aux alentours de Mansourah. Mais tout de même n'allait-on pas un peu trop loin ? François jeta un coup d'œil hâtif aux notes qu'il avait prises depuis son arrivée en Egypte :

« *28 juillet*. Demande d'un prêt en espèces de 500 000 riyâls, à couvrir par les commerçants musulmans, coptes, syriens et francs également. Une demande de réduction fut déposée mais ne fut pas agréée.

« Ce même jour, taxations des épouses des Mamelouks. En échange de 120 000 riyâls, dame Nafissa obtient pour elle et ses compagnes d'être laissée en paix.

« *29 juillet*. Réquisition des chevaux, chameaux et armes. Réquisition aussi des vaches et des taureaux.

« *30 juillet*. Perquisition. On fracture les boutiques des souks et l'on emporte tout ce que l'on peut y trouver.

« Ce même jour. Les habitants de Rosette et de Damiette reçoivent l'ordre de payer, les premiers l'équivalent de cent mille francs, les seconds cent cinquante mille pour contribuer aux dépenses de l'armée.

« *31 juillet*. Imposition des artisans, sous forme de prêt d'une somme astronomique, et ce dans un délai de soixante jours. Devant les protestations, la somme est allégée de moitié et le délai de paiement plus long.

« Ce même jour, dépose des portes de la ville. On arrache, on casse.

« Nouvelle imposition infligée à dame Nafissa. Cette fois elle est de 600 000 livres. Elle livre ses diamants.

« *17 août*. Les gens du peuple ne parlent plus que de la défaite d'Aboukir. On décide de sévir contre ses '' rumeurs ''. Deux hommes sont arrêtés. Sous peine de leur trancher la langue ils doivent verser 100 riyâls chacun.

« *27 août*. Les négociants en café reçoivent l'ordre de verser dix mille talaris le lendemain, dix mille le surlendemain, sept mille talaris par jour pendant la décade qui suit, et de livrer du café en nature pour une valeur de vingt mille talaris ; tout retard entraînera des pénalités.

« *1er septembre*. On impose une taxe sur les biens dans les villages et dans la campagne. Furent chargés de cette opération les changeurs et les coptes. Ils se substituaient à des juges de tribunaux. Emprisonnant à tour de bras les récalcitrants.

« *4 septembre*. Tous les habitants de l'Egypte porteront la cocarde tricolore. Toutes les embarcations employées à la navigation du Nil porteront le drapeau tricolore. Les généraux, les commandants de province, les officiers français n'admettront plus aucun individu du pays à leur parler s'il n'a la cocarde[1].

« *29 septembre.* Quiconque entame des démarches, suite au décès de l'un de ses proches, doit payer une taxe.

« Pour ouvrir un testament. Taxe.

« Taxe à payer pour le certificat d'identité des héritiers.

« Taxe pour entrer en possession de l'héritage.

« Taxe pour tout créancier qui possède une créance sur un défunt. Si sa créance est honorée. Nouvelle taxe.

« Taxe pour l'obtention d'un document de voyage.

« Même processus pour tout nouveau-né pour lequel il faut obtenir un certificat de naissance. De même pour les salaires, les loyers, etc.

« Ce même jour. Exécution capitale de deux individus dont on promena la tête dans les rues de la ville, proclamant : " Voilà la récompense de ceux qui portent des lettres chez les Mamelouks ou qui en ramènent. "

« La levée des impôts dans les provinces devient une opération de police, presque une opération de guerre. Pour lever cent chevaux à Guizeh, on a formé une colonne de deux cent cinquante hommes et une demi-section d'artillerie.

---

1. S'il faut en croire le célèbre chroniqueur de l'époque el-Jabartî, la plupart des habitants refusèrent. Le lendemain un avis fut publié infirmant le précédent pour le peuple. Cependant le port de la rosette restait obligatoire pour les chefs et tous ceux qui avaient affaire avec les autorités françaises. Toujours selon Jabartî, les gens mettaient la rosette en se rendant chez les Français et la retiraient en sortant. Cela dura quelques jours. Puis cette mesure fut délaissée.

« Dans le Fayoum, Boyer opère avec un bataillon et une pièce de canon.

« Dans chaque colonne un agent français et l'intendant copte. Ce dernier accompagné fastueusement de toute sa maison.

« Les contribuables récalcitrants sont soumis à la bastonnade, ou punis par l'enlèvement de leur femme et par l'incendie de leur maison.

« *8 octobre*. Le crieur public annonce dans les souks que la population est invitée à présenter au diwân ses titres de propriété, dans un délai de 30 jours. Passé ce délai la taxe sera doublée.

« *9 octobre*. Patente pour l'exercice d'un commerce.

« *20 octobre*. La liste des taxes pour propriétés et biens fonciers est placardée sur les murs de la ville. Des architectes sont désignés pour classer les maisons suivant leur hauteur. Hôtels, caravansérails, bains, pressoirs à huile, moulins à sésame et boutiques sont taxés selon leur aspect, leur situation et leur surface. Sur une idée de Poussielgue, administrateur des finances de l'armée expéditionnaire, cette taxe aura pour nom : le droit d'enregistrement. »

Abounaparte ou Mourad bey ?

★

L'appel à la guerre sainte courait de minaret en minaret. C'était dimanche, le 21 octobre.

Où que l'on fût. A Boulaq ou à Birket el-Fil, à bab el-Louk ou à bab el-Foutouh, dans les quartiers miséreux du Vieux Caire, au sommet du Mokattam, les voix des muezzins appelaient au djihad. Et ces voix étaient parvenues jusqu'à Sabah.

Un affolement incontrôlé s'était emparé de Schéhérazade. Son frère avait quitté la demeure dès les premières lueurs du jour. Il n'était plus reparu depuis.

Je te promets de rester vivant après le 21 octobre.

Une pâleur effrayante avait envahi les traits de la jeune femme, tandis qu'elle s'agrippait au bras de son mari.

— Vite, Michel. Il faut nous rendre au Caire. Le malheur est sur Nabil.

Youssef, témoin de la scène, observa sa fille, persuadé qu'elle était devenue folle.

— Crache ces mots de ta bouche ! Reprends ton sang-froid ! Ce n'est pas parce que quelques illuminés vocifèrent qu'il faut parler de malheur ! Il n'est pas question de sortir d'ici !

Schéhérazade se retint de répliquer de peur que les accents de sa voix ne la trahissent.

Michel décida d'affronter le vieil homme.

— Bâbâ, Schéhérazade a raison. Cet appel à la guerre sainte, c'est votre fils qui en est l'instigateur.

— Qu'est-ce tu racontes ?

— Il serait trop long de tout vous expliquer. Il faut me faire confiance si je vous affirme qu'à l'heure qu'il est Nabil court un grave danger.

— Mais où se trouve-t-il ? Pourquoi ?

— Père, fit à son tour Schéhérazade, je t'en supplie, n'essaye pas de comprendre maintenant. Laisse-nous aller à sa recherche, il y va de sa vie !

Youssef mit un temps avant d'articuler :

— Allez. Faites tout ce que vous jugez bon. Allez et ramenez-moi mon fils.

★

Le Caire n'était plus que clameurs.

Répondant à l'appel des muezzins, des groupes se sont formés instantanément à tous les horizons de la ville. Certains sont armés de pelles, de bâtons, parfois de fusils, d'autres avancent mains nues. A la tête de chacun des groupes on reconnaît un membre du Sang du Nil. Ces masses progressent dans des directions indéterminées, dans la plus grande confusion, simplement droit devant elles.

Suivi d'une centaine d'émeutiers, Nabil, armé d'une lance, est en train de longer le canal, non loin de bab el-Sha'riyya.

Le cri de « Dieu fasse triompher l'islam ! » monte du cœur de la cité, roule de porte en porte tel le grondement d'une avalanche.

Si la sédition gagne progressivement la majeure partie de la capitale, en revanche les quartiers extérieurs et ceux en amont du fleuve, le Vieux Caire et Boulaq, sont étrangement calmes. Sans doute la raison de cette passivité s'explique-t-elle par la proximité des casernes.

Désignant les bancs de pierre des boutiques, Nabil hurle :

— Détruisez-les ! Il faut en faire des barricades !

A l'est, au pied des anciennes tanneries, d'autres révoltés, commandés par Boutros, encerclent la demeure d'Ibrahim Ekhtem, le cadi el-askar, le juge des armées. Boutros le somme d'obtenir des Français l'abrogation des droits d'enregistrement, cette dernière taxe qui a indirectement contribué à déclencher l'insurrection. Le cadi veut tergiverser. La foule s'énerve. Il essaye de gagner du temps. Alors sur l'ordre de Boutros une pluie de pierres et de briques s'abat sur sa maison, brisant et dévastant tout. L'homme a tout juste le temps de foncer à l'intérieur et de se barricader en priant Allah de lui envoyer l'un de ses anges salvateurs.

Plus loin, en contrebas, on vient d'envahir le quartier où résident la plupart des officiers et des savants français.

La première maison attaquée est celle d'Abou khashba[1] — l'homme à la jambe de bois —, surnom donné par le peuple au général Caffarelli. Pour sa chance, il est absent. De bonne heure il a suivi le général en chef et l'état-major pour une inspection du Vieux Caire et de l'île de Rodah. En revanche, deux ingénieurs des Ponts et Chaussées se trouvent là : Thévenot et Duval. Devant la foule qui menace ils rassemblent tous les domestiques pour essayer de s'opposer à l'assaut. Peine inutile, les agresseurs percent les murs mitoyens. Dans un ouragan de cris et de vociférations, forcés de chambre en chambre, les deux hommes sont mis en pièces.

Quelques ruelles en amont, ce sont les chirurgiens Mangin et Roussel qui tombent à leur tour alors qu'ils tentaient de regagner leur domicile.

Impassible, le soleil d'octobre se hisse au-dessus des minarets. Il n'est pas loin de 10 heures.

Schéhérazade et Michel, qui ont réussi à franchir bab el-Kharq sans trop de difficultés, voient leur progression se ralentir à mesure qu'ils se rapprochent de la Qasaba.

— Il faut abandonner les chevaux ! décide Michel. Nous ne pourrons plus avancer.

— Où allons-nous les abriter ? Ils risquent d'être volés.

— C'est cela ou rebrousser chemin.

Il inspecte hâtivement la place autour de lui et, avisant l'impasse qui se découpe sur leur gauche :

— Là. Nous reviendrons les chercher en espérant qu'ils y soient encore.

Une fois les bêtes parquées, le couple s'élance vers la Qasaba, vers el-Azhar. S'il existe une petite chance

---

1. Littéralement : « Le père du bois. »

de retrouver Nabil ce ne peut être qu'aux abords de la mosquée des Fleurs.

Le général Dupuy, commandant du Caire, a enfilé son uniforme.

Instruit de bonne heure des rassemblements formés par la population, il a été moins alarmé qu'il n'aurait dû l'être par de semblables démonstrations, et s'est d'abord contenté de lancer quelques patrouilles contre les séditieux. Mais en deux heures les événements ont évolué de manière dramatique.

A la lecture des rapports qui lui parviennent de tous côtés, il découvre que non seulement les groupes ne se dissipent pas, mais que ce qu'il pensait n'être qu'une manifestation de gueux prend l'allure d'une révolution.

Il se rue au-dehors de son domicile et donne l'ordre à la trente-deuxième brigade, casernée dans les environs, de se tenir prête à marcher. Lui-même se dirige, escorté par un piquet de dragons, vers la Cité des morts, car c'est là-bas lui a-t-on dit que se trouve le gros des insurgés.

Il enfourche sa monture, commande à Barthélemy de le suivre, fonce sans plus attendre en direction de la ville funéraire.

Du haut des terrasses, femmes et hommes confondus accablent de pierres le général et son escorte.

Chassant et dissipant à coups de sabre ceux qui se pressent sur leur passage, Dupuy et ses dragons parviennent jusqu'au quartier des Francs. Ils s'apprêtent à s'engouffrer dans la rue des Vénitiens. Une véritable muraille humaine les y attend. Dans cette marée qui grouille et qui gesticule, un homme armé d'une lance attire l'attention du général Dupuy. Il se détache étrangement du décor, il doit avoir une trentaine d'années. Il fait partie de ces gens, mais paradoxale-

287

ment il ne semble pas être de leur sang. Tout dans son expression crie la révolte, mais Dupuy croit y lire quelque chose de plus intense : un fatalisme et une détermination suicidaires.

Cravachant d'un coup sec son cheval, le général replonge dans la réalité. Il excite sa troupe de la voix, se rue dans la mêlée.

Barthélemy Serra se tient à deux cents pas derrière, armé d'un tromblon.

Au premier choc, Nabil bascule en arrière ; ses amis reculent de même.

Il faut se reprendre. Il ne faut pas qu'ils passent.

Les rangs se resserrent. Les individus se nouent en grappes.

Un coup de feu part. Barthélemy a tiré dans le tas.

Le général se reporte en avant. Sa botte frôle la joue de Nabil.

Dans un semi-brouillard, le fils Chédid entrevoit la masse brune du cheval, l'éclat des éperons.

Un coup de sabre entaille son bras. Il ne recule pas. Il faut qu'il tienne.

Quelqu'un s'accroche à la jambe de Dupuy. Il tente de se dégager. Il le doit.

Cette lance qui se lève et qui accroche un rai de soleil, il a le temps de l'entrevoir. C'est le jeune homme de tout à l'heure qui va frapper.

Nabil a juste un éclair d'hésitation. La lance atteint Dupuy sous l'aisselle gauche.

— Nabil ! Akhi[1] ! NON !

Le cri désespéré de Schéhérazade couvre brièvement les gémissements de Dupuy et les imprécations de la foule.

Michel tente de retenir son épouse, mais la force de la jeune femme est décuplée. Elle se jette en avant,

1. Mon frère.

288

veut se frayer une brèche dans la muraille. Il se précipite derrière elle.

Les dragons se sont ressaisis. Leurs sabres brisent les crânes qui éclatent comme des pastèques au soleil. Ils découpent, hachent pour dégager leur chef.

Les compagnons de Nabil sont alors forcés de battre en retraite. On recule. Un demi-cercle se forme jusqu'à la rue el-Mu'izz, il s'élargit à mesure que les dragons sévissent.

L'un d'entre eux a mis pied à terre. Il tente de se saisir de Nabil. Mais le jeune homme parvient à lui échapper et disparaît, avalé par la marée humaine.

On a relevé leur général, on l'emporte[1]. Quelqu'un remarque qu'il saigne abondamment sous l'aisselle.

A quelques toises de là, enfermée dans la foule comme dans une nasse, Schéhérazade voit s'évanouir la silhouette de son frère.

★

Il est plus de 3 heures de l'après-midi. La révolte gonfle toujours les poumons de la ville.

Le général Bon a succédé à Dupuy. Bientôt de forts détachements d'infanterie, dirigés dans les rues principales, font feu sur les rebelles. Certaines barricades résistent, d'autres sont balayées.

A bab el-Nasr, Sulkowski, l'aide de camp préféré du généralissime, tente de refouler des bédouins qui, avertis de l'insurrection, cherchent à pénétrer dans la ville. Il glisse de son cheval, est tué à coups de bâton. Onze sur quinze de ses guides subissent le même sort.

C'est un vent de folie qui s'est abattu sur el-Qahira. Rendus encore plus furieux à la vue de leurs cama-

---

1. Il fut transporté dans la maison de Junot, tout près de là. Il expira un quart d'heure plus tard.

rades qui tombent les uns après les autres, certains émeutiers dépassent tous les excès. On pille, on vole. Le quartier de Janwâniyya est attaqué. La cible n'est plus uniquement les Français, mais les maisons des chrétiens. Leurs voisins musulmans qui tentent de s'interposer ne sont pas épargnés. Les résidences sont dévastées, le souk des étoffes pillé dans sa totalité.

Alors que le couchant commence à poindre sur les minarets, Osman, l'un des derniers survivants du Sang du Nil, est parvenu à s'emparer du cheikh el-Sadat. En un éclair, le cheikh est rasé, on le vêt de l'habit d'un soldat assassiné et on l'entraîne jusqu'au souk des Nahassine. Là, sous les rires d'une foule vengeresse, une parodie de vente aux enchères se déroule. Le prix offert pour Sadat ne dépassera pas treize piastres.

Dans le quartier de Birket el-Fil, un peu à contrecœur, François Bernoyer a pris un sabre et un fusil et s'en est allé rejoindre la 22e légère aux prises avec les révoltés.

Il observe ses camarades qui mettent en batterie deux pièces de canons.

Au premier feu, la foule est ébranlée. A la seconde décharge, elle est déchiquetée, l'épouvante la gagne. Une seule issue, la fuite. Mais devant cette panique et le désordre de la bousculade, les rues déjà étroites se rapetissent plus encore. Elles ne peuvent plus contenir la multitude des fuyards. Les hommes sont pulvérisés à bout portant.

Bernoyer entend la voix du général Berthier qui ordonne de charger. L'heure qui suit prolonge et complète le massacre.

Prévenu par le son du canon d'alarme, Abounaparte est rentré dans la ville par la porte de Boulaq, après avoir essayé vainement de passer par celle du Vieux Caire, où on l'avait assailli par une grêle de pierres. Pour passer, Detroye, qui l'accompagnait, brûla la cervelle du chef des insurgés. L'officier aurait-il jamais pu deviner qu'il s'agissait de Salah, un jeune homme qui avait imaginé quelques années plus tôt baptiser son mouvement de résistance « France ».

A peine arrivé dans son palais de l'Ezbéquieh, le général en chef donne l'ordre d'établir des postes d'artillerie autour de la place, ainsi que dans les rues principales. Dommartin et Lannes sont chargés d'occuper les hauteurs du Mokattam et d'y installer des mortiers.

Nabil a repris le commandement des rebelles regroupés dans le quartier des Francs.

Les balles fusent de partout. Ses camarades s'affaissent les uns après les autres. Dans peu de temps la situation deviendra intenable.

— El-Azhar ! ordonne-t-il. El-Azhar ! Tous à la mosquée !

L'ordre se répercute à travers les rangs. Comme un seul homme les émeutiers s'ébranlent à la suite de leur chef.

Lorsqu'ils s'engouffrent dans le lieu sacré, ils sont environ un millier. Les énormes portes se referment sur eux dans un épouvantable grincement de gonds. Les moindres issues sont aveuglées. Progressivement les voix s'éteignent. Et lorsque la nuit s'infiltre sous la coupole, le silence endeuillé l'accompagne.

Anéanti par la fatigue, Nabil se laisse choir au pied du minbar[1]. C'est à ce moment seulement qu'il prend conscience de la blessure à son bras. Elle lance et lui fait mal. Il lève la tête. Au-dessus de lui il imagine les

1. La chaire dans une mosquée.

premiers scintillements d'étoiles. Brusquement une angoisse insoutenable le saisit. Il jette un coup d'œil autour de lui. La mosquée est noire de monde. Boutros est là, les traits imprégnés de poussière. Ils sont sans doute les derniers du Sang du Nil.

Schéhérazade et Michel sont rentrés à Sabah.

— Ils sont perdus, murmure Youssef. El-Azhar va devenir leur tombeau.

Nadia ne dit rien. Ses yeux sont secs. Elle n'a plus de larmes.

Toute la nuit durant, le général en chef va communiquer ses ordres. Ils seront pour la plupart inspirés d'une autre occasion quelque peu similaire à celle qu'il affronte aujourd'hui[1]. Il adoptera donc à quelque chose près la même tactique, et consacrera l'essentiel de son action à établir des positions d'artillerie pour foudroyer l'adversaire.

Quand le jour se lève, les collines d'el-Barqiyya et les remparts de la citadelle sont mouchetés de canons. A midi commence le bombardement de la ville.

Toutes les zones tenues par les insurgés subissent la pluie de feu. Mais le point principal vers lequel convergent les boulets, c'est el-Azhar et les quartiers avoisinants.

Le grondement de l'artillerie se mêle aux cris des blessés. Les boulets s'écrasent sur les maisons et dans les rues, provoquant une panique générale. Les habitants tentent de fuir. Mais où ? On se bouscule dans une incroyable débâcle, parmi les gravats et les éboulements.

---

1. Le 13 vendémiaire. Contre les sections royalistes, c'est l'artillerie qui jouera le rôle déterminant.

Des obus aveugles fracassent des palais, des demeures, des caravansérails. C'est un vacarme assourdissant qui fait trembler Le Caire.

Totalement pétrifiés par le déluge qui s'abat sur eux, les insurgés abandonnent progressivement leurs barricades aux soldats français.

Certains cheikhs tentent de parlementer.

Le sultan el-kébir refuse tout accommodement.

Il envoie une colonne d'infanterie dans la Cité des morts où l'on résiste encore. Elle taille en pièces tous ceux qui ne peuvent ou ne veulent fuir. Chaque rue du Caire devient ainsi le théâtre d'un carnage sanglant.

Vers les 8 heures du soir, les cheikhs se rendent sans condition.

Le général en chef donne alors l'ordre du cessez-le-feu.

Quand tombe la nuit, hormis quelques tirs sporadiques, le calme paraît revenu dans la capitale.

Beaucoup pensent que c'est la fin du cauchemar.

C'est aux alentours de 11 heures que les troupes déferlent à travers les ruelles encore jonchées de cadavres et d'agonisants.

A l'aube, Abounaparte donne l'ordre ultime : briser el-Azhar.

Nabil a pris Boutros par le bras et tous deux escaladent les marches qui mènent au sommet du minaret.

De là-haut la vue est impressionnante. Détail étrange, ce ciel d'Egypte toujours si étonnamment pur s'est couvert de lourds nuages noirs qui enflent prêts à éclater[1].

Nabil désigne du doigt la fumée qui s'élève de partout.

1. Ce détail est rapporté par de nombreux observateurs. Entre autres J.-J. Marcel, membre de l'Institut d'Égypte, et le chroniqueur el-Jabartî.

— Ils n'y ont pas été de main morte, murmure-t-il la gorge nouée.

Boutros approuve de la tête sans rien dire.

Au même moment, le général Dommartin démasque ses batteries.

Lorsque le premier coup de canon tonne, Nabil lève machinalement les yeux vers le ciel.

— Un orage se prépare, observe-t-il doucement.

Boutros tend le dos de la main. Quelques gouttes de pluie viennent s'y écraser.

— La pluie lavera le sang. Peut-être même que...

Il ne finit pas sa phrase. Une terrible explosion vient de secouer le minaret. Une deuxième lui succède presque immédiatement. Puis une troisième. La mosquée se retrouve sous une avalanche d'obus.

— Vite ! Il faut rentrer !

Nabil s'engouffre sous la voûte qui mène à l'escalier. Boutros n'a pas le temps de suivre. Frappé de plein fouet son corps se disloque dans l'air.

Balayé par le souffle, Nabil est projeté contre le mur intérieur. Sa tête heurte la pierre, il s'écroule, roule le long de l'escalier en colimaçon. Sa chute s'arrête à la première courbe.

Presque simultanément, l'orage a éclaté. Des éclairs zèbrent le ciel. Des torrents d'eau se déversent, qui inondent les ruelles, les palais, le désert. A cette pluie aussi soudaine que torrentielle s'ajoutent grenades et boulets qui tombent sur el-Azhar et les maisons alentour. Bientôt tout le quartier environnant n'offre plus qu'une scène de dévastation. Maisons éventrées, édifices incendiés. Des cris d'horreur s'élèvent du sein des décombres où des familles entières périssent écrasées.

Les murs de la mosquée des Fleurs vacillent sous d'invisibles coups de bélier. Fumées et poussières envahissent les mouqarnas et font vibrer les lustres de bronze.

Les hommes se sont instinctivement regroupés et forment sous la coupole un noyau solidaire.

Le pilonnage se prolonge plus d'une heure. Et soudain le silence.

Revenu de son évanouissement, Nabil a repris sa place parmi les siens.

Quelqu'un murmure d'une voix presque inaudible, peut-être de peur de réveiller à nouveau la foudre :

— Ils se sont arrêtés.

Les hommes se dévisagent étonnés de cette brusque accalmie.

— Rendez les armes ! Sortez ! Mains en l'air !

De l'autre côté de la porte géante la voix réitère son ultimatum en précisant cette fois :

— Sinon les tirs reprendront jusqu'à ce que vous soyez tous anéantis.

Nabil interroge ses compagnons. A sa grande surprise il découvre chez tous la même détermination. La même expression têtue.

— Jusqu'à la mort ! crie une voix rageuse.

— Jusqu'à la mort ! reprend une autre.

Nabil s'approche alors de la porte et s'exclame à son tour :

— Faites tirer vos canons ! Ou alors, si vous avez tant de courage que cela, envoyez vos grenadiers nous chercher !

Le jeune homme l'ignore. Mais les grenadiers sont là. Distants mais présents. Ils encerclent le périmètre, interdisant toute sortie. Ils attendent les ordres du général en chef. Les ordres ne viennent pas. Abounaparte a une préférence pour l'artillerie. Et les canons tonnent à nouveau. Plus violent est leur feu. Plus précis.

A la tombée du jour, la majeure partie d'el-Azhar est ravagée. De nombreux rebelles sont ensevelis sous des tombereaux de pierres. Dans une heure ils disparaîtront, tous a précisé la voix. Jusqu'au dernier.

Alors Nabil n'hésite plus. Il se rue vers la porte et implore à se déchirer les poumons :

— Amâne ! Amâne ! Nous nous rendons !

Un officier l'a entendu et lui fait signe de sortir.

On entrebâille les immenses battants. Nabil est conduit auprès du généralissime.

Celui-ci, mains croisées derrière le dos, le jauge et lance, l'œil noir :

— Je t'écoute !

Impressionné malgré lui, Nabil cherche ses mots.

— J'invoque ta clémence. Pitié pour mes frères. Nous nous livrons sans condition. Mais, je t'en conjure, fais cesser ce tir meurtrier.

Un léger tic secoue la paupière du général en chef[1]. Il pointe son doigt sur la poitrine du fils Chédid.

— Vous avez refusé ma clémence quand je vous l'offrais ! L'heure de la vengeance a sonné ! Vous avez commencé, c'est à moi de finir !

Et il ajoute :

— Emmenez-le ! Qu'on l'enferme à la citadelle et qu'on le fusille à l'aube !

L'insurrection agonisa encore pendant près de deux heures. Deux heures durant lesquelles le bombardement se poursuivit sans discontinuer.

Réduits au désespoir après le refus du sultan el-kébir, les compagnons de Nabil tentent une sortie. C'est par vagues qu'ils vont s'embrocher sur les herses formées de baïonnettes, tandis que certains, refusant de tomber vivants aux mains de l'ennemi, enjambent les balustrades et se précipitent dans le vide. Le sang inonde les caniveaux de la mosquée des Fleurs. Enfin, vers les 8 heures du soir, les derniers

---

1. Un autre tic de Bonaparte consistait en un mouvement du bras droit qu'il tordait en le tirant avec sa main gauche.

rebelles s'avancent sans armes vers les soldats et se jettent la face contre terre.

Les grenadiers s'élancent alors à travers les décombres de l'université. Le général Bon a ordre de tout saccager.

Des dragons s'engouffrent à cheval dans la mosquée avant de se lancer vers les salles attenantes. En quelques heures on pille, on brise tout. Des lampadaires aux coffres. Les livres des étudiants sont détruits. On s'empare de tout ce que l'on trouve : vases, plats, effets divers. On piétine les volumes du Coran. Quelques grenadiers s'accroupissent et accomplissent leurs besoins à même le sol, sur les tapis, d'autres se soulagent contre les meubles.

C'était le 23 octobre. L'insurrection avait fait plus de trois mille morts dans le peuple égyptien.

Le quatrième mois du mirage oriental d'Abounaparte s'achevait dans une odeur fétide d'excréments et d'urines[1].

1. Dans sa lettre au Directoire Bonaparte dit : « On évalue la perte des révoltés de 2 000 à 2 500 hommes ; la nôtre se monte à 16 hommes tués en combattant, un convoi de 21 malades égorgés dans une rue, et à 20 hommes de différents corps et de différents états. » Le *Journal de Belliard* évalue les pertes égyptiennes à 4 000 hommes. Celles des Français tués ou blessés à 150. Dans un courrier envoyé à Dugua, Berthier cite le chiffre de 2 000 à 3 000 révoltés tués. J.-J. Marcel parle quant à lui de 5 000 à 6 000 tués.

CHAPITRE 18

Rosetti déplia le document et récita d'une voix sourde :

« Vous voudrez bien, général Berthier, donner l'ordre au commandant de la place de faire couper le cou à tous les prisonniers qui ont été pris les armes à la main. Ils seront conduits cette nuit au bord du Nil, entre Boulaq et le Vieux Caire, leurs cadavres seront jetés dans le fleuve[1]. »

N'osant pas affronter les yeux noyés de larmes de Nadia, non plus que le visage torturé de son époux, le consul ajouta :

— Telles sont hélas les instructions de Bonaparte. Croyez-moi, j'en suis aussi malheureux que vous.

Schéhérazade tritura le mouchoir qu'elle serrait entre ses doigts, ne fit aucun commentaire, sa mère non plus. La douleur était trop forte. Elle ne laissait plus de place pour les mots.

Youssef arracha le document des mains de Rosetti, le relut pour se convaincre de l'impossible.

---

1. Six jours plus tard, Bonaparte écrira au général Reynier : « Toutes les nuits nous faisons couper une trentaine de têtes : cela leur servira de leçon. »

— Ils vont tuer mon fils. Sans jugement, sans procès. Ils vont assassiner mon enfant.

Il releva soudain la tête avec une expression saisissante.

— Dites-moi que ce n'est pas vrai, Rosetti. Dites-moi que seuls les Turcs et les Mamelouks sont capables d'une telle cruauté. Dites-le-moi !

L'agent consulaire ne trouva rien à répondre. Il baissa la tête, désemparé.

— Ne pourrions-nous tenter quelque chose ? demanda Michel.

— Je ne vois pas. La seule possibilité eût été de faire commuer sa peine en emprisonnement. Dès que vous m'avez prévenu du drame j'ai essayé d'obtenir une entrevue avec le général français. Sans résultat. Ainsi que me l'a expliqué un aide de camp, le cas de Nabil est des plus graves. Voyez-vous, sa victime n'était pas n'importe qui.

— Et la vie de mon frère ! se récria brusquement Schéhérazade. Elle vaudrait moins que celle d'un général ?

Les lèvres de Rosetti esquissèrent le mot « non », sans le prononcer.

— Il a tué un militaire ! Vous m'entendez, Carlo ? Pas un civil. Il l'a fait dans un combat de rue, face à des soldats armés jusqu'aux dents. Vous auriez dû les voir sabrer ! C'était une véritable boucherie ! Un carnage !

Michel emprisonna le bras de son épouse et essaya de la calmer.

— On ne peut pas laisser faire ! Il faut que vous retourniez voir le Français ! Il le faut, Rosetti. Je viendrai avec vous. Je me mettrai à genoux, je supplierai jusqu'à ce que...

— Jamais !

Youssef s'était dressé.

— Jamais ! Il ne sera pas dit que ma fille s'abaissera devant un homme, si puissant soit-il. Tu m'entends ! Jamais !

Se tournant vers le consul :

— C'est moi. Moi seul qui viendrai avec vous.

Rosetti faillit répliquer que c'était inutile. Qu'il n'y avait aucune chance pour que le général français revienne sur sa décision. Mais il n'en fit rien.

— C'est bon. Mais, je vous en conjure, gardez votre calme.

Le vieil homme s'empara de sa canne et, le premier, franchit le seuil de la pièce.

★

Les tours rondes de la citadelle projetaient leurs ombres par-dessus les remparts.

D'ici on embrassait d'un coup d'œil Fustat et Le Caire. A l'endroit où se tenait en ce moment l'officier d'Armagnac, un jour, il y a longtemps, s'était tenu le premier maître de cette forteresse, le grand Saladin.

Au fil des siècles, entre ces murailles crénelées, bien d'autres sultans s'étaient succédé, et nombre de personnages illustres avaient marché sous la voûte de bab el-Azab, la porte de la Souffrance.

D'Armagnac laissa errer son regard vers ce qui fut le somptueux palais de Qalawoun, les mosquées contenues dans les trois enceintes, et se fixa un bref instant sur le puits que les gens d'ici appelaient si curieusement le puits de Joseph. Tenait-il son nom du personnage biblique, ou l'avait-on baptisé du prénom de Saladin ? Que ce fût l'un ou l'autre, il n'en demeurait pas moins que cet ouvrage n'était pas sans intérêt. Situé au plus haut point de la citadelle, profond de plus de deux cents pieds, il fournissait assez d'eau pour suffire aux besoins d'une garnison de six mille hommes.

Mais ce matin l'heure n'appartenait pas aux interrogations de l'Histoire. Le bourreau de la ville devait s'impatienter, l'on avait pas mal de têtes à trancher.

Dans la cour centrale, à quelques toises du général d'Armagnac, Abd el-Gawad cessa d'affûter son sabre, un superbe damas dont il s'était rendu acquéreur à prix d'or, et leva les yeux vers le ciel. Ce qu'il y découvrit le contraria fortement. Le vent du sud s'était levé. En soi, cela n'avait rien de vraiment gênant pour ce qu'il avait à faire. Il s'agissait de tout autre chose. En évacuant la terre et les ordures de la ville, les tarrabînes[1] avaient fini par constituer hors les murs de véritables collines de détritus. A la première saute de vent, celles-ci répandaient une odeur nauséabonde et des nuages de poussière envahissaient le ciel[2]. Lorsque l'on savait l'importance qu'Abd el-Gawad attachait à la propreté, surtout dans son métier, on comprenait combien ce genre d'embarras pouvait l'irriter. De l'hygiène avant toute chose. Il tenait cette discipline de son père, qui durant trente ans avait été le bourreau le plus soigneux de la capitale.

Si contrarié fût-il, il ne voulut pas s'abandonner à l'énervement ; son bras pourrait manquer de précision, ce qui serait vraiment fâcheux pour ceux à qui dans quelques instants il allait trancher le cou. On pouvait être sensible aux éléments extérieurs, on n'en demeurait pas moins un professionnel avant tout.

Il acheva donc d'aiguiser sa lame, l'effleura de sa paume pour en vérifier l'acuité. Il s'agenouilla ensuite

---

1. Les membres de la corporation chargés de transporter hors du Caire les détritus et les ordures. Jusque-là, le transport se faisait à dos d'âne. Les premières brouettes furent introduites par les Français.
2. En 1694, cette poussière fut si épaisse à la suite d'une tempête que les habitants du Caire, qui faisaient alors leurs prières, crurent arrivée la fin du monde.

pour inspecter le sable. Apparemment satisfait de sa texture, il se releva, glissa l'arme sous les pans de son caftan et attendit.

C'est que, dans la technique que son père lui avait transmise, le sable jouait un rôle essentiel. Il ne devait être ni humide ni trop dense, mais poudreux. Finalement, lorsqu'il y repensait, cette manière de trancher les têtes était des plus astucieuses, humaines. Simple mais efficace : le condamné débarquait dans la cour encadré par deux militaires. On le forçait à se mettre à genoux. Abd el-Gawad s'approchait de lui, tenant une poignée de sable dans sa main gauche qu'il lui lançait soudainement dans les yeux. Par un mouvement naturel, le condamné portait les deux mains à sa face et baissait la tête. C'est le moment que choisissait el-Gawad pour frapper à l'aide du damas demeuré caché sous son caftan, et la tête allait rouler sur le sol dans un bruit mat. Le sang s'écoulait par un réseau de petits canaux, avant d'aller se perdre dans les sables du Mokattam. On jetait un peu de sable sur les gouttes qui avaient pu s'échapper sur le sol. Ainsi, lorsque arrivait le condamné suivant, il ne subsistait aucune trace du drame.

C'était du travail bien fait. Irréprochable, et surtout — el-Gawad en était convaincu — charitable. Cette technique épargnait au condamné l'ultime terreur qui étreint tout individu devant la mort.

Allah était grand qui permettait à el-Gawad d'adoucir les derniers instants des malheureux qu'il envoyait à sa rencontre. Il fallait aussi rendre grâce au général français, qui sur les conseils de l'un de ses officiers avait opté pour ce procédé qui permettait d'économiser les munitions[1].

1. En effet, en raison du nombre croissant d'exécutions à la citadelle, Dugua obtint que l'on remplaçât la fusillade par la décapitation.

Le premier condamné venait de franchir le seuil de la petite porte.

Abd el-Gawad l'observa tandis qu'il avançait encadré par deux militaires. Quel âge pouvait-il avoir ? Une trentaine d'années, guère plus.

★

Youssef conservait l'œil rivé sur la porte de la Souffrance. Appuyé sur sa canne, il se tenait droit, bien plus droit que Rosetti, lequel était décomposé.

Schéhérazade était présente elle aussi. Au tout dernier moment elle avait réussi à convaincre son père de l'accompagner, en échange du serment qu'elle n'interviendrait pas, qu'elle ne le suivrait pas auprès du général. Serment inutile, car nul ne les reçut, toutes leurs requêtes ayant été rejetées. Malgré son insistance, Rosetti n'était parvenu à obtenir qu'une seule faveur : celle de récupérer la dépouille du jeune homme.

Alors ils attendaient. Il n'était pas loin de 11 heures.

★

El-Gawad balança la poignée de sable à la figure de Nabil. S'y était-il mal pris ? La poussière venue des collines l'avait-elle indisposé au point de le rendre maladroit ? C'est à peine si le jeune homme cilla.

Le bourreau pesta. C'était ennuyeux. Très ennuyeux.

— Inclinez-lui la tête ! ordonna-t-il aux deux militaires.

Il dégagea son sabre et le tint fermement des deux mains.

Cette fois, il ne s'agissait pas de commettre une nouvelle erreur, d'autant que la peur était apparue dans les yeux de sa victime et que transparaissait cette désespérance qu'el-Gawad supportait si mal.

Les soldats forcèrent Nabil à s'incliner. Il résista faiblement.

Le bras d'el-Gawad prit son élan.

Nabil ferma les yeux, son corps fut pris de soubresauts. Il pleurait comme un enfant.

★

Vers les 6 heures du soir on prévint l'officier d'Armagnac que tous les condamnés avaient été exécutés. Il se trouvait alors dans sa chambre, où il avait choisi de se retirer pour ne plus avoir à supporter ces scènes d'horreur. Il suivit le capitaine Joubert jusqu'à l'enclos où l'on avait entassé une quinzaine de cadavres. A la vue de ces troncs encore sanguinolents, il maudit l'ordre du généralissime qu'il avait reçu et transmis.

★

C'est dans un drap maculé de sang qu'on remit à Youssef la dépouille de son fils. Toujours aussi droit, le vieil homme pria Rosetti de vérifier qu'il s'agissait bien de Nabil. Le consul confirma et porta le corps jusqu'à la calèche.

Tandis que l'équipage s'ébranlait, Schéhérazade ne se contint plus et se mit à vomir par jets sporadiques.

★

A la nuit tombée, toujours selon les instructions, d'Armagnac fit procéder à l'immersion des cadavres dans le Nil. Il le fit avec la plus grande discrétion, s'assurant que nul n'aurait pu être témoin de la scène,

304

respectant en cela les recommandations formelles du général en chef.

Ce peuple d'ignares et d'abrutis n'aurait pas compris les rigueurs de la justice.

★

Le lendemain, on pouvait lire aux portes des mosquées et sur les murs de la ville :

« Habitants du Caire,

« Des hommes pervers avaient égaré une partie d'entre vous, ils ont péri. Dieu m'a ordonné d'être clément et miséricordieux pour le peuple ; j'ai été clément et miséricordieux envers vous.

« Chérifs, ulamâs, orateurs des mosquées, faites bien connaître au peuple que ceux qui de gaieté de cœur se déclareraient mes ennemis n'auront de refuge ni dans ce monde ni dans l'autre. Y aurait-il un homme assez aveugle pour ne pas voir que le destin lui-même dirige toutes mes opérations ? Y aurait-il quelqu'un d'assez incrédule pour révoquer en doute que tout dans ce vaste univers est soumis à l'empire du destin ?

« Faites connaître au peuple que, depuis que le monde est monde, il était écrit qu'après avoir détruit les ennemis de l'Islam, fait abattre les croix, je viendrais remplir la tâche qui m'a été imposée. Faites voir au peuple que dans le Saint Livre du Coran, dans plus de vingt passages, ce qui arrive a été prévu, ce qui arrivera est également expliqué.

« Un jour viendra où tout le monde verra avec évidence que je suis conduit par des ordres supérieurs, et que tous les efforts humains ne peuvent rien contre moi.

« Signé , Bonaparte. »

Deux jours plus tard, Grain de Grenade déboula sur la place de l'Ezbéquieh. Il était accompagné de ses hommes, la plupart d'entre eux transportaient de curieux sacs. Sur un signe du Grec, les sacs furent ouverts et vidés de leur contenu. Une trentaine de têtes roulèrent au bord de l'étang. Elles appartenaient aux membres d'une tribu de bédouins qui au cours de l'insurrection avait attaqué les blessés de la division Reynier[1].

Suite à cette action, Barthélemy Serra fut nommé lieutenant du général Bon, nouveau gouverneur du Caire.

★

Dans les heures qui suivirent, Abounaparte donna l'ordre de construire autour de la capitale une ceinture de forts capables de tenir cette ville de mécréants en respect si des troubles du même genre venaient à se reproduire.

Mais serait-ce vraiment efficace ?

Pendant que se déroulaient ces événements sanglants, la Sublime Porte, désormais officiellement en guerre avec la France, fourbissait ses armes, bien décidée à récupérer la province qu'on lui avait dérobée. Le firman[2] qu'elle venait de publier ne laissait planer aucun doute sur sa détermination :

« Nous avons un ordre du Grand Seigneur, le sultan Sélim III, de rassembler les troupes de toutes les provinces de l'empire, et dans peu des armées aussi nombreuses que redoutables s'avanceront par terre, en même temps que des vaisseaux aussi hauts que des montagnes couvriront la surface des mers ; des

---

1. Elles furent exposées pendant les trois jours qui suivirent.
2. Édit, ordre, émanant des souverains ottomans.

canons qui lancent l'éclair et la foudre, des héros qui méprisent la mort pour le triomphe de la cause d'Allah, des guerriers qui par zèle pour leur religion savent affronter et le fer et le feu vont se mettre à leur poursuite ; et il nous est, s'il plaît à Dieu, réservé de présider à leur destruction, comme la poussière que les vents dispersent et dissipent. »

Le 23 décembre Istanbul conclut une alliance avec la Russie, puis avec l'Angleterre, qui s'empressa de mettre sa flotte au service du sultan. Ce qui mit le général en chef au comble de la fureur. Comment Sélim III osait-il ! Des liens de sang — indirects certes, mais bien réels — ne rapprochaient-ils pas le Corse et le Turc ? Peu de gens le savaient, mais la favorite du Grand Seigneur n'était autre qu'une lointaine cousine et amie de pension de Joséphine, également née à la Martinique[1] !

★

L'hiver reprit ses quartiers. Un hiver exceptionnellement rude. Ce ciel qui ne savait que le bleu fut surpris et blessé de voir dériver sur lui tous ces nuages d'Occident.

La famille Chédid dérivait elle aussi, mais sur son malheur.

Depuis la mort de Nabil, Nadia ne vivait plus. Ou si peu. Au lendemain de l'enterrement, elle avait pris le deuil dans le cœur et dans la tête. Au fil des semaines, l'air même qui l'entourait portait le noir. Quant à Youssef, on aurait dit que lorsqu'on avait mis son fils en terre il s'était allongé près de lui, sa propre vie

---

1. En effet, nommée Aimée du Buc de Rivery, capturée par des corsaires alors qu'elle se rendait en Europe, elle avait été offerte au Commandeur des croyants qui en avait fait la sultane Validé.

enfouie sous le sable et les roses jetés sur le cercueil. Cette tristesse infinie qui avait pris possession de son être le rongeait jour après jour. Ses traits se décomposaient, il s'étiolait, et bientôt il se mit à ressembler aux arbres de son domaine frappés par l'hiver. Il n'en parlait pas, mais au tréfonds de lui l'idée que son fils était mort par sa faute l'obsédait. Si tout ce temps il n'avait pas fait preuve de condescendance à l'égard des Mamelouks, des Ottomans et gens de toute sorte, peut-être Nabil eût-il été toujours vivant. Sans le vouloir, et par opposition, son attitude avait éveillé chez son fils ce besoin de révolte, cette folie nationaliste qui avait fini par le conduire dans la cour de la citadelle. Ce sentiment de culpabilité se développa au fil des semaines, s'insinua dans ses veines et le rongea comme un mal pernicieux.

S'inspirant de la tradition islamique, on réserva pendant huit jours au défunt la place habituelle qu'il occupait au cours des repas. C'est Youssef qui l'exigea.

La Noël et le nouvel an se passèrent tout aussi endeuillés. Il est bien connu que, dans ces heures de fête, les souvenirs reviennent exacerbés, plus cruels encore. C'est peut-être la raison pour laquelle, au seuil de la nouvelle année, Youssef se coucha pour se laisser mourir.

Ni les larmes de Nadia ni la tendresse de Schéhérazade, non plus que l'amitié de Michel ne parvinrent à le retenir dans sa descente vers l'oubli.

Il s'éteignit deux semaines plus tard, sans une plainte.

Avant que l'on ne refermât le cercueil, Schéhérazade n'eut que la force de lui murmurer qu'elle portait à nouveau un enfant. Elle lui dit qu'il en serait fier. Il serait le digne petit-fils de Youssef Chédid ; elle lui donnerait son prénom, car elle en était certaine : ce serait un garçon. Tout comme elle était certaine que le père était *un homme bien, un homme de leur sang* : Michel Chalhoub.

A une semaine d'écart, il aurait pu être celui du fils de Soleïman.

Au Caire, la vie avait retrouvé un cours à peu près normal.

Une amnistie générale avait finalement été proclamée, mais elle excluait les chefs et les pillards. Exception qui combla de bonheur Grain de Grenade puisqu'elle lui offrit l'occasion de continuer à glaner ici et là quelques têtes, de multiplier les arrestations arbitraires et torturer allégrement pour obtenir des dénonciations.

Quant à la population, terrorisée par la répression, elle s'empressa de porter la cocarde tricolore. Mais cette fois ce fut au tour du généralissime de le lui interdire, à cause dit-il de son indignité. Il faut dire qu'Abounaparte était de fort méchante humeur. Jusqu'à cette heure, nombre d'Egyptiens avaient réellement cru que l'armée expéditionnaire était venue combattre les Mamelouks avec l'approbation de la Porte. Avec l'entrée en guerre de l'Empire ottoman le double jeu n'était plus possible. Le masque du sultan el-kébir avait été emporté par les roulements du fleuve roi.

Pourtant, et si curieux que cela pût paraître, il ne se détournait pas de son idée première : séduire l'Islam. A tout prix. François Bernoyer, que cet entêtement intriguait au plus haut point, fut encore plus sidéré d'apprendre de la bouche même du général qu'il avait proposé aux ulamâs de faire ériger une mosquée d'une demi-lieue de tour, susceptible de contenir toute l'armée d'Orient. Des grenadiers aux dragons, des fantassins aux artilleurs, on convertirait tout le monde à la religion du Prophète. Au grand soulagement de Bernoyer, le projet du général en chef fut confronté à deux difficultés incontournables : la circoncision et l'interdiction de boire de l'alcool[1]. Mais il s'en était fallu de peu pour qu'à son retour en Avignon François dût expliquer à sa tendre épouse que désormais elle devrait l'appeler Ahmed.

Ennuyé sans doute par ces fâcheux contretemps, et toujours aussi obsédé par son désir de fusion avec l'Islam, le général se contenta alors de décréter que les prostituées — très nombreuses — qui avaient diffusé parmi les soldats des maladies vénériennes seraient noyées dans le Nil, et ce en application respectueuse de la loi islamique qui interdit à une musulmane d'avoir des relations avec un infidèle. L'ordre fut exécuté sans attendre[2]. N'être pas enfant de l'Islam n'interdisait tout de même pas que l'on défendît les principes du Prophète.

En attendant des jours meilleurs, l'armée, qui surtout après ce dernier décret risquait de périr d'ennui, se distrayait comme elle pouvait.

Le 30 novembre au matin, sous les yeux ébahis des curieux, on érigea sur la place de l'Ezbéquieh une montgolfière de 36 pieds, aux trois couleurs. Avec une indéniable majesté, elle monta dans le ciel jusqu'à une

---

1. En réalité, Bonaparte poursuivait un but précis. Au point de vue religieux il n'éprouvait aucune hostilité envers l'islam, dont l'esprit foncièrement unitaire lui convenait tout à fait. Mais au point de vue militaire il se trouvait devant le problème qui s'était déjà posé à Alexandre et à ses successeurs : contenir et gouverner avec une poignée d'hommes des populations infiniment plus nombreuses. Comment y parvenir sans pratiquer à leur égard une politique de ralliement ? Et ce ralliement, comment l'obtenir, sinon en rapprochant les deux parties en présence de manière à effacer progressivement toute distinction entre elles ?

2. La Jonquière, *L'Expédition d'Égypte*, V, pp. 230-232, Paris, 1899-1907.

hauteur de 250 pieds et prit la route du Sud, jusqu'à 300 ou 400 toises. Elle dériva un peu, puis s'ouvrit ensuite avant de retomber lentement à l'extrémité de la place.

Mais tout cela n'aurait pu suffire à occuper l'oisiveté des militaires. Car si Kléber tenait toujours Alexandrie, Menou sa province, si Desaix était parti combattre Mourad bey en Haute-Egypte, d'innombrables soldats demeuraient présents dans la capitale. Ils n'avaient le choix qu'entre les promenades à dos de mulet, les cafés et, pour les plus téméraires d'entre eux, les filles de joie.

C'est sans doute pourquoi, sur l'instigation du citoyen Dargevel, on décida de créer un établissement digne de distraire tout ce monde. Le choix se porta sur une maison et un vaste jardin, non loin de la place de l'Ezbéquieh. Dargevel avait bien vu. Couvert d'orangers, de citronniers et d'une multitude d'arbres odoriférants, c'était le plus grand, le plus beau jardin du Caire. Dans ce lieu serait réuni tout ce qui pourrait contribuer aux plaisirs. Par ailleurs, on se dit que ce serait aussi le moyen d'attirer les habitants et leurs femmes, et de leur faire prendre insensiblement les habitudes, les goûts et les modes françaises. Paris avait son Tivoli, un Elysée, il n'était pas dit que Le Caire serait en reste.

Les travaux furent accomplis en un temps record. Et vint le jour de l'inauguration. Le droit d'entrée fut fixé à 90 paras.

★

La lumière était superbe. Elle inondait les pièces, les allées du jardin, les moindres recoins de la maison. Des airs de musique conduits par les musiciens-chefs Villoteau et Rigel s'élevaient de derrière les bosquets,

311

accompagnant la promenade des couples vêtus avec un raffinement subtil. Un salon-restaurant, un salon de jeu, un autre pour le café, et même un cabinet littéraire. On se serait presque cru à Paris.

Ce soir pas un seul Occidental présent au Caire ne manquait à l'appel. Il y avait là tous les officiers, les généraux, et surtout — comble de l'enchantement pour ces hommes privés depuis six mois de toute vie mondaine — une vingtaine de femmes, des Européennes pour la plupart, des Françaises bien sûr. Deux d'entre elles attiraient particulièrement l'attention. La première n'était autre que l'épouse du général Verdier. Elle faisait partie des rares femmes qui avaient accompagné le corps expéditionnaire. Petite, brune aux cheveux de jais, il s'exhalait de cette Italienne une joie de vivre et un tempérament étonnants. Son allure de garçon manqué, cette manière qu'elle avait de se conduire en petit homme avait fait d'elle la coqueluche des soldats. D'autant que c'était souvent grâce à sa diligence que certains officiers pouvaient passer une heure ou deux en agréable compagnie. Mme Verdier s'arrangeant pour « récolter » dans les harems quelques douces créatures.

Les mauvaises langues affirmaient qu'elle était éprise du beau Kléber. Mais ce n'était sans doute que des ragots.

L'autre personnage était Marguerite-Pauline Bellisle, épouse d'un lieutenant au 22e chasseurs à cheval qu'elle avait suivi en Egypte sous un déguisement masculin. Tout juste dix-neuf ans, elle offrait un parfait contraste avec son amie. Autant Mme Verdier était brune, autant Pauline était blonde. Si l'une avait la prunelle sombre, des attitudes plutôt rudes, sa compagne en revanche avait des yeux d'un vert transparent et respirait la féminité. Peau éclatante, lèvres

312

admirables, des dents merveilleuses, bref, elle possédait à satiété tout ce qui appelle l'amour.

Lorsque Samira Chédid pénétra dans le grand salon
restaurant, il lui fallut quelques instants avant de se
convaincre qu'elle ne vivait pas un rêve. Toutes ces
illuminations, ces hommes que le port de l'uniforme
rendait encore plus attrayants, l'élégance de ces
femmes...

Zobeïda lui fit discrètement du coude, et elles
échangèrent un sourire de gamines complices.

Les deux femmes étaient bien sûr accompagnées : la
première, d'un membre de l'Institut d'Egypte, le
citoyen Jean-Baptiste Fourrier, tout juste trente ans,
inscrit dans la section des mathématiques, un génie
d'après certains ; l'autre, de l'un des aides de camp du
général en chef, l'officier Guibert. Ce chevalier servant était bien plus prestigieux que le citoyen Fourrier, mais il fallait reconnaître que dans cette course
aux gradés Zobeïda avait pris de l'avance sur son amie
d'enfance.

Les quatre personnages étaient sur le point de
s'asseoir à l'une des tables, lorsque Mme Verdier, avec
son exubérance habituelle, fit signe à l'aide de camp
de se joindre à son groupe.

Tout à la fois intimidée et ravie, Samira dévorait littéralement des yeux ce monde qu'elle avait découvert
deux mois plus tôt, et dont elle était convaincue désormais qu'il n'était fait que pour elle. Aurait-elle pu
savoir qu'à la table où elle venait de s'asseoir, son vis-
à-vis n'était autre que l'officier d'Armagnac, celui-là
même qui deux mois plus tôt avait restitué à Youssef
Chédid la dépouille de son frère décapité ?

Le grand absent de cette soirée était le général
Desaix. A la tête de quelque mille deux cents cavaliers,
c'est-à-dire toute la cavalerie montée qui se trouvait
en Egypte, l'infortuné était toujours en train de pour-

313

suivre Mourad bey à travers la Haute-Egypte. Continuel jeu de cache-cache, qui voyait augmenter chaque jour les pertes françaises et dont nul ne voyait la fin.

Un feu d'artifice accueillit enfin l'arrivée de celui que tous attendaient avec impatience : Abounaparte, le général en chef. Dans son ombre suivait son beau-fils, le jeune Beauharnais.

Il salua comme il se doit les invités, et se dirigea tout naturellement vers la table d'honneur qui lui était dévolue. C'est sans doute à ce moment-là qu'il aperçut, vision bienheureuse, le sourire éclatant de la belle Pauline Fourès.

Pour le plus grand bonheur de Samira et de ses compagnons de table, il bifurqua et se laissa choir au côté de Mme Verdier, entre Pauline et son époux, le lieutenant au 22ᵉ chasseurs.

On ouvrit le bal. Au bras de Jean-Baptiste, Samira découvrit les charmes de la valse. Le monde lui appartenait. Elle avait retrouvé le goût de vivre, et les parfums de France avaient depuis longtemps noyé le souvenir d'Ali Torjmane.

De son côté le général en chef piaffait tel un pur-sang au côté de la douce Pauline.

Curieusement il fit montre de beaucoup de sollicitude à l'endroit de son jeune époux, l'interrogeant sur sa carrière, ses ambitions. Finalement il en conclut que ce brave lieutenant possédait toutes les qualités d'un fidèle serviteur de la patrie. Il ferait un excellent courrier.

La cuisse du général en chef effleura celle de Pauline, juste à peine, mais suffisamment pour qu'un frisson délicieux parcourût son épine dorsale. C'est qu'elle était sacrément belle, la bougresse !

La soirée se prolongea jusqu'aux petites heures du jour.

Le vin avait coulé à flots. Lorsque le Tivoli commença de se vider, un accordéoniste jouait encore. Sa musique, rendue plus sonore par la quiétude de l'aube, se répercutait au-delà du jardin, courait le long des venelles crasseuses, jusqu'aux minarets étonnés qui s'interrogeaient peut-être sur le sens de ces airs venus d'un autre monde.

A regret, le général en chef prit congé de Mme Verdier et de ses amis. Il s'inclina avec élégance devant Samira et Zobeïda. Il baisa la main opaline de la belle Fourès et, se tournant vers son époux, il adopta le ton de circonstance qui sied à ce genre de démarche :

— Citoyen ! La France a besoin de vous. Dès demain, vous partirez pour Alexandrie où vous embarquerez sur l'aviso le *Chasseur*. Je vous remettrai des plis confidentiels pour Vaubois, Villeneuve et le Directoire, ainsi que des instructions à n'ouvrir qu'en mer. Une somme de trois mille francs vous sera allouée pour frais de mission. Bon vent, lieutenant !

CHAPITRE 19

Karim et Papas Oglou échangèrent une expression perplexe, tandis que Rosetti reprenait avec force :

— Mourad bey, je ne comprends pas votre entêtement ! Il faut accepter la proposition du Français. C'est la seule issue qui vous reste de conserver votre pouvoir.

Le Mamelouk, qui faisait les cent pas sous la tente, s'arrêta et foudroya le consul.

— Conserver mon pouvoir ? Mais pour qui me prenez-vous ? J'étais maître d'une nation, on me propose de régner sur un village ! Serais-je donc moins qu'un chien à qui on jette des miettes pour l'empêcher d'aboyer ou de mordre ? Hein ? Répondez-moi, Carlo !

Le consul émit une exclamation agacée.

— Gouverneur du Saïd. De Girgeh à la première cataracte. La majeure partie de la Haute-Egypte. Vous appelez cela des miettes, Excellence ?

— La contrepartie ? Vous l'oubliez ? Non seulement je dois me reconnaître dépendant des autorités françaises, mais de plus il faut que je leur verse un impôt ! Qu'on me déshabille, puisqu'on y est ! Ma pauvre épouse n'aurait-elle pas suffisamment payé. Une, dix fois ce que vaut le Saïd !

Le fils de Soleïman, qui jusque-là s'était contenté d'écouter, intervint prudemment.

— Avec votre permission, Mourad bey, je vous dirais que je suis de l'avis de Son Excellence Rosetti. Nous ne sommes pas en position de force pour négocier. Jour après jour, cet homme, Desaix, se montre plus dangereux.

— Allons, fils de Soleïman. Tu n'es qu'un enfant. Tu es brave je le reconnais, mais tu ignores tout encore des choses de la guerre. Parlons-en de ce général ! Deux mois qu'il nous pourchasse. Deux mois qu'il traîne ses troupes à travers le désert, sans jamais parvenir à nous détruire. Croyez-vous que mes espions ne m'ont pas informé de l'état dans lequel se trouve son armée ? Ils ont plus de deux cents malades de tous les corps, dont soixante ophtalmiques. Ils sont à court de chaussures. Leur approvisionnement est des plus précaires. Et vous vous imaginez que c'est maintenant que je vais rendre les armes ?

Papas Oglou ne se contint plus.

— Ils sont peut-être épuisés, mon seigneur, mais il n'empêche que lorsqu'il nous arrive de les affronter, ils sont à chaque fois victorieux. Dois-je vous rappeler notre dernière bataille ? Celle de Samhoud ? Nous disposions alors des quatre cents hommes amenés par Hassan bey. Deux mille autres de Yambo. Sans oublier les sept mille Arabes à cheval et les trois mille à pied qui se sont joints à nous depuis notre départ du Caire. Les beys se disputaient à qui chargerait le premier. Conclusion ? Nous avons laissé des centaines d'hommes sur le terrain. Ce fut un carnage. Une fois de plus, la défaite. Les Arabes ont déserté. Même Taha, pourtant votre ami le plus proche, vous a abandonné. Sans compter ceux de vos propres hommes qui eux aussi ont choisi la fuite.

Mourad haussa les épaules et considéra le marin avec dédain.

— Tu n'as rien compris. Tu ne vois pas plus loin

que le bout de tes sandales ! Je me moque de perdre des batailles. C'est une guerre d'usure que je livre. Je n'ai ni leur artillerie ni leur science du combat, mais en revanche je possède une arme bien plus redoutable : la patience et la ténacité ! Ils sont à bout de souffle[1]. Tôt ou tard, ils plieront !

Il marqua une pause volontaire avant d'énoncer un ultime argument :

— Ne perdez pas de vue le plus important. Depuis la destruction de leur flotte, l'Egypte est devenue leur souricière. Ils y sont enfermés et n'en sortiront que dans un linceul.

Le silence retomba. Carlo parut sur le point de répliquer, et finalement se leva.

— Mon seigneur, vous êtes seul maître de vos décisions. Je n'ai donc plus rien à ajouter. Il ne me reste plus qu'à rentrer au Caire rendre compte de ma mission.

Le Mamelouk acquiesça.

— Que Dieu t'accompagne. Et n'oublie pas que tu demeures mon ami.

— Je le sais, Mourad bey. C'est pourquoi j'ai tant d'indulgence à votre égard. Car en vérité vous êtes fou. Mais je dois l'être aussi, puisque j'aime votre folie.

1. Mourad bey ne se trompait pas de beaucoup. Dans une correspondance adressée à Bonaparte, Desaix écrit entre autres : « Je ne vous entretiendrai pas de nos souffrances, elles ne vous occuperaient pas. Je vous avais demandé avec insistance, mon général, des munitions ; on a l'air de pleurer quand on demande ; cependant, voyez où nous sommes réduits : mes soldats n'ont d'autres cartouches que celles qui sont dans leur giberne ; au moins, mon général, écoutez les demandes que l'on vous fait. » Ou encore : « Je vous ai rendu compte, mon général, que les Mamelouks étaient battus, mais qu'ils n'étaient pas détruits. Ils sont comme l'hydre de Lerne : à mesure qu'on leur coupe une tête, il en renaît une autre. »

Karim et Papas Oglou accompagnèrent le consul jusqu'au village de Kom Ombo, sur la rive droite du Nil, et attendirent de le voir embarquer sur la djerme[1] qui devait le ramener au Caire.

Alors que l'embarcation s'éloignait vers le nord, Karim laissa tomber :

— Le Vénitien a raison. Le Mamelouk est fou. Mais j'aime aussi sa folie.

Papas Oglou répliqua avec une dureté surprenante :

— Eh bien, mon ami, pas moi ! Cette aventure commence sérieusement à me peser. Sept mois de combats, de poussière. Et plus de solde. Trois semaines que mes hommes n'ont pas été payés. Crois-tu que j'ai servi Mourad durant toutes ces années pour en arriver là ? Certainement pas.

— J'avais pensé qu'entre vous deux il y avait...

— Rien, pédimou. Rien d'autre que le felouss[2]. Aurais-tu oublié que je suis grec avant tout ? Mamelouks, Egyptiens, Turcs, leurs guerres ne sont pas les miennes. Elles le deviennent à mesure que ma poche se remplit. Or, en ce moment, c'est loin d'être le cas.

Une note maussade se glissa dans le regard de Karim. L'aveu de son ami le prenait de court. C'est que, durant tout ce temps, il avait cru à d'autres motivations, plus nobles.

Il s'efforça de ne rien laisser paraître de sa déception et dit sur le ton de la dérision :

— Qu'importe l'argent, hadj Nikos ! Tu es riche de tellement d'autres choses ! D'ailleurs tu as entendu Mourad. Nous gagnerons.

Le Grec répliqua, sombre :

— C'est ce que tu crois, petit. C'est ce que tu crois...

1. Proche de la felouque. Les Français surnommaient ainsi ces bateaux légers à voile latine qu'ils découvrirent en Égypte.
2. En égyptien : l'argent.

Au même moment, à deux cents lieues des doutes de Papas Oglou et des angoisses de Karim, Schéhérazade s'arrêta de marcher et demanda à son époux :

— Est-ce que je rêve ?

Il secoua la tête négativement.

— Non. Je sais, ça surprend, mais j'ai déjà assisté à ce genre de manifestation.

— Mais qui sont-elles ?

— Quelle question. Ça ne te semble pas évident ?

Se dirigeant vers la rue Margush, une centaine de femmes avançaient lentement au rythme des tambours. La face découverte, les cheveux dénoués, elles tenaient à la main des bougies, des lampes, des brûloirs d'où émanaient des parfums d'encens et de myrrhe.

La plupart chantaient en scandant des mains sous l'œil des passants, dont les plus vertueux murmuraient en levant les bras au ciel : Allah est grand.

Les autres se contentaient de sourire.

Bien sûr, le visage de ces femmes offert au grand jour avait quelque chose d'offensant. Peut-être aussi la manière dont elles étaient fardées. Mais à part ces détails, rien ne les différenciait des autres habitantes du Caire.

— Ce sont peut-être des almées ? interrogea un peu naïvement Schéhérazade.

Michel se mit à rire.

— Pas vraiment.

— Mais alors ?

— Ce sont des prostituées tout simplement.

— Des prostituées qui défilent ?

— Tu vois la jeune femme qui marche seule devant. Quelqu'un qui lui est très cher, son amant de cœur sans doute, a probablement failli perdre la vie. Alors cette personne a dû faire le vœu de consacrer une soirée entière de lecture coranique si son ami sortait sain et sauf de l'épreuve. Apparemment, Dieu l'a exaucée. Elle a donc réuni toutes ses consœurs pour fêter l'événement.

— Une sainte femme, en vérité. D'autres, et d'un milieu bien plus respectable, auraient tout oublié une fois leur prière exaucée. Mais...

Elle jeta vers Michel un regard en dessous avant de poursuivre.

— Comment connais-tu autant de détails sur ces femmes ?

Michel eut l'air choqué.

— Schéhérazade ! Insinuerais-tu que...

Elle s'empressa de le rassurer, faussement innocente.

— Non, non. Rien du tout. Je m'interrogeais simplement.

Changeant de sujet elle ajouta :

— Crois-tu que nous trouverons Samira chez elle ?

— Je l'espère. Sinon nous aurions fait tout ce chemin pour rien.

Sans se concerter, ils allongèrent le pas et débouchèrent assez rapidement devant el-Azhar. La mosquée des Fleurs étaient envahie de maçons affairés qui réparaient les dégâts causés par les bombardements d'octobre.

Près de l'entrée principale, Schéhérazade sentit son cœur se serrer. L'image de Nabil traversa furtivement sa pensée. Elle accéléra.

Le sabîl, la fontaine publique indiquée par Samira était bien à l'endroit indiqué. Un porteur d'eau, reconnaissable à ses vêtements — tenue de cuir, pourpoint, hauts-de-chausses et bottines —, achevait de remplir le réservoir situé dans le sous-sol[1]. Dès qu'il aperçut le couple, il s'empressa de leur proposer à boire en leur tendant spontanément une coupe de laiton.

Ce fut le citoyen Fourrier qui leur ouvrit la porte.

Il était torse nu, le cheveu ébouriffé, avec pour tout vêtement une serviette qui lui servait de pagne. Schéhérazade eut un temps d'hésitation, se racla la gorge et demanda à voir sa sœur.

— Entre ! cria la voix de Samira. Entre j'arrive !

D'un pas hésitant, le couple pénétra dans l'appartement où régnait un véritable fouillis.

Le Français murmura quelques mots d'excuses avant de s'éclipser.

On entendit quelques éclats de rire étouffés. Un bruissement d'étoffe, Samira apparut.

Avec une certaine maladresse, elle acheva de rectifier la tunique de coton qu'elle venait sans doute d'enfiler à la hâte, et, tout en mettant un peu d'ordre à ses cheveux, elle esquissa un sourire.

— Ya ahlane wa sahlane[2]. Quelle surprise !

— Nous sommes désolés de te déranger, fit Schéhérazade un peu mal à l'aise.

— Mais pas du tout. Vous avez très bien fait. Si une maison n'est pas ouverte pour la famille, pour qui le serait-elle ?

Tout en parlant, elle se précipita vers un divan qu'elle se hâta de débarrasser des vêtements qui y traînaient et les invita à s'asseoir.

---

1. À cette époque on pouvait dénombrer au Caire près de trois cents fontaines. Si en général elles étaient d'aspect assez modeste, certaines d'entre elles pouvaient être somptueuses. La contenance de leur réservoir atteignait 200 mètres cubes. Elles étaient alimentées par la corporation des saqqâ'in, les porteurs d'eau, dont le nombre oscillait aux alentours de trois mille.
2. Expression populaire qui pourrait se traduire par « soyez les bienvenus ».

— Que voulez-vous boire ? Un café ? J'ai aussi un peu de sorbet. Ou alors quelques qatayefs[1] ?

— Tu sais, nous n'allons pas nous attarder. Nous...

— Mais si, mais si. Je suis si heureuse de vous voir.

Malgré tous les efforts qu'elle faisait, on sentait clairement que ses propos étaient en contradiction avec l'impression qu'elle dégageait.

Elle baissa brusquement le ton et chuchota en désignant la chambre :

— C'est un ami... enfin, mon fiancé si vous préférez. Il a l'air un peu froid, mais je vous jure qu'il est très gentil. Il est français — elle avait dit cela avec une pointe de fierté —, il occupe un poste très important. Je n'ai pas très bien compris de quoi il s'agissait exactement, mais c'est important. En plus c'est un cerveau. Un très grand mathématicien.

Schéhérazade se limita à un battement de paupières.

— Que voulez-vous, reprit Samira, comme si elle cherchait à s'excuser, il faut bien remplir sa solitude ? Et surtout, il faut un nouveau père pour Ali.

— A propos, s'étonna Schéhérazade, où est le petit ?

— Chez ma belle-mère. Elle le garde lorsque Jean-Baptiste — c'est le nom de mon ami — vient me rendre visite.

— Je vois.

Jean-Baptiste réapparut dans le salon. Dûment vêtu cette fois.

Il salua le couple, baisa avec élégance la main de Schéhérazade.

— Vous me voyez désolé d'avoir à vous quitter si vite, mais on m'attend à l'Institut.

---

1. Pâtisserie en forme de rouleaux fourrés d'une pâte de noix, d'amandes et de miel.

— Déjà ? protesta Samira.

— Il est tard, tu sais.

Il déposa un baiser sur le front de la jeune femme.

— A ce soir peut-être ?

Elle fit oui avec un ravissement d'écolière.

— N'avais-je pas raison ? observa Samira, tandis que Jean-Baptiste se retirait. N'est-il pas charmant ?

Schéhérazade approuva sans chaleur.

— Si tu es heureuse, c'est l'essentiel.

Michel poussa un grognement et entra dans le vif du sujet.

— Hélas, nous sommes porteurs de tristes nouvelles qui risquent de ternir ton bonheur.

— Que Dieu nous ait en sa miséricorde. Que se passe-t-il ?

— Le destin n'a pas été tendre pour notre famille. Nabil et Youssef nous ont quittés...

★

Lorsque Schéhérazade quitta le domicile de sa sœur, on aurait pu croire que la plus atteinte des deux, c'était elle.

C'est dans un silence chargé de mélancolie et d'amertume qu'elle prit place dans la calèche. Un flot de pensées contradictoires se bousculaient dans sa tête ; elle ne savait plus que penser, quelle conclusion tirer de l'attitude de Samira. La phrase prononcée par Youssef alors qu'ils étaient à la ferme aux Roses lui revint alors à l'esprit : *Entre mon amour et celui d'un homme indigne, elle a choisi.*

Sur le moment, elle n'avait pas compris. Mais aujourd'hui le sens de ces mots lui apparaissait plus clair. Ce n'était pas uniquement un homme que Samira avait choisi, c'était une manière de vivre. Un choix que son père avait condamné.

324

Mais elle-même, Schéhérazade, n'était-elle pas indigne ?

Chaque fois qu'elle revivait la scène de la maisonnette en pisé, c'était sans le moindre remords, sans aucun sentiment de culpabilité, comme si son acte avait été accompli en dehors du temps et des hommes, de la notion du bien et du mal.

Dans une atmosphère un peu lourde, le couple roula jusqu'au fleuve avant de s'engager sur le pont aux Lions.

Michel remarqua l'animation anormale qui régnait autour d'eux. Il ne dit mot, se limitant à observer les groupes de soldats, fusil à l'épaule, qui avançaient en rang de deux. Un régiment de dromadaires les précédait. Des ordres fusaient çà et là dans un climat effervescent.

Sur l'autre rive, c'était pareil. Les casernes situées près du palais de Mourad bey se vidaient de leurs brigades.

Ils furent forcés de s'arrêter pour laisser passer une division. La route qui devait les conduire à Guizeh était noire de monde. Mais où donc allaient ces troupes ? Les Français auraient-ils décidé d'abandonner Le Caire ? Soudain quelqu'un leur fit de grands signes. Un homme, un militaire, se mit à courir vers eux.

— Quelle joie de vous revoir !

Il s'était adressé plus particulièrement à Schéhérazade.

— François, précisa l'homme, visiblement un peu déçu que la jeune femme ne l'eût pas reconnu. François Bernoyer. Je...

Michel le coupa avec enthousiasme :

— Bien sûr !

Il sauta à bas de la calèche et donna l'accolade au militaire.

— Pardonnez à ma femme, dit-il avec chaleur. Mais elle était si mal en point quand vous êtes venu.

Puis à Schéhérazade :

— Souviens-toi. L'homme qui t'a ramenée à la maison après ta fugue d'Imbaba, c'est lui. Celui qui nous a présenté le médecin français qui t'a sauvé la vie. C'est encore lui.

L'œil de la jeune femme s'éclaira d'un seul coup.

— Oh oui ! Tout à fait. Je vous revois à présent.

Bernoyer feignit de la gronder.

— Il ne faudra plus recommencer ce genre d'escapade, n'est-ce pas ?

— Comptez sur moi pour l'en empêcher, fit Michel. D'autant que nous attendons un autre enfant.

Bernoyer parut tout attendri.

— Toutes mes félicitations. C'est merveilleux.

Et comme s'il pensait à haute voix :

— C'est que c'est drôlement important un enfant.

— Vous êtes marié ? s'informa Schéhérazade.

— Dix ans bientôt.

— Elle doit vous manquer.

Bernoyer baissa les yeux.

— Et ma petite Géraldine aussi.

— C'est dur d'être séparé de ceux qu'on aime.

— C'est plus que ça. C'est vivre à moitié. C'est la guerre, que voulez-vous ?

— Tous ces gens, questionna Michel. Que se passe-t-il ?

— On repart.

— Vous quittez Le Caire ?

— Oh non ! J'allais dire... hélas. Une partie d'entre nous, treize mille environ, s'en va pour le grand désert. J'ignore où exactement.

Un sourire désabusé se dessina sur ses lèvres.

— C'est que nous avons un général en chef qui a la bougeotte.

La jeune femme ne put s'empêcher de demander.

— Vous... vous n'allez pas combattre en Haute-Egypte ?

Bernoyer secoua la tête.

— Ce serait plutôt la direction opposée. Certains parlent de l'isthme de Suez.

Avisant ses compagnons qui s'éloignaient, il se hâta de conclure :

— J'espère vous revoir à mon retour.

Il fit un clin d'œil complice à l'intention de Schéhérazade.

— C'est pour quand ?

— Pas avant novembre prochain.

— J'espère bien que je serai rentré d'ici là !

Il salua d'un geste amical et se précipita pour rattraper sa section.

— Quand vous reviendrez, cria Michel, venez nous voir !

Sans ralentir sa course, Bernoyer répondit :

— J'y compte bien !

Le couple le fixa jusqu'au moment où son uniforme ne fut plus qu'une tache perdue parmi les autres.

Tandis que Michel faisait partir l'équipage, Schéhérazade murmura :

— Mais où peuvent-ils bien aller ?

★

En Syrie[1].
Un général en chef ne doit jamais laisser se reposer ni les vainqueurs ni les vaincus !

La Syrie. Ensuite, Istanbul. Byzance ! Qui sait ? une

1. La Syrie de l'époque était formée de cinq pachaliks (régions soumises au gouvernement d'un pacha) : Alep, Damas, Tripoli, Saint-Jean-d'Acre et Jérusalem.

fois le champ libre, un jour, demain, on irait jusqu'au bout du rêve : l'Inde.

En vérité, ce n'était pas uniquement — ainsi que l'avait laissé entendre Bernoyer — parce *qu'il avait la bougeotte* qu'Abounaparte repartait en guerre ; c'est que la menace se précisait. La Porte, qui avait conclu une alliance avec la Russie et l'Angleterre, se préparait à marcher sur l'Egypte.

Il fallait donc agir vite. Frapper l'ennemi au cœur de ses autres possessions. Le briser avant qu'il ne parvienne sur les rives du fleuve roi. Et puisqu'on ne pouvait plus jouer la carte de l'islamisme (confisqué par les Ottomans et les Anglais), le sultan el-kébir se présenterait cette fois en défenseur de l'arabisme.

Pourquoi la nation arabe est-elle soumise aux Turcs ? Comment la fertile Egypte, la sainte Arabie, sont-elles dominées par des peuples sortis du Caucase ? Si Mahomet descendait aujourd'hui du ciel sur la terre, où irait-il ? Serait-ce à Constantinople ? Mais c'est une ville profane, où il y a plus d'infidèles que de croyants ; ce serait se mettre au milieu de ses ennemis. Non, il préférerait l'eau bénie du Nil ; il viendrait habiter la mosquée d'el-Azhar, cette première clef de la sainte Ka'ba ![1]

Et les ulamâs d'applaudir à ce discours avec enthousiasme en se disant qu'après tout, pour la première fois, Abounaparte était peut-être sincère.

Mais avant la conquête de la Syrie, il restait au général en chef à batailler pour conserver sa « Cléopâtre[2] », la belle Pauline Fourès qui depuis le

---

1. Le « Cube » : nom donné au temple de La Mecque, devenu par la suite le centre de la foi musulmane, le point en direction duquel se fait, de par le monde, la prière des croyants. On retrouve ce discours dans les *Campagnes*, placé dans le récit de Bonaparte avant l'expédition de Syrie.
2. C'est ainsi que les soldats l'avaient surnommée. Les officiers, eux, l'appelaient Bellilotte, de son nom de jeune fille — Bellisle.

départ en mission de son époux partageait sa couche et son palais.

Là aussi, il allait falloir lutter ferme. C'est que l'aviso sur lequel le brave lieutenant Fourès voguait pour la France avait été intercepté par les Anglais. Ces imbéciles n'avaient rien trouvé de mieux que de ramener l'infortuné mari à son point de départ.

C'est dans ces moments que la perfidie devient un art.

Le retour du lieutenant ne pouvait tomber plus mal, d'autant que la liaison de l'infidèle et du sultan el-kébir n'était pas une simple passade. Le général envisageait très sérieusement d'épouser Pauline si elle lui donnait l'enfant dont il rêvait ; puisque *l'autre*, la petite sotte de Joséphine, n'en pouvait pas faire !

En attendant, à défaut d'enfant, le petit chien griffon de Cléopâtre avait mis bas sur le pan d'un riche habit brodé à Milan qui appartenait au général.

On appela le chiot Césarion.

CHAPITRE 20

A nouveau ce désert qui n'en finissait plus, et cette chaleur étouffante. Même en février, l'hiver craignait-il tellement cet océan de sable, pour n'y faire halte qu'à la nuit tombée ?

La soif. La poussière. Et ce fortin rencontré quelques jours plus tôt sur la vaste plaine sablonneuse, à l'entrée du désert qui conduit en Syrie. Le fortin d'el-Arich. L'apparition de cette place dressée sur une éminence avec ses hauts murs et ses tours hexagonales avait hautement contrarié le général Reynier. Il n'était pas prévu que l'on dût affronter un obstacle majeur avant Gaza.

Quant au village lui-même, situé au pied du fortin, il était en état de siège. Portes murées, maisons crénelées.

On l'enleva au pas de charge après avoir massacré quelque quatre cents hommes. Ensuite Reynier attendit avec sagesse les divisions Kléber, Bon et Lannes afin que toute la puissance de l'armée fût concentrée. Le général en chef arriva sur place le 17.

Pendant les trois jours qui suivirent, il fit alternativement canonner la muraille du fort. Une brèche se découpa dans la pierre. Après s'être défendue non sans héroïsme la garnison capitula. Une convention fut aussitôt signée avec le commandant de la place, un certain Ibrahim Nizam. L'article principal stipulait que les vaincus s'engageaient à ne plus reprendre les armes contre le sultan el-kébir.

Cette première victoire acquise, l'armée reprit sa progression.

Le lendemain, on arriva à Gaza.

La division Kléber se mit en mouvement, mais, probablement trompée par son guide, elle s'égara dans le désert. Abounaparte, parti le lendemain d'el-Arich avec quelques officiers, croyait trouver la division au puits de Khan Younès. Il tomba au contraire sur un corps de Mamelouks.

Avec prudence, la troupe se replia à quatre lieues en arrière. Le surlendemain l'attaque contre Gaza fut déclenchée. Et la ville occupée.

Onze jours les séparaient de leur prochaine proie : Jaffa.

Traînant ses demi-guêtres sur le sable, suant à grosses gouttes, Bernoyer se disait que son général en chef avait tout de même fait preuve d'une certaine légèreté. Il n'était d'ailleurs pas le seul à en être convaincu. Kléber, le beau Kléber rejoignait sa pensée[1].

Bien sûr, jusqu'ici l'ennemi avait été facilement vaincu ; mais il en existait un autre, tout aussi redoutable : la faim.

Des convois de chameaux avaient apporté quelques vivres, mais combien n'en aurait-il pas fallu pour nourrir treize mille hommes ! Des soldats étaient allés jusqu'à s'emparer des chevaux d'officiers pour les

1. En arrivant à Kathieh, Kléber s'indigna contre le défaut d'approvisionnement. Il blâmait hautement la confiance que Bonaparte paraissait mettre dans la fortune. François Bernoyer cite la pénurie de munitions.

manger. Heureusement que la récente prise de Gaza avait procuré quelques quintaux de riz et plusieurs rations de biscuits[1]. Ironie et paradoxe des situations : si l'armée ne se nourrissait pas à sa faim, l'ennemi, pourtant bien approvisionné, jeûnait. C'était ramadan.

Le 3 mars, après avoir quitté le sol aride pour suivre le rivage de la mer, l'armée fut en vue de Jaffa[2].

Bernoyer épongea son front trempé et s'immobilisa le temps de contempler cette ville blanche. Sur le fond turquoise de l'horizon, elle lui fit penser à un grand amphithéâtre érigé sur un pain de sucre.

Dès le lendemain des batteries furent pointées en direction de la façade sud.

Le 17, dans la matinée, Bernoyer entendit que Berthier sommait le commandant de la place de se rendre. N'obtenant pas de réponse, le feu fut ouvert. Cinq heures plus tard, les grenadiers montèrent à l'assaut. L'ennemi fut culbuté et se retira après une fusillade assez vive dans les maisons et les forts de la ville. C'est à ce moment que Jaffa connut l'horreur et l'épouvante.

Irrités par l'insolente obstination des assiégés à ne pas se rendre, les soldats se répandirent par vagues à travers les ruelles. Dès lors, hommes, femmes, enfants, vieillards, chrétiens, musulmans, tout ce qui avait figure humaine fut victime de leur fureur.

Le tumulte du carnage, les portes brisées, les maisons ébranlées par le bruit du feu et des armes, les hurlements des femmes, le père et l'enfant culbutés l'un sur l'autre ; la fille violée sur le cadavre de sa

1. Dans son Journal, Doguereau écrit que, sans ces vivres, l'armée, même sans essuyer de défaite, eût péri de faim.
2. La Jaffa actuelle forme le principal faubourg de Tel-Aviv.

mère, des silhouettes gesticulantes qui tentaient de se libérer de leurs vêtements enflammés, pour finalement se recroqueviller sur leur mort ; l'odeur acide du sang, les gémissements des blessés, les cris des vainqueurs se disputant les dépouilles d'une proie expirante, des soldats devenus fous répondant aux suppliques par des vociférations et des coups redoublés ; tel fut le spectacle qui devait demeurer gravé à jamais dans la mémoire des survivants et dans celle des témoins qui avaient refusé de s'associer à cette boucherie[1].

Deux mille hommes furent ainsi passés au fil des baïonnettes. Lorsqu'à 6 heures du soir l'armée d'Orient fut maître de la place, quatre mille combattants résistaient toujours dans la citadelle.

Le général en chef décida alors d'envoyer Beauharnais, son beau-fils, et Croisier, son autre aide de camp, pour tenter d'apaiser cette folie meurtrière. Apercevant les deux officiers vêtus de leur écharpe blanche, les assiégés leur firent savoir qu'ils voulaient bien se rendre à condition qu'on leur assurât la vie sauve.

Beauharnais et Croisier acceptèrent et les conduisirent vers le camp français.

Dans le même temps où les quatre mille prisonniers, mains sur la tête, pénétraient dans le campement, la voix du général en chef résonna aux oreilles de Bernoyer. Le dialogue qu'il perçut le fit basculer dans un monde où le cauchemar ne représentait rien devant l'épouvante de la réalité.

— Ces hommes ! Que voulez-vous que j'en fasse ? Ai-je des vivres pour les nourrir ? Des bâtiments pour les transporter en Egypte ou en France ? Que diable m'avez-vous fait là ?

---

1. On retrouve tous les détails dans les écrits du commandant Malus.

Croisier, déconcerté, murmure :

— Mais, général, ne nous avez-vous pas recommandé de mettre fin au carnage ?

— Sans doute ! Pour les femmes, les enfants, les vieillards, mais pas pour des soldats armés ! Il fallait les laisser mourir. Que voulez-vous que j'en fasse !

En proie à une vive agitation, il se met à marcher de long en large en répétant avec force :

— Que voulez-vous que j'en fasse !

On fait asseoir les quatre mille prisonniers pêle-mêle devant les tentes. On leur attache les mains derrière le dos.

— Renvoyons-les en Egypte, suggère Beauharnais.

— Il leur faudrait donc une escorte. Comment nourrirai-je tout ce monde jusqu'au Caire ? Les villages que nous avons traversés sont désormais vides de tout.

— Embarquons-les ?

— Parfait. Trouvez-moi les navires ! La mer n'est couverte que des voiles ennemies.

— Rendons-leur la liberté ?

— Absurde ! ces hommes iront tout de suite à Saint-Jean-d'Acre renforcer les troupes de Djezzar pacha. Ou bien ils se jetteront des montagnes de Naplouse et menaceront nos arrières et notre flanc droit. C'est nous qui paierons alors le prix de notre générosité.

Venture de Paradis, le vieux drogman orientaliste, se décide alors à intervenir.

— Général, devant nous restent encore des villes à conquérir. Saint-Jean-d'Acre est la première d'entre elles. Comment pensez-vous que sa garnison consente jamais à se rendre, si elle apprend que celle de Jaffa a succombé non au cours de la bataille, mais après sa reddition ? Quelle impression croyez-vous qu'un tel événement produira dans tout l'Orient[1] ?

A la tombée du jour, Abounaparte n'avait toujours pas tranché.

François ne ferma pas l'œil de la nuit. Une angoisse indicible nouait ses entrailles, liée à la crainte que le général en chef ne franchisse le pas, se décide à commettre l'irréparable. Cela ne pouvait être. Aucun humain digne de ce nom ne se permettrait pareille ignominie. Pourtant...

Au matin du troisième jour. François entendit clairement la voix qui donnait l'ordre. Et il sut que la décision serait sans appel.

— Fusillez-les !

Berthier ouvrit grands les yeux.

— Que dites-vous, mon général ?

— Vous m'avez entendu.

— Tous ?

— Je veux bien épargner trois ou quatre cents Egyptiens. Caffarelli en prendra une centaine pour m'en faire une compagnie d'ouvriers. Les autres seront envoyés au Caire.

— Citoyen général, ce que vous me demandez là est...

— Fusillez-les, Berthier !

— Que faites-vous de la parole donnée ? Ces hommes se sont rendus parce que nous leur avons promis qu'ils auraient la vie sauve. L'aspect humain, la cruauté inutile de ce sang versé...

Le général indiqua un point sur la droite.

— Voyez-vous cet édifice ? Savez-vous ce qu'il représente ?

---

1. Les propos de Venture sont rapportés par son adjoint, Amédée Jaubert.

Avant que Berthier eût le temps de répondre, Bonaparte enchaîna :

— C'est un couvent de capucins.

— Je... je ne vois pas le rapport.

— Si vous pensez que guerre et cruauté ne font pas bon ménage, alors c'est là qu'est votre place. Entrez-y sur-le-champ et, si vous m'en croyez, n'en sortez plus jamais !

Et d'ajouter :

— Allons, monsieur le Major général, faites exécuter mes ordres, entendez-vous ?

On conduit les trois mille cinq cents hommes entravés au bord de la mer. On les sépare par petits groupes. Une partie est emmenée vers les dunes au sud-est de Jaffa. La fusillade commence. Étonnante est alors la réaction des malheureux. Une majorité d'entre eux s'immobilise, se prend la main après l'avoir portée sur le cœur et la bouche, ainsi que se saluent les musulmans, et accueille la mort avec sérénité. D'autres, qui se trouvent sur la plage, ont le temps de se précipiter à l'eau. Ils nagent comme des forcenés aussi loin que possible, parviennent à se placer hors de portée des balles.

Il faut pourtant en finir. Les soldats posent leurs armes sur le sable et font aux fugitifs les signes de réconciliation en usage chez les Arabes. Rassurés, ceux-ci regagnent la rive. À peine sont-ils suffisamment proches, on épaule à nouveau.

La mer se couvre de sang, ce 8 mars 1799[1].

1. Une vingtaine d'années plus tard, à Sainte-Hélène, au cours d'une conversation avec O'Meara (son médecin) sur le siège de Jaffa, Napoléon dira : « Je fis fusiller 1 000 à 1 200 prisonniers faits à el-Arich, qui au mépris de leur capitulation avaient été trouvés à Jaffa, les armes à la main. On épargna le reste, dont le nombre était considérable. » Explication de peu de fondement. Il se trouva en effet dans la garnison de Jaffa des défenseurs d'el-Arich, qui n'avaient pas tenu leur engagement, mais le nombre n'en dépassa pas trois à quatre cents.

Au cours des trois jours qui suivirent, afin d'épargner la poudre, ceux qui restent furent éliminés à l'arme blanche. En fin de journée, il se forma parmi les dunes une pyramide de cadavres dégouttant le sang et il fallut retirer ceux qui avaient expiré pour achever le reste.

Mais il restait encore un dernier acte à jouer avant que tombe le rideau.

D'innombrables jeunes femmes avaient été amenées de force au camp pour satisfaire au désir des soldats. Endeuillées pour la plupart d'entre elles par la perte récente d'un être proche, elles ressemblaient à des mortes vivantes. Fallait-il que l'aveuglement soit total pour désirer posséder de si misérables créatures.

Leur arrivée avait semé naturellement la discorde parmi les hommes. On se disputait la beauté ou la jeunesse les armes à la main.

Informé de l'affaire, le général en chef ordonna que ces femmes soient immédiatement conduites dans la cour du lazaret, l'hôpital de fortune dirigé par le médecin-chef Desgenettes, celui-là même qui quelques mois plus tôt avait sauvé Schéhérazade de la mort. L'ordre fut exécuté ponctuellement.

On aligna les femmes sur un seul rang.

Dans la cour survint une compagnie de chasseurs[1].

Ils épaulèrent. L'écho de la mitraille roula jusqu'aux remparts de Jaffa.

Bernoyer s'est réfugié sous sa tente pour se soustraire au bruit des armes et aux cris lugubres des mourants. Près de lui se tient Peyrusse, l'adjoint au payeur général. Il a le visage défait. Assis sur le sable, il écrit : « Que dans une ville prise d'assaut, le soldat

---

1. Selon Bernoyer, suite à cet acte, certains officiers ne se privèrent pas de traiter leur général en chef de « monstre, faisant verser le sang plus par plaisir que par nécessité ».

effréné pille, brûle et tue tout ce qu'il rencontre, les lois de la guerre l'ordonnent et l'humanité jette un voile sur toutes ces horreurs ; mais que deux ou trois jours après un assaut, dans le calme de toutes les passions, on ait la froide barbarie de faire poignarder plus de trois mille hommes qui se sont livrés à notre bonne foi, la postérité fera sans doute justice de cette atrocité, ceux qui en auront donné l'ordre auront leur place parmi les bourreaux de l'humanité... On a trouvé parmi les victimes de nombreux enfants qui, en mourant, s'étaient attachés aux corps de leurs pères. Cet exemple va apprendre à nos ennemis qu'ils ne peuvent compter sur la loyauté française, et, tôt ou tard, le sang de ces trois mille victimes retombera sur nous...[1]. »

Peyrusse possédait-il les mêmes pouvoirs occultes que dame Nafissa ?

Dès le lendemain de cette boucherie, le destin se vengea en prenant le masque hideux de la peste.

Le corps recouvert de bubons rougeâtres, frappés de tremblement, suffocants, les soldats glissèrent vers le délire et la mort.

La première victime fut le général Gratien. Sept ou huit cents militaires devaient le suivre à raison d'une trentaine par jour. Pour les habitants de Jaffa qui avaient miraculeusement survécu, ces hommes partaient en enfer.

A son grand étonnement, François nota que le général en chef n'hésita pas à se rendre au chevet des malades qu'on avait installés dans un couvent grec orthodoxe. Il fut tout aussi surpris de le voir parcourir les salles où régnait une odeur infecte, allant même jusqu'à prendre le risque d'aider le médecin-

1. En fait Peyrusse écrivait à sa mère (La Jonquière, *La Prise de Jaffa*).

chef à soulever un soldat, dont les habits en lambeaux venaient d'être souillés par l'ouverture spontanée d'un bubon abcédé. Il prolongea si longtemps sa visite que Desgenettes crut devoir lui faire discrètement comprendre qu'il avait donné amplement la preuve de son mépris du danger.

François en conclut que la nature avait doté le généralissime d'une compassion sélective, ou alors qu'il soignait particulièrement son image de marque.

La peste pouvait toujours frapper. L'ambition d'un conquérant n'attend pas. La route est longue qui doit mener à Istanbul. Une ultime barrière reste à franchir. Une cité posée sur une langue de terre où viennent mourir les vagues, ceinte de remparts, truffée de canons : Akka. Saint-Jean-d'Acre.

Bernoyer est arraché à sa contemplation du paysage. Ses coteaux couverts d'oliviers et d'arbres fruitiers en fleurs lui rappellent un peu la Provence où l'attend sa femme. Sa fille Géraldine.

Trêve de rêverie. Il faut repartir.

Les jours suivants, l'armée longe le mont Carmel. Arrivée à Haïfa, elle découvre la présence d'un nouvel ennemi, deux navires de guerre anglais : le *Tigre* et le *Thésée*. Ils sont commandés par le commodore sir Sidney Smith. Un homme de courage, d'impétuosité et d'impertinence froide, typiquement anglaise.

La nouvelle est accueillie par l'état-major français comme une véritable catastrophe. Pour cause, le général en chef avait donné l'ordre au commandant Standelet d'amener à Saint-Jean-d'Acre une flottille chargée de transporter vingt-quatre pièces d'artillerie de siège, trop lourde pour prendre la voie du désert. La flottille, inconsciente du danger qui la guette, ne va plus tarder à arriver. Il est trop tard pour la prévenir.

Elle arrive en effet. Six navires sont pris par les Anglais. Trois autres parviennent à s'échapper.

Décidément, songe Bernoyer, l'affaire se présente mal.

Le 19 mars, Saint-Jean-d'Acre surgit à l'horizon.

Abounaparte escalade un promontoire d'où il peut embrasser toute la baie de Haïfa, fermée à l'est par les collines et, au nord, par la cité qu'il lui faut conquérir. A cette heure du jour les remparts épais ont revêtu une couleur ocre.

Une légère brise monte de la mer qui baigne la ville de trois côtés. Hormis les deux taches sombres représentant les vaisseaux de Smith, l'azur est limpide, l'horizon clair. Une belle journée pour la guerre.

L'armée s'est cantonnée sur les mamelons hors de portée des canons ennemis. L'artillerie roule vers la butte aux Poteries. C'est de ce point que partira le premier assaut. D'entre tous, c'est le seul qui paraît présenter une certaine faiblesse.

Debout au sommet des remparts, Ahmed, le pacha qui commande la ville observe avec un sourire narquois cette armée qui s'apprête à le défier. Dans son cœur, nulle appréhension. Pas la moindre crainte. C'est que cet ancien esclave d'Ali bey en a vu d'autres. Etabli dans Saint-Jean-d'Acre depuis quatorze ans, il a fait de cette ville la première de la côte. Il y a fait percer des rues, construire des mosquées et des fontaines, planter des jardins d'orangers et ériger un aqueduc qui passe pour une des merveilles de la région. Rien ni personne ne lui ravirait Akka.

Au lieu de l'effrayer, les nouvelles qui lui sont parvenues sur le massacre de Jaffa n'ont fait qu'attiser en lui un certain intérêt pour le général français ; voire un sentiment complice. Depuis trop longtemps on l'accusait, lui Ahmed, d'être un personnage cruel, d'éprouver un plaisir sadique devant la souffrance. Ennemis, sujets, serviteurs, recluses de son harem, nul n'était à l'abri de ses fantaisies sanguinaires. Ne l'avait-on pas affublé du surnom d'el-Djezzar — le boucher ? C'est pourquoi, instruit des événements de Jaffa, il s'était contenté de sourire d'aise, content de savoir que ce général qui allait lui livrer bataille aurait pu être son jumeau. Aussi, lorsque Abounaparte lui avait fait parvenir une proposition de négociation, il n'avait pas éprouvé le moindre scrupule à faire trancher la tête du messager et à la renvoyer à son chef. Entre gens du même sang, c'était tout de même la moindre des choses.

Mais il y a surtout un autre détail qui amuse beaucoup el-Djezzar et le fait ricaner doucement dans sa barbe.

Il a réservé une surprise de taille au petit général.

Il se retourne et pose sa lourde main sur l'épaule de l'homme qui se trouve à ses côtés.

— Alors, mon ami, à quoi pensez-vous ?

L'homme ne répond pas tout de suite. Il n'a rien d'un Turc ni d'un Arabe. Il a la peau blanche. Le teint légèrement hâlé. Trente et un ans.

— Je pense, Excellence, que le monde est bien petit.

Le généralissime a dévalé le promontoire. Sa voix interroge avec arrogance :

— Qui commande ce misérable petit tas de pierres ?

La question provoque une certaine gêne parmi l'état-major. Lannes jette un coup d'œil en direction de Reynier et lui découvre une expression amusée.

— Me répondrez-vous ?

— C'est Phélipeaux, citoyen général.

Le sultan el-kébir manque de s'étouffer.

— Antoine ?

— Lui-même, citoyen général.

— Antoine le Picard ?

341

Reynier et Lannes confirment d'une même voix.

— C'est tout de même incroyable...

Phélipeaux ici ? Au côté d'el-Djezzar ! Phélipeaux, son ancien condisciple à l'Ecole militaire ? Ce jeune imbécile qu'il ne pouvait pas souffrir et à qui pendant les cours il donnait de furieux coups de pied sous la table ! Son aversion était d'autant plus justifiée que ce bamboche remportait toujours la première place aux concours, alors que lui, Bonaparte, n'obtenait jamais que la deuxième ou la troisième. Quatorze ans plus tôt ils avaient passé ensemble leur examen de sortie, mais là encore Phélipeaux s'était montré le meilleur.

Abounaparte hoche la tête. Il a tout à coup un air songeur.

Il sait par cœur la vie de cet homme. Nommés tous deux lieutenants d'artillerie, leur carrière avait divergé à partir de la Révolution. Optant pour le camp royaliste, Phélipeaux avait émigré à Coblence, où il s'était engagé dans l'armée de Condé. Fait prisonnier et incarcéré à la prison du Temple, il s'en était évadé en emmenant avec lui un autre détenu : sir Sidney Smith. L'Anglais qui précisément faisait mouiller ses navires sous les remparts de Saint-Jean-d'Acre[1].

— A quoi pensez-vous, citoyen général ?

— Je pense que le monde est bien petit...

---

1. Phélipeaux était rentré en France vers 1797 dans le but d'organiser une conspiration royaliste. C'est à cette époque qu'il fut arrêté et conduit au Temple pendant que son affaire s'instruisait. C'est là qu'il fit la connaissance de Sidney Smith, lequel avait été emprisonné un an plus tôt, en avril 1796, alors qu'il tentait un raid sur l'embouchure de la Seine. Les deux captifs s'étaient pris d'une vive amitié l'un pour l'autre. Après leur évasion, Phélipeaux avait suivi Smith envoyé en mission à Constantinople. Par la suite, l'Anglais s'était vu confier le commandement de l'escadre qui croisait devant Alexandrie, en remplacement de l'amiral Hood. Ayant appris, le lendemain de sa nomination, que Bonaparte venait de s'emparer de Jaffa, il avait aussitôt fait embarquer Phélipeaux sur le *Thésée*, et l'avait envoyé à Acre pour aider el-Djezzar à défendre cette ville.

C'est le 28 qu'est livré le premier assaut.

Il est brisé.

Deux jours plus tard, une sortie de l'ennemi est repoussée, tandis qu'el-Djezzar, prenant exemple sur son adversaire et en dépit des protestations de Phélipeaux, fait étrangler ses prisonniers.

Deux cent cinquante canons crachent leurs boulets sur les Français. François, pourtant aguerri par ces mois de campagne, est impressionné par ce déluge qui frappe sans discontinuer.

Les assiégés n'épargnent point les munitions. Ils sont abondamment ravitaillés par sir Sidney Smith.

Bernoyer s'entend commander d'aller ramasser avec quelques-uns de ses camarades les boulets envoyés par l'ennemi. Il s'y emploie avec beaucoup de zèle, cherchant surtout à mettre la main sur les obus de 24, puisqu'on lui a affirmé qu'il serait payé selon le calibre.

Durant la semaine sainte, le siège s'installe. La peste refait son apparition, décimant ceux que la poudre épargne. Venture de Paradis, le sage drogman, succombe. Six cents hommes le rejoindront dans la mort[1]. François se demande s'il reverra jamais Avignon.

Le 1er avril, le deuxième assaut est donné. Il n'a d'autre résultat que de voir le généralissime manquer d'être tué par un éboulement.

Huit jours passent. Les assiégés tentent une nouvelle sortie. Sidney Smith, Phélipeaux et el-Djezzar combattent aux premiers rangs de leurs hommes. Ils sont repoussés.

Les cadavres s'accumulent devant les positions françaises, souvent même servent de retranchement.

---

1. Dans Acre, soixante mourront journellement.

Tout en cherchant ses boulets, Bernoyer observe par intermittence son général en chef. Aucun doute n'est permis : l'homme s'ennuie prodigieusement. Il a horreur des sièges, cela se voit.

Aussi n'est-il pas étonné lorsque le lendemain il apprend qu'Abounaparte a quitté Saint-Jean-d'Acre pour voler au secours de Kléber, menacé par une contre-attaque du pacha de Damas. Il en déduit que dans ce départ, certes stratégique, le généralissime lie l'utile et l'agréable.

Le 18 avril, après un détour vers le mont Thabor (au cours duquel il trouve le temps d'ordonner le pillage et la destruction du village de Genin, coupable d'avoir aidé l'ennemi, ainsi que deux hameaux de la montagne de Naplouse), il est de retour sur les lieux du siège où les attaques se sont succédé en vain.

Le 27 avril, le brave général Caffarelli s'éteint d'une blessure reçue dix-huit jours auparavant[1].

El-Djezzar rit de plus en plus haut dans sa barbe.

De son côté, Phélipeaux se contente de se dire que jusque-là son condisciple de l'Ecole militaire peut être fier de lui.

Quelques jours plus tard, le 1er mai, il meurt de la peste.

Le 8, Bernoyer sursaute. Le cri de « victoire » vient de résonner à ses oreilles.

Il cherche à comprendre. Effectivement, une brèche, la première, vient de livrer passage à deux cents hommes.

Mais l'espoir retombe. Dieu sait comment, les assaillants se retrouvent pris à revers par les Turcs.

---

1. Il eut le coude droit fracassé par une balle. Il ne survécut pas à l'amputation.

Ce jour-là François se met à l'écart et griffonne quelques lignes à la hâte pour sa tendre épouse. Il conclut sa lettre par ces mots :

« Ma Chère Amie, je crois que nos vœux sont exaucés et Saint-Jean-d'Acre résistera. Je parle ici peut-être contre les intérêts de ma patrie, mais le désir de te revoir me fait tout sacrifier. Adieu. »

Le découragement avait gagné la troupe. D'ici et là montaient des propos menaçants. Parfois même des injures à l'encontre du général en chef.

Kléber, rappelé d'urgence, inspectant les retranchements avait eu cette phrase terrible : « Général, si je ne savais pas par moi-même que Bonaparte commande ici, je croirais que tous ces travaux ont été dirigés par des enfants ! » Ce qui avait accru la rancœur des soldats. De plus en plus, la volonté de rentrer en Egypte s'affirmait au grand jour. Peut-être le général en chef se soumettrait-il à l'évidence défendue par Murat lui-même : « Il faut que vous soyez bien aveugle pour ne pas voir que vous ne pourrez jamais réduire Saint-Jean-d'Acre ! »

Mais c'eût été mal connaître le sultan el-kébir.

Il réplique :

— Les choses sont trop avancées pour ne pas tenter un dernier effort. Si je réussis, comme je le crois, je trouverai dans la ville les trésors du pacha, et des armes pour trois cent mille hommes. Je soulève et j'arme toute la Syrie, qu'a tant indignée la férocité de ce boucher d'el-Djezzar. Je marche sur Damas et Alep. Je grossis mon armée de tous les mécontents ; j'annonce au peuple l'abolition des servitudes et des gouvernements tyranniques des pachas. J'arrive à Constantinople avec des masses armées. Je renverse l'empire turc. Je fonde dans l'Orient un nouvel et grand empire qui fixera ma place dans la postérité, et peut-être retournerai-je à Paris par Andrinople ou par Vienne, après avoir anéanti la maison d'Autriche !

Il marque un temps, et conclut avec hargne :

— Quand il ne me resterait plus que quatre hommes et un caporal, je me mettrais à leur tête, et nous entrerions dans Jaffa !

Kléber, témoin du discours, ne dit rien. Il se contente de hausser les épaules. Il sait, lui, mieux que quiconque que la manière dont s'y est pris son général est vouée à l'échec. Il sait aussi que les pertes ont été trop importantes parce que l'on a sous-estimé la force du dispositif ennemi. Près de quatre mille hommes ont déjà trouvé la mort depuis le début de cette campagne. Cette affaire vient une fois de plus le conforter dans la conviction qu'il a toujours eue : « Bonaparte n'est qu'un général à dix mille hommes par jour. » Lui, Kléber, connaît le prix du sang, il est autrement plus soucieux de la vie de ses soldats.

La vanité de cet acharnement lui donne la nausée.

Le 20 mai, au soulagement de tous, les rêves cyclopéens du général en chef sont réduits en poussière.

Le siège est levé.

On rentre au Caire. Le mirage s'est perdu dans l'écume qui bave à la proue des navires anglais, au pied des murailles de Saint-Jean-d'Acre.

Lorsqu'au matin Djezzar pacha découvre la plaine vide, il part d'un grand éclat de rire.

La retraite est à la hauteur du drame. C'est une suite ininterrompue de misères et de désolation. Un fort contingent est mis en place à el-Arich, destiné à devenir la position avancée couvrant l'Egypte. On repart.

Haïfa.

La ville offre encore un spectacle éprouvant ; les rues sont encombrées de blessés et de pestiférés, morts ou mourants. On parvient à emporter les premiers à bras, sur des brancards ; on abandonne les autres soupçonnés d'être des pestiférés. Certains sur le bord des routes vont jusqu'à rouvrir leur blessure ou même s'en faire de nouvelles pour convaincre qu'ils n'ont pas la peste ; personne n'y croit. On se contente de dire : « Son affaire est faite. » Et l'on passe.

Après cette lugubre halte, l'armée se remet en marche, suivant le littoral de la Méditerranée. Après avoir traversé Césarée, Mina-Sabourah et Nahr el-Ougouh, elle arrive à Jaffa le 24 mai.

Kléber commande l'arrière-garde. L'homme est d'humeur maussade. Le dernier ordre qu'il vient de recevoir n'a fait qu'ajouter à sa rancœur.

— Détruisez les moissons ! Dévastez la Palestine !

En deux mots la stratégie de la terre brûlée.

On avance donc torches à la main prêt à incendier petites villes, bourgades, hameaux et récoltes.

Puis il y a ces soldats, plus particulièrement ceux de la 69e demi-brigade, au bord de la révolte, qui maudissent publiquement leur commandant en chef. Celui-ci, toujours aussi inflexible, a ordonné que l'on sanctionne les contestataires, certains châtiments pouvant aller jusqu'à la peine de mort. Pour Kléber cette sévérité est bien à l'image du Corse. Elle dénote une fois de plus une absence totale d'humanité[1].

Il y a plus triste encore. Des quarante mille hommes débarqués à Alexandrie il y a moins d'un an, il n'en subsiste que la moitié.

Heureusement qu'il reste la victoire du mont Thabor et, pour conforter les âmes, ce char décoré des cinquante-deux drapeaux pris à l'ennemi.

---

1. Kléber, qui partage l'opinion de ses hommes, réussira sans aucune répression à empêcher les mutineries naissantes.

CHAPITRE 21

17 juin 1799

La fête battait son plein au Tivoli où se trouvaient réunis plus de deux cents invités, issus pour la plupart d'officiers et de notables.

Assise sagement parmi les coussins damassés, Samira Chédid ne parvenait pas à détacher ses yeux de Zobeïda. Malgré toute l'amitié qu'elle lui portait, elle ne pouvait s'empêcher de ressentir une petite pointe de jalousie. Son amie d'enfance resplendissait, jamais elle ne l'avait vue aussi épanouie qu'en ce moment. Il fallait reconnaître qu'elle avait réussi au-delà de toute espérance.

Devenir la maîtresse d'un général, passe encore. Se faire épouser était déjà plus méritoire, mais amener son prétendant à se convertir à l'islam tenait du prodige, d'autant qu'il ne s'agissait pas de n'importe quel général, mais de Jacques Menou, commandant du secteur de Rosette, l'un des personnages chéris du sultan el-kébir. Détail plus saisissant, le jour de leur mariage — qui remontait à la mi-mars — le général avait troqué son prénom contre celui de Abd Allah, *l'esclave de Dieu*, et insistait pour qu'on ne l'appelât plus que

348

de cette manière[1]. Décidément, bien que ce Menou fût chauve, adipeux, et au dire de certains un peu attardé, Zobeïda avait eu beaucoup de chance. Son père, ce modeste patron de bains maures, pouvait être fier d'elle.

Samira lança un regard en coin en direction de son chevalier servant. C'était curieux, mais depuis quelque temps elle le trouvait beaucoup moins charmant, et ses bons mots ne la faisaient plus rire du tout. Cette manie qu'il avait de parler mathématiques à longueur de journée. C'en était devenu lassant. Avec dépit elle s'empara de la coupe de vin posée sur le plateau de cuivre et la siffla d'un seul trait. En quoi les équations et les algorithmes pouvaient-ils séduire une femme ?

Comme s'il avait deviné les états d'âme de sa maîtresse, Jean-Baptiste lui prit amoureusement la main.

— Ma chérie, ça ne va pas ? Veux-tu que nous rentrions ?

Samira faillit répondre par l'affirmative, lorsque tout à coup un nouveau venu attira son attention.

Eludant la question de son amant elle demanda :

— Cet homme, tu le connais ?

— Bien sûr. Il s'agit du contre-amiral Ganteaume.

Une lueur intéressée illumina la prunelle de la jeune femme.

Un contre-amiral... Ça valait bien un général...

---

1. Il signera désormais ses lettres « l'homme au cœur pur, Abd Allah Menou ». Sa conversion ne manqua pas de susciter d'abondants commentaires, défavorables pour la plupart. L'armée vit dans cet acte une offense « au décorum de la dignité française ». La double cérémonie (abjuration et mariage) se fit nuitamment et sans bruit. Le mufti, gagné par des présents, éluda aux cérémonies de la circoncision, par égard pour l'âge avancé du général (il avait 49 ans), glissa sur les délais, et conquit ainsi une âme au mahométisme le plus lestement du monde.

— Il a donc survécu à la destruction de votre flotte ?

Elle avait posé la question pour la forme, son attention entièrement concentrée sur le personnage. Il était grand. Son visage était dur et massif. Sa bouche large, ses lèvres charnues. Une moustache noire accentuait la rudesse militaire du trait.

Jean-Baptiste était parti dans une explication technique de la bataille d'Aboukir. Elle l'interrompit, saisissant un mot au vol :

— Les flammes... mais cela a dû être terrible.

— Tout à fait. L'*Orient* brûlait comme une torche. Il s'en est fallu de peu qu'Honoré ne périsse avec le navire.

— Honoré ?

— C'est son prénom.

Soudain, la jeune femme emprisonna le bras de son amant avec fébrilité.

— Oh ! je t'en prie, invite-le à notre table. J'aimerais tellement qu'il nous fasse lui-même le récit de son aventure. Elle m'a l'air si passionnante. Veux-tu ?

Il parut hésitant.

Elle se lova contre lui, très chatte.

— Sois gentil. Fais-le pour moi. Tu sais combien j'adore ces histoires de bataille.

— Mais c'est qu'il ne voudra peut-être pas. C'est un personnage important, et je ne suis pas assez familier pour me permettre de...

— Jean-Baptiste... Mon amour...

Il s'exécuta avec une mauvaise grâce évidente.

★

François Bernoyer avala une dernière bouchée de kobéba[1].

---

1. Plat de viande parsemé de pignons.

— Je ne me souviens plus avoir mangé aussi bien depuis longtemps. C'était délicieux.

— Après ce que vous venez de subir en Syrie, tout doit vous paraître merveilleux, observa Schéhérazade avec un léger sourire.

Bernoyer s'assombrit. Depuis trois jours que l'armée était de retour, il conservait toujours aux bords des lèvres ce goût de sang et de poudre. Presque naturellement des images de leur entrée dans la capitale revinrent à son esprit.

Le général en chef s'était fait précéder par des groupes de cavaliers, véritables hérauts à cheval qui répandirent la nouvelle de ses victoires. Cette propagande dut avoir l'effet désiré, car une partie du peuple se porta au devant des troupes. Le cheikh el-Bakri, non content d'avoir fait don quelques mois plus tôt de sa propre fille de seize ans, accueillit le sultan el-kébir en lui offrant au nom de la ville un superbe cheval bai couvert d'une housse brodée d'or, de perles et de turquoises. L'animal était conduit par un jeune Mamelouk, offert lui aussi[1]. Après les discours de bienvenue, le général en chef monté sur son nouveau cheval fit son entrée triomphale par la porte sud, celle de bab el-Nasr, la porte de la Victoire.

Derrière suivait Kléber, plus morose que jamais.

François balaya l'air.

— Je préfère ne plus jamais avoir à me souvenir de ces derniers mois.

— Vous avez raison, fit Nadia, mais il y a des choses qui ne s'effacent jamais, hélas...

Elle s'était exprimée sur un ton neutre qui masquait une infinie tristesse. Elle aussi, depuis ces derniers mois essayait d'oublier. Et Bernoyer qui savait tout ce

_____

1. Le Mamelouk en question n'était autre que Roustam. Yahia de son vrai nom. Il ne quitta plus Bonaparte jusqu'en 1814.

qu'elle portait en elle ne trouva rien à dire. Il baissa les yeux, laissa la place au chant de la fontaine.

Sortant brusquement de ses pensées, Nadia proposa :

— Vous prendrez bien un café ?

— Si ce n'est pas trop abuser, volontiers.

Il précisa avec un sourire complice :

— Mazbout[1]. Les premiers temps, j'avoue que je trouvais votre café assez — il parut chercher le mot — lourd. Maintenant je le trouve délicieux.

Schéhérazade fit mine de se lever, mais sa mère la retint d'un geste.

— Laisse, ma fille. J'y vais. Tu sais bien que tu n'as jamais réussi à faire un bon café. Et puis il faut te reposer.

Elle désigna le ventre rond de la jeune femme.

— C'est qu'il ne faudrait pas le perdre, celui-là.

Avec une certaine tendresse, Schéhérazade passa sa paume sur ses rondeurs.

— Celui-là... il est hors de question qu'il bouge d'ici avant septembre !

Elle reprit sur un ton plus enjoué :

— De toute façon, pour revenir au café, ma mère a raison. Je n'arrive pas à comprendre le mystère, mais le *visage* m'échappe toujours.

Revenant à Bernoyer elle demanda :

— Vous savez ce qu'est le *visage*, n'est-ce pas ?

— Bien sûr. Il s'agit de cette fine couche qui se forme sur la surface du café, et qu'il est, dit-on, sacrilège de rater !

— C'est exact. Un café sans *visage* n'est qu'un vulgaire bouillon.

---

1. L'une des expressions égyptiennes utilisées pour préciser la quantité de sucre désirée. Dans le cas précis, mazbout pourrait se traduire par « normalement sucré ».

Elle ajouta avec un sourire résigné :

— Je suis experte en bouillon.

Tandis que Nadia partait vers la cuisine, Michel questionna :

— Vous ne repartez plus, j'espère ?

Bernoyer leva les yeux au ciel.

— Dieu fasse que non. Cette campagne de Syrie a épuisé les hommes. Il serait inhumain de leur imposer de nouveaux combats.

— Finalement, fit Schéhérazade, Gaza, el-Arich, Jaffa, tout cela n'aura servi à rien. Quelques milliers de morts en plus, c'est tout.

— Hélas. Un vrai désastre. Par-dessus le marché, des bruits courent que les Anglais et l'armée turque ne vont pas tarder à nous tomber dessus.

Michel confirma d'un battement de paupières.

— A tout cela est venu se greffer l'histoire incroyable de cet illuminé. Etes-vous au courant ?

Michel fit non.

— Il semblerait que, pendant que nous étions à Saint-Jean-d'Acre, un individu se soit présenté aux gens affirmant que Dieu lui avait confié la divine mission d'exterminer les Français. Il se disait insensible aux balles et capable de rendre ses partisans invincibles. Figurez-vous que le mois dernier il a réussi à soulever tout l'ouest du Delta, en particulier la région de Damanssour.

— Damanhour, rectifia Schéhérazade.

— C'est cela. Il prétendait aussi posséder le pouvoir de transformer tous les objets qu'il touchait en or, d'amollir les balles et les boulets qu'on tirait contre lui, et même d'immobiliser les obus dans l'air. Un peu fou non[1] ?

---

1. Son prénom était Ahmed. Il était originaire de Derna en Cyrénaïque.

Michel attendit que Nadia eût fini de servir le café, avant de répondre.

— François, l'Orient est avant tout une terre mystique. Les arbres, les êtres, le fleuve, dans tout ce qui vit, dans tout ce qui bouge, Dieu n'est jamais absent. Ce genre de personnage a déjà existé dans le passé, il en reviendra d'autres.

— Imaginez-vous que tous les soirs à l'heure de la prière, devant ses partisans assemblés, notre homme trempait ses doigts dans une jatte de lait, se les passait sur les lèvres, expliquant que cette nourriture lui suffisait. Le mahdi. Savez-vous ce que cela veut dire ?

Un sourire amusé se dessina sur les lèvres de son interlocuteur.

— Le mahdi... Dans la tradition islamique, il s'agit d'un être surnaturel qui devrait à la fin des temps ramener dans le monde l'ordre et la justice qui en sont bannis, et préluder au règne de l'immortalité et de la félicité sans fin. C'est cela un mahdi.

— Un messie quoi ?

— En quelque sorte.

— En tout cas cette histoire m'intéresse, reprit Schéhérazade avec une certaine fébrilité. Comment a fini cet *envoyé* de Dieu ?

François souffla doucement sur la tasse et but une gorgée.

— C'est là le plus étrange. Ce qui tient moins de la sorcellerie ou du mythe, c'est que ce diable d'homme est parvenu à réaliser une attaque surprise contre la ville de Damanhour. Une légion nautique d'environ une centaine d'hommes y tenait garnison, elle a été entièrement détruite. Vous m'entendez ? Pas un survivant.

— Vous n'êtes pas sérieux ! lança Michel abasourdi.

— Je vous le répète, pas un survivant. Ce n'est pas

tout. Dans les jours qui ont suivi des milliers de paysans se sont joints à l'étrange personnage, forçant nos troupes venues à la rescousse à se replier. Je dois vous préciser que la plupart des hommes qui formaient l'armée de ce mahdi n'étaient armés que de bâtons !

— Vous êtes sûr de vos informations ? s'étonna Nadia. Cette histoire me semble un peu exagérée.

— Pourtant, mes sources sont absolument dignes de foi.

— Ensuite, ensuite, répéta Schéhérazade de plus en plus captivée.

— Evidemment, la répression fut à la hauteur de l'agression...

Il avait prononcé ces derniers mots avec embarras.

— C'est-à-dire ? demanda Michel.

Bernoyer aspira une goutte de café, parut hésiter avant de répondre.

— La ville de Damanhour a été rasée par les forces du général Lanusse. Pratiquement rayée de la carte. Le désir des soldats de venger leurs compagnons tués quelques jours plus tôt au même endroit leur a fait massacrer tous ceux qui avaient embrassé la cause de l'ange. Et comme c'était le cas de la plupart des habitants[1]...

— Vous voulez dire que...

— Oui... hommes, femmes, enfants, tous furent passés au fil de l'épée et les bâtiments livrés aux flammes. Damanhour est devenue une nécropole.

---

1. Le 9 mai 1799, Lanusse écrit à Dugua : « C'est sur Damanhour et sur ses habitants que le soldat a exercé sa vengeance. D'abord 200 ou 300 habitants ont été tués aux environs de la ville en fuyant ; après cela, j'ai livré cette indigne ville aux horreurs du pillage et du carnage. Damanhour n'existe plus, et 1 200 à 1 500 de ses habitants ont été brûlés ou fusillés. » (Lanusse à Dugua le 21 floréal an VII [10 mai 1799], La Jonquière, V, p. 87.)

— Le mahdi ? insista Schéhérazade.

— Il y a deux semaines environ Lanusse serait parvenu à le briser.

— Il est mort ?

— A vrai dire on n'en sait rien. Son corps n'a jamais été retrouvé.

Un silence méditatif succéda au récit de Bernoyer.

Nadia se leva. Des larmes discrètes coulaient sur ses joues. Elle n'en avait rien à faire du sort de ce mystique. C'était Nabil et Youssef qu'elle pleurait.

★

Depuis quelques minutes, la cuisse de Samira Chédid était collée à celle du contre-amiral Ganteaume. Celui-ci, mine de rien, continuait de faire l'historique de sa bataille d'Aboukir à l'intention de Jean-Baptiste Fourrier, lequel s'ennuyait ferme.

— Le boulet coupa littéralement en deux ce malheureux Brueys. C'était atroce à voir. En conclusion, je suis convaincu que si Villeneuve avait réagi plus tôt, l'affrontement aurait certainement connu une autre issue. Hélas, le monde militaire est fait de deux sortes d'individus : ceux qui savent improviser et ceux qui se contentent d'attendre les ordres.

— A vous voir, mon amiral, et à vous écouter, on voit bien que vous faites partie de la première catégorie.

La jeune femme avait souligné son compliment par une nouvelle pression de sa cuisse.

Cette fois, l'officier n'hésita pas. Avec tout juste ce qu'il fallait de discrétion il glissa une main sous la table et la posa sur le bas-ventre de sa voisine.

— Vous êtes bien aimable. A mon tour, si vous me le permettez, de vous rendre le compliment. Chez vous aussi l'improvisation semble une seconde nature.

Samira partit d'un éclat de rire sonore, dans le même temps que sa main allait rejoindre celle de Ganteaume.

— Eh bien, lança tout à coup Jean-Baptiste. Si nous rentrions ? Demain l'Institut se réunit aux aurores, je dois hélas...

— Oh non ! protesta la jeune femme. Pas tout de suite. On est si bien.

— Mais enfin, ma chérie, c'est toi qui tout à l'heure envisageais de partir !

— C'est vrai. Mais c'était avant de connaître l'amiral. Avec sa façon de décrire les batailles, il m'a ôté toute envie de dormir.

Elle fixa Ganteaume droit dans les yeux.

— A moins que vous aussi, amiral, ne soyez forcé de vous lever de bonne heure.

Ganteaume répliqua avec élégance :

— Un marin ignore le sommeil. Surtout lorsqu'il est en présence de la beauté.

Pressentant que revenir à la charge ne servirait à rien, il s'adressa directement à Ganteaume.

— Dans ce cas, si ce n'est pas trop vous demander, citoyen amiral, je vous prierai de bien vouloir raccompagner cette dame à son domicile. Pour ma part il faut vraiment que je rentre.

— Vous pouvez compter sur moi, mon cher Fourrier, je vous ramènerai notre amie saine et sauve.

Jean-Baptiste remercia d'un mouvement de tête.

Finalement, songea-t-il en franchissant le seuil du Tivoli, les femmes sont des créatures bien plus complexes que tous les problèmes algébriques réunis, et leur comportement est beaucoup moins rigoureux...

★

A cent cinquante lieues de là, à hauteur de Keneh, la crête des palmiers vibrait à peine. Sur les berges du

Nil, la grande roue d'une noria[1] entraînée par un bœuf tournait paresseusement dans le crépuscule. On entendait vaguement le chant de quelques courlis et de bécassines cachés parmi les joncs. Plus loin se découpaient les champs de froment prêts à être moissonnés et les récoltes de dorah dans l'attente de juillet.

Au détour d'une dune, la flottille de Mourad bey elle aussi attendait.

Si les informations qu'on lui avait communiquées la veille s'avéraient exactes, dans peu il allait mettre la main sur une belle proie.

D'après son espion, en l'absence de tout renfort, le général Desaix avait mis en place un dispositif de colonnes mobiles qui descendaient le long de la Vallée, appuyées par une flottille fluviale transportant le ravitaillement de l'armée. Or, aux dernières nouvelles, la colonne s'était fait distancer. Et la flottille, comme à Chebreïss, dérivait sans protection.

Mourad souleva sa longue-vue et l'installa contre son œil. Aussitôt le sourire féroce, qui jusque-là ne l'avait pas quitté, s'accrut.

Il jeta un coup d'œil par-dessus son épaule pour bien vérifier que ses Mamelouks, auxquels s'étaient joints huit cents guerriers du Hedjaz, se trouvaient en position. Il fit signe à Karim, qui commandait l'embarcation de tête, de se tenir prêt. Légèrement décalé, Papas Oglou avait déjà armé ses canons.

Lorsque la flottille ennemie fondit sur lui, le citoyen Morandi, en charge de la djerme l'*Italie*, comprit qu'il n'aurait aucune chance de s'en sortir.

Il lutta tout de même avec la rage du désespoir. Le combat se prolongea deux heures environ. Les unes

---

1. Machine hydraulique à godets qui sert à élever l'eau suivant le principe du chapelet hydraulique.

après les autres, les djermes prises à l'abordage succombèrent.

Finalement, jugeant la situation définitivement perdue, Morandi mit le feu aux poudres et, suivi de ses hommes, plongea dans le fleuve. L'*Italie* explosa dans un fracas terrible, projetant vers le ciel tout ce qu'elle transportait de munitions, de vivres, d'effets et médicaments.

Lorsque Mourad se retira, plus de cinq cents cadavres de matelots et de soldats flottaient sur le fleuve rouge de sang. Ceux qui n'avaient pas péri noyés avaient été massacrés[1].

La victoire était totale.

Le Mamelouk montra le poing au ciel.

— Allah est immense ! Sa parole est vérité ! Tu vois, Nikos, il y a encore quelque temps tu doutais de tout. Regarde...

Il désigna les dépouilles ensanglantées qui glissaient sur la surface du Nil...

— Vois ce que j'ai fait de tes doutes et des appréhensions de notre ami Carlo : je leur ai tranché la tête !

Le Grec approuva, mais sans réel enthousiasme.

Karim au contraire jubilait.

— Ce n'est pas fini, reprit Mourad. J'ai une nouvelle à vous annoncer. Dans quelques semaines nous quitterons les oasis et redescendrons vers la Basse-Egypte.

Papas Oglou l'observa ébahi.

— Le Caire ?

— Je suis téméraire, Nikos, mais je suis loin d'être fou. Non, je contournerai la capitale et je traverserai le Delta en direction du nord.

---

1. Ce fut l'un des échecs les plus graves éprouvés par Desaix pendant la campagne de Haute-Égypte.

— Mais dans quel but ? interrogea Karim, décidément fasciné par la détermination de cet homme.

— Alexandrie. Toutes les informations que je possède confirment que d'un jour à l'autre l'armée turque va débarquer. Elle est en train de s'organiser à Rhodes et déjà la marine anglaise bombarde la côte. Le débarquement est imminent. Quand il se produira il ne me restera plus qu'à opérer ma liaison avec les forces ottomanes. C'est en libérateur que je ferai mon entrée au Caire.

Il se tut et scruta les visages pour y lire l'effet produit par son projet.

Karim et le reste du groupe étaient totalement conquis. Seul Papas Oglou conservait une mine sceptique.

— Qu'y a-t-il ? pesta le Mamelouk agacé. Tu as vu la mort ?

— Non, mon seigneur, marmonna le Grec avec humeur. Mais c'est tout comme. Je vous déçois, je le sais. Mais je ne pense pas que votre plan ait une chance d'aboutir. Quelle que soit la route que vous prendrez, vous trouverez Desaix sur votre passage.

— Allah m'est témoin ! se récria Mourad au comble de l'exaspération. Si je ne t'aimais pas il y a longtemps que je t'aurais coupé la langue. Tu vas nous porter malheur !

Il frappa le sol du talon.

— Dans un mois je serai à Alexandrie. Dans un mois tu me mangeras dans la main !

C'était le 18 juin.

★

Au moment où Honoré Ganteaume s'enfonça en elle, Samira ne put réprimer un cri de douleur. Pourtant elle s'était préparée à recevoir sa nouvelle conquête, pressentant au cours des prémices que cette étreinte serait violente. Dès que le militaire s'était dégrafé elle s'était tout de suite rendu compte que des hommes qu'elle avait connus à ce jour, Ganteaume possédait de loin le membre le plus considérable. De plus, le choix hors nature qu'il avait pris de la posséder, là, dans l'intimité de sa croupe, était mille fois plus éprouvant.

Elle se pinça les lèvres jusqu'au sang, tandis qu'il allait et venait en elle.

Il n'avait même pas pris le temps de la déshabiller. Ou presque. Lui-même était encore chaussé de ses bottes.

Jamais on ne lui avait fait l'amour — mais était-ce l'amour ? — d'une manière aussi rude, et dans cette région si intime d'elle-même.

Elle sentit les mains de Ganteaume qui remontaient plus haut sa jupe, jusqu'à la taille. Au fur et à mesure qu'il allait plus avant, elle avait le sentiment d'une houle enflammée qui embrasait sa peau.

Un coup de rein plus brutal que les autres lui arracha un nouveau cri. Ce n'était pas possible, cet homme allait la déchirer. Elle éprouva tout à coup un sentiment de panique, la sensation qu'elle ne pourrait plus jamais faire l'amour après cette nuit. Affolée, elle voulut fuir ce corps massif agenouillé derrière elle. C'était inutile, ses doigts étaient noués sur ses hanches et la maintenaient comme dans un étau. Elle fit une nouvelle tentative. Il la réprima. Et c'est peut-être à ce moment, dans ses hésitations entre refus et obéissance, qu'elle découvrit à son grand étonnement un plaisir neuf qui prenait naissance au tréfonds de sa chair.

Soudain, elle eut l'impression que la pénombre faisait corps avec elle. Que les murs de la chambre ondoyaient au rythme de l'étreinte, et que s'opérait en elle une fusion étrange et paradoxale où la souffrance devenait porteuse de plaisir.

CHAPITRE 22

Il faisait nuit. L'air était plein d'étoiles au-dessus de Sabah.

Assise sur la véranda, Schéhérazade posa machinalement sa main sur son ventre. 13 juillet. Dans deux mois, si Dieu le veut, elle donnerait naissance à l'enfant.

Maintenant qu'elle touchait presque au terme de la route, une certaine fébrilité s'était emparée d'elle. Elle aurait voulu que ce soit ce soir. Demain. Cet empressement était provoqué par la peur qu'un nouveau drame ne survînt et le désir de voir se matérialiser enfin cette vie invisible qui bougeait en elle.

La voix de sa mère la tira de sa songerie.

— A quoi rêves-tu, ma fille ?

— A ton petit-fils. Il occupe mon corps et ma tête.

— Un petit-fils ! D'où tiens-tu cette certitude que ce sera un garçon ? Dieu seul connaît le secret des naissances.

Schéhérazade sourit avec mélancolie. Elle aurait voulu répondre à Nadia qu'elle aussi savait. Qu'elle avait la conviction qu'à travers l'enfant qu'elle portait, Youssef allait revenir. Mais le lui expliquer signifiait réveiller la douleur de sa mère. Aussi elle se cantonna dans une réponse évasive :

362

— Je n'ai aucune certitude. Disons, un pressentiment.

— Tu es beaucoup trop belle, en ce moment, observa Michel. Si c'était un garçon il en serait autrement.

— Tu connais le proverbe : « Aux yeux de sa mère, le singe est une gazelle. » Tu ne peux pas être objectif. Tu es amoureux.

Michel poussa un soupir résigné.

— Comme tu voudras. Mais garçon ou fille, Dieu fasse qu'il ne tienne pas du caractère buté de sa maman !

— Dans ce cas, c'est avec Aïsha la Soudanaise que tu aurais dû le faire. Trop tard.

Nadia fronça les sourcils.

— Enfin, ma fille. Surveille tes paroles. Il...

Elle s'interrompit, l'œil attiré par quelque chose d'inattendu.

— Regardez, dit-elle en montrant un point qui scintillait dans la nuit. On dirait une étoile qui serait descendue.

Schéhérazade et Michel tournèrent la tête en même temps. D'abord ils ne virent rien, puis un clignotement lumineux dans le lointain, juste au-dessus de la grande pyramide.

— Effectivement, confirma Michel. C'est curieux. Qu'est-ce que ça peut bien être ?

— Si nous étions à Noël, j'aurais pensé à l'étoile du berger, plaisanta Schéhérazade.

— Vraiment curieux. D'autant que l'éclat n'est pas stable. Il disparaît et revient sur un rythme presque régulier.

— Un signal ? suggéra Nadia.

— Peut-être...

— A cette heure de la nuit ?

— Que Dieu nous garde, dit hâtivement la femme. Je n'aime pas ça.

Schéhérazade dévisagea sa mère avec compassion. Depuis quelque temps, tout ce qui se produisait d'imprévu était synonyme d'inquiétude et d'angoisse.

*

En tout cas, pour quelqu'un d'autre, à une lieue de là, ce clignotement était symbole de joie et de bonheur. C'était *son* étoile du berger.

Debout sur sa terrasse, dame Nafissa fixait amoureusement la lueur en poussant de petits soupirs de plaisir.

La servante qui se tenait à ses côtés joignit les mains avec dévotion.

— Sayyeda[1], maintenant je le crois. J'en suis sûre. Ton époux est né la nuit du destin[2].

— Sans doute, Zannouba, sans doute. A présent, allume donc la torche.

*

Au sommet de la plus haute pyramide, Mourad bey exultait. Tenant une lampe à huile d'une main, de l'autre un châle qu'il faisait bouger devant la flamme, il trépignait véritablement.

— Vous croyez qu'elle vous a vu, Excellence ? questionna Karim à voix basse.

— Quelle question ! Non seulement elle m'a vu, mais elle me répond ! Regarde ! C'est elle ! Lune de ma vie, miel de mon cœur, mon catcouta[3] !

1. Maîtresse. Mais qui pourrait aussi vouloir dire « sultane ou reine ».
2. La nuit du destin est celle des dix dernières nuits du mois de ramadan pendant laquelle, suivant la tradition musulmane, le Coran est « descendu » du ciel supérieur au ciel inférieur le plus près de la terre.
3. Moineau.

La voix du Mamelouk se perdit dans une véritable envolée lyrique, offrant aux oreilles du fils de Soleïman tous les mots d'amour de la terre et d'autres inconnus jusque-là.

C'est vrai que la Blanche lui répondait. Vers Guizeh, une lumière vibrait parmi les ténèbres.

Finalement, Mourad l'étonnerait toujours. Il avait dit qu'il remonterait sur Le Caire. Contournant savamment les divisions françaises, d'oasis en oasis, de détour en détour, il était parvenu à son but. Il l'avait fait. Indiscutablement, l'homme avait du panache.

Pourtant deux jours plus tôt l'alerte avait été chaude. Ce diable de Desaix avait fondu sur eux aux environs des lacs Natrons. Une soixantaine de Mamelouks avaient trouvé la mort au cours du combat. Papas Oglou lui-même fut touché d'une balle à la cuisse, il s'en était fallu d'un cheveu pour qu'on l'amputât.

Le monologue amoureux de Mourad se poursuivait toujours. Karim jeta un regard en coin en direction du bey et prit soudainement conscience de tout ce que cette scène reflétait d'irréel : en pleine nuit, un homme enturbanné, drapé dans sa burda noire, une lampe à la main, qui envoyait des signaux lumineux à sa bien-aimée du haut de la grande pyramide.

Malgré lui, ses lèvres s'écartèrent en un sourire attendri, ranimant du même coup sa propre moisson de souvenirs.

Des mois qu'il n'avait revu sa *princesse*.

Qu'était-elle devenue ? Depuis le soir où ils avaient fait l'amour, il lui arrivait encore de sentir son parfum, la douceur de sa peau.

Pourquoi se perdre ? La guerre finira bien un jour. Je reviendrai.

Les jours avaient succédé aux semaines, et plus le

temps passait, plus il doutait de son retour. Et lorsqu'il repensait à ce qu'était son existence, il lui arrivait de se dire qu'il avait peut-être eu tort de partir. Ensuite il se reprenait très vite, furieux contre lui. L'avenir de sa relation avec Schéhérazade n'était-il pas inexorablement lié à sa propre réussite ? Si un jour, qui sait, elle devenait une femme libre, ne fallait-il pas qu'à ce moment il fût en mesure de lui offrir l'essentiel ?

Pour s'encourager, il suffisait de prendre exemple sur Mourad. Une fois le but fixé, ne plus jamais s'en détourner. Cela, même si ce soir cet homme qui naguère avait régné sur l'Egypte était réduit à considérer son palais, son épouse sans espoir de s'en approcher.

★

Schéhérazade n'arrivait pas à détacher les yeux de cette flamme qui oscillait dans le lointain.

Un sursaut de vent lui apporta les senteurs rassurantes de la nuit, la présence ténue des sables, et dans le même temps une pensée folle traversa furtivement son esprit. Serait-il possible que les humains et les bêtes eussent en commun le même instinct, la faculté de ressentir de loin une entité familière ?

Non... cela ne se pouvait pas.

★

Un à un, les grenadiers des 18e et 32e demi-brigades se ruèrent en pestant hors de la caserne de Sakit. Suivaient une division du régiment des dromadaires qu'on avait dû tirer eux aussi de leur sommeil, et trois guides qui les accompagnaient. Deux pièces d'artillerie fermaient la marche.

En tête, le sultan el-kébir trottait sur le superbe cheval blanc, dernier présent du cheikh el-Bakri. Une excitation fébrile animait ses traits.

Il cria à son beau-fils :

— Quelle outrecuidance tout de même ! Venir nous narguer à quelques lieues du Caire !

— N'ayez crainte, citoyen général. Nous le tenons !

★

La montée de l'aube trouva Mourad toujours installé au sommet de la pyramide. Il n'avait pas dormi de la nuit et à aucun moment il n'avait détaché ses yeux de la maison où couchait son amour. Bien qu'invisible, le soleil colorait l'horizon de rose pâle. Dans peu, la morne livrée du désert allait retrouver ses teintes uniformes et le sphinx son ocre-brun. Le fils de Soleïman fut le premier à apercevoir les nuages de sable qui flottaient sur la route de Guizeh.

Il saisit la longue-vue du Mamelouk, fixa l'horizon. La première chose qu'il identifia fut les deux pièces d'artillerie. Ensuite il découvrit le régiment de dromadaires et l'officier qui chevauchait en tête sur un étalon blanc.

— Mon seigneur ! Les Français !

Mourad prit aussitôt la lunette des mains de Karim.

— Déjà...

Il observa encore un instant le mouvement des troupes.

— Que d'honneur ! As-tu identifié celui qui commande ?

— Heu... non, Excellence.

— Abounaparte en personne.

Karim voulut regarder à son tour, mais Mourad s'était redressé.

— Allons-y !

Le général en chef se défoula en invectives, furieux contre lui-même et contre ce sort qui persistait à le priver de sa proie.

Une fois de plus, de justesse, le Mamelouk leur avait glissé entre les mains. On était tout de même parvenu à lui prendre quelques chameaux, à lui tuer une dizaine d'hommes, mais le gros de ses troupes avait réussi à les semer dans l'océan de sable.

Il épousseta d'un geste nerveux sa redingote tout en marmonnant quelques phrases sans suite.

— Très bien, dit-il enfin, nous rentrons au Caire.

Beauharnais allait répercuter l'ordre, lorsque brusquement quelqu'un annonça l'arrivée d'un messager.

Le visage de l'aide de camp se crispa. Quelle catastrophe les guettait encore ?

Le courrier se précipita vers le général en chef et lui remit un pli à moitié froissé.

La lettre était datée de la veille, signée du général Marmont. Quand il eut fini de lire, Abounaparte fixa simplement l'horizon d'un air songeur.

— Changement de cap : nous partons pour Rahmanieh.

Comme Eugène s'étonnait, il lui donna à lire la missive de Marmont.

D'Alexandrie, ce 24 messidor.
Citoyen Général,
Je vous informe que les vigies du haut du phare d'Alexandrie ont identifié une flotte qui s'avance du nord vers la terre. Elle est formée de cent treize voiles, dont treize vaisseaux de soixante-quatorze, neuf frégates, dix-sept chaloupes canonnières et soixante-quatorze bâtiments de transport. Hormis le Tigre et le

Thésée qui battent pavillon anglais, le reste des navires portent les couleurs ottomanes.

Tout laisse à supposer que cette flotte se dirige vers la rade d'Aboukir et que le fort ainsi que la redoute qui en contrôlent l'entrée seront ses premières cibles.

Selon l'opinion du constructeur de la redoute, le lieutenant du génie Thurman, celle-ci ne pourrait résister longtemps à une attaque. Quant au fort, avec ses quatre cents hommes de garnison, il tiendrait cinq à six jours.

Il serait urgent de...

Beauharnais interrompit sa lecture. Il devinait le reste. Depuis plusieurs semaines on s'attendait à ce fameux débarquement turc. Il était même étonnant qu'il eût mis autant de temps à se concrétiser[1].

Cinq ou six jours, avertissait Marmont... Et ils avaient plus de cinquante lieues à franchir. Marche forcée sous le soleil implacable de juillet. Le désert encore. Et au bout un nouvel adversaire à affronter. Une paille...

En redescendant sur Le Caire, Eugène croisa l'œil ironique du sphinx. Maintenant il savait ce qui l'avait toujours agacé dans ce fantôme de pierre.

★

Dans les heures qui suivirent, les espions de Mourad lui rapportèrent que les troupes françaises avaient abandonné la poursuite.

L'hésitation n'était plus permise. Il fallait foncer sur Alexandrie.

— Alors, Nikos ! Toujours aussi pessimiste ?

1. La flotte ottomane était retenue depuis plusieurs jours dans les eaux de l'île de Rhodes en raison de vents contraires.

Le Grec rectifia le pansement qui protégeait sa cuisse.

— Vous êtes sous la garde du Clément, Excellence. Tout ce que je peux souhaiter c'est qu'Il vous protège encore longtemps. Hélas, pour ce qui me concerne — il désigna sa jambe —, je ne pense pas être en état de vous suivre.

— Tant pis. Tu nous attendras donc au campement de Sakkara où les nouvelles qui ne manqueront pas de te parvenir activeront, j'en suis certain, ta guérison. Quant à nous...

Il passa son bras affectueusement autour des épaules de Karim.

— Nous, nous avons rendez-vous avec la flotte turque ! Et l'exploit !

Un moment plus tard, les mille cavaliers du bey fonçaient en direction du nord-est. Vers le désert libyque.

★

Lorsque Nadia Chédid entrouvrit la porte, elle crut que le sol s'ouvrait sous ses pas. Elle balbutia :

— Karim ? C'est bien toi ?

— Oui, Sayyeda. C'est bien moi.

— Le... fils de Soleïman ?

Dans un élan spontané, elle se jeta contre lui et le serra à l'étouffer.

— Dieu est Grand. Mais comment se fait-il ?

Il répondit, mais les cris de joie qu'elle s'était mise à pousser noyèrent son explication.

— Schéhérazade ! Schéhérazade ! Viens vite voir qui est là !

Il lui fit signe de s'apaiser un peu, mais elle continuait de crier à tue-tête :

— Schéhérazade ! Aïsha ! Michel !

L'entraînant par le bras elle le fit rentrer dans le

vestibule, claqua le vantail en bois, puis sans s'arrêter l'amena à travers le couloir en chicane jusqu'à la cour intérieure.

La bonne soudanaise fut la première à les rejoindre.

— Au nom du Miséricordieux, c'est le fils de Soleïman !

Elle lui appliqua deux baisers retentissants sur les deux joues et se mit à l'examiner sous toutes les coutures.

— Macha'Allah[1], répéta-t-elle en le jaugeant, admirative. Macha'Allah. Tu es devenu un homme.

Karim prit un air fataliste.

— C'est que je n'avais pas tellement le choix, sett Aïsha.

Il demanda spontanément :

— Comment va Youssef effendi ? Et Nabil ? Je...

Sa phrase demeura en suspens. Schéhérazade était apparue sur le seuil de la cour.

Il voulut articuler quelque chose, mais le souffle lui manqua. Depuis le moment où il avait pris la décision d'accomplir ce détour, jamais, pas un seul instant il ne s'était imaginé qu'il reverrait ainsi la jeune femme. Cette silhouette ronde, ce ventre qui se devinait tendu et proéminent sous la tunique en taffetas noir... Y avait-il le moindre doute sur son état ? Il se trouva tout à coup stupide et fou. Il aurait voulu mourir de honte, sur-le-champ, et que nul ne lui fermât les yeux pour qu'il emporte avec lui cette vision pour l'éternité.

— Que la paix soit sur toi, fils de Soleïman. Tu vas bien ?

---

1. Expression égyptienne qu'il serait impossible de traduire littéralement, si ce n'est par « l'action de Dieu ». En réalité, elle se veut exprimer la satisfaction devant quelqu'un — homme, femme ou enfant — que l'on constaterait « bien portant », « épanoui », « en forme ».

Il trouva la force de répliquer :

— Sur toi la paix, fille de Chédid.

— Tu resteras à dîner, n'est-ce pas ? proposa Nadia.

— Non, sayyeda, très sincèrement, je ne peux.

— Pas question ! Nous te gardons, quoi que tu en dises.

Il réitéra son refus avec plus de gravité.

— Ne m'en veuillez pas. J'ai une très longue route devant moi. Et l'on m'attend.

La femme répliqua tout de même :

— Tu ne resteras pas dîner, mais il ne sera pas dit que tu partiras d'ici les mains vides !

Avant qu'il ait eu le loisir de protester, agrippant la main d'Aïsha elle partit vers la cuisine.

Schéhérazade n'avait pas bronché. En vérité, elle n'osait pas. L'air qui les entourait paraissait s'être métamorphosé en un fin manteau de cristal, que le moindre mouvement maladroit aurait pu rompre en éclats.

Elle bougea enfin et alla s'asseoir sur un banc de pierre à l'ombre de l'iwân.

— Tu ne m'en veux pas, mais — elle désigna son ventre — c'est qu'il est de plus en plus lourd à porter.

— Oui... Je... J'ignorais... Depuis combien de temps, tu...

— C'est pour septembre, si Dieu veut.

Il y eut un nouveau silence. Il fit un pas et s'adossa contre le mur. Un petit lézard dérangé dans sa sieste grimpa furtivement vers le toit.

— Comment va ton père ? Nabil ?

Elle glissa ses doigts dans la masse noire de ses cheveux et répliqua à mi-voix, le cœur noué.

— Tu n'es donc pas au courant. Ils nous ont quittés.

— Quittés ?

— Ils sont morts, Karim. Depuis bientôt sept mois...

— Pardonne-moi mille fois, mais comment ? Que leur est-il arrivé ?

— Nabil a été condamné à mort par les Français. Père n'a pas résisté au chagrin.

Atterré, il se laissa glisser et resta accroupi au sol, les épaules voûtées.

Elle reprit, s'efforçant de maîtriser le trouble de sa voix :

— Tu m'as manqué, fils de Soleïman.

Il répondit sans relever la tête :

— Tu m'as manqué aussi, princesse. C'est pourquoi j'ai pris le risque de faire ce détour.

— Tu es toujours avec Mourad bey ?

— Toujours. Je dois le rejoindre. Nous marchons sur Alexandrie.

— Comment se peut-il ? On vous disait condamnés à demeurer en Haute-Egypte.

— C'est exact. Mais chaque jour est porteur d'événements nouveaux. Les Turcs sont à la veille de débarquer. Mourad veut se joindre à eux lorsque le moment viendra.

— La Porte s'apprête donc à envahir l'Egypte ?

— Soutenue par les Anglais — il fit un geste évasif —, enfin c'est ce qu'on dit...

— Et ce pauvre Nabil qui espérait libérer cette terre ! Quelle dérision que tout cela. A croire que nous les Egyptiens, misérables comme nous sommes, possédons enfouis sous nos pieds des trésors uniques pour qu'autant de nations nous disputent.

Elle releva la tête et lui offrit un visage franc.

— Fasse que le jour où tu seras Qapudan pacha, tu le sois sous les ordres d'un être qui aimera sincèrement ce pays et qui n'aura pour désir que de le restituer à ceux à qui il appartient.

— Crois-tu qu'un tel homme puisse vraiment exister ?

Elle sourit légèrement.

— Non. Mais qui sait ?

Le silence retomba. C'est presque à son insu qu'il demanda :

— Ton époux... ? Michel, n'est pas là ?

— Il ne va pas tarder. Nous manquions de tout depuis quelques jours. Il faut dire que je mange pour trois.

— Ce sera un bel enfant...

— Un garçon. J'en suis sûre.

Tout à coup, une pâleur terrible envahit les traits de Karim. Elle dut le remarquer, de la même manière qu'elle dut lire ses pensées.

— C'est l'enfant de Michel, dit-elle en appuyant sur les mots.

— Comment peux-tu en être certaine ? Nous...

— Non, Karim. Une femme sait cela.

Elle répéta :

— C'est l'enfant de Michel.

Tout à coup, un désir irrésistible déferla en lui, tellement fort qu'il se sentit presque vaciller. Depuis qu'il lui parlait, cet appel n'avait fait que croître en lui comme l'enfant qu'elle portait. Il ne s'agissait pas d'un désir charnel, ou qui aurait pu s'en approcher. C'était beaucoup plus fort.

Il marcha vers elle.

— J'aimerais..., dit-il doucement.

Elle haussa les sourcils, confuse.

— Rassure-toi...Rien de mal. C'est simplement que...

A quoi cela aurait servi d'expliquer ? Alors d'une main dont il ne parvenait pas à contrôler le tremblement, il effleura le ventre de Schéhérazade. Avec une surprenante tendresse. Il posa ses doigts à plat, délicatement, à l'endroit le plus haut. Fermant les yeux, il demeura ainsi de longues minutes, immobile sans

374

qu'elle eût la moindre réaction. On aurait cru qu'il cherchait à s'imprégner de cette vie invisible. A prendre et à donner, à se perdre dans une sorte d'absolu.

Lorsqu'il entrouvrit les paupières, son expression avait changé. Il semblait plus serein, plus heureux.

Il se redressa et les mots glissèrent à travers ses lèvres, il n'aurait jamais cru qu'il eût été capable de les dire.

— Je t'aime, princesse. Je t'aime. Cet enfant que tu portes aurait pu être le mien. Je l'ai perdu avant même de l'avoir rêvé. Je ne sais pas si le pardon existe, et même s'il existait, pourrait-on pardonner à la fatalité de rendre le vrai bonheur impossible ?

Le cristal de l'air était devenu dentelle.

Elle n'osait plus bouger, plus respirer.

Ses yeux avaient fondu dans ceux de Karim, sa voix dans la sienne. Elle se risqua à tendre la main vers lui. Il la prit. Leurs doigts se nouèrent comme des sarments creusés de trop de soleil.

C'est la voix de Michel qui brisa le cristal.

Ils se détachèrent avec la maladresse que seuls connaissent les amants en faute. Schéhérazade joignit hâtivement les mains à hauteur de son ventre, et se mit à fixer l'entrée de la cour dans une attitude tellement glaciale qu'elle était presque hiératique.

La première réaction de Michel Chalhoub fut la surprise.

Lorsqu'il sut le nom de l'inconnu. Ses traits se durcirent.

Il essaya autant qu'il put de maîtriser le sang qui cognait à ses tempes.

Karim murmura :

— Je partais. J'expliquais justement à la sayyeda qu'une longue route m'attend.

Michel hocha la tête, son regard alla de son épouse à

Karim. On devinait qu'il essayait de lire en eux un signe, la preuve concrète du mal. C'était malsain, il le savait. Mais c'était plus fort que lui.

Le retour de Nadia et de la Soudanaise l'arracha à temps à sa quête.

Elle portait un ballot gonflé de victuailles.

Elle le tendit à Karim.

— Voici. Il ne sera pas dit que le fils de la maison repartira le ventre creux et les mains vides.

Elle baissa les yeux et ajouta :

— Youssef ne l'aurait pas voulu.

CHAPITRE 23

Lorsque dans la nuit du 23 au 24 juillet le sultan el-kébir débarqua à Aboukir, ce fut pour apprendre que le fort et la redoute qui contrôlaient l'entrée de la presqu'île étaient tombés entre les mains de l'ennemi.

Le 15 juillet la redoute et ses six cents hommes de garnison avaient été pris d'assaut par les troupes de Moustafa pacha et égorgés jusqu'au dernier. Quant au fort, commandé par le capitaine Vinache, il avait capitulé deux jours plus tard.

Une bonne nouvelle malgré tout dans ce marasme : depuis le 19, les Turcs, pourtant au nombre de vingt mille, n'avaient tenté aucune percée. Ils s'étaient limités à constituer une tête de pont, négligeant d'exploiter le succès des premières heures. Il existait cependant une explication à cette inertie : l'armée ottomane n'était formée que de fantassins. Prudent, Moustafa pacha avait décidé d'attendre l'arrivée de sa cavalerie, de ses attelages et d'une division de janissaires stationnée aux Dardanelles. Il comptait aussi sur les Mamelouks de Mourad bey, qui aux dernières informations auraient quitté l'oasis de Chargeh et seraient en route pour Aboukir.

Mais, ce matin du 25 juillet, Mourad n'était toujours pas là. Mourad ne viendrait plus. Sa remontée specta-

culaire avait fini par être stoppée par les troupes du
général Friant, à quelques lieues de Guizeh.

Par contre, Abounaparte, lui, était au rendez-vous. Il
était parvenu à rassembler à la vitesse de l'éclair la
totalité de l'armée d'Orient. Pour ce faire, il avait dû
rappeler Desaix de Haute-Égypte, Reynier de Belbeïs,
Kléber de Damiette, la division Lannes, celle de
Rampon, ne laissant au Caire que les soldats du dépôt
et les éclopés.

Murat formait l'avant-garde, composée de la cavalerie, de la brigade Destaing et de quatre pièces de
canon, en tout deux mille trois cents hommes. Lannes
commandait la droite, avec deux mille sept cents
hommes et cinq canons. Le général Davout, qui venait
tout juste d'arriver de la capitale, s'était placé sur
l'arrière pour empêcher l'armée d'être coupée
d'Alexandrie.

À quelques jets de pierre, parmi les troupes turques,
on pouvait identifier, caracolant, des officiers britanniques.

Plus loin, sur la mer, à bord du *Thésée*, le commodore Sydney Smith, le trait tendu, observait dans sa
jumelle le déploiement des armées. On le sentait
inquiet. N'avait-il pas commis une erreur en s'érigeant
de lui-même en conseiller militaire du pacha, alors
qu'il n'avait aucune compétence en matière de
combats terrestres ?

Tant pis ! les dés étaient jetés.

Sur la droite de la redoute, Moustafa pacha a pris
position sur une élévation de terrain[1]. Il est entouré de
sa garde personnelle et de ses étendards frappés de
l'emblème à trois queues.

Un peu en retrait se tient un groupe d'officiers.
Parmi eux, un homme de taille moyenne. Robuste. Il a

1. L'élévation s'appellera plus tard *le mont du Vizir*.

un visage marqué par un front saillant et des arcades sourcilières très prononcées. La prunelle châtain est vive, singulièrement mobile. Le nez est légèrement renflé vers le bas. Une fine moustache couvre la lèvre supérieure. Sa peau est plus claire que celle des soldats qui l'entourent. C'est qu'il y a du sang albanais chez cet homme. Il va sur ses trente ans. Il s'appelle Mohammed-Ali[1]. Il a le grade de bikbachi[2].

Une expression dense habite ses yeux. A quoi pense-t-il à quelques secondes d'un combat qu'il pressent impitoyable ? Peut-être à son oncle, Toussoun, qui l'avait recueilli après la mort de son père. Ou à l'ami de celui-ci, le tchorbadg[3] de Praousta, qui après le décès de Toussoun l'avait élevé comme son propre fils jusqu'à cette heure. Ou alors songe-t-il à la douceur du village qui l'a vu grandir ? Cavalla, ce petit port de la mer Egée, sur les flancs de la côte de Macédoine. Peut-être encore ses pensées voguent-elles vers son épouse qui attend là-bas, près de leurs deux enfants.

De ce point, l'œil de Mohammed-Ali embrasse tout le paysage...

Sans l'avoir jamais vu, il connaît ce personnage qui trotte sur un cheval blanc, le long des premières lignes ennemies. On le lui a souvent décrit. Ce ne peut-être que lui. Le général Bonaparte.

Une certaine admiration le gagne tandis qu'il observe son va-et-vient nerveux. C'est qu'ils ont des traits en commun tous les deux. Ils sont nés la même année. Et, Mohammed en est certain, le Français porte

---

1. Il est désigné souvent dans les sources européennes sous le nom de Mehemed Ali ou Mehemet Ali.
2. Chef de mille hommes. L'un des premiers grades dans la hiérarchie des officiers de l'armée ottomane.
3. Capitaine de janissaires auquel on attribuait différents postes au sein de l'Empire.

les ambitions d'un autre homme, conquérant d'un autre temps : le grand Alexandre.

Alexandre, né tout comme lui, Mohammed-Ali, en Macédoine.

Bonaparte, Alexandre...

Avec cette prescience qui habite parfois certains individus élus par les dieux, et alors qu'il n'est rien de plus aujourd'hui qu'un modeste bikbachi perdu dans un corps de troupes albanaises, il a la certitude qu'un jour son nom rejoindra les deux autres. Il en est convaincu, de même qu'on peut l'être de la course immuable du soleil.

Les batteries françaises viennent de tonner.

Les canons turcs répondent.

Les unités d'infanterie s'élancent les unes contre les autres.

Par vagues les deux armées avancent et reculent.

L'infanterie de Moustafa pacha est vaillante, mais mauvaise manœuvrière.

Ce sera donc à la cavalerie française de l'enfoncer.

Sur ordre du général en chef, Murat réunit ses cavaliers, les harangue, fait sonner la charge.

Coups de boutoir.

Les hommes de Moustafa pacha sont rapidement acculés à la mer.

Murat revient, avec une extraordinaire fougue, trop heureux de pouvoir enfin défouler toute son énergie, lui qui rongeait son frein depuis le début de cette campagne.

Cette fois le nouveau choc brise les Turcs contre les vagues. L'affolement s'est emparé d'eux. Il ne leur reste plus qu'à se jeter dans les flots et tenter de regagner leurs bâtiments à la nage. La majorité n'y parviendra pas. Bientôt des milliers de turbans dérivent sur la surface des eaux, où se mêlent l'écume et le sang.

Le général Lanusse se jette à son tour sur le centre du front, et s'y enfonce. Les rangs janissaires se désarticulent, refluent à leur tour vers la plage.

Une heure de combat. Déjà huit mille Turcs tués, et dix-huit canons, trente caissons, cinquante drapeaux aux couleurs ottomanes sont aux mains des Français.

Mohammed-Ali est toujours au côté de Moustafa pacha. Il a su, dès la première seconde, que la victoire ne leur reviendrait pas.

Mais qu'attend donc le Français pour attaquer le *mont du Vizir* et en finir ?

En contrebas, Bonaparte le guette au bout de sa longue-vue.

Même après le succès de Lanusse, il estime impossible d'attaquer de front la redoute. La position est trop solide. Déployées en demi-cercle, sa droite et sa gauche s'appuient à la mer. De plus elle est flanquée par des canonnières et couverte par dix-sept canons de campagne.

Cependant, avec la faculté habituelle qu'il possède de déshabiller un champ de bataille, il a remarqué que la plage d'Aboukir forme un peu à l'est une sorte d'éperon. Il est désert. Une batterie d'artillerie placée à cet endroit prendrait toute la gauche de l'ennemi à revers.

Aussitôt le colonel Cretin à ordre d'aller s'y poster.

Le premier boulet vient se fracasser à quelques pas de Mohammed.

Très vite c'est une pluie de fer qui s'abat, mine la position turque.

Mohammed se jette à terre. Echappe de justesse à un éclat d'obus. Lorsqu'il se relève, il est presque seul. Sur ordre du pacha, les janissaires se sont repliés pour se mettre hors de portée des canons.

Mohammed se précipite vers son chef. Dans le vacarme terrible, il tente de lui faire comprendre que ce repli est une erreur. Qu'il faut tenir le mont vaille que vaille. Mais qui, dans cette tourmente, songerait à donner foi aux conseils d'un simple bikbachi ?

Le décrochage turc a ouvert une brèche d'une lieue sur la gauche. Murat, décidément à la fête, s'y précipite avec la puissance d'un ouragan. Lannes le suit et fonce directement sur le camp du pacha.

Très vite, toute l'extrémité de la presqu'île est vouée au carnage.

Mohammed se bat avec l'énergie du désespoir. A ses côtés, on ne dénombre plus qu'une centaine d'Albanais.

A travers un épais rideau de fumée, un cavalier ennemi charge, presque seul en tête, sabre au clair. Il fonce sur Moustafa pacha. Ce dernier, alors qu'il est déjà blessé, n'hésite pas à faire front. Il s'élance à sa rencontre, dégaine de sa main libre, vise la face et tire.

Miraculeusement, Murat n'est atteint qu'au-dessous du menton. Il lève son sabre. L'arme retombe et tranche les deux doigts de son adversaire[1]. Le pacha bascule à terre. Il est aussitôt entouré et fait prisonnier.

Mohammed-Ali, témoin impuissant de la scène, sait désormais que la fin de la bataille ne sera plus qu'une boucherie. Où que sa vision se porte, l'ennemi est partout.

Il résiste pourtant avec panache, jusqu'au moment où il se retrouve dos à la mer.

Un coup de sabre lui entaille légèrement le bras. Un autre l'aine.

Il plonge dans les flots.

Il n'est pas dit que ce sera aujourd'hui, à Aboukir, que son destin s'arrêtera.

---

1. Bonaparte bandera lui-même la main du vaincu avec son mouchoir.

Il nage droit devant, sous une pluie de balles et d'obus. Des cadavres le heurtent, il les écarte. Les premières chaloupes ne sont plus très loin.

A bout de souffle, le cœur au bord des lèvres, il réussit à se cramponner à l'une d'entre elles qui l'entraîne dans son sillage jusqu'aux abords de la flotte.

Accoudé au bastingage du vaisseau qui se détache de la côte, il devine plus qu'il ne la voit l'armée française qui se partage les cent drapeaux, les pièces d'artillerie de campagne, toutes les tentes, les quatre cents chevaux abandonnés sur le rivage.

Son cœur saigne à la vue de ces six à sept mille camarades qui flottent sur les eaux. Mais curieusement, au lieu d'en éprouver de l'amertume, c'est toujours l'admiration qui domine ses sentiments. Le Français a été le plus fort.

Alexandre, Bonaparte. Un jour lui aussi, Mohammed-Ali.

Il prend une profonde inspiration. L'air s'engouffre dans ses poumons. Il aime déjà cette odeur qui monte des terres d'Egypte qui l'envahit tout entier.

Il aime ces palmiers qui oscillent sous le vent. La ligne des dunes, les minarets d'Alexandrie qui lui rappellent Cavalla en plus grand.

Un jour il reviendra. C'est sûr.

★

Entre-temps, un autre s'apprête à partir.

La nuit est tombée sur Aboukir.

Le général en chef est assis sur un tambour. A la lueur des torches il relit pour la troisième fois la liasse de journaux que, fort habilement d'ailleurs, lui a fait parvenir le commodore Sidney Smith avant de regagner son navire.

Il s'agit de journaux anglais et des numéros d'avril, mai, juin de la *Gazette française de Francfort*.

Depuis près de dix mois sans nouvelles d'Europe, ces articles sont inespérés. Ce que le sultan el-kébir y a découvert le contrarie fortement.

Comment donc ? Alors que lui, Bonaparte, se couvrait de gloire en Egypte, le Directoire allait de défaite en défaite ?

Même Kléber, qui était rentré de Saint-Jean-d'Acre la mine sombre, ne lui avait-il pas crié tantôt, devant tous : « Général, permettez que je vous embrasse ! Vous êtes grand comme le monde[1] ! »

Et là, qu'apprenait-il dans ces lignes ? L'Italie était perdue. Les armées russes et autrichiennes avaient battu Jourdan sur le Danube, Sherer sur l'Adige et Moreau sur l'Adda. La République cisalpine n'existait plus. Soixante mille cosaques commandés par Souvorov étaient arrivés à la frontière des Alpes. La Vendée était en pleine insurrection !

— De beaux parleurs, des bavards, sont en train de perdre la France ! Il est temps de la sauver !

François Bernoyer entend le général en chef qui réfléchit à haute voix. Il a bondi. Il marche de long en large, mains croisées derrière le dos. Quelque chose lui dit que l'homme est à la veille de prendre une grave décision. Soudain il s'engouffre sous la tente où il a fait convoquer son secrétaire Bourrienne et le contre-amiral Ganteaume, encore tout plein du souvenir chaud de Samira Chédid.

— Eh bien, Bourrienne ! Mon pressentiment ne m'a pas trompé : Tout fout l'camp, l'Italie est perdue !

---

1. Kléber était arrivé sur le champ de bataille après la victoire d'Aboukir. Ce qui ne l'empêchera pas, après avoir exprimé son enthousiasme, de manifester sa colère de n'avoir pas été attendu pour prendre part à la bataille.

François Bernoyer se rapproche, tend un peu plus l'oreille.

— Les misérables ! Tout le fruit de nos victoires a disparu ! Que peuvent faire ces gens incapables à la tête des affaires ! N'attendons pas que la destruction soit complète : le mal serait sans remède.

Mais où veut-il en venir ? pense Bernoyer.

— Ma présence, en exaltant les esprits, rendra à l'armée la confiance qui lui manque. Il me faut sauver la patrie de la fureur des étrangers et de celle de ses propres enfants ! Il faut que je rentre !

Bernoyer tressaille. A-t-il bien entendu ?

Mon général, est-ce la perte de l'Italie qui vous accable, et l'insurrection de Vendée qui vous enfièvre autant ? Ou la tentation de prendre enfin ce pouvoir qui vous a toujours dévoré ? A vrai dire, que vous reste-t-il à accomplir en Egypte, depuis que votre imagination est morte sous les remparts de Saint-Jean-d'Acre ?

— Je chasserai ce tas d'avocats qui se moquent de nous et qui sont incapables de gouverner la République. Je me mettrai à la tête du gouvernement. Je rentre !

Quoi, mon général ? Quitter l'Egypte ? Comme un vulgaire déserteur ? Auriez-vous oublié qu'il avait fallu toute la confiance que vous inspiriez à vos soldats pour qu'ils vous suivent comme ils l'ont fait au-delà des mers, vers un but inconnu ? Dans une contrée dont la plupart ignoraient le nom ? Oublieriez-vous que vous nous avez promis qu'au terme de cette campagne nous aurions de quoi nous payer six arpents de terre ? Et qu'à ce jour le paiement de nos soldes accuse plus de sept mois de retard ?

— L'état des choses en Europe me force à prendre de grands partis. Je rentre !

Quoi, mon général ? Cette armée qui plus d'une fois avait formé le projet d'enlever ses drapeaux et de

*courir se rembarquer, mais ne l'avait point réalisé de
peur de vous braver ? Vous abandonneriez ces
hommes ?*

— Ganteaume, je vous confie mon destin. Vous me
ferez regagner la France !

*Vous seriez capable d'abandonner une armée meur-
trie, affaiblie ? Vous qui mieux que personne savez
qu'à chaque fois qu'il nous a été donné de remporter
une victoire, nous nous affaiblissions du même coup.
Nous nous sommes usés dans nos triomphes. C'est que
vos succès nous ont coûté tellement cher ! Souvenez-
vous des mots ironiques que vous adressait Kléber :
« Si j'étais à la place de l'ennemi, je vous donnerais une
victoire tous les jours. » Dans quelques mois, le corps
expéditionnaire n'existera plus ! Il sera bu comme une
pluie de printemps par les sables du Nil !*

— Au surplus, Ganteaume, vous n'avez rien à
craindre : ma bonne étoile nous protégera et nous
arriverons en dépit des navires anglais.

*Général, c'est une désertion ! Rien ne devrait vous
excuser de quitter les bords du Nil, et de remettre à un
autre la tâche d'achever une expédition aventureuse
que vous seul aviez provoquée !*

— Vous affréterez la *Muiron* et la *Carrère*... Je vous
ferai parvenir les drapeaux turcs et les étendards conquis en Syrie et à Aboukir. Je rentre !

Comptez-vous au moins prévenir l'armée ?

— Nul ne doit être informé de mon départ. Nul
hormis ceux qui m'accompagneront[1].

*Vous le héros d'Italie, d'Imbaba, aujourd'hui
d'Aboukir, vous n'oseriez pas affronter ceux que vous
allez abandonner ?*

---

1. Il ne confia son projet qu'à quelques personnes : Ganteaume,
Berthier, Bourrienne, Marmont.

— Je me souviendrai d'eux. De mes braves, de mes fidèles.

Ça leur fera une belle jambe, mon général. La même que celle de ce pauvre Caffarelli, mort pour rien, devant Akka. Puisque vous vous enfuyez, vous reconnaissez du même coup la suprême utopie de l'expédition d'Egypte et l'impossibilité absolue de la mener à bonne fin. Je vous le dis, citoyen général, c'est une honteuse félonie, une infâme trahison, une cruelle lâcheté ! Cet irrésistible élan patriotique qui semble en apparence vous animer ne cache en vérité que la maladie de l'ambition. Bon vent, mon général ! Mais je plains de tout cœur celui à qui vous allez déléguer le flambeau.

★

Schéhérazade souffla sur ses vingt-deux bougies et se releva, un peu émue.

Ce 27 juillet n'avait rien en commun avec tous ceux qui avaient précédé. A l'image de sa mère, elle portait toujours le deuil et n'avait désiré ni faste ni invités. Les seules personnes présentes étaient les parents de Michel, Amira et Georges Chalhoub revenus à l'improviste de Minieh. Ils avaient décidé, pour des raisons que nul ne comprenait, de quitter l'Egypte pour l'Italie. Jugeant — à tort sans doute — que plus rien ne les retenait au pays. Ni leur fils Michel ni leur petit-fils à venir. Qu'ils reviendraient un jour, plus tard, lorsque les temps seraient plus sereins.

La seule étrangère à la famille était dame Nafissa.

C'est que la Blanche, elle aussi, traversait de dures épreuves.

Depuis l'étrange « dialogue » qu'elle avait eu avec son époux dans cette nuit du 13, elle était sans nouvelles. Mourad avait disparu quelque part vers les oasis de Haute-Egypte. Néanmoins, la Blanche conti-

387

nuait toujours de faire face avec un courage et une fidélité exemplaires.

Elle battit des mains chaleureusement et déposa un baiser sur le front de Schéhérazade.

— En attendant de souffler les bougies de tes mille ans, ma chérie ! Je te souhaite que chaque jour de l'année à venir efface les peines de celle qui est passée.

— Dieu vous écoute, sett Nafissa. Je crois que nous avons tous besoin que votre vœu se réalise. Tous.

Elle appuya volontairement sur ce dernier mot en fixant sa mère. Derrière l'expression sereine qu'elle essayait d'offrir à tous, on sentait bien que pour elle ce jour de fête n'était qu'une soirée triste qui rejoignait sa place parmi les autres.

Schéhérazade s'approcha d'elle et l'enlaça du plus tendrement qu'elle pût. Parler n'aurait servi à rien. L'une et l'autre savaient tout ce qui manquait pour que cet anniversaire eût un autre visage. Depuis janvier, Sabah avait entrebâillé sa porte au désert qui l'entourait. Et le désert s'y était engouffré. On avait beau épreindre les fleurs de jasmin ou celles des gardénias il n'en sortait plus désormais que des senteurs muettes.

*

Samira prit la main de Ganteaume et la baisa avec adoration.

Elle croyait vivre un rêve un peu fou. La tête lui tournait. Elle redemanda avec insistance :

— Tu es bien sûr de ta décision ? Tu veux vraiment que je te suive ?

— Oui, mon cœur. J'y tiens. De toute façon, tel que je le pressens, il ne se passera plus rien de très favorable dans ce pays. Toi et le petit n'y avez aucun avenir.

— Et ce départ... Ce serait pour quand ?

— Dans deux ou trois semaines, je pense. Cela dépendra des navires anglais et turcs. Tant qu'ils demeureront présents dans la rade d'Aboukir, il nous sera impossible d'appareiller. Le danger est immense. Il faudra guetter l'heure propice.

La France... Le bout du monde...

Elle, la fille de Youssef Chédid, au bras d'un contre-amiral, dans la capitale de l'Europe. C'est Zobeïda qui cette fois n'en croirait pas ses yeux ! Cependant il y avait un détail qui la chiffonnait et gâchait sa joie. A aucun moment Honoré ne lui avait parlé mariage. Quel futur envisageait-il donc pour eux ? Là-bas, à Paris, qui serait-elle ? Que serait-elle ? La maîtresse, la concubine ? Car il était marié. Père de deux enfants. Alors...

Les mots lui brûlèrent les lèvres. Elle se ravisa. Par maladresse, par trop d'empressement elle risquait de le heurter et perdre d'un seul coup ce qui lui apparaissait ce soir comme la chance de sa vie. D'autant que cette demande avait quelque chose d'unique. S'il fallait en croire Honoré, même le général en chef n'emportait pas sa petite Pauline. Bien plus, elle ignorait tout du grand départ[1].

— C'est bien, mon amour. Je te suivrai. Puisque telle est ta volonté.

★

« Le gouvernement m'ayant rappelé près de lui, il est enjoint au général Kléber de prendre le commandement en chef de l'armée d'Orient.

Signé : Bonaparte. »

---

1. Lors de leur dernière soirée au palais d'Elfi bey, Bonaparte avait simplement laissé entendre à Pauline qu'il s'absenterait quelques jours, le temps d'une brève excursion dans le Delta.

C'était bref. C'était clair.

Jean-Baptiste Kléber froissa d'un geste nerveux la missive de son général en chef. Il luisait dans son regard habituellement doux une flamme terrible, qui au lieu d'assombrir la beauté de ses traits les rendaient plus beaux encore.

Il fit quelques pas vers la fenêtre ouverte sur la mer et fixa longuement le Port-Vieux, l'anse du Marabout. Des images furtives passèrent devant lui. Des pans éclatés de cette mosaïque égyptienne, cette campagne qui n'était plus tout à coup qu'une immense absurdité.

Il pivota brusquement sur lui-même et plongea son œil bleu dans celui du médecin-chef Desgenettes.

— C'est donc ainsi... Sans pouvoir m'en défendre, me voilà avec l'Egypte sur le dos... La solde est arriérée...Les gens du pays ont perdu l'habitude de payer, et notre homme part au milieu de ces circonstances et brûle la paillasse comme un sous-lieutenant remplissant les cafés d'une garnison du bruit de ses dettes et de ses fredaines ! Bel exemple... Desgenettes...

Il parlait sans élever la voix, mais sa fureur contenue trahissait une férocité délibérée qui paraissait beaucoup plus menaçante que s'il eût rugi à pleins poumons. C'était une fureur glacée, incisive.

Il se tourna vers Menou, depuis quelques mois Abd Allah Menou, et demanda :

— Ainsi vous saviez...

— La veille seulement. Il m'avait donné rendez-vous à Rahmanieh. A la fontaine, là même où se trouvait le quartier général le jour de la bataille d'Aboukir. Ma première question fut : « Où allez-vous, général ? »

— Il a répondu ?

— « En France. »

— Ensuite ?

— J'ai rétorqué : « Y songez-vous ! Songez-vous que vous nous êtes nécessaire ici ? » Sa réponse fut sans équivoque : « Je le serai davantage là-bas. »

Kléber opéra une nouvelle volte et s'empara d'un autre document posé sur le bureau qu'il brandit sous l'œil de Menou.

— C'est une proclamation adressée au diwân du Caire. L'avez-vous lue ?

L'autre secoua la tête.

— « Ayant été instruit que mon escadre était prête et qu'une armée formidable », un sourire ironique ourla les lèvres de Kléber, il répéta pour lui-même : *Une armée formidable*... « était embarquée dessus ; convaincu comme je vous l'ai toujours dit que tant que je ne frapperai pas un coup qui écrase à la fois tous mes ennemis, je ne pourrai jouir tranquillement et paisiblement de l'Egypte, la plus belle partie du monde, j'ai donc pris le parti de me mettre à la tête de mon escadre, laissant le commandement en mon absence au général Kléber, homme d'un mérite distingué et auquel j'ai recommandé d'avoir pour les ulamâs et les cheikhs la même amitié que moi... »

Il marqua une pause.

— *L'homme d'un mérite distingué*...

Un petit rire le secoua.

— Celui qu'il n'a même pas osé affronter...Quelques mots écrits à la hâte...[1].

Desgenettes se risqua à demander timidement :

---

1. Le 19 août, soit quatre jours avant d'embarquer pour la France, Bonaparte aura poussé la comédie jusqu'à écrire à Kléber, qui se trouvait alors à Damiette : « Vous recevrez une lettre le 3 ou le 4 fructidor (soit le 20 ou le 21 août), partez je vous prie, sur-le-champ, pour vous rendre de votre personne, à Rosette... J'ai à conférer avec vous sur des affaires extrêmement importantes... » Jamais dans son esprit Bonaparte n'a eu l'intention de respecter ce « rendez-vous ». Le 21 il se rend à Rahmanieh, le 22, au puits de bir el-Gitas, près d'Alexandrie. Il prend la mer le 23 au matin.

— Citoyen général, que comptez-vous dire aux hommes ?

A peine la question posée, toute la tension qui habitait Kléber se libéra d'un seul coup. Il frappa du poing sur le bureau. L'Alsacien, déjà grand de taille, apparut plus grand encore.

— Ce que je vais leur dire !

Cette fois, la voix explose.

— « Mes amis, ce baiseur-là nous a laissé ici ses culottes pleines de merde ! Nous allons retourner en Europe et les lui foutre sur la gueule ! » Voici ce que je leur dirai[1] !

---

1. La Jonquière, V, p. 646.

CHAPITRE 24

L'Egypte, 8 mars 1800

— Dieu, ce qu'il est gourmand ! Il est bien le portrait de sa mère.

Schéhérazade acquiesça aux propos de Nadia avec un sourire distrait, sans quitter des yeux le petit être qui tétait son sein. Un garçon, ainsi qu'elle l'avait pressenti. Cinq mois qu'il était là, cinq mois qu'elle le respirait, qu'elle le vivait.

Contre toute attente l'accouchement s'était déroulé sans difficulté. Et Joseph était né. Elle avait eu pourtant très peur, jusqu'au dernier instant. Au fur et à mesure que les contractions s'étaient rapprochées, que la douleur devenait plus aiguë, des visions du champ de bataille d'Imbaba et du Nil en feu s'étaient penchées sur elle comme de vieux djinns[1].

Youssef... Joseph... La boucle était refermée.

Elle détacha le bébé de sa poitrine et se releva en le conservant serré contre son cœur.

— Veux-tu que je le prenne un peu ? proposa Nadia.

Schéhérazade n'eut qu'un très court instant d'hésitation et accepta.

1. Démons.

— Je le coucherai, ne t'inquiète pas, précisa la femme.

Les deux personnages échangèrent un coup d'œil singulier, sorte de dialogue muet dont apparemment l'une et l'autre savaient le code.

— Je vais aller me faire un café, fit Schéhérazade en s'emparant d'un châle qu'elle posa hâtivement sur ses épaules.

Au moment où elle franchissait le seuil de la chambre, elle entendit fredonner les premiers mots d'une berceuse, une comptine vieille comme l'Egypte. La même sans doute qui avait dû effeuiller vingt-deux ans plus tôt ses propres rêves.

Parvenue au pied de l'escalier, elle s'arrêta, tendit l'oreille. Au raclement d'une chaise contre le sol, un bruit d'objet déplacé, elle comprit que Michel était dans la cuisine. Elle ne se sentait pas capable de l'affronter. Dehors elle serait mieux.

L'air, pourtant très doux, lui arracha un frisson. Elle se recroquevilla un peu sur elle-même, allongea le pas tout en croisant prestement les pans de son châle contre sa poitrine.

Mais que lui arrivait-il donc ? D'où lui venait ce désir de fuir. Donner la vie pouvait altérer la raison ? Dès l'instant où le petit Joseph était sorti d'elle, à la sensation première de bonheur avait succédé l'immense vide ; son être devenu une plaine désertée. A cela s'ajoutait un reniement d'elle-même souligné par le rejet de son propre corps. Depuis septembre elle se trouvait vieille, inutile, et haïssait les miroirs. Et si en se vidant de ses eaux, c'était une partie de son être, de sa raison de vivre qui s'était épandue ?

Si encore elle trouvait auprès de Michel l'épanouissement de ses désirs profonds. Seulement cet amour dépassionné, *raisonnable* avec en filigrane l'affirmation ténue de sa culpabilité ; la sienne. Car après tout, si elle voulait rester sincère avec elle-même, son époux n'était en rien responsable de n'être que ce qu'il était, de ne pouvoir offrir que ce qu'il possédait.

Dans le flot contradictoire de ses pensées, le souvenir de Samira revint à son esprit, ajoutant à son amertume.

Vers la fin d'août, un militaire français s'était présenté à Sabah porteur d'un message.Très brièvement le mot annonçait le départ de la jeune femme pour la France. Elle avait rencontré un amiral, ils allaient se marier.

Le premier choc passé, Schéhérazade en était arrivée à la conclusion que la plus heureuse des deux sœurs c'était peut-être l'autre ; celle dont Michel disait qu'elle avait un *cerveau de pierre*. Cependant, ne vivait-elle pas ? Ne mordait-elle pas dans le plaisir de l'existence, se moquant bien si le fruit était âcre ou non. Elle volait, fermement aheurtée à ses convictions, tandis que depuis son mariage Schéhérazade, elle, ne faisait qu'effleurer le temps, sans excès ni démesure. Elle l'effleurait comme elle avait effleuré la peau de Karim. Le temps d'une heure.

Et si je partais ? Si je quittais tout ?

Si seulement elle avait eu le courage...

Combien de nuits n'avait-elle pas rêvé qu'elle refaisait l'amour avec le fils de Soleïman ! Images brûlantes, sans aucune commune mesure avec cette sensualité retenue et bâtarde qu'elle vivait avec Michel. Il y avait de la perversité dans la rencontre de leurs deux corps, une certaine violence d'où curieusement la tendresse était exilée. Lorsqu'au matin elle découvrait son bas-ventre inondé, naufragé, elle se repliait sur elle-même pour emprisonner sa honte.

Pourtant elle savait que la réalité avait été bien différente de ses rêves. Il ne s'était rien passé de tel ce soir-là dans la maisonnette de pisé. Rien qu'une étreinte qui l'avait laissée inassouvie. Alors... Où était la vérité ?

Avec humeur, elle arracha une branche morte et la serra entre ses doigts à s'en blanchir les phalanges. Ce fut le bruit d'un attelage en mouvement qui la tira de ses pensées. Elle regarda en direction de l'entrée du domaine et reconnut tout de suite l'équipage de la Blanche. Un homme d'une soixantaine d'années était assis près d'elle, qu'elle n'avait jamais vu auparavant.

— Ya ahlane ! s'écria-t-elle, en faisant de grands signes de bienvenue.

L'épouse de Mourad mit pied à terre et tendit les bras à Schéhérazade.

— Ma lune, tu es toujours aussi belle !

— Vous êtes trop indulgente, sayyeda. Jamais je ne me suis trouvée aussi monstrueuse.

Une expression choquée anima les traits de Nafissa. Elle se retourna vers celui qui l'accompagnait et le prit à témoin :

— Vous entendez, Beauchamp ? C'est cela l'ingratitude ! La jeunesse ! Oh ! la jeunesse ! Regardez — elle saisit Schéhérazade par les épaules et la força à tourner sur elle-même —, regardez : avez-vous jamais vu plus belle créature de toute votre vie ? Hein ? Répondez-moi.

Elle poursuivit, mais sur un autre ton :

— Je vous présente la bien-aimée fille de Youssef Chédid. Que le Seigneur des Mondes ait son âme.

Et à Schéhérazade :

— M. Beauchamp. Un grand astronome. Il est aussi l'un des membres de cette noble assemblée de savants et d'artistes. L'Institut d'Egypte. Tu en as entendu parler, n'est-ce pas ?

L'homme, personnage longiligne, tout en maigreur, salua.

— Il fait surtout partie de la nouvelle équipe qui

396

entoure le général Kléber, lequel, je m'empresse de le dire, me paraît bien plus humain que son compatriote Bonaparte. Qu'Allah le garde au plus loin de nous...

S'interrompant brusquement elle demanda :

— Michel est-il là ?

— Bien sûr. Il se passe quelque chose ?

— Rien que de bonnes nouvelles. De très bonnes nouvelles !

Sans plus attendre elle se dirigea vers la maison.

★

Lorsque Beauchamp acheva de parler, les traits de Michel se détendirent. Nadia de son côté leva les yeux vers le ciel, ses lèvres articulèrent des mots qui ressemblaient à une action de grâces.

— Monsieur, fit l'époux de Schéhérazade avec gratitude, soyez remercié pour votre compréhension.

Le Français adopta une moue humble et désigna dame Nafissa.

— Oh ! vous savez, je ne suis pas pour grand-chose dans cet heureux dénouement ; c'est la sayyeda qui a tout fait. Je n'ai été qu'un simple intermédiaire.

— Mais combien efficace, monsieur ! rétorqua la Blanche, et surtout si intègre.

Schéhérazade se pencha sur la joue de Nafissa et y déposa un baiser sonore.

— Comme toujours vous avez été admirable.

Assise un peu en retrait, Nadia observait la scène avec une expression émue. Elle chuchota timidement :

— Alors, c'est sûr... on nous exempte de la taxe...

— Oublions ce mot ! lança Nafissa. Jetons-le au désert ! Vous n'aurez pas la moindre gruch à payer.

Michel reprit, plus sérieux :

— Maintenant que tout est fini, reconnaissez que cette taxe de cinq pour cent que les autorités françaises nous réclamaient était pour le moins inique. Bien sûr nous aurions payé. Mais tout de même...

Schéhérazade à son tour s'adressa à Beauchamp :

— Mon époux a raison. D'ailleurs j'avoue n'avoir rien compris à cette nouvelle mesure. Dans les deux mois qui ont suivi votre arrivée le domaine de Sabah n'avait-il pas été imposé ? Je me souviens de toutes les difficultés que mon père a dû surmonter pour prouver aux intendants coptes que cette terre était bien la nôtre et non à un quelconque bey. Il a fallu retrouver les traces dans les registres, ce qui d'ailleurs nous a coûté fort cher. Nous avons dû ensuite verser une taxe après vérification. Plus tard un expert est venu estimer la propriété et l'on nous a forcé à payer deux pour cent de sa valeur. Alors... pourquoi avoir voulu nous infliger un nouvel impôt ?

L'astronome lissa sa moustache, embarrassé.

— C'est que... comment vous dire ?

Il parut chercher un assentiment auprès de Nafissa qui s'empressa d'affirmer :

— Ce sont des amis. De vrais. Ils n'ont rien à voir avec ceux que vous combattez. De plus, ce sont des chrétiens, comme vous. Vous pouvez tout leur dire.

Encouragé, Beauchamp commença :

— Alors, sachez que les choses sont au plus mal. Le général Bonaparte nous a laissé sur les bras une situation dramatique. En dépit des huit millions de livres levées au cours de l'année passée, les caisses sont vides. Nous avons plus de quatre millions de solde impayés, il nous en faudrait six de plus pour éponger notre déficit. Les combats ont détruit la majorité des embarcations utilisées pour le transport des céréales sur le Nil. L'excédent de la Haute-Egypte n'est pas, en grande partie, transportable vers le nord. De surcroît, la dernière crue s'est révélée bien au-dessous de la moyenne, ce qui signifie moins de terres mises en culture pour la saison à venir. Les fournisseurs européens et égyptiens cessent de vendre à perte les subsistances nécessaires à l'armée. La cavalerie est à court d'orge et de paille et risque tout simplement de disparaître. L'artillerie manque de poudre. Les soldats n'ont pas de chaussures de remplacement. De plus, les lazarets sont dans un état déplorable, faute de moyens.

— C'est bien peu de chose, monsieur...

C'était Nadia qui venait de parler d'une voix froide. Beauchamp l'examina, un peu surpris.

— Que voulez-vous dire, madame ?

— Vous êtes ici dans une famille qui a vu mourir un père et un fils. Un enfant de trente ans, dont on nous a rendu le corps sans tête. Un vieil homme mort de chagrin. Alors... pardonnez-moi, monsieur, mais vos soldats sans solde et sans chaussures sont bien peu de chose...

A peine eut-elle fini de parler qu'elle éclata en sanglots. Schéhérazade se précipita vers elle.

— Mama...c'est le passé... Viens... viens avec moi.

S'excusant auprès des autres, elle prit sa mère par la taille et l'entraîna doucement à l'intérieur.

Beauchamp eut l'air bouleversé par l'incident. Après un temps, on l'entendit dire doucement :

— Pardonnez-moi...j'ignorais tout de ce drame affreux.

— Comment auriez-vous pu ? La liste des victimes de cette guerre est si longue...Non, rassurez-vous, vous n'y êtes pour rien.

— Il n'empêche...c'est atroce.

— Dans trois mois au plus tard tout cela sera relégué dans le livre des mauvais souvenirs ! Pour vous comme pour nous.

Beauchamp acquiesça faiblement :

— Je l'espère, dame Nafissa, je l'espère...

— Désolé, mais je ne vous suis pas, fit Michel intrigué. Pourquoi dites-vous que dans trois mois tout sera terminé ? A ma connaissance l'armée française occupe toujours l'Egypte. Il y a peu de temps encore un deuxième débarquement ottoman a été repoussé avec le plus grand succès[1]. Alors...

Un sourire espiègle se dessina sur les lèvres de la Blanche.

— Etes-vous prêt à écouter ? M. Beauchamp se fera une joie de tout vous expliquer. N'est-ce, pas monsieur Beauchamp ?

— Comme il vous plaira, madame.

Le Français se cala dans son fauteuil et commença d'une voix posée :

— Vous avez dû certainement apprendre comme tout le monde au Caire qu'el-Arich, le poste le plus avancé de l'armée française, est tombé entre les mains des Turcs.

— Je l'ignorais totalement. Quand cela est-il arrivé ?

— Il y a trois mois environ. Le 23 décembre. Ce fut un jour bien funeste, et qui restera longtemps dans les mémoires de ceux qui l'ont vécu. En quelques heures, une armée ottomane commandée par Ragab pacha a investi le fort et massacré la presque totalité de ses défenseurs. Ce que beaucoup ignorent c'est qu'au lieu de résister et de combattre la garnison a rendu les armes.

— Sans rien tenter ?

— Deux jours. Ensuite... ce fut la mutinerie. Alors que les officiers les exhortaient à tenir, la majorité des

1. En effet, le 1er novembre les Turcs renouvelèrent l'opération qui leur avait si mal réussi à Aboukir. Quatre mille janissaires débarquèrent à Damiette. Ils furent anéantis par les troupes françaises commandées par le général Verdier.

soldats leva la crosse en l'air et se rendit après avoir ouvert le fort[1].

— Stupéfiant... Surtout de la part d'une armée qui jusque-là s'était montrée efficace.

— Non. Logique. En vérité cette mutinerie couvait depuis fort longtemps. Elle ne fut que la conséquence d'une longue série de frustrations, de fatigues, de sacrifices. El-Arich n'a été que l'expression de l'effondrement du moral de l'armée. Et nous en arrivons au point essentiel de notre discussion.

Le Français allait poursuivre, mais il fut interrompu par le retour de Schéhérazade.

— Alors, s'enquit Michel, elle va mieux ?

— Je lui ai fait boire un peu de fleur d'oranger. Elle se repose dans sa chambre. Je pense que ça ira.

Elle s'excusa auprès de Beauchamp :

— Je vous prie, monsieur, de ne pas lui tenir rigueur. Mais ces derniers mois furent très éprouvants.

— Madame, que dites-vous là ! Ce serait plutôt à moi de faire amende honorable. Comme je le confiais à votre époux, j'ignorais tout de cette tragédie.

— N'en parlons plus, rétorqua Michel. Tournons-nous vers l'avenir puisqu'il semble se présenter sous de meilleurs auspices... Poursuivez, je vous prie. Nous en étions à la reddition d'el-Arich.

1. Cazals le commandant de la place n'eut d'autre choix que de signer une capitulation qui lui accordait les honneurs de la guerre et le retour aux lignes françaises. Mais les Ottomans, qui n'avaient pas oublié le comportement de Bonaparte à Jaffa, passèrent outre et se mirent à massacrer les prisonniers. C'est alors qu'un conducteur d'artillerie nommé Triaire fit sauter le magasin à poudre ; d'innombrables Français et Turcs furent ensevelis sous les ruines du fort. D'une garnison d'environ six cents hommes, il ne survécut que quatorze officiers et deux cent seize soldats. Arrivé au Caire, Cazals demanda à passer en conseil de guerre. Il fut réhabilité ainsi que ses officiers.

— Ce désastre a conduit le général Kléber à prendre certaines décisions. Décisions qui, je le précise, ont le soutien inconditionnel de tous ses collaborateurs. Une nouvelle armée ottomane s'apprête à fondre sur nous. Ce n'est qu'une question de semaines. Quoi que nous fassions, nous ne pourrons réunir plus de sept mille hommes pour y faire face. L'ophtalmie a fait des ravages affreux parmi les hommes. La peste aussi. La dégradation du moral de l'armée est à son point culminant. A l'insurrection d'el-Arich a succédé une autre, plus grave encore, à Alexandrie[1]. A cela se greffe l'absence de nouvelles de France. Pas le moindre espoir de renforts.

Beauchamp prit une inspiration avant d'annoncer avec une certaine solennité :

— En conclusion le général Kléber a décidé d'abandonner l'Egypte.

— Que dites-vous ? s'exclama Schéhérazade. Vous partiriez, tous ?

— Parfaitement. Le 23 janvier, le général a signé une convention dans laquelle il s'engage à évacuer le pays dans un délai de trois mois[2]. L'armée d'Orient, enfin ce qu'il en reste, sera ramenée, en France.

— Comment ferez-vous ? s'étonna Michel. Les bateaux qui vous restent ne suffiront pas à embarquer tout le monde.

— Il a été convenu que nous serons rapatriés sur des bâtiments fournis par les Ottomans. Avec armes et bagages.

Maintenant, chez Michel, la surprise des premières minutes avait cédé place à une profonde stupéfaction.

1. L'incident qui provoqua cette révolte fut l'arrivée à Alexandrie des proches de Bonaparte, en partance pour la France. Dont Pauline Fourès. Les soldats ont cru que Kléber lui-même désertait l'armée et quittait l'Égypte.
2. Connue sous le nom de « convention d'el-Arich ».

— Et les Anglais dans tout ça...Sont-ils d'accord ?

— Bien que le commodore Sidney Smith n'ait pas signé la convention d'el-Arich, il l'a avalisée au nom de l'Angleterre. Personne ne doute de la valeur de son engagement.

Les Français se retirent d'Egypte.

S'ils n'avaient appris cette nouvelle de la bouche même de l'un des plus proches collaborateurs du nouveau général en chef, ni Michel ni Schéhérazade n'y auraient donné foi.

— Voici pourquoi, ajouta dame Nafissa, je vous disais qu'il faut songer à demain. Les mauvais jours sont terminés.

— Peut-être, rétorqua Schéhérazade amère, mais une fois les Français partis, les Turcs les remplaceront. Peut-être même les Anglais... La pauvre Egypte ne fera que retrouver ses anciens maîtres, c'est tout. Ce qui est absurde, ce sont tous ces morts pour rien... On a abreuvé le désert de sang, pour se retrouver au point de départ.

— C'est hélas vrai, madame, approuva Beauchamp.

— Et votre désengagement a-t-il commencé ? interrogea Michel. Car si vous avez signé le 23 janvier, il ne vous reste plus beaucoup de temps. Deux mois à peine.

— Rassurez-vous. Kléber est un homme de parole. Dès le lendemain de la signature de la convention il a donné les ordres nécessaires. Nous avons déjà remis aux Turcs l'est du Delta, les positions retranchées de Haute-Egypte, ainsi que les places de Katieh, Salahieh, Belbeïss et Damiette. La citadelle du Caire et les forts de la rive droite du Nil ne vont pas tarder à suivre. La capitale viendra en dernier lieu.

Schéhérazade buvait littéralement les informations de Beauchamp.

— Mourad bey..., demanda-t-elle avec ferveur. Est-il au courant ? Avez-vous de ses nouvelles ?

Un petit rire malicieux précéda la réponse de la Blanche.

— Mon époux bien-aimé est toujours insaisissable ! N'est-ce pas, monsieur Beauchamp ?

— Si vous me pardonnez l'expression je dirai que Son Excellence est un sacré bonhomme. Il y a encore deux mois il a tenté une nouvelle descente vers la Moyenne-Egypte... Dieu qu'il aura fait souffrir ce pauvre Desaix, qui d'ailleurs le porte en très haute estime ! Ce n'est pas tous les jours que l'on est confronté à un adversaire de la trempe de Mourad bey.

Nafissa releva légèrement le menton, rose de plaisir et de fierté.

— Mon époux est unique... C'est un mâle[1], un vrai !

— En tout cas, précisa Beauchamp, il est fort probable qu'il n'aura plus à livrer bataille contre le général. Il est question que Desaix s'embarque pour la France dans les jours qui viennent.

— Ils se manqueront tous les deux, répliqua Nafissa. C'est sûr.

— Ainsi le cauchemar s'achève, murmura Schéhérazade. Elle pensa : *La fin de la guerre...le retour du fils de Soleïman.*

★

10 mars

Le général Kléber passa sa main dans sa crinière de lion.

— Ainsi, le petit caporal a réussi son coup d'Etat. Il a renversé le Directoire, le Conseil des Cinq-Cents a

1. En égyptien, le mot mâle sous-entend quelqu'un de fort, de brave, de courageux.

été dissous. Depuis le 18 brumaire, le voilà élevé au rang de Premier consul. Sa hâte de quitter l'Egypte se comprend beaucoup mieux.

L'ironie du ton employé n'échappa pas à Abd Allah Menou qui fronça les sourcils d'un air réprobateur.

— Vous ne paraissez pas heureux de la nouvelle, citoyen général. Ne pensez-vous pas que c'est une bonne chose ?

— Vous tenez à ce que je vous réponde ? Je pense que la France n'aurait pu être subjuguée par un plus misérable charlatan. Notre homme n'est qu'un joueur. Son jouet, c'est l'Histoire. Ce faisant, il joue de la vie des hommes, des fortunes publiques et particulières, du bonheur et de la prospérité de la patrie[1].

Menou réprima un tressaillement.

— Citoyen ! La nouvelle constitution ! Qu'en faites-vous ?

— Elle n'est qu'un méchant masque dont le tyran a jugé convenable de se couvrir momentanément et qu'il jettera par la fenêtre si — avant qu'il lui devienne inutile — on ne l'y jette lui-même.

L'époux de Zobeïda faillit s'étouffer. Il balbutia :

— La... la République... Vous ne croyez donc pas qu'elle puisse exister et...

— Avec Bonaparte à sa tête, la République n'existe plus déjà... Du moins d'après l'idée que nous attachions à ce mot.

Il s'interrompit et conclut sèchement :

— De toute façon, général, il ne sert à rien de disserter là-dessus. Je vous sais hostile à l'égard de mes dernières décisions. Est-ce que je fais erreur ?

Menou cilla à peine.

---

1. « Je suis l'homme du destin, je joue avec l'Histoire. » Ces phrases de Bonaparte avaient profondément choqué Kléber, qui lui au contraire était un homme de rigueur et de discipline.

— Pourquoi tergiverser en effet ? Oui. L'abandon de l'Egypte reste à mes yeux incompréhensible. Nous aurions pu faire de ce pays une magnifique colonie.

— Une colonie...Revenez aux réalités, mon ami. Etablir une colonie sans gouvernement stable, sans marine, sans finances, et une guerre continentale sur les bras, est le comble du délire ! C'est vouloir entreprendre le siège d'une place sans être maître de la campagne et sans munitions de guerre !

— Au risque de vous heurter, je maintiens qu'à mon sens la convention d'el-Arich est une faute politique.

Une lueur sombre passa dans l'œil de Kléber.

— Alors, sachez donc que par ce traité je suis parvenu à donner une issue raisonnable à l'entreprise la plus extravagante qui fût ! El-Arich est tombé. Une armée de quarante mille hommes, avec à sa tête le grand vizir Nassif pacha, marche sur Le Caire. Aujourd'hui encore, et bien que nous ayons un consul dans la place, je suis persuadé que nous n'avons aucun secours à espérer de la France, et que jamais, ou du moins pendant cette guerre, nous ne formerons de colonies en Egypte.

Il marqua un temps et enchaîna, durement :

— A moins toutefois que les cotonniers et les palmiers ne produisent bientôt des soldats et du fer coulé...

Les joues de Abd Allah Menou s'étaient empourprées. Il voulut articuler quelque chose, mais l'autre le coupa :

— Dans tous les cas nous terminerons ici cette discussion. Vous avez, général — votre conversion à l'islam le prouve — la face tournée vers l'Orient, moi vers l'Occident ; nous ne nous entendrons jamais.

Menou soutint le regard brûlant de son supérieur. On le sentait partagé entre le désir de répliquer et celui de virer sur les talons.

Ce furent des coups secs et répétés frappés contre la porte qui tranchèrent pour lui.

— Entrez ! ordonna l'Alsacien.

Le battant s'écarta, laissant apparaître un soldat essoufflé.

— Citoyen général. Un officier anglais demande à être reçu. Il arrive de Chypre et se dit porteur d'un message de la part de l'Amirauté britannique.

Kléber fit signe d'introduire le visiteur.

Presque aussitôt, un homme d'une quarantaine d'années déboula dans la pièce. La face rougeaude, mouchetée de taches de rousseur, il dégageait de tous ses pores cette attitude raide et quelque peu ahurie propre aux hommes d'Albion.

— John Keith. Secrétaire de l'honorable Sidney Smith !

Tout en parlant il tendit un pli à Kléber qui s'empressa de le décacheter.

A bord du vaisseau de Sa Majesté britannique la Reine Charlotte.

De Minorque le 8 janvier 1800.

Monsieur,

J'ai reçu des ordres positifs de Sa Majesté de ne consentir aucune capitulation avec l'armée française que vous commandez en Egypte et en Syrie, excepté dans le cas où elle mettrait bas les armes, se rendrait prisonnière de guerre et abandonnerait tous les vaisseaux et toutes les munitions du port et de la ville d'Alexandrie aux puissances alliées.

Dans le cas où toute autre capitulation aurait déjà eu lieu il ne sera permis à aucune troupe de retourner en France qu'elle ne soit échangée. Je pense nécessaire de vous informer que tous les vaisseaux ayant des troupes françaises à bord et faisant voile d'un port égyptien vers un autre port du même pays, avec des passes

*signés par tout autre que moi, seront forcés, par les
officiers de vaisseaux que je commande, de regagner
leur port de départ.*

*Dans le cas contraire ils seront retenus comme prises
et tous les individus à bord considérés comme prisonniers de guerre.*

*Dans cet état de choses l'évacuation doit rester où
elle en est en ce moment.*

Signé : Lord Keith, amiral

— Trahison !

La main tenant le message tremblait de fureur. S'il
ne s'était contenu il aurait certainement balancé le
document à la figure de l'émissaire anglais.

— Ce n'est ni plus ni moins qu'une remise en question de la convention d'el-Arich[1] !

— C'est une infamie ! crut bon de renchérir Menou.

Kléber lança sèchement au secrétaire de Smith :

— Je vous prie de vous retirer.

Une fois l'Anglais sorti, l'Alsacien continua de
donner libre cours à sa révolte.

— Les salauds ! Nous avons désarmé la citadelle et
les forts de la rive droite ! Desaix s'est retiré de Haute-
Egypte et s'apprête à rentrer en France. Les Ottomans

1. Il serait trop complexe d'expliquer ici le changement d'attitude
des Anglais. On pourrait simplement dire que Sidney Smith, loyal et
farouche défenseur de la convention d'el-Arich, se heurta très rapidement à l'opposition de lord Elgin, ambassadeur d'Angleterre à
Istanbul, ainsi qu'à celle de Nelson appuyé par l'Amirauté. Les oppo-
sants de Smith étaient en effet convaincus qu'il fallait détruire
l'armée d'Orient et s'opposer à son départ avec armes et bagages. À ce
titre, le discours de Nelson est éloquent : ... *Je considère comme une
véritable folie d'autoriser cette bande de voleurs à retourner en
Europe. Non ! en Égypte ils sont venus de leur propre consentement et
là ils resteront tant que Nelson commandera l'escadre détachée.
Jamais ! Jamais il ne consentira au retour d'un seul navire ou d'un seul
Français — Je désire qu'ils périssent en Égypte et donnent ainsi au
monde un grand exemple de la justice du Tout-Puissant.* (*Dispatches
and letters of Vice-Amiral Nelson*, Londres, 1845, IV, p. 157.)

ont infiltré nos lignes ! L'avant-garde du vizir est à Matarieh, c'est-à-dire à un jet de pierre du Caire ! Alors que nous avons baissé la garde, il faut tout recommencer ! Ces chers Britanniques...Seule leur nourriture égale leur perfidie...Eh bien, puisque c'est ainsi, je vais leur montrer ce qu'il en coûte de trahir la parole donnée à Kléber !

Abd Allah Menou, sans doute enthousiasmé par les propos passionnés de son supérieur, se mit machinalement au garde-à-vous.

— Mon général, sachez que je suis prêt s'il le faut à mourir pour la République !

Kléber haussa les épaules.

— Mon cher, avant de mourir vous auriez pu vous rendre au Caire où vous étiez mandaté, il y a de cela trois mois...Mais apparemment vous étiez débordé par la rédaction de vos mémoires d'économie politique. Alors continuez, je vous prie. Surtout ne changez rien !

Tout le corps de Menou se contracta. Les deux hommes s'affrontèrent silencieusement. Puis l'époux de Zobeïda se retira.

Menou sorti, Kléber fit appeler Damas, son aide de camp. Après lui avoir expliqué brièvement la situation, il conclut :

— Il faut nous préparer à combattre. Pour ce faire j'aurai besoin de toutes mes divisions au complet. Une menace sur mes arrières pourrait avoir des conséquences dramatiques. Aussi, vous allez charger le citoyen Beauchamp de se rendre toute affaire cessante auprès de l'épouse de Mourad bey. Il faut absolument qu'elle convainque le Mamelouk de se rallier à nous, sinon de demeurer neutre.

— En échange de quoi, citoyen général ?

— J'ai ma petite idée. Quant à nous, Damas, nous allons botter le cul au grand vizir !

CHAPITRE 25

A 2 heures du matin, les deux divisions de Friant et Reynier, soit environ onze mille hommes, sortirent du Caire pour se déployer dans les riches plaines qui bordent le Nil. Elles avaient le désert à leur droite, le fleuve à leur gauche. Face à elles, les ruines de l'antique Héliopolis.

Electrisés et profondément indignés par la traîtrise des Anglais, tous les hommes sans exception faisaient corps autour de leur chef, et la démoralisation qui avait conduit aux mutineries n'était plus de mise. C'est l'honneur de l'armée d'Orient qui était désormais en jeu.

Kléber, superbement vêtu, plus beau et plus altier que jamais, vint caracoler parmi les rangs. Il s'immobilisa et cria de sa voix forte :

— Amis ! Vous ne possédez plus en Egypte que le terrain que vous avez sous vos pieds. Si vous reculez d'un seul pas, c'est votre vie que vous perdrez ! Nous sommes vingt mille. Ils sont plus de soixante mille. Vous savez les raisons qui nous contraignent à reprendre la guerre ! On ne répond à telles insolences que par la victoire !

410

A 4 heures les divisions se mirent en mouvement vers le camp turc dressé dans la plaine d'Héliopolis. Deux coups de canon furent tirés sur ses avant-postes établis à la mosquée de Sibyl el-Ham. Au premier coup, il s'éleva d'un bout à l'autre des lignes françaises un bourdonnement semblable à celui d'un public nombreux, qui voit commencer un spectacle qu'il attendait avec impatience.

Pendant que l'armée progressait, on vit des cavaliers turcs et mamelouks se détacher du gros des troupes et partir vers le sud. Kléber les fit attaquer par la cavalerie, mais la manœuvre échoua et ils poursuivirent leur progression. Sur le moment, nul ne se soucia de leur destination.

La bataille qui suivit se déroula en deux phases. Le camp de Matarieh fut enlevé ; les compagnies de grenadiers de la division Reynier anéantirent les janissaires qui sortaient de leurs retranchements le sabre à la main.

Après cet échec, Youssouf pacha demanda à parlementer. Kléber, toujours porté à la conciliation, lui envoya son aide de camp Beaudot, accompagné d'un interprète. Mais à peine eurent-ils abordé la ligne turque qu'ils faillirent être massacrés. Beaudot fut garrotté, attaché à la queue d'un cheval et torturé[1].

Non loin de là, derrière un rideau de palmiers s'étaient regroupés Mourad bey et six cents de ses cavaliers, encadrés par le fils de Soleïman et Papas Oglou. Etrangement, il n'y avait nulle trace de tension sur les traits du Mamelouk. Seulement de la curiosité. On aurait dit qu'il n'était ici qu'en simple spectateur.

La lutte reprit, violente, âpre. Lorsque le soleil se glissa derrière les dunes, mille drapeaux turcs gisaient sur la plaine. Aussi loin que la vue pouvait

---

1. Jusqu'à ce qu'il fût transféré sur le vaisseau du pacha.

s'étendre, ce n'étaient que masse de chevaux morts et bandes de fuyards qui couraient vers tous les points de l'horizon.

Mourad et les siens n'avaient toujours pas bronché.

A la nuit tombée, Kléber s'empressa d'écrire au quartier général : *Nous avons donné à la plaine d'Héliopolis une nouvelle célébrité par la victoire que nous venons de remporter sur le grand vizir. Nous lui avons enlevé vingt pièces de canon et tous ses équipages. Il couche ce soir à Belbeïss ; nous irons le déloger demain pour le conduire avec l'aide de Dieu au-delà du désert.*

Dans le même temps, les cavaliers qui quelques heures plus tôt s'étaient retirés de la plaine arrivèrent sous les murs du Caire. A leur tête Nassif pacha, le fils du grand vizir.

A la vue des trois cents minarets, il poussa un cri de triomphe et s'engouffra sous la voûte de bab el-Nasr.

★

— Ils sont de retour !

Schéhérazade avait du mal à croire son epoux. Les Turcs au Caire ? Les Français battus ?

— Tu dois faire erreur, Michel. Ce n'est pas possible.

— Je les ai vus, Schéhérazade. Nassif pacha, Elfi bey, il y avait aussi Geddaoui, et Ibrahim...Ils étaient bien là. Devant moi. Ils sont en train de prendre possession de la ville.

— Alors c'est peut-être la fin de la guerre, murmura Nadia avec une pointe d'espoir.

— Je ne sais pas, mère... La seule chose dont je sois certain c'est que les Turcs sont bien au Caire. Ils ont profité de l'absence des Français qui n'occupent plus que la citadelle et leur quartier général de l'Ezbéquieh.

Machinalement, Schéhérazade prit le petit Joseph entre ses bras et le serra contre elle.

— Que Dieu nous protège, dit-elle à voix basse.

Son mari la dévisagea, circonspect.

— Qu'est-ce qui te prend ? De quoi as-tu peur ?

La jeune femme secoua la tête. Un sentiment de panique irraisonné venait de s'emparer d'elle.

★

— A mort ! Mort aux Français !

Exhortée par le fils du grand vizir, la foule a déterré les armes qui depuis la première insurrection avaient échappé aux fouilles.

Déjà réapparaissent les premières barricades, les mêmes qui s'étaient dressées dix-sept mois plus tôt. Alors que tout avait commencé par quelques manifestations dans le khan el-Khalili, à présent c'est par grappes que des hommes envahissent les rues.

Avec une rapidité étonnante les émeutiers se sont organisés par quartiers. Civils, Mamelouks, janissaires, tous unis autour des mêmes directives : détruire la garnison française, jeter l'occupant hors les murs.

Vers le milieu de l'après-midi, ils sont près de quarante mille qui de Boulaq à Guizeh, des villages environnants à l'étang de l'Ezbéquieh ravagent la ville. La foule scande des slogans vengeurs d'où se détache : « Mort à Grain de Grenade ! Mort à Barthélemy ! Victoire au sultan ! »

Au sommet du Mokattam, derrière les remparts de la citadelle, les deux mille hommes du général Verdier résistent vaillamment au choc et repoussent tous les assauts.

Au crépuscule, Nassif pacha est forcé de reconnaître son impuissance. La citadelle ne tombera pas.

413

C'est là que le mouvement insurrectionnel prit une autre tournure.

Est-ce le fils du vizir qui donna l'ordre ? Est-ce l'un de ses subalternes ? Ou simplement quelque malade fanatique ?

Aux alentours de 9 heures, à l'appel de « Mort aux Français ! » succéda celui de : « Mort aux chrétiens ! Guerre sainte contre eux ! »

La populace, trop heureuse de défouler sa rancœur sur une cible, quelle qu'elle fût, se déversa sur la harat[1] el-Nasara où résidaient les négociants étrangers. Il y avait là une cinquantaine d'hommes, de femmes, d'enfants. La porte du quartier vola en éclats et ce fut l'hallali. Cimeterres et poignards creusèrent la voie. Les hommes furent les premiers massacrés. Les femmes et les enfants mis à l'encan. Les unes après les autres, les maisons suspectées d'abriter des chrétiens furent pillées, dévastées.

Le lendemain, après un temps d'accalmie, le carnage reprit de plus belle. Français, Egyptiens Syriens, Grecs, tous les chrétiens sans exception subirent cette nouvelle colère du peuple. A Khoronfich, dans le quartier d'Entre-les-deux-Palais, à Roumelieh, au Mouski, des rivières de sang abreuvèrent les fontaines, et le khalig prit une teinte cinabre qui fit ressortir plus encore la pâleur des crânes roulés par les eaux.

Les Ottomans avaient envoyé chercher à Matarieh trois canons. On exhuma aussi des demeures des émirs — chez qui elles avaient été enterrées — plusieurs pièces d'artillerie.

Non loin de l'Ezbéquieh, les coptes s'étaient regroupés sous l'instigation de l'un des leurs. Un certain Jacob Sa'ïdi. Tant bien que mal, ils réussirent à tenir tête aux assaillants. Mais c'étaient bien les seuls.

1. Quartier.

Dans la nuit, une pluie d'obus partie de la citadelle s'abattit sur la ville ; plus particulièrement sur le quartier d'el-Jamaliya où était rassemblée la plus grande partie des troupes turques et des émeutiers. Ce bombardement provoqua une panique effroyable chez ceux qui avaient encore en mémoire les heures sombres de la première insurrection. Poussés par la peur, les habitants par centaines abandonnèrent leurs demeures pour fuir la ville. On chargea des chevaux, des mulets, des chameaux, et bientôt Le Caire se transforma en un gigantesque caravansérail où chacun s'évertua à trouver un passage à travers des ruelles littéralement asphyxiées. Jusqu'à l'aube on assista à des scènes de détresse indescriptibles, hallucinantes.

Le lendemain le règne de la démence se poursuivit.

Une fabrique de poudre fut mise en chantier dans la demeure d'un janissaire, située vers le quartier d'el-Khoronfich. Des charretiers, des forgerons, des fondeurs furent appelés pour participer à la fabrication de mortier et d'obus et réparer les canons que l'on ne cessait de déterrer dans les palais des beys. L'arrivée de chaque nouvelle pièce était saluée au cri de : « Mort aux incroyants ! »

Le cheikh el-Bakri, qui avait fait don de sa fille au général Abounaparte fut conduit tête nue avec ses enfants et son harem dans le quartier d'el-Jamaliya. Là, il fut accablé d'outrages. De justesse il fut sauvé de la lapidation par l'un des bras droits de Nassif pacha qui intercéda pour lui.

En fin d'après-midi l'Ezbéquieh n'était plus que flammes et ruines.

C'est à l'aube du troisième jour que la rumeur enfla autour de Sabah.

Prévenu par Aïsha, Michel monta à la terrasse pour mieux se rendre compte de ce qui se passait. D'un seul coup d'œil il comprit la gravité des choses. Une masse grouillante, brandissant des fourches, des lances, s'approchait rapidement du domaine en soulevant des nuages de poussière.

Ils n'oseront pas, se dit-il avec force. Mais dans son for intérieur il pressentait le pire.

Il redescendit à toute allure. Nadia, Schéhérazade et Aïsha l'attendaient au pied de l'escalier.

— Alors ?

— Je crois que c'est très grave. Ils ont l'air déchaînés. Je pense qu'il serait plus prudent de condamner toutes les issues.

— Ce n'est pas possible ! cria Nadia. Ce sont des Egyptiens comme nous. Ils ne vont pas s'attaquer aux gens de leur propre race !

— Mère, nous sommes peut-être de leur race, mais pas de leur religion. Dans la folie qui anime ces fanatiques, occidentaux et chrétiens sont synonymes. Croyez-moi, il vaut mieux nous barricader. Aïsha, ferme les fenêtres de la cuisine. Je m'occupe de celles de la qâ'a.

La grosse Soudanaise entrouvrit les lèvres. On sentait qu'elle aurait voulu dire quelque chose, peut-être exprimer sa désolation devant les agissements de ses frères musulmans. Finalement elle se tut et se précipita vers la cuisine.

Sur la route la rumeur grandissait. On entendait maintenant de plus en plus distinctement les exhortations et les appels à la guerre sainte.

— Schéhérazade, va te réfugier avec ta mère et le petit au premier étage. Vous serez plus en sécurité dans la chambre à coucher.

— Et toi ? Que vas-tu...

— Fais ce que je te dis !

Le ton employé par Michel était assez ferme pour que la jeune femme s'exécutât sans rien ajouter.

Il se rua dans la qâ'a. Un coffre était posé contre l'un des murs. Il l'ouvrit hâtivement. Deux fusils se trouvaient à l'intérieur. Ceux de Youssef Chédid. Il eut une pensée reconnaissante pour son beau-père défunt, s'empara des armes et des quelques munitions qui les accompagnaient, il fonça ensuite en direction du vestibule, s'assura que l'huis était bien fermé et repartit vers l'étage supérieur. Parvenu au sommet de l'escalier il tomba sur Schéhérazade et Aïsha. A la vue des armes, la jeune femme retint un cri d'effroi.

— Michel ! Tu ne vas pas...

— Je vous ai ordonné de rester dans la chambre !

— Tu ne comptes pas vraiment tirer sur eux !

— Calme-toi. Je n'ai pas l'intention de tuer qui que ce soit.

Il ajouta sèchement :

— A moins qu'on ne m'y oblige.

— Ostaz[1] Michel, gémit la Soudanaise. Je vous en prie. Laissez-moi leur parler. Je suis musulmane comme eux. Je leur expliquerai.

— Ils ne t'écouteront pas. Tout ce qu'ils feront c'est te lapider. Maintenant, je vous en conjure pour la dernière fois, montez dans la chambre, enfermez-vous à double tour et n'en sortez qu'à mon signal.

— Pas question !

Michel considéra son épouse avec stupeur.

— Pas question, répéta-t-elle avec détermination.

Elle montra les deux fusils.

— Tu ne peux te servir que d'un seul à la fois. Je t'accompagne.

— Tu as perdu la tête ! Ta place est près du petit. Allez, va !

1. Terme honorifique au sens double qui signifie à la fois professeur ou savant, mais qui est employé couramment dans le langage populaire dans le sens de « maître », « patron ».

— Je ne serai d'aucune utilité dans cette chambre.
Tu le sais. Si quelque chose devait arriver, crois-tu
vraiment qu'une porte si épaisse soit-elle retiendra
ces malades !

Elle désigna le jardin.

— Dehors ils sont au moins une cinquantaine. Tout
seul tu ne tiendras pas.

— Mais tu ne saurais même pas tirer ! Tu n'as
jamais tenu un fusil de ta vie !

Il fit un effort pour se radoucir.

— Sois raisonnable, Schéhérazade, obéis, je t'en
supplie. Pense à notre enfant.

La jeune femme fit un pas en avant et arracha l'une
des armes des mains de son mari.

— Justement ! C'est à lui que je pense !

Elle se retourna vers Aïsha qui, le visage enfoui
entre les mains, tremblait comme une feuille.

— Va rejoindre la sayyeda. Enfermez-vous et ne
sortez de là sous aucun prétexte !

Laissant Michel sans réaction, elle se rua vers la terrasse.

★

La vague des émeutiers s'était éparpillée à l'intérieur du domaine, dévastant tout sur son passage.
Après un temps d'hésitation, ils se regroupèrent et
formèrent un cercle autour de la maison.

— Vendus ! Traîtres !

— Infidèles !

— Sortez donc, suppôts des Français !

Les silhouettes se pressaient à l'ombre des moucharabiehs en vociférant.

Accroupi derrière le muret qui entourait la terrasse,
Michel rabattit le cran de sûreté de son arme, et fit de
même avec le fusil de Schéhérazade.

— Tu es certaine d'avoir compris le fonctionne-
ment ?

Lèvres serrées, elle acquiesça. Elle avait la bouche
sèche et, en dépit de tous ses efforts, elle haletait.

— Ça va aller ?

— Oui, oui. Ne t'inquiète pas.

— Il faut que tu saches quelque chose, Schéhérazade. On ne sait jamais comment pourraient tourner
les événements.

— Que veux tu dire ?

— Tu vois où se trouve le puits, là-bas, derrière les
écuries.

— Oui.

— A dix pas sur la droite, faisant face au soleil
levant, ton père m'a fait creuser une cavité dans le sol.
Nous y avons disposé deux bourses. Elles contiennent
des pièces d'or et d'argent. Youssef avait voulu cela en
prévision des mauvais jours. Si quoi que ce soit devait
arriver...

— Tais-toi, je t'en prie. Il n'arrivera rien.

— Je l'espère. Mais il était important que tu le
saches. Pour toi, pour le petit.

Michel posa son fusil contre la pierre.

— Que fais-tu ?

— Je vais essayer de parlementer.

Elle s'agrippa violemment à son bras pour le
retenir.

— Ne fais pas ça. Tu as bien vu, certains d'entre eux
sont armés. Un fou risque de...

Elle n'acheva pas sa phrase. Une voix s'était élevée,
plus forte que la rumeur. Oubliant toute prudence, le
couple se releva.

Sur le seuil de la maison, il y avait Aïsha. Faisant fi
de l'interdiction de ses maîtres, elle était sortie et
cherchait à raisonner la foule.

— Mes frères ! Allah vous garde en sa miséricorde !

Cette famille est la mienne. Pitié, pour eux. Ce sont des enfants d'Egypte comme vous tous.

— Comment oses-tu blasphémer ! Ce sont des nasaras[1] ! Des infidèles ! aboya le meneur de la bande.

Michel se pencha légèrement par-dessus le parapet.

— La porte, souffla-t-il épouvanté. Elle a laissé la porte ouverte...

Aïsha fit une nouvelle tentative :

— Fils d'Adam[2], je t'en supplie. Ce sont des gens de bien. La maîtresse vient d'avoir un bébé. Amâne ! Amâne !

— Tais-toi, chienne ! Tu ferais mieux de t'écarter sinon c'est toi qui payeras la première !

Devant l'attitude implacable de son interlocuteur, la malheureuse abandonna tout espoir de convaincre. Alors qu'elle amorçait un demi-tour dans l'intention de réintégrer la maison, deux individus se jetèrent sur elle.

Un poignard se dressa.

Schéhérazade hurla :

— Non ! Seigneur, non !

La lame traça un sillon à la base du cou de la servante. Elle n'eut même pas le temps de comprendre ce qui lui arrivait. Son corps s'affaissa lourdement contre le battant de la porte, qui s'écarta avec fracas.

— Ecartez-vous ! cria Michel. Ecartez-vous où je tire !

Le fusil calé contre son épaule, il avait pris pour cible l'assassin d'Aïsha.

— Reculez !

Schéhérazade bondit vers l'escalier.

1. Chrétiens.
2. Expression populaire. Appeler quelqu'un « fils d'Adam », c'est du même coup lui rappeler ses origines « humaines », par opposition à la cruauté animale.

— Où vas-tu ?

— Refermer la porte ! S'ils rentrent nous sommes tous morts !

— Schéhérazade !

Elle avait déjà disparu

Il lui fallut accomplir un effort surhumain pour ne pas se lancer sur ses traces. En contrebas, l'homme avait gravi la première marche qui conduisait au seuil. Alors Michel appuya sur la détente et tira.

A la déflagration succéda un flottement de stupeur. Il dura le temps que le meurtrier d'Aïsha frappé en plein front, oscille et s'écroule.

Lorsque Schéhérazade déboula dans le vestibule, la première chose qu'elle vit furent deux silhouettes grimaçantes qui se découpaient dans le contre-jour.

Elle n'hésita pas. Appliquant à la lettre les instructions de son époux, elle épaula. Le coup partit, atteignant de plein fouet la poitrine du premier homme. Celui qui le précédait se jeta en arrière, pris de panique, ce qui sauva sans doute la jeune femme. Elle n'était pas parvenue à recharger son arme.

Avisant le champ libre, elle courut du plus vite qu'elle put vers la porte,la referma, et plaqua son dos contre le battant, s'évertuant par tâtonnements à faire pivoter la clé. Le bruit mat du pêne glissant dans la gâche lui arracha un soupir de soulagement.

Un miracle...C'est Youssef là-haut qui nous protège...

Et elle remonta vers la terrasse.

— Ne me fais plus jamais ça ! hurla Michel en la voyant réapparaître.

Schéhérazade alla s'accroupir près de lui, et fut tout de suite frappée par l'expression qui émanait de ses traits. Ils étaient trempés de sueur, et les émanations de poudre avaient teinté son front de gris. Son faciès, habituellement tendre, était devenu celui d'un autre :

421

dur, implacable. Un guerrier, mais désespéré. Elle comprit alors que la mort était encore plus proche qu'elle ne l'avait imaginé.

— Nous n'avons presque plus de balles, annonça-t-il d'une voix rauque. Trois...c'est tout ce qui nous reste.

Elle entrouvrit sa paume. Elle était encore moins riche.

— Une...la dernière...

En bas, la meute était déchaînée.

Des coups sourds montaient de partout. On abattait les moucharabiehs à coups de pioches, brisant le délicat macramé aussi facilement que s'il se fût agi d'un vitrail.

— Ils vont tout détruire !

— Reste calme. S'ils se contentent de cela, j'allumerai deux mille cierges à saint Georges. Le tout est qu'ils demeurent à l'extérieur.

— Regarde ! De la fumée maintenant ! Que font-ils ?

— Ne bouge pas.

Michel passa la tête par-dessus le muret.

— Ils mettent le feu aux écuries. Les fous !

— Mon Dieu ! Il faut les arrêter ! Sabah va être réduit en cendres !

— Nous n'y pouvons rien ! Je te le répète, s'ils s'arrêtent là nous rendrons grâce à Dieu. Hélas...j'ai bien peur que le vent tour...

Sa dernière syllabe s'acheva dans un râle.

Il bascula en arrière.

D'abord Schéhérazade crut que son mouvement était volontaire, qu'il cherchait à se protéger. Puis elle vit le cercle béant juste entre les deux yeux ; d'abord rosâtre, ensuite rouge brun qui faisait comme le cœur éclaté d'une rose.

Couché sur le dos, Michel ne bougeait plus. Son œil grand ouvert fixait le ciel. Etonné.

Elle commença par tendre la main en avant sans trop savoir pourquoi.

En bas, les clameurs avaient redoublé d'ardeur.

Elle ne les entendait plus. Elle ne sentait plus ni le poids de son corps, ni l'air environnant. Elle eut la certitude fugitive qu'elle-même avait cessé d'exister.

Ses lèvres s'écartèrent. Elle essaya d'articuler « Michel ». Finalement elle se laissa tomber à ses côtés, rampa à la manière d'un animal jusqu'à hauteur de son thorax. Posa sa joue contre son cœur et eut presque aussitôt l'impression de basculer au fond d'un gouffre rempli de nuit.

Il était mort. Michel était mort.

Poussée par le vent, la fumée avait formé un rideau épais qui retombait sur le couple.

Elle ne broncha pas. Respirait-elle seulement ?

Elle serait sans doute restée là longtemps encore, aussi longtemps que les émeutiers ou le feu l'auraient permis. Mais il y eut ce vacarme de porte que l'on défonce. Toute la maison parut en trembler.

Ce fut le hurlement de Nadia qui mit fin au glissement suicidaire dans lequel elle s'était laissé emporter.

— Mon bébé !

Ses doigts se refermèrent sur le fusil de Michel et elle se précipita vers les étages inférieurs.

La porte d'entrée avait cédé, livrant le passage à la meute qui s'était dispersée dans la maison.

Devant la chambre de Nadia, trois hommes tentaient de forcer le passage à coups d'épaule. Alors que Schéhérazade arrivait derrière eux, le battant craqua, les lattes se disloquèrent dans un crissement terrible.

Dans un angle de la pièce se découpa la silhouette pétrifiée de sa mère. Mais l'enfant était invisible.

Les trois individus se précipitèrent en avant.

Schéhérazade tira dans le tas. Toucha l'un d'entre eux à la cuisse.

Elle arma. Tira à nouveau. Manqua.

Proche de l'hystérie, elle se jeta en avant, usant de son fusil comme d'une matraque, frappant à toute volée. Elle se sentait capable de briser une armée, mille hommes. L'univers. Mais que personne n'approchât de son enfant ! Personne !

Attiré par le bruit de la fusillade, un groupe était venu en renfort.

Des mains puissantes s'emparèrent de Schéhérazade. En dépit de toute sa volonté, sa hargne, elle fut rapidement maîtrisée, jetée violemment à terre.

Là-bas, Nadia semblait statufiée. Incapable d'émettre le moindre son.

Dans un demi-brouillard, elle crut percevoir un sifflement. Comme si un bourdon avait soudainement coupé l'air. La tête de sa mère oscilla imperceptiblement sur ses épaules avant de rouler à terre dans un bruit macabre.

La nausée monta aux lèvres de Schéhérazade. C'était sûr. La folie allait prendre possession de son cerveau, à jamais.

Elle n'osa plus regarder. A présent ce serait au tour de son enfant.

Elle entendait dans le lointain des injures, des imprécations, des cris de triomphe.

Une main gluante essayait de remonter sa tunique. Une autre palpait maladroitement ses seins.

Elle conserva les paupières closes, avec le peu d'énergie qui lui restait elle chercha à s'emmurer, s'exiler de toute sensation. Cette chair qu'on fouillait ne pouvait en aucune manière être la sienne. Ce corps qu'on tentait de violer ne pouvait pas lui appartenir. C'était celui d'une autre. Il fallait qu'elle parvienne à ce dédoublement, l'oblitération d'elle-même.

Dans le moment qu'on écartait ses cuisses, il y eut les sanglots du bébé.

424

L'homme penché sur elle s'immobilisa.

Les autres autour de lui firent de même.

Un bruit de pas dans la chambre. Et les pleurs encore.

Quelqu'un avait pris l'enfant.

Il le porta au-dessus du corps de Schéhérazade.

— C'est le tien ?

Elle entrouvrit les yeux. Au prix d'un effort surhumain elle fit oui.

Dans les bras de l'homme, le petit être se débattait, ses menottes s'ouvraient et se refermaient dans un mouvement répété.

Miraculeusement le silence s'était fait dans la maison. Ni vociférations ni blasphèmes...plus rien qu'un épais silence.

Schéhérazade sentit que l'homme venait à elle.

Il fit signe aux autres de s'écarter.

— Tiens, dit-il en posant l'enfant sur le ventre de la jeune femme. Un nouveau-né c'est l'âme de Dieu...

D'abord elle ne comprit pas. D'ailleurs, cherchait-elle à comprendre, le pouvait-elle ?

Quand elle perçut la chaleur qui effleurait son ventre dénudé, elle se souleva à peine, et de ses bras libérés elle enlaça le petit corps, doucement, avec mille précautions de peur, peut-être, de le briser.

★

La fumée avait noirci le ciel. Sabah n'était plus qu'un monceaux de ruines calcinées.

Schéhérazade, Joseph contre sa poitrine, n'arrivait pas à détacher ses yeux des murs couverts de cendres.

Une heure plus tôt, les hommes l'avaient forcée à sortir, avant de mettre le feu à la maison. Ultime geste de cruauté, inutile. C'était peut-être la rançon à payer en échange de sa vie sauve et de celle de son enfant ; du moins c'est ce qu'elle en avait déduit.

Sabah... le trésor de Youssef Chédid réduit à néant par la volonté de quelques misérables.

Michel... Nadia... Aïsha...

Etait-ce réel ? N'était-elle pas victime de l'un de ces mirages qui courent dans le désert et habillent l'imagination de mille sortilèges.

Elle mit un genou à terre. Le contact du sol lui rappela un temps lointain, lorsque toute petite elle prenait plaisir à s'allonger sur le sable, pour se pénétrer de sa chaleur. Elle aurait donné n'importe quoi pour voir apparaître l'un de ces escamoteurs qui sévissaient habituellement au bord de l'étang de l'Ezbéquieh, elle l'aurait adjuré d'accomplir le tour de magie sublime, celui qui aurait permis d'imposer au temps de revenir sur ses pas. Mais il n'y avait pas d'escamoteur, d'ailleurs se serait-il présenté, elle n'aurait rien eu à lui offrir. Elle ne possédait plus rien, rien que son enfant.

Et maintenant... où aller ? Qu'allait-il advenir d'eux ?

Tu verras... C'est un lieu magique.

Elle réprima un frisson.

La voix de son père venait de pleurer dans sa mémoire.

Presque simultanément la rejoignit celle du joueur de naï...

Un jour, aroussa, quand toi aussi tu seras fatiguée des hommes, souviens-toi de la ferme aux Roses. C'était un coin de l'Eden.

CHAPITRE 26

1er mai 1800

Un vent chaud et sec soufflait au-dessus du campement de Mourad bey, non loin du hameau de Toura, au sud du Caire.

Installé sous la tente centrale Kléber posa devant lui la tasse de thé aux pignons que lui avait offerte le Mamelouk et remarqua avec un sourire :

— Puis-je vous faire un compliment, Excellence ? Jusqu'à cette heure je n'avais vu de vous qu'un portrait. Je dois avouer qu'il n'était guère flatteur. Je me faisais donc une idée qui, je le reconnais maintenant, n'a rien à voir avec le personnage qui me fait face.

Une lueur obséquieuse éclaira la prunelle du Mamelouk.

— Mon général, sachez que lorsque je fus peint, je n'avais pas le bonheur d'être assis près du grand Kléber.

L'Alsacien sourit. Il n'y avait pas de doute, l'époux de Nafissa était bien à la hauteur de sa réputation : fin diplomate, rusé, ferme et souple à la fois. Pas étonnant que Desaix et ses divisions ne fussent pas parvenus au terme de deux années de harcèlement à le détruire définitivement.

En tout cas, pour l'heure Desaix était reparti pour la France, et lui Kléber était ravi d'avoir mis un terme à ce conflit qui n'avait que trop duré. Il avait encore en mémoire les derniers événements du Caire. Lorsqu'il était rentré le 27 mars dans la capitale, il avait trouvé la ville à feu et à sang. Des nuits de combats acharnés furent nécessaires pour reprendre en main la situation. Cette terrible insurrection matée de justesse n'avait fait que confirmer la précarité de la situation. Il restait encore à briser la résistance qui sévissait toujours dans le port-faubourg de Boulaq ; ensuite toute la capitale serait à nouveau entre ses mains. Le Delta avait été repris aux Turcs ainsi que la Basse-Egypte. Tout danger ottoman avait été écarté. Le pacte conclu avec Mourad lui laissait désormais les moyens d'affermir sa reconquête de l'Egypte.

Karim, qui se tenait un peu en retrait, observa Rosetti à la dérobée. Cette réunion avait quelque chose de surréel. D'ailleurs la remarque du Vénitien confirma son idée.

— Si l'on m'avait dit qu'un jour je me retrouverais entre le général Kléber et Mourad bey hors d'un champ de bataille, je pense que je n'y aurais pas cru. En tout cas vous me voyez heureux de l'accord auquel vous êtes parvenus. Je suis certain que tout le monde y gagnera.

Mourad approuva.

— Il me semble que la neutralité dont j'ai fait preuve lors de la bataille d'Héliopolis est un gage de ma bonne foi. N'est-ce pas ?

— Tout à fait, répliqua Kléber. J'en profite pour vous dire que vous avez une épouse exceptionnelle. Elle a parfaitement compris ma démarche et vous l'a communiquée sans la trahir. Vous lui transmettrez mes hommages.

— Je ne manquerai pas de le faire, maintenant qu'il

m'est devenu possible de me rendre au Caire. Récapitulons, voulez-vous ?

Mourad se tourna vers Karim.

— Lis, je te prie.

Immédiatement, le fils de Soleïman fit surgir un document d'une sorte de maroquin et commença :

— Article premier : Le général en chef de l'armée française reconnaît au nom du gouvernement Mourad bey Mohammed en qualité de prince gouverneur de la Haute-Egypte ; il lui concède à ce titre la jouissance du territoire sur l'une et l'autre rive du Nil, depuis et y compris le canton de Baras-Bourat, province de Girgeh, jusqu'à Syène, à la charge de payer à la France le miri dû au souverain de l'Egypte.

Mourad lui fit signe que cela suffisait et développa à son tour :

— Les articles suivants stipulent le montant de la redevance en argent et en froment, ainsi que les dates de versement ; l'occupation du port de Kosseir par les troupes françaises assistées d'un contingent composé de mes Mamelouks. Ils précisent aussi qu'une protection me sera accordée dans le cas où mes hommes et moi serions agressés. Réciproquement, je m'engage à fournir un corps de troupes auxiliaires jusqu'à concurrence de la moitié de mes forces pour défendre le territoire occupé par vos divisions. Et je n'oublie pas les clauses...tacites.

— Qui sont tout aussi importantes à mes yeux.

Ce fut Rosetti qui enchaîna en place du Mamelouk :

— Vous pouvez être certain que Son Excellence appliquera ces points à la lettre. Ainsi que vous l'avez désiré, il fera connaître à tous votre accord de paix, et de ce fait aura le droit de promettre de votre part le pardon à tous les Egyptiens qui se détacheront des Ottomans pour se ranger soit de votre côté, soit du sien.

— Tout à fait, confirma Mourad. Je n'ai qu'une parole. Elle est sacrée.

Kléber hocha la tête en signe d'approbation.

— Si vous montrez le même zèle dans notre association que celui dont vous avez fait preuve lorsque nous étions opposés, je suis convaincu de notre réussite[1]. De ma part, je m'engage à défendre vos intérêts lorsque se représentera un éventuel règlement de la question d'Egypte.

Mourad ferma les yeux avec ostentation.

— Maintenant, dit-il en se levant, si vous me le permettez, j'aimerais vous offrir un présent en souvenir de notre entrevue.

Il invita son hôte à le suivre hors de la tente.

Un Mamelouk attendait à l'entrée. Il tenait au bout d'une laisse un cheval aquilant superbement harnaché.

— Il est à vous, général Kléber. Allah fasse qu'il vous porte jusqu'aux plus hautes cimes de la gloire et de la fortune. Ce n'est pas tout.

Mourad claqua dans ses mains.

Un autre esclave s'approcha et présenta à l'Alsacien un splendide poignard d'argent posé sur un coussin de brocart.

— Que cette lame pourfende vos adversaires. Qu'elle terrorise et aveugle vos ennemis.

Kléber jaugea l'arme en connaisseur et lui reconnut toutes les qualités d'une œuvre d'art.

— Toute ma gratitude, Mourad bey. Lorsqu'il arrivait à Desaix de me parler de vous, lorsqu'il vantait votre audace, je me demandais s'il n'exagérait pas un peu, si à force de vous combattre il ne vous avait pas,

---

1. En fait, et contre toute attente, Mourad exécutera ponctuellement toutes les clauses du traité et tiendra à manifester publiquement, à de nombreuses reprises, son amitié et sa fidélité à l'égard de Kléber.

d'une certaine manière, *idéalisé*...Aujourd'hui je sais qu'il n'avait pas tort. Je sais aussi qu'à vos qualités guerrières s'ajoute la générosité. Je m'en souviendrai.

Le Mamelouk posa successivement sa main sur son cœur et ses lèvres et s'inclina respectueusement.

C'est le moment que choisit Rosetti pour s'approcher du bey.

— Je crois que pour moi aussi, hélas, il est l'heure de vous dire adieu.

Mourad secoua la tête, visiblement mécontent.

— Tu as tort de quitter l'Egypte. Moi au pouvoir, tu aurais été couvert d'or.

— Je n'en doute pas, mon seigneur. Mais Venise me manque. Et j'avoue que la politique a eu raison de mon énergie. La flamme s'est éteinte.

— Sache qu'ici tu es chez toi. Si un jour tu décides de revenir, tu n'auras qu'à frapper à la porte, ma maison te sera toujours ouverte.

Les deux hommes échangèrent une accolade émue, puis Mourad lança :

— N'oubliez pas d'emmener aussi votre nouvelle recrue, mon général ! Il serait dommage que vous vous priviez d'un élément de qualité.

Il s'informa auprès de Karim :

— Notre ami est prêt ?

— S'il est prêt ? Ça doit faire trois jours qu'il n'attend que cette heure !

Dressant ses mains en porte-voix, il cria :

— Nikos ! Il est l'heure. Le général Kléber s'en va !

Le Grec serait tombé du ciel, qu'il n'aurait pas surgi aussi vite.

Il posa son balluchon à terre, fit un pas en avant et adopta un garde-à-vous impeccable.

— Ainsi, commenta Kléber, vous êtes disposé à servir dans les rangs de l'armé française.

— C'est exact, mon général.

— Nos amis ici présents m'ont vanté vos qualités. A les croire, elles seraient en surnombre.

Nikos répondit avec un extraordinaire aplomb :

— Tout à fait, mon général, elles le sont.

— Vous m'en voyez ravi. Dès notre retour au Caire on vous donnera un uniforme ; celui du bataillon des chasseurs d'Orient. Mais votre affectation est provisoire. Dans les semaines qui viennent, j'envisage de créer une légion grecque à partir des compagnies déjà existantes. J'ai cru comprendre que vous-même étiez d'origine grecque.

— Parfaitement, mon général. Et diriger un Grec, seul un autre Grec le peut. Je connais cette race sur le bout des doigts.

— Vous sauriez donc en tirer le meilleur ?

— Pour en tirer le meilleur, il n'y a qu'une solution, mon général. Le coup de pied aux fesses, si vous me pardonnez l'expression. De la poigne avant tout.

— Je vois. Vous en aurez donc besoin, puisque vous serez en charge de la légion.

— C'est un honneur, mon général[1] !

— Dans ce cas...en route citoyen commandant !

Karim suivait la scène avec une pointe de mélancolie. Après des années de complicité avec le Grec, c'était là que leurs destins se séparaient. Sans doute, lui aussi aurait pu imiter Nikos, mais quel rôle aurait-il pu jouer dans cette armée française, si ce n'est celui d'un simple soldat noyé dans une multitude ? Et pourquoi serait-il parti ? Il se sentait bien au service de Mourad bey.

Cependant, tout cela avait-il vraiment de l'importance ? Devant la terrible nouvelle rapportée par Rosetti, tout devenait si futile.

---

1. Certains documents laissent à croire qu'il fut promu au grade de général.

Michel Chalhoub était mort...Nadia et Aïsha. Sabah n'existait plus...

C'était effroyable. Comment un tel drame avait-il pu survenir ? Y avait-il un sort sur la famille Chédid ?

Schéhérazade...Il imaginait son désarroi. Sa déchirure.

S'il avait pu se rendre auprès d'elle, il l'aurait peut-être aidée à vivre son chagrin. Il y avait songé. Mais c'était impossible. Il ne le pouvait pas. Avec le départ de Nikos, c'est à lui que revenait le commandement de la flottille.

★

8 juin 1800

Adossé contre un acacia, Ahmed, le joueur de naï sans âge, contemplait Schéhérazade avec la même tendresse que s'il se fût agi de sa propre fille. C'était bien plus que de l'admiration qu'il éprouvait pour elle. De toute son existence jamais il n'avait été témoin d'un tel courage chez une femme. Depuis presque trois mois qu'elle avait débarqué à la ferme aux Roses avec son bébé, elle ne s'était pas donné une heure de répit. Si les premiers jours elle s'était confinée dans une sorte de prostration, se limitant à subvenir aux besoins de son enfant, à marcher des heures durant à travers la campagne, échangeant à peine quelques mots, cela n'avait guère duré. Un matin elle s'était levée. Ce n'était plus la même femme. Elle s'était rendue au hameau de Nazleh et avait annoncé son intention de faire revivre la ferme aux Roses. Ce qui lui avait valu une ovation digne d'une reine.

Revenue avec deux villageois, elle avait commencé par s'attaquer à la chambre. Ils avaient restauré les

433

cloisons, remplacé les bois vermoulus, bouché les interstices.

Ensuite ce fut au tour de la pièce principale. Elle avait frotté, astiqué, fait reluire les vieilles lampes de cuivre, décrassé le conduit de la cheminée, remis en état le foyer et le tablier. Puis elle s'était livrée au gros œuvre avec la complicité d'un maçon.

Bien sûr il restait encore beaucoup à faire. La toiture entre autres. Mais il ne faisait pas de doute qu'avec le soutien inconditionnel des gens de Nazleh et sa détermination, la ferme aux Roses ne tarderait pas à retrouver un jour une partie de sa splendeur, d'autant que le hameau lui était acquis dans sa totalité. Informés du drame qui avait frappé les Chédid, les habitants unanimes s'étaient spontanément unis autour d'elle. C'était à qui la soutiendrait le plus, chacun s'évertuant à répondre à ses moindres besoins. Les hommes étaient naturellement rétribués en échange de leur travail ; mais la fille Chédid n'en aurait-elle pas eu les moyens, qu'ils se seraient sûrement dévoués avec le même enthousiasme. Le souvenir du grand-père occupait toujours une grande place dans les cœurs.

Ces deux dernières semaines, toute son activité s'était portée vers la terre et ces deux feddans à l'abandon auxquels elle s'était juré de redonner vie avant l'heure de la crue. Au départ, les paysans à qui elle avait soumis son idée avaient tenté de la dissuader ; le délai était trop court. Avec la meilleure volonté du monde ils n'auraient pas le temps de tout défricher, d'arracher les broussailles, les herbes folles, de retirer la pierraille et surtout le sable du désert qui avec le temps avait pratiquement tout recouvert. On n'avait pas affaire à une terre en jachère, mais à un champ desséché, disloqué par des années de soleil.

— Nous y arriverons, affirma-t-elle avec force. Nous arriverons si vous le voulez aussi fort que moi !

Fascinés par son élan et ses certitudes, ils l'avaient suivie. Aujourd'hui, à trois semaines de la montée des eaux, elle n'était pas loin de gagner son pari.

Décidément quelle femme ! Elle était bien la digne petite-fille de Magdi Chédid.

— A quoi penses-tu, Ahmed ?

Il leva les yeux sur elle. Elle avait les traits barbouillés de poussière. Les mains noires de boue. Mais elle était toujours aussi belle.

— A quoi je pense, sayyeda ? A mon âge on ne pense plus guère.

Il se reprit :

— Non, je mens. Je pensais à ton courage.

Il montra du doigt la terre qui les entourait.

— Sais-tu que tu es en train de réussir ?

— Pourquoi ? tu en doutais ?

— Le doute est chez moi une seconde nature. Il berce mes nuits. Oui...je doutais.

Elle se laissa choir à ses côtés et s'adossa contre l'acacia.

— Pourtant, depuis bientôt trois mois que tu m'observes tu aurais dû apprendre à me connaître. Une fois ma décision prise, rien ne peut plus me faire obstacle.

— C'est bien la présomption de la jeunesse qui parle par ta bouche. A ton âge, la conviction l'emporte sur la difficulté.

— Dans quelques semaines j'aurai vingt-trois ans...Ce n'est déjà plus la jeunesse.

Il eut un rire saccadé.

— Vingt-trois ans...Et moi alors, que devrais-je dire ? J'ai les trois quarts de mon corps penchés sur la mort, et je ne vois plus que la moitié des choses... Vingt-trois ans...

— Je plaisantais...

Elle se tourna légèrement vers lui et le scruta.

— Dis-moi, Ahmed. Tu ne m'as jamais raconté ton histoire.

Il porta la main à son œil infirme.

— C'est de cette histoire que tu parles ?

Elle fit signe que oui.

— A quoi cela te servirait-il de connaître mes malheurs. Tu ne crois pas que le destin t'a assez chargée ?

— Il ne s'agit pas de mon destin, mais du tien. Raconte...

Il caressa distraitement le bois de sa flûte.

— C'était il y a longtemps. Disons une quinzaine d'années. De toute façon quelle importance, les dates ! En ce temps, les maisons de Mamelouks se livraient un combat acharné. Ibrahim, Mourad, les anciens partisans d'Ali bey. Quand un parti devenait dominant, l'autre était chassé du Caire. Il se réfugiait en général en Haute-Egypte ou en Palestine et préparait son retour offensif...C'était l'époque des grands troubles. Je vivais alors à Esneh, un petit village au sud de Louxor. Je possédais un champ que j'avais entièrement consacré à la plantation de coton.

— Avec une épouse ? des enfants ?

— Non...Je n'ai jamais éprouvé le besoin de prendre femme. La femme est un être étrange. Beau, mais étrange...Mais ne dissertons pas là-dessus, je pourrais te dire des mots qui t'offenseraient et tu risquerais de m'arracher l'œil qui me reste.

Il recommença à rire de son rire bizarre et reprit :

— C'était en décembre. Un jour de 1784. Tu vois...je disais quelle importance, et ma mémoire reste le gardien de certaines heures. Cette année, comme les précédentes, sévissaient la disette et la cherté de la vie. La crue du Nil avait été insuffisante, les incidents étaient permanents, les confiscations, les iniquités commises par les beys de plus en plus fréquentes. Leurs gens se répandaient partout dans les villes et les villages pour lever les impôts et créer toutes sortes d'injustices qu'ils baptisaient de noms curieux. On épuisait les paysans, dont je faisais partie. Les plus démunis furent conduits à vendre leurs effets personnels et leur bétail pour satisfaire aux demandes.

Il prit une inspiration avant d'ajouter avec un pâle sourire :

— Deux agents se présentèrent à mon domicile alors que le soleil sortait à peine du fleuve. Ils étaient accompagnés de leurs sbires, armés jusqu'aux dents. C'était la troisième fois en six mois qu'on venait m'imposer. Jusque-là j'avais toujours payé. Ce jour-là, je refusai. De toute façon il ne me restait plus grand-chose. Je poussai même l'audace jusqu'à leur claquer la porte au nez. Dans la demi-heure qui suivit, ils mirent le feu à ma maison. Je n'avais plus le choix qu'entre mourir brûlé ou poignardé. J'ai toujours craint le feu. Une fois dehors, l'agent eut la bonté de ne pas me tuer. Il estima — Allah sait de quelle façon — que je n'avais payé que la moitié de ma dette. Il me priva donc de la moitié de ma vision.

Il se tut. Ses doigts se nouèrent autour du naï.

— Voilà... Maintenant tu connais mon histoire...

— Ensuite, qu'as-tu fait ? Tu as fui Esneh ?

— Qu'aurais-je pu faire d'autre ? Oui. Je suis parti.

Il marqua une nouvelle pause avant de conclure :

— Si tu veux bien, je te raconterai le reste une autre fois.

— Bien sûr. Pardonne-moi si j'ai réveillé en toi ces souvenirs. Je ne savais pas...

Il posa son index sur les lèvres de Schéhérazade.

— Chuuut... Tu n'as rien réveillé du tout, puisque mon malheur ne m'appartient plus. Je l'ai renvoyé aux méchants. C'est dans leur âme qu'il repose désormais.

437

Je suis persuadé qu'il ne doit pas leur laisser un instant de répit. C'est écrit. Mektoub. Ici — il entrouvrit sa main gauche aussi ridée qu'un vieux parchemin et y posa l'index droit — tout est marqué. Le mal, le bien. La vie, la mort.

La jeune femme entrouvrit elle aussi ses paumes et les contempla avec tristesse.

— Les ruines de Sabah. Le meurtre de ma mère... Youssef, mon frère... Tout serait là ?

— Ceci c'est le mal et la mort, Schéhérazade. J'ai aussi mentionné le bien et la vie.

Elle referma ses doigts, tandis que des larmes submergeaient ses yeux.

— La vie... ? interrogea-t-elle d'une voix étouffée...

Ahmed tendit le bras en direction de la ferme.

— Le petit Joseph qui dort contient déjà une partie de la réponse... Ne crois-tu pas ?

★

14 juin 1800

Kléber fit quelques pas dans le jardin du quartier général, et dit à l'homme qui l'accompagnait :

— Je suis content de vous, Protain. Les travaux de réparation du palais sont bien avancés. Vous avez parfaitement respecté les délais.

L'architecte souleva légèrement la canne sur laquelle il s'appuyait.

— Vous me voyez heureux que cela vous plaise, citoyen général. Les obus de la dernière insurrection avaient bougrement amoché les galeries et la façade nord. Ce n'est pas tant les délais que le respect du cadre original qui m'a posé le plus de problèmes.

— Vous vous en êtes très bien sorti. C'est excellent.

Les deux hommes continuèrent d'évoluer parmi les arbres touffus, les grenadiers et les gardénias en fleur. L'après-midi était avancé. Le soleil toujours aussi chaud brûlait l'étang de l'Ezbéquieh, ce qui expliquait sans doute que le général fût seulement vêtu d'une chemise et d'une longue veste.

Il reprit, rêveur :

— Finalement, lorsque je songe à ce que j'ai entrepris ici, je me dis que l'acquis le plus durable demeurera l'œuvre scientifique. Ne croyez-vous pas ?

— Sans aucun doute, mon général. Grâce à vous, les générations à venir disposeront d'un matériel inestimable. J'en veux uniquement pour exemple *La Description de l'Egypte*, ce monument littéraire né sous votre impulsion. Ses plans topographiques, ses vues, ses dessins d'architecture feront connaître à l'Europe ces monuments uniques. Je crois véritablement que l'ouvrage terminé sera le plus grand legs de notre expédition.

— Dieu vous écoute. Ceci compensera peut-être cela. Hélas... Tous ces morts...

Protain devança les pensées de son supérieur :

— Je présume que vous êtes toujours convaincu de la nécessité d'évacuer l'Egypte ?

— Plus que jamais. Ainsi que je n'ai cessé de le répéter à Menou, la convention d'el-Arich n'a pas plus été une faute politique que les victoires récentes remportées par l'armée ne sont un sujet d'ivresse. Je continuerai donc de négocier. Mais, cette fois, directement avec la Porte et sans l'intermédiaire des Anglais. J'ai confiance de réussir un jour à rétablir l'ordre des choses follement détruit par le *joueur*.

Il changea brusquement de sujet.

— Cette arcade-là, il faudra songer à la surélever. J'ai toujours trouvé qu'elle brisait l'harmonie de l'ensemble. Qu'en pensez-vous, Protain ?

L'architecte pointa sa canne en direction de l'endroit en question.

— Vous parlez de celle-ci ?

Il n'attendit pas la confirmation et se dirigea prestement vers l'arcade.

Alors qu'il était parvenu au pied des colonnes de soutien, une silhouette surgit au détour d'une saquieh[1] que longeait Kléber, et s'approcha de lui.

L'individu, une trentaine d'années, les traits émaciés, vint se prosterner devant le général.

Encore un de ces mendiants, songea l'Alsacien.

— Ma fish[2], lança-t-il agacé. Et il fit signe à l'intrus de se retirer.

L'homme ne semblait pas réagir, il réitéra son ordre :

— Ma fish !

Pour mieux signifier sa détermination, Kléber voulut se saisir de lui.

Tout se passa alors très vite.

L'autre emprisonna le poignet de l'Alsacien tandis que, de sa main libre, il brandit un poignard, qu'il avait sans doute conservé caché au creux de sa manche.

Il frappa par quatre fois, en plein ventre.

— Protain ! hurla Kléber. A moi !

L'architecte, qui n'avait rien vu jusque-là, se retourna au moment où l'Alsacien roulait à terre.

La canne dressée il se rua, cogna de toutes ses forces, essayant désespérément d'écarter le meurtrier. Celui-ci, apparemment très maître de lui, n'esquissa pas le moindre mouvement de recul. Au contraire, il fit de Protain sa nouvelle proie. A la

---

1. Nom égyptien de la noria.
2. En égyptien. Littéralement : « Il n'y a pas », qui sous-entend : « Je n'ai rien à te donner. »

vitesse de l'éclair il planta son poignard dans l'aine de l'architecte. Une fois, deux fois. Le malheureux s'écroula à son tour, tout près de la dépouille de son supérieur.

L'homme prit le temps de contempler avec une satisfaction morbide son ouvrage, avant de fuir le long des allées désertes du jardin d'Elfi bey.

Allongé à terre, Jean-Baptiste Kléber grimace de douleur. Le sang qui coule à flots de son ventre n'a pas le temps de former une mare qu'il est aussitôt bu par la terre d'Egypte.

La dernière vision qui emplit son esprit est celle du soleil. Curieusement, il lui semble entrevoir en arrière-corps le sourire triste du sphinx.

Il rend l'âme dans un ultime soupir.

Son désespoir de mourir ainsi aurait été sans doute plus grand s'il avait su que presque dans la même seconde, mais à des milliers de milles de l'Ezbéquieh, quelque part sur le champ de bataille de Marengo, son ami Antoine Desaix se mourait lui aussi, touché par une balle autrichienne...

★

17 juin

Depuis la mort du héros, le canon tire de demi-heure en demi-heure.

Ce matin, une série de salves venant de la citadelle et des différents forts annoncent le début des honneurs funèbres.

La dépouille mortelle, transportée sur un char recouvert d'un tapis de velours noir parsemé de larmes d'argent, entourée de trophées d'armes, du casque et de l'épée du général, traverse d'abord les rues du Caire avant de se diriger vers le quartier européen.

441

Fourrier, l'ancien amant de Samira, fait l'éloge funèbre, l'armée défile en déposant sur le catafalque des couronnes de laurier et de cyprès.

François Bernoyer est là, parmi la foule.

Il n'éprouve que de l'amertume et une immense lassitude. Il observe les personnalités présentes. Aucun officier supérieur ne manque à l'appel. Si Damas a véritablement l'air brisé par la mort de *son* général, Reynier et Abd Allah Menou paraissent plus inquiets qu'affectés. C'est peut-être qu'ils appréhendent l'un et l'autre d'avoir à prendre le relais de l'Alsacien. En effet, rien n'a été prévu pour le choix d'un successeur. Paris étant trop éloigné pour désigner quelqu'un, tout devrait se jouer entre les généraux de division présents au Caire ; plus exactement entre les plus anciens d'entre eux.

Menou, Reynier, qu'importe... En ce moment la seule pensée qui occupe l'esprit de Bernoyer, c'est que Kléber a péri sur une terre étrangère que de toutes ses forces il cherchait à quitter. On aurait dit qu'il avait eu la prescience que chaque heure passée en Egypte le rapprocherait de cette fin.

★

L'inhumation est terminée.

La foule se déplace jusqu'au monticule du fort de l'Institut pour assister au supplice de l'assassin. Car l'homme a été retrouvé dans les heures qui ont suivi son crime.

Il ne s'agit pas d'un Egyptien, mais d'un Alépin. Il s'appelle Soleïman el-Halabi.

C'est Barthélemy en personne qui s'est chargé de l'interrogatoire.

Pour expliquer son acte, le criminel s'est contenté d'invoquer le djihad, la guerre sainte. L'enquête a démontré qu'il n'a pas eu de complice, hors quatre ulamâs d'el-Azhar à qui il avait confié son intention et qui avaient tenté de l'en dissuader sans toutefois le dénoncer. Deux jours plus tôt, une commission présidée par le général Reynier avait fait connaître son verdict : trois des ulamâs seraient condamnés à être décapités.

C'est par eux que l'on commença.

Les trois têtes tranchées, Barthélemy s'approche de l'Alépin.

Il commence par brûler la main qui fut l'instrument de mort.

Soleïman ne bronche pas. Tandis que le feu dévore sa peau, sa voix égrène des versets du Coran.

Alors on procède à l'empalement.

François Bernoyer détourne la tête au moment où l'homme est embroché sur une longue pièce de bois.

Pas un cri. Rien. L'Alépin semble insensible à la douleur.

Il résiste une heure, deux, quatre.

L'assistance, d'abord impressionnée par la résistance du supplicié, finit par se lasser du spectacle et se disperse.

Seul, Bernoyer demeure.

Il jette un coup d'œil autour de lui. La place est déserte et le condamné n'a toujours pas rendu l'âme. Pourtant sa souffrance doit être effroyable.

Alors François s'avance, décroche sa gourde, glisse le goulot entre les lèvres du supplicié et l'aide à boire.

Ce geste, il le sait, entraînera la mort immédiate.

En fin de journée, le chirurgien Larrey obtient de prendre la dépouille pour sa collection[1].

1. Le crâne de l'assassin de Kléber sera montré pendant des années aux étudiants en médecine afin de leur faire voir la bosse du crime et du fanatisme. Il finira au musée de l'Homme.

Dans la soirée, Abd Allah Menou prend l'intérim du commandement en chef dans l'attente de la décision de Paris. En apprenant la nouvelle, les dernières illusions de Bernoyer et de ses compagnons d'armes s'envolent vers le catafalque de Kléber.

Ce n'est pas un général qui a pris la tête de l'armée d'Orient, c'est le symbole de l'incompétence.

Maintenant c'est certain, demain... dans un mois... Dans six... l'expédition d'Egypte aura vécu.

Troisième partie

CHAPITRE 27

François Martin Noël Bernoyer est accoudé au bastingage du bateau de transport qui vient de larguer les amarres.

Lentement, la tour du Marabout, la colonne de Pompée, le lac d'Aboukir s'effilochent dans la demi-brume du tout petit matin. Sur la droite, au pied des vieux remparts d'Alexandrie on aperçoit les troupes ottomanes qui se glissent dans la ville. Le roulement de tambour qui les accompagne résonne très haut sur la mer. Les étendards couleur bronze, frappés du croissant turc, claquent sporadiquement au-dessus des têtes. Tout est fini...

D'autres vaisseaux entourent celui de Bernoyer. A leur bord treize mille six cents militaires et six cent quatre-vingts civils. C'est tout ce qui reste des quarante mille hommes de la grande armée d'Orient.

Parmi eux : Carlo Rosetti.

Quinze mois se sont écoulés depuis la mort absurde de Jean-Baptiste Kléber. Quinze mois dominés par la nullité d'Abd Allah Menou. D'entêtement en fausses manœuvres, d'erreurs de jugement en fautes mili-

447

taires, le préféré d'Abounaparte a conduit le mirage oriental à son effondrement.

Six mois plus tôt, alors que la flotte anglo-ottomane, composée de plus de cent quatre-vingt-quinze bâtiments, s'était présentée devant les côtes égyptiennes, Menou n'avait rien trouvé de mieux que de déclarer : « Il n'y a aucune crainte à avoir. C'est le dernier coup de collier des Anglais. En réalité, c'est Dieu qui dirige les armées, il donne la victoire à qui lui plaît. L'épée flamboyante de son ange précède toujours les Français et anéantit leurs ennemis ! »

A Reynier, indigné, qui le met en garde, il réplique : « Tout cela n'est qu'une diversion. L'attaque principale se situera dans l'est du Delta ! »

Reynier insiste sur la gravité de la situation. Menou tient tête avec cette fermeté aveugle qui est le propre des sots[1].

Huit jours plus tard, le 8 mars au soir, vingt mille Anglais avec à leur tête sir Ralph Abercromby débarquent sur le sol égyptien.

Apprenant le combat qui a suivi le débarquement, Menou persiste et signe : « Ce n'est qu'une petite échauffourée... »

Le 17 mars, le fort d'Aboukir capitule.

La *petite échauffourée* s'installe dans la presqu'île et se renforce.

Ce n'est que le 20 mars que Menou arrive sur les lieux.

Le 21 à l'aube la bataille commence dans la rade de Canope.

A 10 heures du matin elle s'achève sur la défaite

---

1. Devant tant d'opiniâtreté et d'aveuglement, Reynier et ses collègues se demandèrent si le seul moyen de conserver l'Égypte n'était pas de déposer Menou et de choisir un autre chef. Finalement ils renonceront par respect de la discipline.

française. Les pertes sont élevées — près de deux mille hommes. La cavalerie envoyée au massacre par l'inconscience du général en chef est pratiquement détruite[1].

Le 25 mars, c'est au tour des Turcs de fondre sur l'Egypte.

Le 8 avril Rosette tombe.

Et, le 18 avril, c'est la surprenante nouvelle qui retentit pareille à un coup de tonnerre : Mourad bey, le fier Mourad, l'intrépide Mourad est mort !

Ayant appris que les Turcs avaient débarqué, il s'était mis loyalement en mouvement avec ses Mamelouks pour soutenir l'armée française, tel qu'il l'avait promis à Kléber. Mais la peste avait frappé la Haute-Egypte. Ce que Desaix et trente-huit mois de combats n'avaient pas réussi à accomplir, la maladie, elle, y était parvenue.

Mourad s'éteignit vers le milieu de l'après-midi. Les événements ne permettant pas qu'on l'enterrât dans la sépulture qu'il avait fait préparer, il fut inhumé à Souaky, près de Tahta.

Ses Mamelouks brisèrent ses armes sur sa tombe, jugeant que personne n'était digne de s'en servir.

Début mai, les Anglo-Ottomans marchent sur Rahmanieh.

Le 10 mai l'armée française est définitivement scindée en deux.

Mi-juin, l'ennemi prend position à proximité du Caire et établit le blocus de la ville.

---

1. Au cours de cette bataille, Menou ne prit qu'une initiative, et elle fut déplorable. Il donna l'ordre au général Roize, commandant de la cavalerie, de charger. Le mouvement était si hors de propos et si inutile que Roize se fit répéter l'ordre trois fois. Il s'efforça de faire revenir Menou sur sa décision inepte, mais celui-ci s'entêta. Roize demanda alors sur qui il devait charger : « Droit devant vous », répondit le général en chef.

De son côté Menou, enfermé dans Alexandrie, gesticule, piaffe, crie à qui veut l'entendre : « Une armée de trente mille Français s'est emparée de l'Irlande ! Une armée navale française et espagnole est dans la Méditerranée », et se répand en conseils qu'il ne mettra jamais en application : « Harcelez les Anglais et les Turcs ; ne leur donnez pas un instant de repos ! »

Le 22 juin c'est la capitulation. Les conditions sont analogues à celles de la convention d'el-Arich (tant décriée par Menou) sauf pour les délais et les conditions financières qui sont nettement moins avantageux.

Dans les jours qui suivent, tous les prisonniers musulmans sont libérés et le drapeau ottoman flotte sur les murs de la capitale.

Tandis qu'Alexandrie s'estompe à l'horizon, Bernoyer ne peut s'empêcher d'avoir une pensée émue pour la dépouille de Kléber qu'on a déterrée et qui repose dans les soutes du vaisseau. L'infortuné général voit-il de là-haut ce garçon de neuf mois qui somnole dans les bras de Zobeïda ? Sait-il que Menou, inspiré par Dieu sait quelle perversion, n'a rien trouvé de plus cynique que de baptiser son enfant du prénom même de l'assassin de Kléber : *Soleïman*.

Mais peut-être qu'en apprenant ce détail Abounaparte y trouvera matière à rire. C'est même certain[1].

---

1. Bonaparte, devenu Napoléon, laissera le cercueil de Kléber tout le temps de son règne en dépôt dans le château d'If à Marseille. Il faudra attendre la Restauration pour que le général alsacien soit inhumé à Strasbourg. Quant à Menou, il conserva jusqu'à sa mort (en 1810) la faveur de l'Empereur, lequel lui donnera différentes fonctions administratives en Italie, en se gardant bien toutefois de lui confier des responsabilités militaires réelles.

Je vais vous mener dans un pays où, par vos exploits futurs, vous surpasserez ceux qui étonnent aujourd'hui vos admirateurs, et rendrez à la patrie des services qu'elle a le droit d'attendre d'une armée invincible. Je promets à chaque soldat qu'au retour de cette expédition il aura à sa disposition de quoi acheter six arpents de terre...

C'était le 9 mai 1798. A Toulon...

Bernoyer hausse les épaules...Il a un geste résigné comme pour renvoyer à la mer ses huit mois de solde impayée.

Heureusement qu'au bout de ce voyage sa femme l'attend. Avignon. Le chant des cigales et un soleil qui, ma foi, vaut bien celui du ciel d'Egypte[1].

★

Debout, sur la rade d'Aboukir, Mohammed-Ali contemple le convoi qui s'étire sur la mer.

D'une chiquenaude il retire une poussière invisible de sur son uniforme de serchimé[2], se redresse et hume à pleins poumons l'air marin. Un léger sourire se dessine sur son visage encadré depuis peu d'une épaisse barbe d'un blond-roux. Il est de retour. Il avait toujours su qu'il reviendrait.

Il amorce quelques pas le long du chemin de ronde, indifférent à l'effervescence qui règne autour de lui. Vraisemblablement son esprit est ailleurs, uniquement occupé à analyser la situation nouvelle créée par le départ des Français. Désormais restaient trois

---

1. François Martin Noël Bernoyer devint plus tard tailleur de Sa Majesté le Roi de Hollande, mais il ne laissa, hélas, aucun témoignage sur sa vie hollandaise. Seul son titre de tailleur, signé par le Grand Chambellan, demeure encore dans ses archives familiales.
2. Grade comparable à celui du général. Un serchimé était à la tête de trois à quatre mille hommes.

forces en présence : les Anglais commandés par le général Hutchinson, les Turcs sous l'égide du grand vizir et de Khosrou pacha, et toujours et encore les Mamelouks. Certes, Mourad bey n'était plus, mais sa maison demeurait. Il ne faisait pas de doute qu'un nouveau chef n'allait pas tarder à en prendre les rênes, si ce n'était déjà fait.

Mais au cœur du triangle, il y avait lui : Mohammed-Ali.

Tout compte fait, ses origines albanaises l'avaient bien servi puisqu'elles lui avaient valu aujourd'hui d'être à la tête de l'élément principal des forces militaires ottomanes, quatre mille hommes du même sang que le sien. De rudes soldats qui lui étaient dévoués corps et âme.

Une fois les Anglais partis d'Egypte — et tôt ou tard ils partiraient — il faudrait compter avec ce corps albanais. Et si par extraordinaire le grand vizir et Khosrou pacha venaient à l'oublier, Mohammed serait là pour leur rafraîchir la mémoire.

★

8 octobre 1801

— Cette fois, ils sont bel et bien partis, murmura dame Nafissa.

Vêtue d'une mélaya noire elle semblait avoir vieilli de dix ans.

— Ils sont partis, et je me dis aujourd'hui qu'ils ne sont venus en Egypte que pour que meure Mourad bey. Le Très-Haut ait son âme...

Elle retint un sanglot et releva le menton dans un sursaut de dignité.

— Qu'importe... Le souvenir de mon époux vivra au

fil des siècles. Comme les pyramides, comme la grandeur des pharaons !

— Il vivra, c'est certain. Vos descendants pourront être fiers de lui.

Elle désigna l'enfant qui sommeillait paisiblement dans un angle de la pièce.

— Le petit Joseph saura, lui aussi. Je lui raconterai le courage de Mourad bey.

Nafissa eut une expression attendrie :

— Que Dieu le garde. Ce n'est pas un enfant que tu as conçu là, c'est une merveille.

— Un an et un mois. Déjà. C'est vrai je l'avoue, j'en suis fière.

Elle reporta son attention vers la Blanche.

— Et maintenant, qu'allez-vous faire ? Je suppose que le nouveau pacha vous restituera vos biens. Le palais ?

— Après tout ce que Mourad a accompli, ce serait vraiment la moindre des choses. Selon les informations que je possède, l'affaire serait en bonne voie.

Elle décortiqua une pistache dans un geste machinal et poursuivit :

— Pour revenir aux Français...Je reconnais qu'ils se sont montrés généreux. Quelques jours avant leur départ, j'ai été convoquée à leur état-major où l'on m'a annoncé qu'une pension de cent mille paras m'avait été accordée pour services rendus à la République.

Schéhérazade ne parut pas particulièrement émue par la nouvelle.

— Mourad a consacré la dernière année de sa vie à défendre Kléber et son successeur. Jusqu'au dernier instant il est resté fidèle à la parole donnée. Ma foi, je trouve ce geste naturel.

— Sans doute...Sans doute...Mais nous avons assez parlé de moi. Si j'ai pris la liberté de venir déranger ta solitude, c'est parce que ton avenir m'inquiète. Tu es vraiment décidée à rester ici ?

— Oui, sayyeda. Tout à fait. D'ailleurs, je ne vois pas très bien ce que je pourrais faire d'autre.

La question fit bondir la Blanche.

— Comment ? Toi ? Aussi belle que le soleil et si jeune ! tu t'interroges ? Tu as perdu la tête, ma fille !

Schéhérazade fit mine de protester, mais :

— Avant tout je veux savoir si tu as les moyens... Est-ce que pécuniairement tu es à l'abri ?

— Grâce à Dieu et à la prudence de mon père, ce que j'ai suffit à mes besoins et ceux de Joseph. De ce côté, vous n'avez vraiment aucune inquiétude à avoir.

— Bien. C'est déjà un détail qui me soulage car, vois-tu, jamais je n'aurais toléré que tu manques de quoi que ce soit. Jamais ! A présent, abordons l'autre problème : que comptes-tu faire de ta vie ?

Un peu surprise par la question, elle répondit :

— Elever mon fils. Reconstruire Sabah.

— Reconstruire Sabah ? Avec quels moyens ? L'héritage de ton père pourrait suffire ?

— Loin de là. D'autant qu'une partie non négligeable a été utilisée pour la ferme aux Roses.

— Mais alors...

— Je ne sais pas comment je vais m'y prendre. Mais je réussirai.

Une lueur indulgente illumina l'œil de la femme.

— Tu es vraiment une enfant...Tu réussiras, dis-tu. Crois-tu vraiment que l'argent pousse sur les palmiers ? Bien sûr, lorsque je vois ce que tu as fait de la ferme de ton grand-père, je suis stupéfaite. C'est inouï. Mais restaurer Sabah, c'est autre chose. L'entreprise nécessitera des millions ! Où les trouveras-tu ?

— Je vous l'ai dit, sayyeda, je n'en sais rien. De toute façon je ne suis pas pressée. Vous me l'avez rappelé, je suis jeune. J'ai tout le temps devant moi.

Les traits de Nafissa exprimaient maintenant une totale réprobation.

— Pardonne-moi, mais tu déraisonnes. Cette tâche est au-dessus de tes moyens. Pourtant Allah sait combien je crois à la volonté. Non, mon cœur. Il faudrait sincèrement que tu chasses ce projet de ta tête. C'est dans une tout autre direction que tu dois aller.

Schéhérazade l'invita à s'expliquer :

— Tu ne m'en voudras pas si je te parle en toute honnêteté ?

Elle secoua la tête.

— Promis ?

— Promis.

La Blanche inspira profondément et commença d'une voix décidée :

— Cela va faire bientôt dix-huit mois que ton infortuné mari est mort. Qu'il repose en paix ! Ne crois-tu pas que l'heure est venue de songer à ton futur ? A celui de ton fils ? Un être comme toi ne peut pas vivre en ermite. C'est un péché. Vois-tu, les hommes sont des personnages insupportables, de petits tyrans qui du plus petit au plus grand jouent au vizir ou au sultan. Allah sait combien ils nous rendent l'existence difficile. Mais hélas, vivre sans eux est bien pire encore... Tu me comprends ?

Schéhérazade ne répondit pas tout de suite. Au fur et à mesure que la femme parlait, un voile s'était glissé sur ses prunelles.

— Je comprends, dit-elle enfin. Mais j'ai le cœur trop lourd, trop plein de souvenirs. Qui sait plus tard...Un jour.

Elle conclut à voix basse :

— Quand j'aurai reconstruit Sabah.

La Blanche se souleva avec impatience de son fauteuil et se laissa retomber.

— A quoi te servirait Sabah si c'est pour y vivre

455

dans la solitude ? D'ailleurs, c'est très simple, je ne te crois pas !

Schéhérazade s'étonna.

— Oui, je ne te crois pas ! Une autre que moi aurait certainement avalé d'un trait ton histoire. Pas moi ! Non.Tu me caches quelque chose !

— Je... je ne comprends pas. Que voulez-vous dire ?

— A quel jeu joue-t-on, fille de Chédid ? Je te connais depuis trop longtemps pour être dupe. Oublies-tu que j'aurais pu te donner le sein ? Alors, fini les détours et les faux-semblants. J'attends l'autre version. Je t'écoute.

Pour donner plus de force à ses propos, elle branla la tête l'air de dire : « Attention. Pèse tes mots. »

Schéhérazade l'étudia déconcertée. Jamais elle ne se serait attendue à une telle réaction et, pourquoi ne pas le reconnaître ? à autant d'intuition.

— C'est vrai, fit-elle en baissant un peu les yeux. Je ne t'ai confié que la moitié de la vérité.

La Blanche ne fit aucun commentaire. On la sentait tout ouïe.

— Seulement voilà, j'ignore comment, ni par quoi commencer... Je...

— C'est pourtant simple, ma fille. Parle-moi de l'autre...

Schéhérazade leva les yeux au ciel, dépassée.

— Décidément. Maintenant je comprends pourquoi l'on disait que le vrai maître de la maison de Mourad c'était son épouse...

Elle laissa tomber avec fatalisme :

— C'est bien. Je vais vous parler de l'autre.

Quand elle eut fini son récit, les joues de Schéhérazade s'étaient empourprées. Comme si chaque mot confessé lui avait apporté la fièvre. C'était la première fois qu'elle confiait son secret à quelqu'un. Elle en éprouva à la fois du soulagement et un sentiment de honte.

Elle se tut, rejeta la tête en arrière, évitant de croiser l'œil de son interlocutrice.

Nafissa se leva, fit quelques pas de long en large, et revint s'asseoir.

— Magnouna... fut le premier qu'elle prononça. Une fille Chédid ne lie pas son destin à un fils de jardinier. Crois-tu que c'est toute l'ambition que ton pauvre père avait pour toi ? Et un musulman par-dessus le marché ?

Cette dernière remarque choqua Schéhérazade.

— C'est vous qui dites ça ? Alors que...

— Allons, allons. Ne compare pas ce qui ne peut pas l'être. Moi, Schéhérazade j'étais une esclave. Ma conversion à l'islam me fut imposée. Ce n'est pas du tout la même chose pour toi. En tout cas le problème n'est pas là. La vérité est que tu mérites mieux que cet homme. Tu as tendance à oublier que tu es d'un autre rang. D'un autre univers.

Cette fois Schéhérazade s'emporta :

— Le rang ? La religion ? Un autre univers ? A quoi cela servirait si c'était pour vivre à moitié ! Le bonheur serait-il lié au seul fait que deux êtres soient du même milieu ? Si c'était le cas, pourquoi tant de couples malheureux ?

— Parfait. Alors laisse-moi te poser une question : pourquoi le fils de Soleïman n'est-il pas aujourd'hui à tes côtés ?

— Il ignore sans doute ce qui m'est arrivé.

— Impossible ! Feu mon époux le savait. Par conséquent...

Schéhérazade eut l'air surprise.

— Comment cela ?

— Enfin, ma fille, réfléchis ! Oublierais-tu que Rosetti et Mourad étaient en rapports constants ?

Rien ne se passait en Egypte sans qu'il en fût informé. Alors, réponds-moi. Un an est passé. Où est Karim ?

Visiblement perturbée, la jeune femme répondit, mais sans grande conviction :

— S'il n'est pas là, c'est qu'il doit avoir ses raisons.

— Tu le crois digne de l'amour que tu lui portes ?

— Je le crois, répliqua Schéhérazade avec une pointe d'entêtement.

La Blanche étudia attentivement Schéhérazade et reprit, songeuse :

— La guerre est finie. Mourad est mort. Si les informations que je possède se révèlent exactes, son successeur a toutes les chances d'être Osman el-Bardissi.

— C'est la première fois que j'entends mentionner son nom.

— C'était l'un de ses protégés. Il œuvrait dans l'ombre, mais mon époux le portait en haute estime.

— Pourquoi me racontez-vous tout cela ?

— Parce que mon instinct de femme me souffle que ton Karim restera au côté d'el-Bardissi, et qu'il est plus déterminé à épouser les bateaux que les femmes.

Schéhérazade faillit véritablement se mettre en colère, mais elle se contenta de rétorquer avec le même entêtement :

— Je ne le crois pas. Il reviendra.

Le crépuscule commençait à couvrir la campagne. Le chant du naï s'éleva, chaud et rassurant.

Au bout d'un long moment, la Blanche se pencha en avant et prit le menton de Schéhérazade entre ses doigts.

— Je te regarde, et je pense à ta mère. Ma fille est une mule, disait-elle souvent. Elle est impétueuse comme le vent, butée comme la pierre. Je ne vais pas chercher à te convaincre. Simplement laisse-moi te dire ceci : un amour vécu peut vous guérir de l'amour. Mais un amour inassouvi devient une obsession. Je me souviens, il y a longtemps, très longtemps de cela, j'étais alors une toute jeune fille. Dans mon village de Circassie il y avait un garçon, le plus beau, le plus sublime des hommes que j'aie jamais connus. J'en rêvais la nuit, le jour je respirais sa présence. Quand il passait devant moi, qu'il me frôlait, je croyais mourir à chaque fois. Une nuit, je me suis donnée à lui. Cette nuit-là j'ai compris combien le sentiment de l'inaccessible pouvait être trompeur. Quand il s'est rhabillé, je n'ai éprouvé que dégoût et nausée. Et un vide... un vide aussi vaste que le ciel.

Elle soupira avant d'achever :

— Tout ce que je te souhaite, mon enfant, c'est que tu ne connaisses jamais aussi cruelle déception. Sinon, ce n'est plus du mal d'amour que tu souffriras, mais du mal de toi.

Elle se tut. Le bruit d'une berline en mouvement venait de retentir aux abords de l'entrée.

Schéhérazade se redressa étonnée.

— Ce n'est rien, la rassura Nafissa. Un ami qui vient me chercher. Et puisque nous parlions des hommes — un sourire amusé apparut sur ses lèvres — tu vas en voir un. Je veux dire un *vrai*.

La berline s'était arrêtée. Quelqu'un venait d'en descendre qui marchait vers elles.

Il y avait quelque chose de fauve dans la façon qu'il avait de se mouvoir ; un déploiement troublant conféré par son impressionnante carrure. Quarante ans environ. Il était plus que grand. Ses traits, son corps tout entier paraissaient découpés dans un monolithe. Il était entièrement vêtu de noir, une cape jetée sur ses épaules. Mais ce qu'il y avait de plus troublant en lui c'était ses yeux, des yeux d'un bleu saphir, tapis sous d'épais sourcils.

Nafissa se hâta de faire les présentations.

— Ricardo Mandrino... Schéhérazade, fille de Chédid.

— Ravi, chère madame. Dame Nafissa m'avait vanté votre beauté, mais je reconnais qu'elle était bien en deçà de la vérité.

Schéhérazade se limita à un mouvement de tête. Tout de suite au ton de sa voix éraillée, grave, à son attitude trop sûre, elle sut qu'elle n'aimerait pas cet individu.

— M. Mandrino est vénitien tout comme notre ami Carlo Rosetti. C'est d'ailleurs lui qui me l'a présenté avant de partir.

— Ah, vous êtes aussi diplomate ? s'enquit Schéhérazade, plus par courtoisie que par intérêt.

— Diplomate, si la diplomatie est l'art d'obtenir ce que l'on désire sans avoir à le demander. Mais aussi négociant, espion à mes heures et enfin aventurier tout le temps.

— Vous oubliez gentilhomme et charmeur ! s'écria dame Nafissa.

Schéhérazade fit mine d'apprécier.

— Désirez-vous boire quelque chose, monsieur Mandrino ?

— Malheureusement le temps presse, je dois être au Caire avant la nuit.

La Blanche adopta un air faussement inquisiteur.

— Encore un rendez-vous galant, Ricardo ?

— Hélas, non. Mais néanmoins tout aussi passionnant. Avez-vous entendu parler d'un certain Mohammed-Ali ?

Les deux femmes avouèrent leur ignorance.

— Eh bien, retenez son nom. Dans les mois qui viennent l'homme en étonnera plus d'un...

Se penchant vers la Blanche il enchaîna :

— Je suis à votre disposition, sayyeda.

L'épouse de feu Mourad se leva, imitée par Schéhérazade.

— Que la paix soit sur toi, ma fille. Et n'oublie pas

notre discussion. Je suis peut-être une vieille rado-
teuse, mais il me reste encore assez de perception
pour entrevoir la face cachée des choses. Promis ? Tu
réfléchiras ?

— Oui, sett Nafissa. Promis.

Le peu de conviction que traduisait le ton de sa
réponse fit soupirer la femme.

— Ah ! Ricardo, gémit-elle en secouant la tête. Si
seulement jeunesse savait !

— Si vous voulez parler de la jeunesse de votre
amie, rassurez-vous, *elle* sait.

Il souligna sa remarque en posant ses yeux sur ceux
de Schéhérazade, la fixant avec une intensité peu
commune.

La jeune femme soutint le regard.

— J'ignorais qu'à vos qualités innombrables s'ajoutait le pouvoir de lire la pensée des autres ?

— Un pouvoir essentiel, madame. Mais n'ayez
crainte : je n'en abuse jamais.

Il s'inclina avec un sourire indicible et, prenant
dame Nafissa par le bras, il l'entraîna sans plus
attendre vers la berline.

Décidément, songea Schéhérazade en les regardant
s'éloigner, elle n'aimait pas cet individu. Mais alors
pas du tout.

*

Karim glissa un regard oblique en direction de
Osman el-Bardissi qui avait succédé à Mourad. Gros,
rond, de petite taille, le crâne dégarni, il se dégageait
du nouveau bey une attitude affétée qui irritait le fils
de Soleïman.

— L'avenir est à nous ! pérora Osman d'une voix
fluette qui contrastait avec son allure. A présent que
les Français sont rentrés chez eux, le champ est libre.

Je vous fais le serment que, dans quelques mois, nous les Mamelouks, nous les hommes de la maison de Mourad, serons à nouveau maîtres de l'Egypte. Nous briserons Ibrahim bey puisqu'il refuse l'union. Nous chasserons les Turcs et les Anglais, comme nous avons chassé les troupes d'Abounaparte.

L'assemblée réunie sous la tente centrale approuva gravement comme un seul homme. Il y eut ici et là quelques grognements, pour mieux souligner la détermination.

Karim écouta respectueusement jusqu'au bout le discours d'Osman, et il en tira la conclusion qu'il avait devant lui un mégalomane, dépourvu de toute logique. Chasser les Turcs, les Anglais, anéantir la maison d'Ibrahim ; jamais il n'avait entendu proférer autant d'inepties. Il fallait réfléchir. Trouver le moyen de plier bagage et de se sortir de ce qui s'annonçait comme un guêpier.

★

12 octobre 1801

Khosrou pacha s'allongea sur les coussins disposés à l'arrière de son caïque. La mer était calme. Un soleil radieux dardait ses rayons sur le rivage éloigné d'une demi-lieue.

Il s'empara du tuyau du narguilé qu'un esclave avait apprêté pour lui, et aussitôt s'éleva un ronronnement mélodieux.

Assis non loin du capitan pacha, Mohammed-Ali conservait son attention sur les deux embarcations qui les suivaient de près. Son regard, d'une extraordinaire vivacité, ne perdait rien de la scène.

Au bout d'un moment, il se retourna vers Khosrou.

— Son Excellence est toujours décidée ?

— Etrange question, serchimé. Bien sûr. Douterais-tu de l'efficacité de mon plan ?

— Au contraire. Je le trouve parfait. Irréprochable. L'effet de surprise sera total.

Tout en répondant il retraça dans son esprit le projet diabolique du pacha ; il le fit d'ailleurs non sans une réelle satisfaction. Pourquoi le nier ? Cette action allait dans le sens de ses ambitions personnelles. Mais bien sûr, cela, Khosrou l'ignorait.

Le projet conçu était simple. Si l'on voulait en finir une fois pour toutes avec cette gangrène que représentaient toujours les Mamelouks, une décision s'imposait : extirper le mal à la racine, décapiter les chefs autant que possible.

Une semaine plus tôt, Khosrou avait fait donner à tous les beys qui se trouvaient en Basse-Egypte lecture d'un firman de la Porte, proclamant une amnistie générale, autorisant la restitution de tous leurs biens et possessions. Pour fêter cet acte de clémence et de libéralité, le capitan avait proposé aux beys de venir le retrouver à bord de son vaisseau amarré dans la rade d'Aboukir. C'est naturellement comblés et sans défiance que tous s'étaient empressés d'accepter.

A présent ils étaient là, une dizaine. Vêtus pour l'occasion de leurs plus beaux habits. Leurs embarcations suivaient le caïque du capitan pacha qui ouvrait la voie jusqu'au vaisseau où devait se dérouler la fête.

Autour d'eux, une dizaine de chaloupes fendaient l'eau. A leur bord, les janissaires de Khosrou. Armés jusqu'aux dents.

— Maintenant ? interrogea calmement Mohammed-Ali.

— Maintenant, répliqua le pacha.

Ali se leva sans laisser apparaître la moindre trace de tension, et commanda à l'homme de barre :

463

— C'est l'heure. Ecarte-toi des autres. Vire à tribord. Mais discrètement.

Si tout se passait bien, le chef des janissaires qui se trouvait sur la chaloupe de tête, n'allait pas tarder à réagir.

Ce qu'il fit.

Sur son signal, la flottille commença par envelopper les embarcations des beys. Quelques minutes plus tard ce fut l'abordage.

Au même moment, au Caire, le grand vizir, usant de la même ruse, faisait arrêter et enfermer dans la citadelle la plupart des chefs mamelouks qui séjournaient dans la capitale.

Une lueur satisfaite illumina les traits de Mohammed-Ali.

Ces actions commises par ses supérieurs le servaient au-delà de ses espérances.

Il s'inclina respectueusement devant le capitan pacha et désigna les cadavres des beys qui dérivaient sur les vagues :

— Voyez...mon seigneur, avec ces dépouilles, c'est la rébellion et le mépris des lois qui disparaissent. Je suis convaincu qu'après cette action le grand vizir ne pourra que vous nommer gouverneur d'Egypte.

— Je le pense en effet, confirma Khosrou avec suffisance. Et tu seras à mes côtés ce jour-là.

Sans la moindre pensée pour le sang qui léchait la proue du caïque, il lâcha un rot, et recommença à téter l'embout de son narguilé.

CHAPITRE 28

5 mars 1803

Ahmed caressa distraitement la croupe de sa guenon tout en murmurant avec humeur :

— Sayyeda, je ne comprends rien à tes nouveaux projets.

Schéhérazade, le nez plongé dans ce qui ressemblait à une sorte de gazette aux feuillets jaunis, mit un temps avant de réagir.

— Mon pauvre Ahmed, tu ne comprends pas parce que tu es un illettré. Mon idée est excellente et surtout originale.

— Planter du coton, gémit le vieillard. Je ne vois pas où est l'originalité. Depuis mille ans au moins l'Egypte en cultive. Je suis peut-être un illettré, mais pour comprendre les choses de la nature on n'a pas besoin d'être un ulamâ ou un savant ! J'ai été paysan, l'aurais-tu oublié ? La terre, je connais. C'est pourquoi je te répète que ce que tu envisages est très difficile. C'est capricieux le coton. Ça nécessite des soins particuliers ; sans compter qu'une fois les bourgeons fleuris, la récolte est à la merci d'une pluie, d'un vent trop violent. De plus...

— Gossypium herbacium !

465

— Par le Seigneur des Mondes...Quel dialecte parles-tu ?

Schéhérazade éclata de rire.

Elle prit son enfant et le serra tendrement contre sa poitrine.

— Entends-tu, mon âme ? Oncle Ahmed[1] me demande si je parle un dialecte.

Du haut de ses deux ans et demi le petit Joseph coula un œil moqueur vers le vieillard, tandis que sa mère reprenait :

— Le Gossypium hiarsutum... c'est aussi un dialecte ?

Ahmed se pencha sur sa guenon et chuchota à son oreille :

— Tu entends, Felfella ? Le cerveau de notre maîtresse est parti...

— Et le barbadense !

Il ferma les paupières et fit mine de s'assoupir.

— Bon, j'arrête, se résigna Schéhérazade.

Elle replia la gazette.

— Ce que je viens d'énumérer ce sont les appellations latines des trois différentes variétés de coton. La plus rare est certainement la dernière : le Gossypium barbadense. Il est expliqué dans ces articles que les étoffes fabriquées à partir de son duvet ne le cèdent à aucune autre, ni en solidité ni en blancheur. Dans l'Egypte ancienne les prêtres ne se vêtaient que de tuniques tirées du barbadense[2].

— Qu'est-ce que tu marmonnes, sayyeda ? Pour-

1. En Égypte, en Orient en général, il est de coutume d'appeler ainsi un proche de la famille.
2. Les premières traces de plantation de coton en Égypte remonteraient à 600 ou 700 ap. J.-C. Mais tout laisse à croire que l'origine serait beaucoup plus lointaine, si l'on considère que des étoffes fabriquées à base de coton ont été retrouvées dans des tombes hindoues entre 1 500 et 3 000 ans avant notre ère.

quoi ne t'exprimes-tu pas normalement ? Cette variété dont tu parles, je la connais. J'en ai planté. Ses fibres font un peu plus d'un pouce. Elle est beaucoup plus rare que celle d'un demi-pouce[1], mais elle existe.

— Un pouce ?

Schéhérazade tapota la feuille de la gazette avec impatience.

— Ici il est mentionné que la fibre fait plus de deux pouces ! Tu m'entends ? Deux !

— Balivernes ! ça n'existe pas ! Ni en latin ni en arabe ! Des fibres qui dépasseraient deux pouces... a-t-on jamais vu pareil prodige ? Ou alors dans les légendes !

— Pourtant, insista la jeune femme avec force, on dit bien que les anciens savaient en produire.

— Je maintiens que c'est impossible ! Aucun bourgeon ne contiendrait des fibres aussi longues ! Admettons même que cela pût se faire, elles n'auraient aucune tenue, elles seraient aussi fragiles que du verre ! Avec une telle matière on ne pourrait fabriquer que des robes de mariées pour les papillons !

— Tu crois ce que tu veux. Un jour viendra où je te prouverai que j'ai raison.

Le vieillard haussa les épaules et montra Joseph du doigt.

— Lui peut-être, pas toi.

Schéhérazade eut un geste résigné.

— D'accord. Oublions le sujet. L'autre variété, celle d'un pouce, serais-tu d'accord pour m'aider à la produire ? Je suis certaine que le coton est l'avenir de l'Egypte. Les récoltes actuelles suffisent à peine. Il y a beaucoup d'argent à gagner. Des fortunes. Quoi qu'il en soit, je n'ai pas le choix.

1. Environ 3 cm.

Une ombre traversa ses prunelles, et sans transition elle devint soucieuse.

— Tu sais ma situation, Ahmed. Mes économies fondent jour après jour. Et ce ne sont pas les agrumes que nous vendons qui me permettront de m'en sortir. Il faut absolument que je me tourne vers un autre commerce.

— Tu n'as donc rien retenu de ce que je t'ai expliqué ? Le coton est une semence qui réclame beaucoup de soins. Sa qualité est très sensible aux variations climatiques. De plus la composition du terrain joue un rôle essentiel. Il faut une terre sablonneuse et grasse, qui en plus retienne l'humidité.

— La terre de la ferme aux Roses est excellente.

— C'est plus au sud qu'elle aurait été meilleure. Mais admettons. Il existe un autre handicap, de taille celui-là. Le champ doit être à l'abri des débordements du fleuve. Ce n'est pas le cas ici. Ce qui peut être favorable pour d'autres plantations, pourrait se révéler désastreux pour le cotonnier.

— C'est un détail.

— Un détail ? Mais un séjour trop prolongé des eaux ferait mourir les plants !

— Nous construirons une digue.

Ahmed se boucha les oreilles en secouant la tête de droite à gauche.

— Une digue...bien sûr. C'est enfantin.

— Parfaitement. Une digue. Des chadoufs[1]. Nous maîtriserons l'irrigation.

Subitement, elle s'emporta :

— Que cherches-tu ? La fin de la ferme aux Roses ? Aurais-tu déjà oublié ce que tu m'as dit alors que j'étais à peine plus haute que Joseph : « La ferme aux

1. Le chadouf, très répandu en Égypte, est une sorte d'appareil à bascule qui sert à tirer l'eau du fleuve, ou d'un puits.

Roses, c'était un coin de l'Eden. » Aujourd'hui tu voudrais que cette terre retourne à la rocaille ? Dis-le ! Tout ce que je désire ce sont des conseils. Oui ou non, es-tu prêt à m'aider ?

★

9 mars 1803, quelque part en Haute-Egypte

La lune n'avait jamais brillé d'un tel éclat. Le campement d'Osman el-Bardissi était éclairé comme en plein midi. Même les feux paraissaient fades devant la lumière lactée qui inondait le décor.

Mais ce n'était pas ce brasillement qui fascinait Karim, assis en tailleur au côté d'Osman bey, c'était leur hôte, ce Mohammed-Ali. Même si sa stature était robuste et vigoureuse, elle ne suffisait pas à expliquer cette force, ce sentiment de puissance, ce magnétisme qui émanaient du personnage. S'il fallait en juger par le discours qu'il venait de tenir, les qualités de l'homme ne s'arrêtaient pas là. En peu de temps, il avait dressé un tableau de la situation égyptienne avec une concision qui laissait supposer une aptitude peu commune à appréhender l'avenir.

— Pardonnez-moi, serchimé, fit Osman, je suis peut-être lent d'esprit, mais je ne saisis toujours pas pourquoi vous me proposez cette alliance. Vous faites bien partie de l'entreprise ottomane ? N'êtes-vous pas turc vous-même, l'un des plus proches collaborateurs de Khosrou pacha, qui est — dois-je vous le rappeler ? — depuis le 8 février le nouveau gouverneur d'Egypte par la grâce de la Sublime Porte. Or que se passe-t-il depuis votre débarquement ? Vous nous faites à nouveau la guerre. Le massacre des beys à Aboukir n'ayant pas suffi à nous faire plier, vous nous livrez combat après combat. Il ne se passe pas un jour sans

469

que nous soyons talonnés par votre armée. A vos yeux, nous les Mamelouks sommes plus malfaisants que Nemrod.[1] Et voici que vous, serchimé, venez me tendre la main... Reconnaissez qu'il y aurait de quoi surprendre.

Le bey secoua la tête pour mieux exprimer sa confusion.

— Non, vraiment, votre démarche m'échappe.

Mohammed-Ali fit tournoyer à plusieurs reprises son chapelet autour de son index avant de répondre d'une voix posée :

— Pourtant, c'est clair. Vous l'avez dit, Khosrou pacha et la Sublime Porte ne souhaitent qu'une chose, votre disparition. Mais vous oubliez de mentionner que la destruction des Ottomans est *aussi* votre obsession. Vous voulez l'Egypte sans partage, sans concession. Ce que j'ai tenté de vous expliquer c'est que sans un soutien extérieur, je précise un soutien de taille, vous n'atteindrez jamais votre but. Comment le pourriez-vous alors que vous ne cessez de vous entre-déchirer au sein de votre propre famille ? Vos maisons n'ont en commun que la discorde. Tant que cette situation se poursuivra, chacun d'entre vous n'obtiendra que des lambeaux de pouvoir. Et encore, celui-ci sera bien précaire. Je vous le répète donc : vous avez besoin d'aide. Une aide politique, stratégique et militaire. Sinon, jamais vous ne réussirez. Cette aide, c'est le serchimé Mohammed-Ali qui vous l'offre. Que désirez-vous de plus ?

— Vous voulez parler des quatre mille Albanais que vous commandez.

---

1. Dans la tradition islamique, Nemrod est le persécuteur du prophète Abraham ; c'est le prototype du tyran fou d'orgueil et révolté contre Dieu.

— Un corps d'élite, uni à Mohammed-Ali comme les doigts de la main.

Karim releva non sans satisfaction que c'était la seconde fois que le général s'exprimait à la troisième personne. Détail anodin, mais qui en soi le confirmait dans l'opinion qu'il s'était faite du personnage. Seul un individu ambitieux, conscient de sa valeur, pouvait choisir cette forme royale d'expression.

Osman bey rétorqua :

— Je sais la réputation de vos hommes. Je sais aussi l'influence que vous avez sur eux. Il n'en demeure pas moins que vos motivations restent obscures. Pourquoi seriez-vous prêt à vous retourner contre vos frères ? Que je sache, c'est du sang turc qui court dans vos veines, non du sang caucasien. Pourquoi ?

Mohammed-Ali hocha doucement la tête, tandis qu'un sourire énigmatique se dessinait sur ses lèvres.

— Ma réponse risque de vous surprendre : parce que je crois en l'Egypte. Je crois que ce pays possède d'extraordinaires sources de richesse. Je crois que cette terre peut devenir le centre du monde.

Il s'interrompit, le temps de faire tournoyer à nouveau son chapelet, et reprit :

— Mais je possède aussi une autre conviction : l'Egypte ne peut être la favorite de plusieurs princes. Elle n'a besoin que d'un maître. Un amoureux qui soit assez puissant et fort pour qu'elle ne se livre entièrement qu'à lui, rien qu'à lui. Alors comme seule une femelle amoureuse sait le faire, elle lui donnera tout ce qu'elle possède, et plus. Observez le passé, Osman bey. Songez aux pharaons. Voyez les prodiges qu'ils ont su tirer de la vallée du Nil. N'est-ce pas la preuve que j'ai raison ?

El-Bardissi se pencha légèrement vers les flammes. A voir son expression, il ne faisait pas de doute que la subtilité de la métaphore lui avait échappé ; on le sentait toutefois ébranlé.

— Cet amoureux auquel vous faites allusion, ce serait moi, plutôt que l'un de vos frères ?

— Que voulez-vous ? Je suis forcé de constater que dès le jour où l'Egypte est devenue province ottomane, elle a tout perdu. Son rayonnement, sa gloire, toute influence politique.Tandis que du temps où vous les Mamelouks étiez les maîtres, les choses étaient différentes. N'est-ce pas sous votre règne que cette terre a connu sa plus grande splendeur ? Auriez-vous oublié le nom d'el-Nasir ? Ce grand bâtisseur, ce mécène. N'est-ce pas à son instigation que Le Caire a grandi, s'est unifié en une seule cité, s'est couvert de palais grandioses et des plus belles mosquées du monde ?

Il prit un temps et regarda en face son interlocuteur.

— Voici pourquoi Mohammed-Ali opte pour Osman bey, au détriment de ses liens de sang. Lorsque le cœur est menteur, il faut laisser parler la raison.

Cette fois — Karim en était persuadé — le serchimé avait fait mouche. Il eut presque envie d'applaudir devant autant d'adresse et de diplomatie.

Le Mamelouk s'empara d'une branche de palme qu'il balança dans les braises. Il parut méditer, puis :

— Il reste cependant un dernier point à définir. La vie m'a enseigné que dans ce bas monde rien n'est jamais gratuit. Qu'espérez-vous en retour ?

— Osman bey ! Mohammed-Ali n'est pas un vulgaire marchand de tapis. Vous n'attendez pas de moi, j'espère, que je me comporte à l'image de ceux que je condamne. Allons, je vous en prie. Je sais à qui j'ai affaire ! Je n'ignore pas que le temps venu votre sens de la générosité se révélera dans toute sa probité. Je vous laisse seul juge.

A ce point du dialogue, Karim décida de laisser libre cours à son enthousiasme.

— Serchimé, jamais je n'ai entendu propos plus sages, plus équitables. Sachez que j'y adhère de toute mon âme.

Osman examina son compagnon avec curiosité, apparemment surpris par son éloquence soudaine.

Qu'à cela ne tienne, il ne serait pas en reste.

— Mon frère a raison, s'empressa-t-il de déclarer. Vous avez parlé d'or. Et maintenant si vous m'expliquiez comment vous envisagez la suite des événements ?

— Voici deux jours que les Anglais ont quitté l'Egypte. Le Caire n'est défendu que par la garnison turque. Livrons bataille côte à côte. Grâce à nos forces conjuguées je vous garantis que, dans trois mois au plus tard, vous ferez une entrée triomphale dans la capitale. Nous forcerons Khosrou pacha à l'exil...

Il ajouta un ton plus bas :

— Ou à la mort.

Cette fois le Mamelouk eut l'air définitivement conquis.

— Je crois qu'un brillant avenir s'ouvre devant nous, serchimé.

— Devant *vous*, Osman bey.

Mohammed se leva. Il paraissait soulagé.

— Il est l'heure pour moi de reprendre la route.

El-Bardissi s'offusqua :

— Si tard ?

— Je le dois, hélas ! Dans les temps que nous vivons, chaque heure est une année.

Le Mamelouk répliqua avec une moue résignée.

Mohammed-Ali commença par esquisser un pas en direction de l'escorte qui l'attendait à l'entrée du campement, mais au dernier moment il se ravisa.

— Osman bey, vous ne m'avez pas présenté votre compagnon.

Bien que trouvant la question curieuse, el-Bardissi répondit :

473

— Il s'appelle Karim. Karim ibn[1] Soleïman. C'est le commandant de notre marine fluviale.

— Bravo. Les bons marins sont rares.

Karim répliqua sans l'ombre d'une hésitation :

— Les grands hommes aussi, serchimé.

★

Le 1er juin, ainsi que le serchimé l'avait prédit, Le Caire tomba tel un fruit mûr entre leurs mains. Khosrou pacha, chassé de la capitale, fut capturé à Damiette, ramené et emprisonné dans la citadelle en attendant d'être renvoyé à Istanbul.

Cette nuit-là, Mohammed-Ali ne dormit pas. Il passa la première partie de la soirée à s'entretenir avec quelques-uns de ses frères d'armes albanais. Rien ne filtra de leurs discussions. Hormis les six personnes présentes, tous officiers de haut grade, nul ne sut quels étaient les véritables desseins du général.

Vers minuit, en compagnie d'un interprète[2], il enfourcha un cheval et on le vit partir en direction du Mouski. Après avoir navigué un moment à travers les ruelles il s'immobilisa devant el-Azhar. Un homme enturbanné, une lampe de cuivre à la main, se tenait sur le parvis, il leur fit signe de le suivre.

A l'intérieur attendaient les plus hautes autorités du Caire, formées des cheikhs, des ulamâs et des cadis ; uniquement des Egyptiens. Cette fois non plus, rien ne transpira de la réunion qui s'acheva aux premières rosées de l'aube. L'interprète seul aurait pu rapporter les propos entendus. Mais pour cela il aurait fallu qu'on le torturât jusqu'à la mort.

---

1. Fils.
2. Mohammed-Ali ne parlait pas l'arabe, mais uniquement le turc et l'albanais.

★

10 juillet 1803

La falaise tourmentée du Mokattam faisait penser à une gigantesque muraille dressée dans la nuit.

Karim continua de gravir les marches qui conduisaient vers la grotte creusée dans la falaise, tout en s'interrogeant sur l'étrange choix de ce lieu de rendez-vous. Il poursuivit son ascension jusqu'au sommet de l'escalier. Sur la gauche, la masse noire de la citadelle vibrait sous le ciel saturé d'étoiles.

Rapidement, il longea la faille créée par l'ancienne carrière, large, basse, inquiétante, et continua d'avancer jusqu'à ce qu'il fût en vue d'un sentier sinueux qui s'enfonçait dans les ténèbres. Il reprit son souffle, malgré lui inquiet, et poursuivit sa marche. Maintenant on n'y voyait presque plus, c'est à tâtons qu'il atteignit l'entrée de la grotte. Il hésita, cherchant à décrypter l'ombre dure des roches.

— Ibn Soleïman ?

Un homme au teint fatigué, entièrement vêtu de blanc, le menton hérissé d'une barbe rare et grisonnante, un bonnet de mage sur le crâne, avait surgi d'entre les pierres.

— Ibn Soleïman ?

Machinalement, il répondit oui.

— Ton prénom ?

— Karim.

Sans plus rien ajouter, l'homme alluma la mèche d'une minuscule lampe à huile en terre cuite et l'invita à le suivre.

A mesure qu'ils avançaient et que la voie devenait plus étroite, le malaise de Karim allait grandissant. En plus, il y avait cette atmosphère moite et ce sentiment d'écrasement. Mais où diable le conduisait-on ?

475

Finalement se dessina ce qui ressemblait au terme de la galerie, avec tout au bout de vagues lueurs mouvantes.

Encore quelques pas. Une vaste salle apparut en contrebas, occupée par des hommes, une vingtaine peut-être, rassemblés en cercle. Quelques torchères étaient suspendues aux murs qui projetaient des ombres difformes sur les rochers et le long des parois.

— C'est ici, annonça le guide au bonnet de mage. Attends.

Karim voulut l'interroger, mais l'autre répéta.

— Attends.

En désespoir de cause il reporta son attention sur le décor. Ce cercle. Qui étaient ces hommes ? Karim essaya d'identifier parmi eux celui qui motivait sa présence, mais ne le trouva pas. Tout à coup le frappa cette odeur singulière qui flottait dans l'air. Suave, chaude, langoureuse comme une courtisane et voluptueuse comme le vin. Du hachisch. Cela ne faisait aucun doute.

Mais à quoi tout cela rimait-il ?

Ce n'est qu'après une certaine accoutumance à l'éclairage qu'il découvrit, dans un angle plus sombre, deux individus assis en tailleur. A sa grande surprise, il constata que l'un tenait une tabla[1] serrée entre ses cuisses ; l'autre un rebah[2]. Des musiciens...

De plus en plus déconcerté, il se demanda s'il ne valait pas mieux faire demi-tour. Peut-être l'avait-on attiré dans un piège. Les Turcs ? Ou el-Bardissi ?

Soudain un chant s'éleva qui mit un terme à ses interrogations.

---

1. Sorte de tambour en cuivre recouvert d'un parchemin.
2. Le plus rudimentaire des instruments à cordes, dont s'accompagnent habituellement les conteurs et les improvisateurs. Il est formé d'une basse, sans caisse, et joué à l'aide d'un archet.

Le joueur de rebah s'était dressé. Il se lança dans une psalmodie des versets coraniques, tandis que son corps s'abandonnait à un balancement lancinant.

C'est alors qu'apparurent, sorties d'on ne sait où, six silhouettes, pieds nus, drapées de longues robes de bure serrées à la taille par une ceinture de chanvre. Un bonnet de feutre roussâtre couvrait leur chevelure. Le trait hâve, l'œil inquiétant et fixe, conduits par le personnage vêtu de blanc qui avait guidé Karim, ils prirent place au centre du cercle.

Insensiblement, le chant interprété par le joueur de rebah avait glissé vers une sorte de plainte douloureuse.

Un temps passa. Un changement remarquable s'était opéré dans les physionomies des personnages. Leurs visages s'étaient éclairés, leurs yeux brillaient d'une flamme intense. L'homme vêtu de blanc parut se déplier à l'instar d'une fleur qui s'ouvre et dans un mouvement d'une grâce surprenante, bras écartés à la manière d'un crucifié, il commença à tourner sur lui-même. Doucement, lentement. Le premier tour accompli, il frappa la terre de son talon pour marquer la reprise et repartit vers une nouvelle rotation.

Les six autres silhouettes, jusque-là immobiles, se mirent à leur tour en mouvement. Toupies de chair, on aurait dit que ces hommes cherchaient à se désincarner à chaque nouvelle ondulation, atteindre l'oubli d'eux-mêmes, le dépouillement de leurs sens. De la ceinture aux pieds, les robes de bure s'évasaient, s'élevant de plus en plus haut à mesure que le tournoiement s'accélérait. Et les têtes s'inclinaient sur les épaules dans une attitude proche d'un abandon féminin.

Du cercle fasciné montait une intensité presque palpable devant ces révolutions qui gagnaient en violence, déchiraient les ombres de la grotte par saccades, et violentaient les couleurs. Ils valsaient, les yeux demi-clos, sans se heurter jamais.

Par moments, le vieil homme frappait dans ses mains pour indiquer aux musiciens de presser le rythme. Sous son instigation, la rotation devenait plus véloce. Les traits se métamorphosaient, les têtes se renversaient, montrant des yeux blancs, des lèvres entrouvertes par un sourire indicible.

Des derviches...
Le *zikr*... La souvenance.
Karim venait de comprendre. Il ne faisait plus de doute qu'il était en présence de ce cérémonial dont il avait souvent entendu parler, vieux de plusieurs siècles.

Selon la Tradition, après la mort du Prophète, son successeur le calife Abou Bakr avait jugé nécessaire de recueillir par écrit l'ensemble de la parole divine qui jusque-là n'avait été conservé que par la voie orale. Tâche essentielle, puisque durant les vingt-trois années où l'ange Gabriel avait dicté à Mohammed les versets sacrés, il n'y avait pas eu un seul mot rédigé, pas une note.

Abou Bakr décida donc de réunir tous les confidents du Prophète, et leur commanda de transcrire sans plus tarder leur savoir. Et le Livre fut. Le Coran.

Le soir de cette décision, Abou Bakr vit l'ange Gabriel lui apparaître en rêve et lui assurer que le Tout-Puissant était satisfait de sa démarche. Alors il sauta de son lit et, emporté par une joie souveraine, il se mit à tourner sur lui-même.

Depuis ce jour, certains vendredis ou pour des occasions exceptionnelles, le *zikr* perpétue la démarche bienheureuse du successeur du Prophète.

— Je suis heureux de te revoir...
Karim fit volte-face.

Le serchimé Mohammed-Ali se trouvait juste derrière lui.

Un sourire énigmatique éclairait ses traits. Désignant la cérémonie qui se poursuivait, il fit signe au fils de Soleïman de patienter.

Là-bas la valse des derviches avait pris des allures hallucinantes. Ils disparaissaient dans leur propre éblouissement, glissaient assurément vers l'extase, se détachant de leur entité propre, l'esprit dénoué à la manière d'un écheveau. Peut-être ainsi, libérés d'eux-mêmes, se rapprochaient-ils de Dieu ? Ils tourneraient ainsi jusqu'au cœur de la nuit, tant qu'il leur resterait une infime parcelle d'énergie, jusqu'à l'épuisement total.

— Viens..., chuchota Mohammed-Ali au moment où l'action atteignait à son paroxysme. Suis-moi.

Un instant plus tard ils débouchaient à l'air libre.

Tout en bas, à perte de vue, on apercevait les contours assoupis du Caire. Les flèches des minarets, le lacis confus des ruelles enténébrées.

Mohammed-Ali s'immobilisa. Il extirpa de sa poche une tabatière et se mit machinalement à la faire rouler au creux de sa paume.

— Heureux que tu sois venu, fit-il posément.

— Vous en doutiez, serchimé ?

Il n'y eut pas de réponse.

Prenant les devants il se décida à poser la question qui lui brûlait les lèvres :

— Ce ne sont pas les endroits discrets qui manquent dans la ville. Pourquoi ici ?

— Pour deux raisons. La première est une affaire de... il parut buter sur l'expression —, disons de courtoisie. Le supérieur des derviches tenait à ma présence ici ce soir. La deuxième a trait à la sécurité. La mienne. La nôtre. Il était hors de question que notre entrevue ait une allure officielle.

Karim approuva sans trop chercher à approfondir.

Il y eut un silence, puis :

— Tu dois certainement t'interroger sur la raison de ce rendez-vous.

— Bien sûr, serchimé. Encore que...

— Oui ?

— J'ai supposé, immodestement je le reconnais, que je pouvais vous être utile.

— Tu as supposé juste, fils de Soleïman. Ce qui me rassure. Car tu prouves ainsi ton intelligence. Nous laisserons donc les mignardises aux imbéciles pour aller droit au but.

Il prit une courte inspiration et articula sur un ton grave.

— La Sublime Porte, inquiète de la déposition de Khosrou pacha, nous envoie un nouveau vice-roi en remplacement. Il devrait arriver dans les jours qui suivent à Alexandrie. Son nom m'est déjà connu ; il s'agit d'un certain Taraboulsi.

— Le Grand Seigneur n'a pas perdu de temps à ce que je vois.

— Le contraire eût été impensable. L'Egypte est un bien trop précieux pour le laisser à l'abandon. Jusqu'à cette heure les autorités d'Istanbul n'ont pas déterminé les véritables motifs qui ont conduit à la chute de Khosrou. Ils les ont imputés aux réticences des Mamelouks, leur refus d'obéissance à une nouvelle tutelle ottomane. Ils ignorent tout de mon implication et de celle de mes Albanais. Il faut qu'il en soit ainsi aussi longtemps que je l'estimerai nécessaire.

— Ce nouveau gouverneur ? Ce Taraboulsi ?

— Les informations que je possède indiquent que les troupes qui l'accompagnent ne feront pas le poids devant celles d'Osman bey. Secondées par mes hommes celles-ci auront vite fait de stopper la marche de l'intrus.

Karim approuva tout en se demandant en quoi tout cela le concernait.

— La réussite du projet que j'ai entrepris est fondée sur mon association avec les Mamelouks, de même qu'elle tient au dévouement du contingent que je commande. Si l'un de ces deux éléments venait à faillir, c'en serait fini de mon plan. Mes hommes, je les connais, je les maîtrise. Il n'en est pas de même pour ton ami Osman. Aujourd'hui, c'est lui qui règne en seigneur sur le pays, il ne faudrait pas que dans l'ivresse de sa notoriété récente il commette un faux pas.

Il fit pivoter sa tabatière entre ses doigts.

— Il serait très fâcheux qu'une fois débarrassé de ce nouveau prétendant expédié par Istanbul, el-Bardissi tentât d'aller plus loin. Certains hommes, vois-tu, peuvent soudainement devenir esclaves de leur ambition. Au lieu de demeurer un phare, celle-ci se transforme en bandeau et les frappe de cécité.

— En deux mots, vous craignez qu'il ne se retourne contre vous.

— Appréhender n'est pas craindre. Disons que ce serait fort ennuyeux. Pour lui et pour moi.

Il appuya volontairement sur les derniers mots et conclut :

— Si jamais Osman bey éprouvait ce genre de velléité j'aimerais être le premier averti.

A présent, tout devenait clair.

— C'est donc là que j'interviens.

— Mohammed-Ali n'entend pas forcer ta décision, mais une réponse favorable le satisferait.

Le fils de Soleïman réprima un sourire. Une fois de plus, l'homme retrouvait cette façon bien à lui de s'exprimer.

— Je comprends, serchimé. Et j'apprécie. Aussi je vais être très franc. Ainsi que Osman bey vous l'a dit, je suis un marin. Plus jeune j'avais un rêve, qui ne m'a

481

jamais quitté : devenir un jour Qapudan pacha. Oui, je sais, c'est un peu fou, surtout...

Mohammed-Ali le coupa :

— Il n'existe pas de rêve fou. Seulement des fous qui ne tentent pas de réaliser leur rêve.

— Peut-être. En tout cas, jusqu'à cette heure je n'ai gouverné que de vulgaires chebecs et quelques felouques aux modestes canons. J'ignore totalement ce qui m'attire en vous. Pourtant j'ai côtoyé des hommes qui ont courtisé l'Egypte. Mourad, Elfi bey, le général français Kléber, à qui j'aurais pu offrir mes services, et aujourd'hui el-Bardissi. Jamais aucun d'entre eux ne m'a véritablement séduit. Mais ce n'est pas tout. Il y a longtemps quelqu'un de très cher à mon cœur m'a dit ceci : « Fasse le ciel que le jour où tu seras Qapudan pacha, tu le sois sous les ordres d'un être qui aimera sincèrement ce pays et qui n'aura pour désir que de le restituer à ceux à qui il appartient. » Ces mots n'ont jamais quitté ma mémoire.

Il marqua une pause, pour mettre plus de poids aux mots qui allaient suivre et conclut :

— Ce soir, quelque chose me dit que ce personnage, ce sera vous.

★

Il était là, debout dans les ténèbres. Schéhérazade frôla sa joue, pour s'assurer qu'il ne s'agissait pas d'une vision, que d'avoir été réveillée en pleine nuit n'avait pas dérangé son esprit. C'était bien lui, Karim, le fils de Soleïman.

— Entre, fit-elle le cœur au bord des lèvres.

Il s'exécuta en silence et s'installa sur le premier siège.

Elle s'approcha de lui à la fois émerveillée et craintive.

— Je te vois, je te touche, je n'arrive pas à y croire.

— Pourtant c'est moi. Le bouseux.

Le ton employé se voulait détendu, naturel. Peut-être un peu trop.

— C'est splendide, reprit-il en examinant le décor autour de lui. Si mes souvenirs ne me trompent pas, cette ferme était bien à l'abandon ?

— Elle l'était...

— Et tu t'es occupée de tout restaurer ?

Elle fit oui.

— Rien que toi ?

— On ne construit rien tout seul, fils de Soleïman. Non. J'ai été aidée, grâce à Dieu.

Il hocha la tête, admiratif, puis ses traits devinrent graves.

— J'ai appris pour Sabah... Ça a dû être effroyable.

Elle s'assit sur l'épais tapis de laine, presque à ses pieds.

— Oui... Mais c'est le passé. Et le temps est un prodigieux médecin.

Il y eut un silence à peine troublé par le chant d'un grillon.

— Et toi, fils de Soleïman ? Comment va ta vie ? J'ai appris par dame Nafissa que tu servais le successeur de Mourad. Un certain...

Il lui souffla le nom :

— El-Bardissi. Oui. Mais plus pour longtemps.

— Ah ?

— C'est un âne prétentieux qui, hélas, n'a ni l'intelligence ni le génie de Mourad bey.

— Je vois...

Tout à coup elle eut le sentiment affreux de revivre la même scène à trois ans d'écart. Ils étaient là, tous les deux, sur ce quai de Boulaq, avant qu'elle lui annonce son mariage avec Michel. Il y avait eu ce marchand de karroub. Les felouques sur le Nil.

Elle demanda avec une certaine brusquerie.

— Que se passe-t-il ?

Il tressaillit comme un voleur surpris.

— Que... que veux-tu dire ?

— Je sais l'air que tu respires. Je sais les battements de tes paupières. Je connais tout de toi. Pourquoi chercher à te masquer ?

A la manière dont elle l'observait, il sut effectivement qu'il ne pourrait plus feindre.

— Très bien, commença-t-il d'une voix raffermie. Tu as raison. Il ne sert à rien de jouer. Pas avec toi. Pas nous deux.

Il respira nerveusement.

— Je suis ici pour te demander de me délier de notre histoire...

Elle le regarda sans répondre.

— Si jamais jusqu'à cette heure tu m'espérais encore, il ne faut plus.

Elle ne dit toujours rien.

— M'espérais-tu ?

Dans l'empressement du ton employé, il y avait l'espérance cachée d'une réponse qui fût négative.

— J'aurais voulu t'apaiser, fils de Soleïman. Malheureusement je ne puis. Oui, je t'espérais. De toute mon âme, de tout mon souffle. Je n'ai fait que cela.

— Même après la mort de Michel...

— Surtout après sa mort. Et encore plus.

Il contempla ses mains pour se donner une contenance, pour lui échapper.

— Pourquoi ?

Il répondit sans lever la tête.

— J'ai besoin d'être libre. Plus que jamais. Pour ce que j'ai à entreprendre, il faut que je sois seul. Sans attaches. Une chance s'offre à moi qu'il me faut saisir avant qu'elle ne me fuie.

— Une femme ?

484

— Comment peux-tu...

Elle répéta :

— Une femme ?

— Non, princesse. Seulement la vie.

— Et dans cette vie il n'y aurait pas de place pour
mon amour.

Il mit un temps avant de répondre non.

— Tu repars donc ?

— Il le faut.

— Pour toujours...

— Oui, princesse.

— Arrête !

Elle avait crié, pour se libérer sans doute, surtout
pour ne pas se laisser aller à le gifler, à le lacérer.

— Cesse de m'appeler princesse ! Ce surnom ne
t'appartient plus ! Tu l'as foulé, piétiné. Il est au
passé. Définitivement !

Il esquissa un geste qui se voulait apaisant.

— Il ne faut pas m'en vouloir. Je n'ai pas le choix.

— Pas le choix ?

Elle fit un pas vers lui, les lèvres serrées.

— Pas le choix... Tu es vraiment un bouseux, fils de
Soleïman. Tu n'as jamais été que cela.

— Regarde cette ferme...Tu es une fille de la terre,
il te faut un homme de la terre aussi. Moi...

— Toi, tu es un enfant du Nil, c'est ça ? Un futur
grand amiral...

Elle prit une profonde inspiration avant de
poursuivre :

— Eh bien, pars donc, puisque tel est ton désir ! Va
retrouver le fleuve. Je ne te retiendrai pas. Mais avant
cela...

Avec une force surprenante, elle lui agrippa le bras
et l'entraîna à l'extérieur. S'agenouillant sur le sol,
elle referma ses doigts sur une motte de terre et se
releva en la lui tendant.

— Vois cette terre... C'est vrai, j'en suis issue. C'est vrai, j'aime son odeur, sa chaleur, sa fermeté et sa faiblesse. Tu trouves peut-être cela puéril, alors que seule compte pour toi la majesté de l'océan. Alors, laisse-moi te dire simplement ceci : lorsque tu seras sur tes navires, n'oublie jamais que la mer, elle, est mouvante et insaisissable comme le vent, changeante et dangereuse comme les êtres. Elle ressemble à l'ambition et à la gloire, fils de Soleïman. On peut en mourir...

Elle se tut enfin. Ses lèvres tremblaient, quelques perles de sueur faisaient briller son front sous le scintillement pâle de la lune.

Il la considéra un moment. Tourna le dos avec lenteur et partit parmi les arbres.

Il ne la vit pas qui s'était agenouillée à nouveau. Le poing serré. Inondant de ses larmes la motte de terre.

CHAPITRE 29

Fin juillet 1805

On aurait juré qu'il avait neigé sur la ferme aux Roses tant le champ était blanc.

Séparés les uns des autres d'environ trois pieds, les huit cents cotonniers offraient un spectacle superbe. Les flocons posés sur leur frêle tige recouvraient la presque totalité des trois feddans semés deux ans plus tôt, aux premiers jours d'avril.

Pourtant, la première tentative s'était soldée par un échec retentissant. Schéhérazade, secondée par deux fellahs de Nazleh, avait passé des heures au labour. Tâche surhumaine puisque, ne possédant pas de charrue, ils n'avaient eu d'autre solution que d'accomplir le travail à la houe, parcelle après parcelle, brisant les mottes, nivelant la terre avec une volonté et une ardeur inlassablement stimulées par Schéhérazade.

Ensuite il avait fallu creuser les trous qui serviraient de berceaux aux graines ; tremper celles-ci afin de les amollir et de hâter la germination.

En avril tout fut achevé.

Vers la fin juin, les eaux du fleuve roi entamèrent leur montée. Dès ce jour Schéhérazade cessa pratiquement de vivre. L'aube la trouvait agenouillée dans la poussière des berges, guettant, mesurant, priant à haute voix pour que les flots se montrent généreux. Le crépuscule la ramenait vers la digue érigée sur le flanc gauche du champ. Elle caressait le bois comme s'il se fût agi de la peau d'un amant ou de celle de son enfant.

A la mi-juillet le Nil enflait toujours. Dix jours plus tard il atteignit un niveau jamais vu, bien au-delà des vingt-cinq coudées connues du temps d'Abounaparte. Pétrifiée, Schéhérazade comprit que jamais cette digue de fortune ne résisterait. Ce fleuve porteur de vie et d'espoir, ce ruban qui prenait sa source dans le paradis allait anéantir son rêve.

Lorsque les eaux commencèrent à se délier au creux des sillons où sommeillaient les graines, tout espoir fut perdu. Par la suite elle ne devait plus oublier cette date funeste, le hasard ayant voulu qu'elle correspondît au jour anniversaire de ses vingt-sept ans.

Le sentiment de rage succéda très vite à la terrible déception. La force de recommencer lui vint sans doute de Joseph. Elle aurait pu tout aussi bien se laisser mourir. Pas lui.

En avril de l'année suivante, on laboura à nouveau, on replanta.

La nouvelle crue répondit à leurs espoirs. Les jours qui suivirent furent consacrés à sarcler à la main les herbes parasites, autour et dans les intervalles des cotonniers qui affleuraient timidement à la surface des sillons.

Décrire les tourments, les affres, les impatiences de Schéhérazade au cours des douze mois suivants...Elle couchait au pied de ses plants ; elle les respirait ; leur parlait. Chaque pouce gagné était accompagné de cris de victoire qui s'entendaient jusqu'au hameau de Nazleh. Peut-être plus loin encore.

Même l'enfant en était arrivé à s'imaginer que la raison de vivre des hommes tenait dans un champ, entre deux semences. Aurait-il pu savoir que pour sa mère c'était bien le cas.

Le matin où les tiges atteignirent plus de trois pieds, elle sut qu'elle avait gagné. Vint l'heure de la première récolte. Sous les ordres d'Ahmed, les fellahs armés de serpettes entamèrent la taille. Il fallut émonder jusqu'à ne laisser que le tronc.

Le fruit tiré de cette première moisson dépassa les espérances. Alors qu'habituellement le rapport d'un cotonnier est d'une livre à une livre et quart brut pour la première année, il ne fut pas éloigné de deux livres. Sensiblement le même que celui de la deuxième récolte qui venait de s'achever.

Le couchant s'allongeait sur la ferme. Schéhérazade, debout depuis l'aube, surveillait les dernières opérations d'égrenage. Demain le coton serait mis en balles, on le presserait avec les pieds, et il ne resterait plus qu'à le porter à la ville.

Elle s'épongea le front du revers de la main et s'étira, le visage tourné vers les derniers filaments de soleil.

Ahmed joua quelques notes de naï tout en contemplant la jeune femme.

Dieu qu'elle avait changé au cours de ces cinq dernières années. Elle venait tout juste d'avoir vingt-huit ans, mais il se dégageait déjà de tout son être ce maintien de la femme accomplie. Sa beauté, toujours grande, avait pris une autre dimension. Un invisible sculpteur avait modelé ses traits au plus proche de l'idéal. La silhouette s'était à peine musclée, et du galbe de ses hanches à ses chevilles transpirait une rare harmonie.

— Cette fête m'ennuie, Ahmed.

489

Il s'interrompit, un peu surpris.

— De quelle fête veux-tu parler ?

Elle leva les yeux au ciel avec exaspération.

— Décidément, tu ne te souviens plus de rien ! Je t'ai pourtant dit que dame Nafissa organisait une réception pour fêter la restauration du palais de son défunt mari. Je n'ai aucune envie de m'y rendre. En plus, ça me gêne de faire coucher le petit hors de chez lui. Il ne fermera pas l'œil.

— Tous les prétextes sont bons, pour qui cherche à fuir. Je n'ai probablement pas de conseils à te donner, mais il n'en demeure pas moins...

— Oui, oui. Je sais.

Elle caricatura le ton d'Ahmed :

— « Il faut que tu voies du monde. Il faut que tu sortes, poupée. Une femme dans ta jeunesse ne peut pas vivre solitaire... »

— Qu'y puis-je ? C'est pourtant la vérité. L'épouse de Mourad est ton amie. La seule. C'est toujours elle qui se déplace, qui s'inquiète de toi. Il y a tout de même deux jours de voyage d'ici au Caire.

— Justement ! C'est trop.

Elle conclut avec une pointe d'entêtement :

— D'ailleurs je n'ai rien à me mettre.

Ahmed posa son naï sur le sable et marcha vers elle.

— Poupée, où veux-tu en venir ?

Il montra le champ, la ferme.

— Tu as accompli un miracle. Tu es en voie de devenir riche. Mais à quoi ta richesse te servira-t-elle si...

Elle le coupa :

— Tu le sais parfaitement. A reconstruire Sabah.

— Inch Allah. Ensuite ?

Il fixa ses yeux dans ceux de la jeune femme et dit encore :

— L'Eternel a construit le monde. Il aurait pu s'en

contenter. Pourtant, il y a voulu les hommes. Tu ne t'es jamais demandé pourquoi ? Je vais te le dire : pour ne pas se sentir seul.Tu te crois supérieure à Lui ? Folie, Schéhérazade. Contrairement à ce que tu imagines, le chagrin et le malheur s'accordent avec la solitude. Mais lorsque les choses s'éclairent, lorsque l'on possède le bien-être, vivre seul devient très vite un enfer.

— Mon fils...

— Ton fils, que Dieu le garde, grandira. Tandis que toi, poupée, tu vieilliras. Tous ces longs mois tu as vécu à l'image d'une fleur fermée. Crois-moi, il est temps de retourner vers le monde. Il te réserve, qui sait, des moments de bonheur insoupçonnés.

Une certaine émotion avait envahi Schéhérazade, elle répliqua d'une voix étranglée :

— Le monde... Oublies-tu ce que le monde m'a fait ? Un Français m'a sauvé la vie, un autre a assassiné mon frère. Une musulmane, Aïsha, s'est sacrifiée pour notre famille, ses frères ont été mes bourreaux. Tout ce que le monde donne d'une main, il le reprend de l'autre. C'est vers lui que tu me pousses à revenir ?

— Je vais peut-être te faire mal, fille de Chédid. Ce n'est ni la mort de ton frère, ni celle de ton époux, ni celle de ta mère qui t'ont enfermée dans la nuit durant ces deux années. La raison est autre, elle s'appelle Karim. Tu ne penses pas que deux ans plus tard il serait temps que l'heure soit à l'oubli ?

Un sourire inattendu écarta les lèvres de la jeune femme.

— L'oubli ? On voit que tu n'as jamais aimé, fils d'Adam. En amour, il n'existe pas d'oubli. Seulement des pages tournées. Quels que soient les mots écrits, le nombre de ratures, la laideur ou la beauté de certains passages, on n'oublie rien. J'ai tourné la page. Oh, bien sûr, cela n'a pas été facile. Mille nuits d'insomnie et beaucoup de fureur. Mais j'ai tourné la page.

491

Elle montra les cotonniers.

— C'est tout cela qui m'a détourné de mes rancœurs. Et puis il m'est revenu une phrase prononcée par le fils de Soleïman, alors que nous n'étions encore que des enfants. Ce soir-là, comme j'insistais pour qu'il demeure à Sabah, il a répliqué : « C'est mon bonheur que tu veux, Schéhérazade ? ou le tien ? » Ma réponse fut : « Je ne sais pas. Je ne vois pas la différence. » J'étais stupide. A présent je sais. Si le bonheur du fils de Soleïman est de vivre sans moi, alors il faut qu'il en soit ainsi. Ma seule terreur, la seule, est qu'il échoue. Moi, il me restera toujours la terre et mon fils. Lui, que lui restera-t-il ? Il nous aura sacrifiés pour rien. Un peu de poussière d'étoiles.

Ahmed branla doucement de la tête.

— C'est bien, sayyeda. Tu as parlé d'or. Mais alors, pourquoi ce refus de retourner vers le monde ?

Elle glissa ses doigts le long de ses longs cheveux noirs, tandis qu'une note mélancolique perçait dans ses prunelles.

— La douleur, Ahmed...Comme toi, j'ai perdu la moitié de ma vision. Je ne voudrais pas finir dans la nuit. Je ne veux plus aimer. Seulement ma terre, et Joseph.

L'homme la contempla avec tendresse.

— C'est là que tu te trompes, fille de Chédid. Tu n'as rien perdu de ta vision. Bien au contraire, jamais elle ne fut plus aiguë, plus limpide, plus belle. Tu n'es pas de celles qu'on aveugle.

★

Dame Nafissa avait admirablement fait les choses. Le salon scintillait de mille feux, rappelant la splendeur de Mourad. Les trente-deux lustres de bronze diffusaient leur lumière chaude sur la dentelle des mouqarnas[1] et des frises lambrissées. Les mosaïques, endommagées par les divers affrontements des dernières années, avaient été reconstituées, ainsi que les dalles de marbre blanc et les frises de pourpre et d'or.

Le repas avait été somptueux. Moutons, cailles, agneaux embrochés, rien n'avait été négligé, tant pour le plaisir du palais que celui des yeux.

Bernardino Drovetti, le nouveau consul de France au Caire, chuchota d'un air complice à l'oreille de Schéhérazade :

— Plus que le dessert à subir...

Elle acquiesça, tout en bénissant le ciel d'avoir été placée au côté de cet homme, courtois et affable, plutôt qu'auprès d'un Mamelouk ou d'un quelconque dignitaire ottoman. Sa situation peu ordinaire de femme non accompagnée aurait certainement attiré une remarque imbécile, un commentaire déplacé. Vu son état d'esprit, Dieu sait comment elle aurait réagi.

— Ainsi vous faisiez partie de l'expédition ?

C'était le voisin de gauche de Schéhérazade qui venait de s'adresser au consul. Un peu moins de quarante ans. Personnage élégant, le crâne coiffé d'une épaisse chevelure, assez bel homme dans l'ensemble, mais plutôt taciturne. Depuis le début du dîner il n'avait guère dû prononcer plus de deux ou trois mots.

Drovetti expliquait :

— Modeste colonel. Oui. Après cette funeste épopée, je suis rentré en France, persuadé que je ne reverrais plus jamais ce pays. Le hasard et la politique en ont décidé autrement. Pour mon plus grand plaisir d'ailleurs. J'aime cette terre. Même si je n'avais pas

1. Ornementation architecturale composée d'alvéoles rangés horizontalement ou groupés verticalement.

été nommé agent consulaire j'y serais revenu tôt ou tard. L'Egypte est magique, ne trouvez-vous pas ?

L'homme mit un temps avant de répondre. Il le fit sur un ton curieux, avec une certaine préciosité.

— Il n'y manque qu'un gouvernement libre et un peuple heureux. Il n'est point de beau pays sans l'indépendance ; le ciel le plus serein est odieux si l'on est enchaîné sur la terre. Je ne trouve dignes de ces plaines magnifiques que les souvenirs de la gloire de ma patrie.

Un peu surprise par la dernière remarque, Schéhérazade s'informa :

— Pardonnez-moi, monsieur, mais que voulez-vous dire lorsque vous parlez de la gloire de votre patrie ?

— Je vois les restes des monuments[1] d'une civilisation nouvelle, apportée par le génie de la France sur les bords du Nil ; je songe en même temps que les lances de nos chevaliers et les baïonnettes de nos soldats avaient renvoyé deux fois la lumière d'un si brillant soleil.

C'était elle qui ne comprenait rien, ou le langage de cet homme était-il trop riche et donc trop hermétique pour son esprit ? Elle jugea préférable de ne pas poursuivre le dialogue, et se contenta d'acquiescer.

— Pour ce qui est de l'indépendance de l'Egypte, releva Drovetti, vous risquez d'être très surpris par les changements qui vont survenir. Mohammed-Ali, le nouveau gouverneur nommé par la Porte, ne régnera pas ici comme un simple vassal. Et...

Un bruit de verre brisé couvrit les derniers mots du consul.

Non loin d'eux, à la table où siégeait dame Nafissa, un invité avait bondi, les traits cramoisis. Il était vêtu d'une abbaya incarnate sur laquelle était brodé un

1. Les restes des fabriques élevées par les Français lors du passage de Bonaparte.

griffon d'or, armoiries de la maison d'Elfi bey. Il hurla à l'intention de quelqu'un qui lui faisait face :

— C'est inacceptable ! Si nous n'étions pas sous le toit de la digne épouse de Mourad bey, c'est de mes mains nues que je vous aurais fait rendre gorge !

Sur un regard méprisant il se dirigea à longues enjambées vers la sortie.

— Un instant !

Celui qui venait de subir l'algarade s'était levé à son tour. C'était Ricardo Mandrino.

Parvenu à la hauteur du Mamelouk, il laissa tomber d'une voix grave, un peu éraillée :

— Hassan bey. N'avez-vous rien oublié ?

L'autre fronça les sourcils.

— Je sais que chez vous, les Circassiens, la courtoisie est un mot ignoré. Mais vous allez, j'en suis convaincu, nous prouver le contraire.

Il étendit son bras vers la Blanche.

— Au pays d'où je viens on ne se retire pas sans saluer son hôte. En Orient non plus d'ailleurs ; ou alors seuls les porcs après s'être gavés. Seriez-vous un porc, Hassan bey ?

Les traits du Mamelouk avaient viré au blanc.

Dame Nafissa s'était dressée et fit un geste d'apaisement.

— Laissez tomber, Ricardo. Ça n'a aucune importance.

Le Vénitien fit mine de n'avoir pas entendu.

— Alors Hassan bey... Nous attendons.

Une expression de défi s'était insinuée sur la figure du Mamelouk.

— Hassan bey ne reçoit d'ordre de personne ! Encore moins d'un infidèle.

Il n'y eut rien de théâtral dans le geste de Mandrino, tant il fut spontané. Il saisit le Mamelouk par le pan de son manteau et l'attira vers lui.

— Lorsque à la muflerie s'ajoute l'insolence, il faut payer !

Avec une incroyable puissance, il força le bey à mettre genoux à terre et le traîna tel un vulgaire ballot jusqu'aux pieds de dame Nafissa.

La Blanche articula péniblement :

— Monsieur... je vous en prie...

Effondré à terre, on aurait dit que le bey n'était plus qu'un fétu de paille sous l'entière sujétion de son adversaire.

— Notre hôtesse s'impatiente, Hassan bey ! Et mon dessert attend.

Pour toute réaction, le Mamelouk rua tel un forcené, cherchant à se dégager. Bien mal lui en prit. Dans un mouvement imparable, la botte de Mandrino se plaqua violemment contre sa joue, lui écrasant littéralement la face.

— Des excuses !

A la fois consternés et admiratifs les invités observaient la scène. Personne n'osait proférer un mot, encore moins intervenir.

Le Vénitien accentua sa pression. Son talon n'était pas loin de broyer le crâne de sa victime.

Finalement le bey leva une main vacillante, signe qu'il était prêt à céder. Le saisissant par le collet, et avec toujours cette surprenante aisance, son adversaire le souleva et le remit sur pieds.

— Attention !

C'était Nafissa qui venait de hurler.

Il y eut des bruits de sièges renversés. Un cri de femme.

Le Mamelouk avait tiré une dague de sous les pans de son manteau et s'apprêtait à frapper. Il n'alla pas au bout de son geste. Un poing le heurta de plein fouet, faisant craquer sa mâchoire. Il oscilla sur place, l'œil exorbité, avant de s'affaisser.

Imperturbable, Mandrino se tourna vers la Blanche et écarta les bras dans une attitude navrée.

— Sayyeda, vous me voyez confus. Mais devant certains comportements...

Désignant le corps gisant à terre :

— Il vaudrait mieux que vos gardes nous en débarrassent. Un individu aussi discourtois pourrait récidiver, ce qui serait fâcheux pour la suite de votre dîner.

Dame Nafissa, à deux doigts de défaillir, prit appui contre la table, incapable de proférer un seul mot.

Ce fut une fois encore Ricardo qui prit les devants. Il frappa dans ses mains, cria un ordre dans un arabe parfait, qui eut pour effet d'ameuter trois serviteurs. Après un temps d'hésitation, ils agrippèrent le Mamelouk toujours inconscient et l'emportèrent.

Alors seulement la Blanche se ressaisit. Interpellant les musiciens qui s'étaient transformés en statues, elle les encouragea à rejouer.

— Allez ! Allez !

Ils s'exécutèrent timidement, en même temps que la femme glissait vers son invité un regard réprobateur.

— Vous m'avez fait bien peur. Je vous savais impétueux, Ricardo, mais pas à ce point !

— Quand c'est pour défendre l'honneur d'une dame, toujours. Bien plus encore lorsque cette dame a pour nom sett Nafissa.

La Blanche rougit sous le compliment et baissa les yeux comme une gamine.

Il posa la main sur son cœur, inclina le buste avec déférence et retourna vers sa place sous l'œil perplexe de l'assemblée.

— Finalement, commenta Drovetti, il y en a qui ne se résigneront jamais à accepter les réalités.

Schéhérazade fronça les sourcils. Comme tout le monde elle avait suivi la scène avec un certain effare-

497

ment. Elle s'apprêtait à interroger le consul, lorsque son voisin de table, le bel homme taciturne, bondit de son siège.

— Est-il possible que les lois puissent mettre autant de différence entre les hommes ? Quoi ? ces hordes de brigands albanais, ces Mamelouks, ces stupides musulmans, ces fellahs si cruellement opprimés, habitent les mêmes lieux où vécut un peuple si industrieux, si paisible, si sage ; un peuple dont Hérodote et surtout Diodore se sont plu à nous peindre les coutumes et les mœurs !

Il s'était exprimé avec emphase, la voix vibrante. Reprenant son souffle, il s'inclina successivement devant la jeune femme et le consul.

— Permettez-moi de me retirer. Demain à l'aube je pars pour Alexandrie.

Il précisa à l'intention de Drovetti :

— Je peux compter sur vous, n'est-ce pas ? Comme promis vous graverez mon nom sur la grande pyramide ?

— Absolument. Ce sera fait.

Il salua une dernière fois, et s'éclipsa, la prunelle plus tourmentée que jamais.

— Mais qui donc est cet étrange personnage ? s'empressa de demander Schéhérazade.

— Il s'appelle Chateaubriand. François-René de Chateaubriand. Un peu fantasque, je le reconnais. Un piètre politique, mais un certain talent d'écrivain. Il tirera sans doute un ouvrage de son voyage en Orient, je suppose que c'est la raison pour laquelle il a insisté que je grave son nom au pied de la grande pyramide. Ainsi, il pourra raconter qu'il s'y est rendu en personne. Nul ne saura la vérité, sauf moi, et vous bien sûr[1].

1. Drovetti vendra la mèche au cours de diverses confidences.

— Je vois... Maintenant peut-être pourriez-vous aussi me dire pourquoi ces deux individus ont failli s'entre-tuer ?

— L'un est le bras droit d'Elfi bey. L'autre...

— Ricardo Mandrino, un ami de dame Nafissa, je sais.

— Vous le connaissez donc ?

— Je l'ai entrevu une fois. Poursuivez, je vous prie.

— Elfi bey a fait partie de ces Mamelouks qui, à l'instar d'el-Bardissi, se sont associés à Mohammed-Ali pour causer la chute de Khosrou pacha, le dernier gouverneur du Caire mandaté par la Porte.

La jeune femme adopta un air désorienté.

— Pardonnez-moi. Mais cela fait bien longtemps que les affaires de la politique me sont étrangères. Bien que dame Nafissa ait essayé de me tenir informée, je n'ai toujours prêté qu'une oreille distraite.

Une lueur amusée illumina la prunelle de Drovetti.

— Vous ne savez même pas qui est Mohammed-Ali ?

Elle secoua la tête, désolée.

— Vous avez réellement vécu en ermite. Alors apprenez que, depuis peu, Mohammed-Ali est le nouveau vice-roi d'Egypte.

Il se hâta de préciser, non sans une pointe de fierté :

— C'est aussi mon ami.

Schéhérazade observa avec une expression blasée :

— Un pantin de plus mandaté par Istanbul...

— Madame ! Pas Mohammed-Ali ! S'il n'existait qu'un homme au monde qui ne soit le pantin de personne, ce serait bien lui.

Un serviteur posa sur la table une pyramide de sucreries. Schéhérazade se servit d'une konafa noyée de miel et murmura :

— Vous semblez porter cet individu en haute estime.

Drovetti se tourna vers la jeune femme de manière à lui faire face.

— Si vous aviez eu la chance de l'approcher, il ne fait aucun doute que vous auriez éprouvé à son égard les mêmes sentiments. C'est un être à part. Courageux, énergique et résolu.

Il se servit à son tour et reprit posément :

— Dans un premier temps, il s'est servi des Mamelouks pour détrôner les quatre pachas mandatés par la Porte. Ensuite, avec l'aide du contingent albanais dont il avait le commandement, il s'est retourné contre ses alliés de la veille et les a chassés du Caire ainsi que de la plupart des villes importantes. Pour finir, soutenu par les Egyptiens, il a mis au pas les Albanais et s'est fait élire vice-roi. Prodigieux non ?

— Vous voulez dire machiavélique. Si j'ai bien compris, il a conçu un escalier, dont chaque nouvelle marche était faite du complice du moment, lequel devenait l'ennemi du lendemain.

— L'exemple est un peu simpliste, mais il reflète bien la réalité.

— Tout de même, il y a un élément qui m'échappe. Qu'il ait renversé les Turcs avec l'aide des Mamelouks, les Mamelouks avec l'aide des Albanais, je le comprends. Mais que viennent faire les Egyptiens dans cet imbroglio ?

— C'est là justement son trait de génie. C'est grâce au concours des chefs civils du Caire qu'il a atteint son but. Ce que Bonaparte a tenté de faire mais sans y parvenir, Mohammed-Ali l'a réussi. Evénement rare, exceptionnel, sans précédent, ce sont les ulamâs et les notables qui l'ont proclamé vice-roi et qui sont intervenus auprès d'Istanbul en sa faveur. Mesurez-vous l'ampleur d'un tel événement ?

— Au risque de vous décevoir, monsieur Drovetti, pas tout à fait.

— La participation des Egyptiens à l'avènement de Mohammed-Ali laisse entrevoir, pour la première fois dans l'histoire de votre nation, un caractère nouveau, les prémices d'un cachet national. Cette fois ce n'est pas un simple représentant de la Porte qui va conduire la destinée de l'Egypte, mais un personnage qui se démarque chaque jour un peu plus de ses racines ottomanes. Un seigneur sans tutelle. J'oserai même dire : un Egyptien. En cinq ans il a su se faire tour à tour lion et renard, sans craindre de s'asseoir sur un trône aussi fragile, dont tout le monde s'accorde à dire « qu'y monter est un chef-d'œuvre. Y rester, un miracle ».

— En deux mots, un aventurier...

Bernardino secoua la tête gravement.

— Non, madame. Un homme d'Etat.

— Un joueur, comme ce Bonaparte.

— Un joueur, je vous l'accorde. Mais à la seule différence qu'il est toujours attentif à la mise et ne s'en laisse jamais déposséder.

Drovetti hocha le menton à plusieurs reprises.

— Un jour vous vous souviendrez de mes propos.

— Ce qui me surprend dans votre histoire, c'est que la Porte tolère un personnage qui prend ses distances vis-à-vis de son autorité.

— Oh ! ne rêvons pas ! Les Turcs ne tolèrent rien du tout. Ils sont même en train de tout faire avec la complicité des Anglais pour essayer de rétablir — ce qui est le comble du paradoxe — les Mamelouks dans le gouvernement du pays. A tout perdre, ils préféreraient pactiser avec leurs ennemis héréditaires plutôt qu'avec Mohammed-Ali. C'est vous dire combien ils sont conscients du danger qu'il représente.

— Vous commencez à m'intriguer, monsieur le Consul.

Elle rejeta la tête en arrière et parut songeuse.

— Un gouverneur indépendant...Dans une Egypte autonome... C'est à peine imaginable.

— Cependant, c'est bien ce qui risque de se passer.

Schéhérazade se redressa et demanda :

— Si vous me parliez de M. Mandrino ?

— Personnage étonnant. Selon les informations que je possède, il est issu d'une des plus vieilles familles vénitiennes, celles qu'on appelle les Case Vecchie, dont la noblesse, à la différence des autres familles, remonte au XIᵉ siècle. Les Mandrino faisaient partie des nobles de Terre ferme — c'est ainsi que l'on avait baptisé les riches féodaux. Fait plus prestigieux encore, cette illustre famille aurait fourni à la Sérénissime[1], trois doges. Ce qui est tout à fait exceptionnel.

— Décidément, remarqua Schéhérazade avec une pointe d'ironie, ce monsieur est de grande importance.

L'agent consulaire eut une expression sceptique.

— N'exagérons rien. Depuis que notre Bonaparte a mis la République de Venise à genoux et fait brûler le Livre d'or[2], je me demande quel rôle des hommes comme Mandrino pourraient encore jouer.

— Un aventurier de plus, répliqua Schéhérazade sur un ton volontairement taquin. En tout cas vous semblez bien le connaître.

— Disons que je l'ai croisé deux ou trois fois au palais de la citadelle. Il est très lié avec le nouveau vice-roi.

— Tout s'explique. Si votre Mandrino est un ami de Mohammed-Ali, le Mamelouk et lui n'auraient jamais dû se retrouver à la même table.

— Sans doute. Il aura suffi que l'un des deux pro-

---

1. Nom de Venise à partir de 1117.
2. Document dans lequel étaient consignés les naissances, les mariages et les décès des nobles vénitiens.

nonce un mot malheureux pour mettre le feu au poudre.

— En tout cas, si vous voulez mon avis, il me fait l'effet d'une véritable brute. Vous avez vu de quelle façon il a traité Hassan bey ?

Drovetti eut l'air choqué.

— Enfin, madame ! Un homme digne de ce nom ne peut pas se laisser injurier sans réagir. Il me...

Schéhérazade l'interrompit avec quelque sécheresse.

— C'est comme cela que commencent les guerres. En ce qui me concerne, je n'éprouve aucune admiration pour ceux qui usent de la force en guise d'arguments.

Elle allait conclure lorsque subitement elle sentit le regard de quelqu'un posé sur elle. Machinalement elle jeta un coup d'œil par-dessus son épaule. Mandrino était là, qui la fixait intensément.

Drovetti, qui s'était rendu compte presque en même temps de sa présence, se leva. Il le fit avec un empressement exagéré qui irrita Schéhérazade.

— Cher ami. Quelle joie. Comment allez-vous ?

— Fatigué de côtoyer la bêtise humaine.

— Oui. J'ai été témoin de l'incident. Ce Hassan bey est au-dessous de tout.

Mandrino répliqua sans quitter des yeux la jeune femme.

— C'est le passé...Il faut savoir oublier les petitesses. N'est-ce pas ?

Il prit la main de Schéhérazade et la porta à ses lèvres.

Il ajouta doucement :

— Je suis ravi de vous revoir, fille de Chédid. C'est à vos côtés que j'aurais dû être placé. Ainsi ma soirée eût été éclairée par votre beauté, plutôt que ternie par l'ennui et la grossièreté.

— C'est très aimable, monsieur. Mais qu'en savez-vous ?

La réplique était tombée sèche, à la limite de l'agressivité.

Drovetti se pinça les lèvres. Mandrino demeura imperturbable.

Il jaugea un moment la jeune femme.

— Je n'en savais rien, c'est exact.

Il marqua un temps.

— Maintenant je sais. Vous ou Hassan bey, cela n'aurait fait aucune différence.

Les joues de Schéhérazade s'empourprèrent. Elle faillit s'étrangler.

Avant qu'elle ait eu le temps de réagir, le Vénitien salua Drovetti, s'inclina à peine devant elle en murmurant :

— Mes hommages, madame...

★

— Quel individu ignoble ! Quel goujat !

Dans la chambre à coucher de dame Nafissa, Schéhérazade allait et venait telle une panthère aux abois.

La Blanche, allongée sur le lit, soupira avec lassitude.

— Dans quel état tu te mets, ma fille. Et pour pas grand-chose.

— Pas grand-chose !

Elle avait crié si fort que Nafissa porta ses mains à ses oreilles en grimaçant.

— Oh la ! fille de Chédid. Du calme !

— Avez-vous seulement compris ce qu'il a osé me dire ? « Vous ou Hassan bey, cela n'aurait fait aucune différence. » C'est incroyable ! Je me demande comment je ne l'ai pas giflé ! Quel sot !

Elle se laissa tomber sur le lit et sous l'œil réproba-

504

teur de Nafissa elle abattit son poing sur l'un des coussins.

— Dire qu'il est soi-disant issu d'une famille noble ! C'est à mourir de rire.

— Pourtant c'est vrai. Les Mandrino sont...

— Des mufles, voilà ce qu'ils sont !

La Blanche souleva les bras et les laissa retomber avec découragement.

— Pitié, ma fille, gémit-elle. Je tombe de sommeil.

Schéhérazade acquiesça avec humeur.

— Je vous laisse.

Elle déposa un baiser sur le front de son amie et se dirigea vers la porte avec une mauvaise volonté évidente.

— Que tout cela ne t'empêche pas de faire de doux rêves, fit Nafissa doucement.

CHAPITRE 30

28 décembre 1806

Installé dans l'immense salon du palais de la cita-delle, Mohammed-Ali se cala parmi les coussins de brocart, et commença à égrener nerveusement son chapelet d'ivoire.

Témoin du geste, Karim ne put s'empêcher de sou-rire. Chaque fois qu'un problème tracassait le vice-roi, il en était ainsi. Le seul changement apporté à ce rituel était l'objet employé, aujourd'hui c'était le chapelet, hier la tabatière.

— Vous avez l'air soucieux, Majesté, alors que la fortune continue de vous servir. Vous voilà nommé pacha par la Porte. En novembre el-Bardissi est mort. Pas plus tard qu'hier Elfi bey l'a rejoint. La dispari-tion, à quelques semaines d'intervalle, des deux prin-cipaux chefs mamelouks devrait pourtant vous réjouir ?

— Mon cher ami, ta jeunesse limite ton champ de vision. Certes les deux hommes sont morts — le Tout-Puissant ait leur âme —, cependant tout reste encore à accomplir. Je tiens l'Egypte, mais les rapaces sont partout qui cherchent à m'en dépouiller. Tout d'abord il y a les successeurs d'el-Bardissi et d'Elfi. Tant qu'il leur restera une once de puissance, les Mamelouks n'abandonneront pas la lutte. Ensuite, il y a les Anglais qui ne rêvent que d'une chose, supplanter les Français, enfin il y a la Sublime Porte pour qui je représente la mauvaise herbe qu'il faut absolument arracher. Ainsi que tu peux le constater, le trône de Mohammed-Ali est bien vulnérable. Je finirai peut-être au fond d'un cachot !

— Vous êtes comme la mer, Sire, on n'emprisonne pas la mer.

Le vice-roi ignora le commentaire.

— La menace britannique me préoccupe. Leur agent, le colonel Misset, qui a pourtant eu instruction de son ministère de rester neutre, se démène pour m'abattre. Il a commencé par cultiver chez les Mamelouks les auxiliaires de la future occupation anglaise qu'il souhaite de toute son âme. Constatant que ses efforts seraient vains, c'est ma personne qu'il vise. Dans le même temps, il cherche à convaincre ses supérieurs d'agir et d'occuper Alexandrie.

Il s'interrompit et fit virevolter son chapelet autour de son index.

Karim en profita pour s'enquérir :

— En ce qui concerne les Français ? Quelle place occupent-ils sur l'échiquier ?

— Si j'en crois les confidences de Drovetti, la guerre franco-anglaise pousse — pour l'instant — Napoléon à s'allier les bonnes grâces d'Istanbul. Par conséquent je vois mal la France se risquer à quoi que ce soit contre l'Egypte. Non. La menace vient de Londres.

— Vous croyez donc à l'imminence d'un débarquement anglais ?

— J'en suis persuadé.

— Dans ce cas, pourquoi ne pas déplacer une partie de nos forces vers le Delta ?

— Parce qu'il y a plus urgent. Je veux en finir une fois pour toutes avec ces vipères de Mamelouks. A l'exemple de Mourad bey ils se sont une fois de plus concentrés en Haute-Egypte. C'est là-bas que nous devons livrer bataille, en priorité.

— Si entre-temps vos pressentiments se vérifiaient ? Si les Anglais attaquaient ?

— Chaque chose en son temps. Pour l'heure débarrassons-nous du ver. Plus tard nous jetterons le fruit.

— Quand comptez-vous partir en campagne ?

— Le temps de réunir les hommes nécessaires. A toi de faire diligence, fils de Soleïman.

Karim ouvrit de grands yeux, interloqué.

— Moi...Majesté ?

— Toi, fils de Soleïman.

— Je...

— A partir de ce jour, Mohammed-Ali t'attribue le titre de kiaya[1] avec le titre de bey.

Cette fois la surprise avait cédé la place à l'émotion. La voix nouée, il réussit à articuler :

— Vous avez toute ma reconnaissance, sire, ainsi que ma fidélité. Je ferai tout pour être digne de cet honneur.

Les paupières du vice-roi se plissèrent, il répliqua posément :

— L'expérience m'a enseigné que reconnaissance et fidélité sont des mots qui ne se mesurent qu'à l'aune des épreuves. Dans les prochains mois tu auras tout loisir de me prouver que j'ai vu juste.

— Dans les prochains mois, sire. Et jusqu'à la mort.

★

1. Lieutenant-général. Bey étant le titre honorifique.

Dans les semaines qui suivirent, Mohammed-Ali livra toute une série de combats contre les Mamelouks dans la région d'Assiout, sans toutefois parvenir à remporter de victoires décisives. Ce qu'il restait des maisons d'Elfi, d'Ibrahim ou d'el-Bardissi se raccrochait avec l'énergie du désespoir.

Le 19 mars, alors que le vice-roi se trouvait aux alentours du village de Gaw el-kébir, un courrier de Drovetti l'informa qu'un contingent anglais, commandé par un certain général Mackensie Fraser, avait pris Alexandrie et s'apprêtait à marcher sur la ville de Rosette. Au terme de sa lettre, le consul de France adjurait Mohammed-Ali de regagner Le Caire toute affaire cessante.

Contre toute attente, le courrier de Drovetti ne parut pas alarmer le souverain outre mesure. Rosette tiendrait, il en était certain. Ce qui lui laisserait le temps d'ouvrir avec les Mamelouks des négociations de paix ou de trêve.

Le 31 mars, sa conviction se transforma en réalité. La colonne anglaise qui avait attaqué la ville, fut anéantie, après avoir subi de très lourdes pertes.

La nouvelle lui parvint le 5 avril au moment même où le général Fraser décidait d'une seconde expédition contre Rosette et la position d'el-Hamed, voisine de cette ville.

Le vice-roi décida alors d'agir.

Le 9 avril il entra au Caire. Le 10, à la tête de quatre mille fantassins et de mille cinq cents cavaliers, il s'engagea sur la route de Rosette.

Le 21 à l'aube, il fondit sur l'armée anglaise. A midi sa victoire fut sans appel. Il écrasa le corps britannique qui perdit trente-six officiers, sept cent quatre-vingts soldats, dont quatre cents prisonniers.

Il ne restait plus qu'à reconquérir Alexandrie. A sa très grande satisfaction il n'eut pas à livrer bataille.

Informé du désastre de Rosette, le gouvernement anglais avait fait parvenir à son général l'ordre d'évacuer le port.

Le 20 septembre Mohammed-Ali fit une entrée triomphale dans cette ville qu'il avait tant désiré posséder.

Le 25 la flotte anglaise appareilla sous le regard satisfait du vice-roi et de son kiaya.

— A présent, fils de Soleïman, le monde est à moi.

— Par la grâce de Dieu.

— Avec Alexandrie je détiens la clé qui ouvre la mer.

— Sans navires, sire, cette clé n'est peut-être pas d'une grande importance.

L'irritation perça dans la voix du pacha.

— Une fois encore, la jeunesse te rend myope. Sache que, maître de cette ville, je deviens un élément incontournable des intérêts politiques et économiques des puissances européennes. Je pèse dans le jeu international. De plus, les succès que je viens de remporter contre une grande nation occidentale ne feront qu'accroître mon prestige auprès du peuple.

Il se tut et dit sur un ton plus passionné :

— L'Egypte peut devenir le levier d'une politique de guerre, de conquêtes, d'agrandissement. Faible et désunie avant moi, elle aura demain une force, une unité. Je la doterai d'une armée puissante, moderne.

Il marqua une nouvelle pause et appuya un peu plus sur les derniers mots :

— Et d'une marine, fils de Soleïman.

★

510

Schéhérazade était au bord de l'hystérie.

L'intendant insista.

— Sayyeda, ce sont les ordres du vice-roi. Les six mille propriétaires terriens recensés — dont naturellement vous faites partie — doivent abandonner leurs propriétés à l'Etat en échange d'une rente annuelle. La ferme et le domaine de Sabah...

— Non, coupa Schéhérazade, je refuse !

— Pourtant...

— Cet individu est pire que les Français, les Mamelouks et tous les Turcs réunis ! Seul un voleur de grand chemin pourrait se permettre d'agir de la sorte !

Les traits de la femme reflétaient une telle violence que l'homme jugea plus prudent de se reculer.

— Sayyeda, balbutia-t-il, de tels propos dans la bouche d'une femme de votre rang ne sont pas...

— Quoi ? Qu'est-ce que vous essayez d'insinuer ? Hein ? Sous prétexte que je ne suis pas issue d'un milieu modeste je devrais me laisser dévaliser sans réagir ! C'est cela que vous essayez de me dire !

Elle martela du plat de la main la table qui se trouvait devant elle.

— Retournez voir le pacha, et dites-lui de ma part que je ne traite pas avec les voyous ! Sabah et la ferme sont mes biens, comme ils furent ceux de mon père, et avant lui de mon grand-père. Rien, vous m'entendez, rien ni personne, fût-il le tout-puissant Mohammed-Ali, ne m'en dépossédera. Est-ce clair ?

L'intendant branla de la tête avec une expression désolée.

— Depuis le 3 janvier, toutes les propriétés privées ont été déclarées biens nationaux. Si vous refusez de vous exécuter, vous serez expropriée de force. La police...

— Qu'elle vienne. Amenez vos militaires ! Vos canons ! La cavalerie ! Ni mon fils ni moi ne partirons !

Les paupières de l'homme s'affaissèrent.

— Comme vous voudrez, sayyeda Chédid. Je n'ai parlé que pour votre bien. Je connaissais feu votre père, qu'Allah le garde en Sa Miséricorde ! Croyez que tout cela me déchire le cœur. Je ne suis hélas qu'un fonctionnaire sans pouvoir.

Il cala sa serviette en peau sous l'aisselle, prêt à se retirer.

— Vous disposez de huit jours. Ce délai expiré, la milice occupera les lieux et vous n'aurez plus qu'à en référer au juge. Pour ce qui me concerne je dois vous laisser ce document. La rente qui vous a été attribuée y est inscrite noir sur blanc. A vous d'accepter ou de refuser.

— Je refuse !

Se saisissant du document en question, elle le déchira en morceaux et le jeta au sol.

— A présent, vous pouvez rentrer au Caire et prévenir qui de droit.

L'intendant se courba et sortit d'un air contrit.

A peine eut-il disparu que le petit Joseph apparut suivi d'Ahmed.

— Mama, que se passe-t-il ? Nous entendions tes cris jusqu'à l'autre bout du jardin.

Elle ébouriffa les mèches du garçon d'un geste affectueux et s'efforça de le rassurer.

— Ce n'est rien, mon fils. Un malentendu.

L'enfant désigna la porte.

— C'est l'homme que nous avons croisé qui t'a fait du mal ?

Il serra les poings.

512

— Parce que si c'était le cas...

— Non...ce n'est rien je te dis. Personne ne m'a fait du mal. D'ailleurs, qui oserait avec toi à mes côtés ?

Elle se laissa choir sur le divan recouvert d'un drap de soie, et rejeta la tête en arrière dans cette attitude songeuse qui depuis toujours lui était familière.

D'un bond, Joseph alla la rejoindre et se pressa contre elle.

De son pas traînant Ahmed se rapprocha d'eux et s'assit à leurs pieds. Avec une désinvolture feinte il pointa la porte à l'aide de sa canne.

— Moi aussi j'ai entrevu le malentendu. Une vraie figure d'imbécile.

Schéhérazade se rencogna dans son mutisme.

— Que se passe-t-il, sayyeda ?

— J'ai déjà répondu : rien.

Elle le fixa droit dans les yeux, l'air de dire : « Pas devant Joseph. »

Le silence retomba.

— Tu ne voudrais pas me rendre un service ? fit subitement Ahmed à l'intention du petit garçon.

— Ça dépend.

— L'homme qui est sorti d'ici tout à l'heure, j'aimerais que tu le guettes et que tu nous préviennes s'il revenait. Tu veux bien ?

— Parce qu'il risque de revenir ?

— Il y a des chances. N'est-ce pas, sayyeda ?

Schéhérazade eut une imperceptible hésitation avant de confirmer.

— Pourquoi ce ne serait pas toi qui irais ?

— J'ai à parler avec ta maman. Rassure-toi, pas longtemps.

Le garçon leva les yeux vers sa mère pour y quêter son approbation.

— Fais ce qu'Ahmed te demande, mon fils. Ce ne sera pas long.

513

— Alors ? questionna le vieillard dès qu'ils furent seuls. Si nous parlions de ce malentendu.

En quelques mots, elle lui fit part de l'affaire.

— C'est très grave...Beaucoup plus que je ne l'avais imaginé. De plus tu as presque fini de restaurer Sabah. Tout ce travail pour rien. Quel gâchis.

— Rien au monde ne m'empêchera d'achever les travaux. J'irai jusqu'au bout.

— Poupée, sois raisonnable. Tu ne pourras rien faire contre la milice. Veux-tu finir en prison ?

Schéhérazade répliqua, au comble de l'exaspération :

— Alors que faire devant un tel despote ! Quand je pense que le consul de France a passé une soirée entière à me vanter ses mérites !

— J'ai cru comprendre qu'on t'accordait tout de même un dédommagement.

— Tu veux rire : un million sept cent cinquante mille piastres[1].

— Effectivement. Une aumône.

Ahmed haussa les sourcils en signe de perplexité, et reprit :

— Un point m'échappe. Une fois la terre nationalisée, qui se chargera de la cultiver ? Qui définira les cultures à pratiquer ?

---

1. Ce qui équivaudrait à environ 525 000 francs d'alors. Le rapport avec nos temps actuels serait assez complexe à définir. Somme relativement faible, accordée plutôt comme « lot de consolation » que comme reconnaissance explicite du droit cédé. Aucun des prédécesseurs de Mohammed-Ali n'avait d'ailleurs osé prendre une telle décision. Pas plus Bonaparte, soucieux de ménager la population indigène, que les Turcs ou les Mamelouks, lesquels se limitaient à taxer les riches propriétaires terriens.

De toute l'œuvre entreprise par Mohammed-Ali, rien peut-être n'a plus frappé ses contemporains et la postérité que cette mesure aussi hardie qu'arbitraire. Il faut reconnaître toutefois que, dans l'état des choses existant en Égypte, elle a eu pour effet incontestable la mise en valeur du sol, le développement de la production et une prospérité générale accrue.

— Eh bien, mon cher Ahmed, tout bonnement le vice-roi en personne ! Si j'ai bien compris les explications de l'intendant, c'est Mohammed-Ali qui décidera chaque année des terres à cultiver et des cultures à pratiquer. C'est lui qui assignera à chaque famille de cultivateurs la superficie du terrain à mettre en valeur et la nature de la semence ou de la plantation. Des moudirs[1], des contrôleurs veilleront à l'exécution des décisions.

— En conclusion, notre homme sera l'agriculteur en chef de l'Egypte, et l'Egypte tout entière sa ferme.

— Exactement.

Ahmed se mordilla le pouce, nerveusement.

— Que comptes-tu faire ?

— Que crois-tu ? Lutter.

— Allah soit avec toi. Mais tu n'es pas de taille. Je te répète, une fois que la milice interviendra tu ne pourras que t'incliner.

La physionomie de Schéhérazade se durcit.

— Pas question.

Il essaya de la raisonner.

— Poupée, ne réponds pas n'importe quoi.

Elle se dressa d'un seul coup, les lèvres pincées, au bord des larmes.

— Alors, selon toi je devrais leur remettre Sabah, abandonner la ferme aux Roses, tout ce qu'il me reste de mon père. Tout ce pour quoi il s'est battu.

Elle pointa le doigt vers le ciel.

— S'il m'écoute là-haut, il sait que j'ai raison. Je dois me battre. Il le faut !

Elle voulut poursuivre, mais son désespoir était trop fort. Elle s'affaissa, la figure enfouie dans les coussins, et laissa libre cours à ses sanglots.

---

1. Directeurs.

Et bientôt chez Ahmed, tout basculerait. Le vice-roi et peut-être Selim bientôt seraient les crochets leus de ... pendant ... Mohammed Ali qui décidait

★

Le galop du cheval faisait un vacarme terrible dans la nuit. Schéhérazade se dit que du Mouski au khan el-Khalili on devait l'entendre. Qu'importe si elle réveillait Le Caire tout entier, et Boulaq, et jusqu'aux portes de Damas. Quoi qu'il arrivât elle irait jusqu'au bout.

Elle traversa sans ralentir la place de l'Ezbéquieh, le quartier chrétien, et continua jusqu'à bab el-Kharq. Instinctivement elle se pencha en passant sous la voûte alvéolée, et prit la direction des anciennes tanneries.

Une fois franchie la passerelle qui surplombait le canal, elle fila vers le quartier de Roumelieh. Dans un quart d'heure tout au plus, elle atteindrait la citadelle.

Elle repensa à la discussion qu'elle avait eue avec Drovetti ce matin même. Un moment, elle avait espéré qu'il aurait pu intervenir auprès du vice-roi. Malheureusement il n'en fut rien. Le consul, toujours aussi aimable, et sans doute sincère, lui avait expliqué qu'avec la meilleure volonté du monde, et en dépit des liens amicaux qu'il entretenait avec le pacha, son influence n'était pas assez grande pour qu'il se risquât à une telle démarche. Quand bien même il la tenterait, elle serait certainement vouée à l'échec.

En revanche, l'entrevue n'avait pas été complètement négative. Un mot, un mot anodin prononcé par l'agent consulaire avait subitement fait germer dans l'esprit de Schéhérazade une idée, folle, mais qui avait peut-être une chance d'aboutir. Alors, avec une ruse toute féminine, elle s'était employée à arracher du consul les informations indispensables pour mettre son plan à exécution.

Quand elle fut en vue des murailles, son cœur se serra, et malgré elle les images d'hier resurgirent avec une netteté implacable. Elle se revit aux côtés de Youssef et de Rosetti, attendant devant la porte de la Souffrance qu'on leur livrât la dépouille de Nabil. Dix ans déjà...Elle n'avait alors que vingt et un ans. Une enfant...Dix ans...Et voici que ce soir, ce n'était pas contre la mort qu'elle allait devoir se battre, mais pour la survie du seul trésor qu'il lui restait, hormis son fils : la terre. Celle de Youssef et de Magdi Chédid.

Je n'aimerais pas qu'après ma mort — qui ne saurait tarder — Sabah se fane et perde de sa beauté. Conservez précieusement ce domaine. Conservez-le quoi qu'il advienne. La gloire est éphémère et peut s'éteindre au premier couchant. La terre, elle, demeure envers et contre tout.

Au lieu de l'attrister, la voix de son père raffermit son courage. Lorsqu'elle arriva non loin de la porte de la Souffrance, sa détermination était encore plus grande que lorsque deux jours plus tôt elle était partie de la ferme aux Roses.

Elle noua la bride de son cheval à la branche d'un acacia et, avec mille et une précautions, elle s'avança le long de la muraille sud. Ce qu'elle allait entreprendre était complètement fou. Elle se rassura en se disant que ce n'était pas la première fois qu'elle prenait des risques. Quand elle s'était rendue en pleine nuit sur le champ de bataille d'Imbaba, n'était-ce pas aussi insensé ?

Deux gardes étaient en faction devant l'entrée principale, qui portaient de curieux uniformes. Il devait sans doute s'agir des Albanais dont avait parlé le consul de France. Elle ne pourrait jamais franchir cette porte sans être interceptée.

Elle rebroussa chemin et partit vers la muraille nord. Une demi-lieue plus loin une deuxième ouverture se découpa dans la pénombre ; gardée elle aussi. Sans se décourager elle fit un détour afin d'éviter les soldats, et repartit droit devant. Ce fut aux alentours de la mosquée de Hassan qu'elle découvrit un petit porche, apparemment désert. L'excitation fit bondir son cœur, elle se précipita en avant, mais se figea d'emblée. Un garde venait de surgir des ténèbres. Elle eut à peine le temps de se reculer et de se tapir derrière une roche.

Il fallait pourtant qu'elle entre dans la citadelle. Il devait y avoir un moyen.

Elle réfléchit un moment, tandis que l'air frais de la nuit caressait légèrement le voile qui recouvrait sa figure. Tout à coup, ses yeux s'accoutumant aux ténèbres, elle découvrit un léger renfoncement dans la muraille, à environ six pieds de la porte. Elle était là, sa chance.

En observant bien le garde, elle constata qu'il allait et venait, accomplissant régulièrement une dizaine de pas de gauche à droite. Durant un court laps de temps, il tournait le dos à l'entrée. Si elle arrivait à gagner le renfoncement, alors...

Déterminée, elle se redressa à moitié, et lentement, évoluant parmi les roches, protégée par la nuit, elle amorça son approche.

Malgré la fraîcheur environnante, elle sentait la sueur qui perlait sur son front et ses joues.

A présent, elle n'était plus très éloignée du renfoncement. Pourtant la distance lui parut infinie. Une plaine à franchir à découvert.

Prenant son souffle, elle guetta l'instant où le garde repartait sur la droite. Lorsqu'elle estima que le moment était propice, elle se jeta en avant.

Enfin, elle y était ! Elle s'adossa contre la paroi. Se colla autant qu'elle le pouvait contre la pierre.

Sa respiration était saccadée. Ses jambes tremblaient tellement qu'elle douta de pouvoir continuer. Pour se redonner de la force, elle repensa à Sabah, à la ferme, à son fils. Elle imagina la milice qui débarquait.

Le garde continuait son va-et-vient monotone, irrégulier. Et c'était justement de cette irrégularité que venait le danger. Dix pas à droite, huit à gauche. Parfois moins ou plus. Une peur indicible noua ses entrailles qu'elle essaya d'étouffer en se répétant que, de toute façon, s'il l'interceptait il n'allait tout de même pas l'abattre sur place.

Elle se força à maîtriser le tremblement qui la secouait. Guetta le moment propice. Le garde venait d'opérer une volte. Il lui tournait le dos. Elle fonça. Franchit le porche. De l'autre côté la nuit était encore plus noire. Une tour se dessinait sur la gauche, elle s'y précipita, s'y blottit, à la fois pétrifiée et soulagée. Et attendit que les battements fous de son cœur s'apaisent.

La première étape était franchie. Le plus dur restait à faire.

D'après les renseignements fournis inconsciemment par Drovetti, cette tour ne pouvait être que celle dite du Mokattam. Théoriquement, en se dirigeant sur la gauche, elle rencontrerait le puits de Joseph, et en contrebas le palais où devait sommeiller l'homme responsable de tous ses malheurs.

★

Lorsqu'elle déboula dans la chambre à coucher du vice-roi, l'esclave qui dormait au pied du lit poussa un hurlement tel qu'on aurait pu se demander, de Schéhérazade ou de lui, lequel des deux était le plus terrorisé.

La pièce était quasiment plongée dans le noir. Seule la faible lueur des étoiles qui irradiait à travers la fenêtre permettait de deviner vaguement les silhouettes et les objets.

519

Le premier moment de stupeur passé, l'esclave se rua sur Schéhérazade. Elle lui échappa de justesse, se déplaçant au hasard à travers la chambre, renversant sur son passage un plateau de cuivre posé sur un trépied. Il y eut un bruit assourdissant de métal heurtant le sol dallé.

Dans la plus grande confusion, les battants de la porte s'écartèrent, un soldat fit irruption une lampe à la main. Presque simultanément, une voix éclata, sorte de rugissement qui eut pour effet de transformer la jeune femme en statue.

Mohammed-Ali s'était dressé, hirsute, un poignard damassé à la main.

Un ordre claqua.

Le soldat posa sa lampe à terre et épaula.

— Non ! Ne tirez pas !

Schéhérazade était tombée à genoux.

— Je vous en supplie, non !

Est-ce le timbre de sa voix féminine qui la sauva de la mort ?

Un nouvel ordre fusa. Le soldat inclina son fusil.

— Moustafa ! Eclaire !

L'esclave s'exécuta, allumant un à un les chandeliers.

— Avance !

Elle se releva. Le voile ne recouvrait plus son visage.

Le vice-roi réprima un tressaillement.

— Qui es-tu ?

— Schéhérazade. Fille de Youssef Chédid.

Bien qu'elle eût les yeux baissés, elle pouvait sentir nettement l'œil du vice-roi qui se vrillait en elle, la déshabillait véritablement.

— Qui t'a envoyée ?

— Personne, Majesté. C'est de mon plein gré que je suis venue ici.

A présent, elle le voyait pour la première fois et fut

520

surprise de constater qu'il avait l'air serein, presque inoffensif. Mais c'était sans doute la manière dont il était vêtu qui faussait l'impression. En effet, ainsi drapé dans cette ample chemise de coton qui descendait au-dessous des genoux, il ressemblait à un simple mortel. L'image banale du citoyen tiré de son lit à l'improviste.

— Pourquoi voulais-tu...

Il s'interrompit, pris d'un hoquet aussi subit qu'inattendu, et enchaîna avec difficulté :

— ... m'assassiner ?

— Vous assassiner, sire ? Au nom de Dieu, je n'ai jamais eu cette intention. Je voulais seulement vous parler. D'ailleurs...

Elle entrouvrit les mains et les lui présenta.

— Avez-vous déjà vu un assassin sans arme...

Une nouvelle convulsion empêcha le souverain de répliquer sur-le-champ. Il s'efforça de prendre une courte inspiration et questionna son esclave :

— Fouille la pièce !

Il entrouvrit les lèvres pour formuler le même ordre au soldat. Mais une fois de plus le mot s'étouffa dans sa gorge. Il balança son poignard sur le lit dans un geste agacé.

— Vous avez souvent le hoquet, Majesté ?

Sidéré par l'audace de sa question, il mit un temps avant de répondre.

— Serais-tu folle ? De quel droit...

Nouvelle interruption. Nouveau tressautement de son thorax. C'en devenait presque comique.

— Pardonnez-moi, Votre Excellence, fit Schéhérazade en essayant de retenir le rire qui montait en elle, mais je connais un remède très efficace contre...

— Majesté, coupa l'esclave, il n'y a pas trace d'arme.

— Je vous ai dit la vérité. Je voulais uniquement vous parler. M. Drovetti...

Il haussa les sourcils.

— Comment connais-tu ce nom ?

— Le consul de France est un ami.

— Ce n'est tout de même pas lui qui t'a conseillé de...

Il s'étouffa.

— Bien sûr que non, Votre Altesse. Mais pas plus tard qu'hier je lui ai exposé mon problème, espérant qu'il aurait pu intercéder auprès de vous. C'est uniquement devant son refus que j'ai pris la décision de vous rencontrer.

— Ici ! Dans ma chambre ! En pleine nuit !

— Entre nous, n'était-ce pas l'endroit idéal ? De toute façon je n'avais pas le choix.

Il faillit s'étrangler. Mais on n'aurait pu dire si la cause était son hoquet, l'extraordinaire culot de son interlocutrice, ou les deux à la fois.

S'il fallait en juger par ses traits cramoisis, Mohammed-Ali n'était pas loin de l'infarctus.

Il se laissa choir sur le bord du lit, envahi par des spasmes de plus en plus rapprochés[1].

Schéhérazade se risqua timidement.

— Puis-je, sire. On peut en mourir. Je vous assure que je connais le moyen d'y mettre fin.

Il leva des yeux ironiques sur la jeune femme.

— Parce que...tu es... aussi médecin ?

— Faites-moi confiance.

Il hésita. On sentait que dans son esprit s'opposaient des pensées contradictoires.

— Laissez-moi faire.

Elle le contourna et voulut se placer derrière son dos. Presque aussitôt il pivota sur lui-même, menaçant.

---

1. Il était notoire que Mohammed-Ali était victime d'un hoquet tenace qui le surprenait en général dans les moments d'intense émotion ou de grande frayeur.

— Sire ! protesta Schéhérazade, je vous répète je ne suis pas un assassin.

Ignorant ses propos, il intima au soldat l'ordre de venir coller l'extrémité de son fusil contre les reins de la jeune femme.

— Maintenant, dit-il toujours secoué par le hoquet, fais... ce que bon te semblera.

Et il se retourna.

— Quand je vous le dirai, vous bloquerez votre respiration. Mais seulement quand je vous le dirai.

Tout en parlant, elle glissa ses bras sous les aisselles du vice-roi, remonta dans le prolongement de son thorax, jusqu'à ce que ses mains eussent suffisamment de champ pour basculer derrière la nuque. Une fois la position atteinte, sous l'œil abasourdi de l'esclave et du soldat, elle pressa les jugulaires par une pression de ses paumes, dans le même instant qu'elle se pliait légèrement en arrière, entraînant le pacha dans son mouvement, le forçant à se soulever imperceptiblement de terre.

La manœuvre achevée, elle se dégagea et revint se placer devant lui.

— Voilà, fit-elle satisfaite. C'est fini.

Elle s'empressa d'ajouter avec une pointe de malice :

— Si j'osais, sire, je vous conseillerais de perdre un peu de poids... J'ai eu du mal à...

— Silence !

Elle sursauta devant la violence du cri.

Mohammed-Ali, les mains le long du corps, les traits crispés, paraissait aux aguets.

A mesure que le temps passait, sa physionomie se métamorphosait, devenait plus sereine, et parallèlement dans ses prunelles perçait une lueur incrédule.

— Etonnant, dit-il enfin d'une voix presque inaudible.

Il claqua dans ses doigts et commanda aux deux hommes de se retirer ; ce qu'ils firent sur-le-champ.

— Je t'écoute. Mais sois brève.

Schéhérazade haussa les sourcils :

— Vous n'invitez jamais les dames à s'asseoir, sire ?

— Certainement pas celles pour qui être vivante est déjà une grâce en soi. Trêve de discours. Qu'as-tu à me dire qui pourrait justifier un tel comportement ?

Avant de répondre, elle fit glisser le voile qui recouvrait sa chevelure, et d'un mouvement gracieux de la tête elle fit retomber ses longues mèches noires sur ses épaules.

Elle esquissa un pas en avant. Sciemment ou non, en évoluant ainsi elle se retrouva sous les flammes de trois chandeliers, ce qui eut pour conséquence d'illuminer entièrement son visage. Ce fut peut-être dans cette minute seulement que Mohammed-Ali prit véritablement conscience de son extraordinaire beauté. Néanmoins il resta de glace.

— Je viens pour ma terre, annonça-t-elle doucement.

Il eut l'air déconcerté.

— Vous avez bien donné ordre que soient confisquées toutes les terres agricoles d'Egypte ?

Il confirma.

— Il s'avère que je possède une ferme, ainsi qu'un domaine de plus de sept feddans. Avant moi ils appartenaient à mon père, qui lui-même...

Le vice-roi l'arrêta.

— C'est pour me raconter ces balivernes que tu as osé t'introduire dans ma chambre en pleine nuit !

— Des balivernes ! Le bien de mon père, vous appelez cela des balivernes ! Des années de sacrifices ? Une vie entière à construire, à suer, à lutter !

Il allait répliquer mais elle fut plus rapide :

— Oh ! bien sûr vous avez proposé de nous dédommager. Tenez, moi aussi je pourrais faire pareil. Votre palais, contre un bol de riz !

— Impertinente !

— Non, désespérée et sincère, Majesté ! Vous n'avez pas le droit de me prendre ma seule richesse. La seule chose au monde à laquelle je tienne. Vous ne pouvez pas !

— C'est un comble ! Je ne peux pas, je n'ai pas le droit ?

Il se leva d'un seul coup, la fureur noyait son regard.

— Mohammed-Ali peut tout ! Tu m'entends ? Tout !

Elle mit les poings sur les hanches et le toisa avec défi.

— Tout ?

— Absolument !

Elle murmura :

— Et le hoquet ?

Il entrouvrit les lèvres, voulut répliquer, resta bouche bée et d'un seul coup partit d'un rire tonitruant, incontrôlé. Sans aucune retenue, il se laissa retomber dans le fauteuil, la nuque renversée. D'abord interdite, Schéhérazade pouffa à son tour. Et bientôt leurs fous rires se confondirent pour résonner jusque dans le couloir où le soldat en faction dut penser que le pacha avait perdu la tête.

— Allah m'est témoin, reprit Mohammed-Ali en se ressaisissant, cela fait longtemps que je n'ai autant ri.

Il tendit la main vers le siège qui lui faisait face.

— Ne serait-ce que pour ce bonheur, tu peux t'asseoir... quel est ton nom déjà ?

— Schéhérazade, fille de Chédid.

— Curieux prénom pour une Egyptienne.

— Je sais. Une idée de mes parents. Mais ce serait beaucoup trop long à expliquer.

Il lui jeta un coup d'œil en dessous.

— Et ce n'est pas le but de ta visite.

Elle baissa les paupières, dans une attitude humble.

— Tu connais vraiment le consul Drovetti ? Ou tu disais n'importe quoi ?

— J'ai beaucoup de défauts, sire. Mais le mensonge n'en fait pas partie. Oui, j'ai connu M. Drovetti au cours d'une soirée chez dame Nafissa.

— Parce que tu fréquentes aussi des épouses de Mamelouks ?

— C'est une amie de longue date. Elle m'a vue grandir.

— Je vois...

Il se saisit d'un chapelet et fit rouler les grains entre ses doigts.

— Ainsi, tu t'opposes à la loi.

— Majesté...

— Fille de Chédid, quand apprendras-tu que l'on n'interrompt pas un vice-roi ?

— Pardonnez-moi, sire. Je suis impétueuse.

— A quel titre, au nom de quoi, prétends-tu échapper à la règle instaurée ? La loi est la loi. Six mille propriétaires terriens vont connaître le même sort. Et toi, tu voudrais être l'exception !

— N'est-ce pas l'exception qui fait que, sur des millions d'hommes, un seul d'entre eux s'élève ? Vous-même, Majesté... Vous auriez pu vous contenter d'être un modeste bikbachi parmi tant d'autres. Cependant...

— Il ne s'agit pas de moi.

— C'est trop facile !

— Attention, bent[1] Chédid.Tu vas trop loin.

— Très bien. Puis-je vous poser une question ?

— Tiens. Te voici courtoise à présent !

1. Fille.

— Pourquoi cette loi ? M. Drovetti disait en parlant de vous : « Cette fois ce n'est pas un simple représentant de la Porte qui va conduire la destinée de l'Egypte, mais un personnage qui se démarque chaque jour un peu plus de ses racines ottomanes. Un seigneur sans tutelle. J'oserai même dire : un Egyptien. »

— Excellente analyse.

— Et votre premier acte en tant qu'*Egyptien* est d'opprimer les agriculteurs ?

Il fit rouler lentement son chapelet dans le creux de sa main, et d'un seul coup referma ses doigts dessus.

— Mohammed-Ali n'a aucune intention de dévoiler, encore moins d'expliquer les raisons de sa politique, en pleine nuit, et à une femme, si belle soit-elle, qui par-dessus le marché s'est octroyé le droit d'envahir sa chambre. Tout ce que j'ai à te dire se résume en ces quelques mots : La prospérité de l'Egypte ira à l'Egypte.

— Parfait. Alors laissez-moi y participer à ma manière.

— Mais encore ?

— Ma terre...

Il eut un geste de lassitude.

— Tu me fatigues.

Il se leva.

— Je pense avoir fait preuve de la plus grande patience et de la plus exceptionnelle magnanimité. Maintenant, si tu le permets, j'aimerais me recoucher.

Il fit mine de se diriger vers son lit mais revint vers Schéhérazade.

— Remarque, fit-il, sur un ton inattendu, si cela te dit, mon lit est assez grand pour deux...

Il avait accompagné sa phrase d'une expression grivoise. Il tendit la main vers la poitrine de la jeune femme.

Elle aurait pu s'écarter. Elle ne broncha pas, le fixant droit dans les yeux.

Il toucha ses seins. Glissa vers ses cuisses. Elle resta de marbre. Ses yeux toujours plongés dans les siens. Il dut y lire un tel mépris, ou quelque message plus humiliant encore, qu'il émit un grognement et la poussa en arrière.

— Sors d'ici ! Cette comédie a assez duré. J'ai sommeil.

Il s'allongea sur son lit, tira le drap jusqu'à son menton et dit encore :

— Un mot de moi, et mes gardes te traîneront dehors comme une moins que rien. Ne me force pas à les appeler.

Elle inclina la tête en avant. Des larmes coulaient le long de ses joues. Sa raison lui criait de partir, son cœur la retenait, lourd, arrimé au sol.

— J'ignore si vous avez une fille, des enfants. Mais si c'était le cas, priez Dieu que jamais personne ne les prive de ce que vous pourriez leur laisser un jour. Et...

Brusquement submergée par la tension elle se précipita vers la porte.

— Reviens ici !

Il avait rejeté le drap et s'était assis au bord du lit.

— Cette terre, tu y tiens tant que ça ?

Elle souffla :

— Plus que tout.

— Parfait. Pour te prouver que je ne suis pas aussi monstrueux que tu sembles le croire, je te propose un marché.

— Un marché, sire ?

— Je te soumets trois jeux. Si l'un d'entre eux t'est familier, tant mieux. Cela prouvera que la chance est de ton côté. Dans le cas contraire, ce sera un signe de Dieu.

Elle renifla à la manière d'une enfant et se rapprocha lentement du lit.

— Premier jeu : les échecs.

Elle secoua la tête négativement.

— Le billard.

Elle fit non à nouveau.

— Le jeu de dames.

Elle bredouilla timidement :

— J'ai... quelques... notions.

— Ce n'est pas une réponse. Sais-tu y jouer ou non ?

Elle se pinça les lèvres jusqu'au sang, de peur qu'il ne décelât sa fébrilité.

— Oui..., dit-elle péniblement... je connais les règles.

— Eh bien, nous jouerons donc tes terres au jeu de dames. Le gagnant sera celui qui aura obtenu le premier deux parties d'écart. D'accord ?

Elle murmura d'une voix penaude :

— Ai-je le choix, Majesté ?

CHAPITRE 31

L'aube avait jailli depuis longtemps. Les premiers rayons de soleil coulaient sur le marbre immaculé de la chambre.

Mohammed-Ali, les yeux cernés, repoussa doucement le damier et laissa tomber, repu.

— C'est bon. Tu es vainqueur.

Bien qu'elle eût envie de hurler sa joie, Schéhérazade se limita à une approbation tranquille.

— Le vice-roi n'a qu'une parole. Tu conserveras tes terres.

Il se leva et entrouvrit la porte.

— Du thé ! ordonna-t-il.

Il jeta un coup d'œil par-dessus son épaule.

— Tu en prendras aussi, je pense ?

— Si ce n'est pas abuser, Majesté. J'ai aussi très faim.

— Pourtant ta victoire aurait dû te suffire.

Il s'adressa au soldat :

— Faites le nécessaire.

Repoussant le battant, il regagna sa place dans le fauteuil.

— Dis-moi, fit-il, observant la jeune femme avec suspicion. Il y a quelques heures n'as-tu pas affirmé que le mensonge ne faisait pas partie de tes défauts ?

— Parfaitement, sire.

Il montra le damier.

— Avant les cent treize parties qui nous ont opposés, tu ne possédais vraiment que — il caricatura la voix de Schéhérazade — « quelques notions de ce jeu » ?

— Pour être tout à fait sincère, je savais parfaitement y jouer. Mais ma dernière partie remonte à plus de dix ans.

— Je vois...une moitié de vérité, ou un demi-mensonge.

Une brusque inquiétude envahit la jeune femme.

— Notre accord n'est pas pour autant remis en question, sire ?

— Je te l'ai dit : Mohammed-Ali n'a qu'une parole.

Elle s'enquit timidement :

— Est-ce vrai ce que Drovetti m'a confié à votre propos ? Vous aimez sincèrement l'Egypte ? Vous désirez son indépendance ?

— Oui, bent Chédid. Plus que tout au monde.

— Pardonnez-moi mille fois, mais alors pourquoi cette mainmise sur les terres ?

— Pour la transformation profonde que j'envisage, j'ai besoin de ressources. Il me faut les moyens de ranimer ce pays, le relever, le fortifier, en un mot, le moderniser. Qu'est-ce que représentent six mille individus devant une masse de trois millions ? Un grain de sable. D'ailleurs, il a toujours été de tradition en Egypte que l'Etat possède la terre. Le fonds.

— Peut-être, mais le revenu était pour les cultivateurs.

— Moyennant certaines charges. L'avenir te montrera que ma décision sera synonyme de prospérité générale. Mais revenons à toi. A quel type de récolte te livres-tu ?

— Le coton, Majesté.

Une lueur d'intérêt passa dans ses yeux.

— Le coton. Ce n'est pas bête. Bien que ce ne soit pas très original.

Comme si elle n'avait attendu que cela, elle se lança d'emblée dans une suite d'explications passionnées. Elle lui parla du fameux Gossypium barbadense. De cette longue fibre, si rare, qu'elle s'efforçait de faire pousser, ses théories sur les cotonniers, et l'avenir qu'il représentait. Entraînée par son exposé, elle lui parla aussi de ses parents, de son frère, du drame qu'elle avait vécu. Et enfin de Sabah en voie de restauration.

Quand elle se tut, une expression nouvelle habitait les traits de Mohammed-Ali, où se lisaient admiration et respect.

— Tu es un personnage surprenant, Schéhérazade — c'était la première fois qu'il l'appelait par son prénom —, tout compte fait, cette nuit d'insomnie n'a pas été aussi négative que je le pensais. Quel âge as-tu ? Oh ! je sais, ce n'est pas le genre de question que l'on pose à une femme, mais j'aimerais savoir.

— J'aurai trente et un ans le 27 juillet.

— Le 27 ? La coïncidence est amusante. C'est aussi la date de naissance de Laïla, ma fille aînée.

— Votre fille... C'est vrai que j'ai beaucoup parlé de moi, Majesté. Mais je ne sais rien de vous.

— Crois-tu que ce soit indispensable ?

— J'aimerais beaucoup.

— Tu serais surprise si je te confiais que je ne possède ni tes origines ni ton éducation. Mes titres de gloire se limitent au fait que je suis né la même année que Napoléon et dans le pays d'Alexandre le Grand, la Macédoine.

Elle l'encouragea à poursuivre.

— Je suis issu d'un milieu modeste. Mon père, Ibrahim, était chef de la garde préposée à la sûreté des routes du district de Cavalla. Orphelin de très bonne heure, j'ai été recueilli par un oncle. Hélas, pour des raisons que j'ignore, le malheureux fut décapité sur ordre de la Porte[1]. Privé de famille, ce fut un ami de mes parents, tchorbadg du village de Praousta, qui m'éleva comme son propre fils.Très jeune, à dix-huit ans à peine, mon oncle m'a fait épouser une de ses parentes qui possédait quelques biens. Elle m'a donné trois beaux garçons, Ibrahim, Toussoun, Ismaïl et deux filles : Laïla et Zohra. Aussitôt après, j'ai entrepris de gagner ma vie dans le commerce des tabacs, qui était alors le principal élément d'activité économique de la contrée. C'est d'ailleurs un négociant français du nom de Lion qui a initié mes premiers pas[2]. Voilà, tu sais tout.

— Ah ! non sire. Continuez, je vous en prie.

— Tu es bien curieuse.

— Ce n'est pas tous les jours qu'il m'est donné de comprendre comment un modeste enfant de Cavalla accède au titre de vice-roi.

— Très brièvement alors. Lorsque la Porte décida de chasser Bonaparte d'Egypte, mon père adoptif, le tchorbadg, reçut ordre de fournir un contingent de trois cents hommes. Il en confia le commandement à son fils et m'attribua le titre de lieutenant. Après la défaite d'Aboukir, démoralisé, le fils du tchorbadg me confia la conduite de la troupe et quitta l'armée. Il semblerait que mon comportement lors des affrontements contre les Français ne soit pas passé inaperçu, puisque le capitan pacha me nomma, un an plus tard, serchimé. Le reste appartient à l'Histoire.

1. On peut supposer que ce drame joua un rôle dans l'attitude de Mohammed-Ali vis-à-vis d'Istanbul.
2. On a attribué au souvenir des services que lui avait rendus cet obscur marchand, l'inclination de Mohammed-Ali à accueillir les Français et à leur faire confiance.

La jeune femme glissa ses doigts le long de ses mèches d'un air songeur.

— Maktoub, murmura-t-elle doucement. Tout est écrit.

— Même notre rencontre, cette nuit ?

— J'en suis convaincue.

Elle changea brusquement de ton.

— A ce propos, Majesté. Serait-ce trop vous demander que de confirmer par écrit la générosité dont vous avez fait preuve ?

— Que veux-tu dire ?

— Rien ne prouve que Sabah et la ferme aux Roses demeureront mes propriétés.

Il haussa les sourcils.

— Attention, Schéhérazade ! souviens-toi du proverbe égyptien : « Même si ton ami est de miel, ne t'avise pas de le lécher tout entier. »

— Juste un document, sire. Quelques mots de votre main.

— Là, sur-le-champ ?

— Ce serait plus simple, vous ne pensez pas ?

— Impossible.

— Majesté...

— Impossible, te dis-je.

— Et pourquoi donc ? Qu'est-ce qui vous en empêche ?

Elle bondit et se dirigea vers la porte.

— Si c'est le papier qui manque...

— Bent Chédid !

Au ton de la voix, elle sut qu'il ne serait pas prudent d'aller plus loin. Docilement, elle regagna sa place.

— Lorsque Mohammed-Ali dit que c'est impossible, ça l'est !

Elle chuchota d'une petite voix :

— La veille encore, vous disiez tout pouvoir...

534

Il quitta son siège avec humeur, fit quelques pas jusqu'à la fenêtre et se réfugia dans le silence.

Un temps s'écoula avant que sa voix s'élève à nouveau.

— Je ne sais pas, confia-t-il avec une pudeur rentrée. Je ne sais ni lire ni écrire. Je n'ai pas eu le temps.

Schéhérazade balbutia :

— Je... j'ignorais...

Sa consternation fut de courte durée.

— Aucune importance ! Je vous apprendrai.

— Toi ?

— Je vaux bien tous les professeurs d'Egypte.

— Tu n'es pas sérieuse.

— Tout à fait. Et gratis par-dessus le marché !

Il croisa les bras avec un sourire amusé.

— Pourquoi pas ? Mais à une condition. Dans trois jours je donne une fête au palais. Mon fils Toussoun aura vingt ans. Je tiens à ce que tu fasses partie de mes invités. Et puisque tu connais le consul de France, il sera ton chevalier servant.

— Majesté...je ne sors que très rarement.

— Alors pas de leçons.

— C'est d'accord. Je serai là. Mais dites-moi...

Elle montra la porte dépitée.

— Ce thé...Vous ne le faites pas venir des Indes ?

*

On aurait dit que la grande salle à manger du palais avait remonté le temps, jusqu'à l'époque du sultan Qâyt bey. Les murs en pierre de taille avaient été ornés de peintures d'or, d'azur, d'arabesques, de torsades. Les boiseries des portes avaient elles aussi été rénovées, et sous l'éclat des lustres et des candélabres ressortaient leurs dentelles finement sculptées. On avait jeté sur le pavement de marbre rose des tapis de soie et de velours et même des draps d'or ; le tout recouvert d'une multitude de coussins parmi lesquels la centaine d'invités avaient pris place.

Au centre de la salle, un bassin tapissé de dalles et de mosaïques de couleurs dégageait une fraîcheur sereine et bienfaisante.

Schéhérazade, qui venait d'arriver au bras du consul de France, fut saisie par la splendeur du décor.

Elle s'immobilisa sur le seuil et fit remarquer avec un accent candide :

— Dieu que c'est beau !

Drovetti approuva, et il entraîna sa cavalière à la place qui leur avait été assignée.

Tout en s'asseyant, la jeune femme scruta la salle à la recherche du vice-roi.

— Apparemment, notre hôte n'est pas encore parmi nous.

— Le protocole, chère amie ! Même en Orient, on retrouve dans certaines occasions, les us et coutumes en vigueur dans les cours occidentales.

— Qui sont tous ces gens ?

— Des dignitaires turcs, diplomatie oblige, de nombreux agents consulaires, enfin la faune habituelle.

Schéhérazade allait répliquer, lorsque tout à coup elle crut que la foudre tombait à ses pieds. Mandrino, Ricardo Mandrino en personne, là, qui s'apprêtait à s'asseoir en face d'elle.

Leurs yeux se croisèrent, un sourire indicible se dessina sur ses lèvres, presque amusé, il lui tendit sa main, elle fit de même. Il salua Drovetti tout en prenant place sur le drap d'or.

— Eh bien, cher ami, cela me fait plaisir de vous revoir. Vous avez l'air en pleine forme.

Le Français retourna le compliment.

— Quant à vous, chère madame, vous êtes encore

plus resplendissante que le soir où nous nous sommes rencontrés.

Schéhérazade répondit du bout des lèvres et dévia son regard vers le flux des invités. Drovetti en profita pour aborder Mandrino et s'engager dans une discussion politique.

Une dizaine de minutes plus tard, Mohammed-Ali fit son apparition. Vêtu avec la plus grande élégance, le crâne coiffé d'un tarbouch incarnat[1], il s'avança entouré de trois personnages, parmi lesquels son jeune fils Toussoun.

Toute l'assistance se leva comme un seul homme, tandis que le vice-roi traversait la salle pour gagner la place centrale. Parvenu à la hauteur de l'endroit où se tenait Schéhérazade il opéra un léger détour, et vint jusqu'à elle.

— Madame, fit-il en se penchant légèrement, vous me voyez ravi que vous ayez pu être de cette fête.

Dans le silence général, Schéhérazade fit la révérence tout en murmurant :

— Majesté, pour rien au monde je n'aurais voulu manquer un tel honneur.

— Mon fils Toussoun, présenta le vice-roi.

Et au jeune homme :

— Schéhérazade bent Chédid. Une amie très chère.

Toussoun salua.

Mohammed-Ali poursuivit, cependant que la jeune femme conservait respectueusement la tête baissée :

— Mon lieutenant, le kiaya Karim ibn Soleïman.

Sa première pensée fut qu'il s'agissait certainement d'un homonyme.

Elle se releva, c'était bien lui.

Elle balbutia quelques mots maladroits en essayant de cacher sa stupeur. Et au ton qu'il employa pour lui

1. Bonnet cylindrique portant un gland de soie.

répondre, au léger frémissement de sa voix, elle en déduisit qu'il n'était pas plus à l'aise qu'elle.

Ils avaient repris leur marche vers le fond de la salle.

Elle ne s'assit pas, elle se laissa presque tomber sur les coussins.

— Quelque chose ne va pas ? s'inquiéta Drovetti en constatant sa pâleur.

— Non... non... un malaise. Ce n'est rien.

— Vous êtes sûre ? Vous ne voulez pas...

— Non, je vous assure... Ça ira.

Pendant cet échange, Mandrino avait quitté sa place. On le vit échanger quelques mots avec un serviteur, et revenir.

Là-bas, Mohammed-Ali s'était installé, jambes repliées sous lui, confortablement adossé. Karim et Toussoun respectivement à sa droite et à sa gauche.

Kiaya bey... Lieutenant du vice-roi...

Elle était donc là, la raison de sa rupture.

L'instant de surprise estompé, elle ne put s'empêcher de l'observer tandis qu'il devisait avec le fils du souverain. S'il avait une certaine allure dans son uniforme, ses gestes paraissaient un peu gauches, et le trait tendu. Sans doute lui aussi avait-il du mal à se remettre de ces soudaines retrouvailles.

Finalement elle était heureuse de le revoir. Ni amertume ni dépit. Seulement un sentiment attendri. Elle repensa aux propos qu'elle avait tenus à Ahmed, concernant le bonheur du fils de Soleïman : le bouseux semblait sur la bonne voie.

L'orchestre aligné dans un coin de la salle avait commencé à jouer, accompagné par la rumeur familière des rires et des bavardages.

Le serviteur abordé par Mandrino se présenta devant Schéhérazade avec un petit verre ciselé.

— Cela vous fera du bien, expliqua le Vénitien. De

l'essence de fleur d'oranger et un sucre. Croyez-moi, c'est salutaire.

Un peu surprise par cette sollicitude inattendue, Schéhérazade remercia et prit le verre qu'elle but à petites gorgées.

— Avant que je vienne en Egypte, commenta Drovetti, j'ignorais les bienfaits de ce breuvage. Non seulement le parfum en est délicieux, mais il apaise et revigore de manière tout à fait étonnante. J'ai appris qu'on pouvait même y ajouter quelques gouttes dans le café.

Schéhérazade confirma.

— Ainsi, reprit le consul, vous avez quitté la ferme aux Roses pour réintégrer Sabah ?

— Oui, depuis peu.

— Sabah ? s'informa Mandrino. C'est un mot qui signifie l'aube, je crois ?

— C'est exact, fit Schéhérazade.

Drovetti ajouta :

— C'est un splendide domaine que notre charmante amie possède à Guizeh. Hélas, il fut rasé lors de la dernière insurrection du Caire, du temps de Kléber.

— Par la faute de vos hommes ?

— Oh non ! Une bande de mécréants et de fanatiques. D'ailleurs...

La jeune femme le coupa doucement.

— Pardonnez-moi, mais je ne pense pas que tout cela soit d'un grand intérêt pour M. Mandrino. Pour tout vous dire, reparler de cette période me gêne un peu. Alors, si vous voulez bien, changeons de sujet ?

Le consul se répandit en excuses et repartit sur une nouvelle discussion politique avec le Vénitien.

Schéhérazade reporta ses pensées sur le fils de Soleïman.

— Vous semblez bien rêveuse, madame ?

Elle éprouva la voix de Mandrino comme une offense à son intimité.

— Que voulez-vous faire lorsque la réalité est si médiocre ?

Si son interlocuteur perçut la pointe d'agressivité qui émanait de sa réplique, il l'ignora et désigna avec sérénité les plats qu'on avait disposés devant eux.

— Un repas froid n'est pas fait pour arranger les choses.

Emportée par ses réflexions elle ne s'était pas rendu compte qu'on les avait servis. Elle contempla son assiette sans plaisir.

— En vérité, je n'ai pas très faim. Mais commencez, je vous en prie.

Mandrino répliqua :

— C'est très aimable à vous. Mais je ne possède pas le stoïcisme de notre ami le consul. C'est déjà fait.

Décidément cet individu l'irritait au plus haut point. Mais quel sorte d'homme était-ce !

— C'est curieux, fit-elle avec âpreté, j'ai bien connu votre ami Carlo Rosetti et je dois avouer que vous n'avez vraiment rien en commun. Sans doute, lui n'était-il pas de noble souche. Simplement un modeste agent consulaire.

Mandrino, qui s'apprêtait à porter une tranche d'agneau à ses lèvres, suspendit son geste.

— Voilà qui me surprend. Vous semblez bien me connaître.

— Non, je vous devine.

— J'oubliais combien les femmes sont instinctives. Vous bien plus qu'une autre sans doute. Et puisque la franchise semble dominer nos rapports, je vous confierai à mon tour que j'ai connu une autre Egyptienne. Et elle non plus n'avait rien de commun avec vous. Mais c'est sans doute parce qu'elle *était* de noble souche.

Son commentaire achevé, il engloutit sa tranche d'agneau avec le plus parfait détachement.

Schéhérazade serra les dents. Avec fureur, elle planta son couvert dans une aile de pigeon et entreprit de découper la volaille comme s'il s'agissait du cou de Mandrino.

— A quel type de plantation vous consacrez-vous ?

Elle fit un effort surhumain pour lui répondre.

— Le coton, lança-t-elle.

— L'herbacium ou le hiarsutum ?

Surprise par sa connaissance, elle répliqua :

— Le hiarsutum.

— Combien de feddans ?

— Un peu plus de deux.

— Ce n'est pas mal. Avez-vous essayé l'hybridation ?

— J'ai tenté quelques expériences. Mais sans résultat.

— Il faut reconnaître que ce genre d'opération est très complexe. Tout dépend aussi de la qualité de la terre. Si je me souviens bien, la Basse-Egypte est idéale pour les cotonniers. Alors que là où se trouve votre ferme le sol est me semble-t-il moins gras.

— C'est vrai. Mais les résultats que j'ai obtenus sont quand même satisfaisants. Comment se fait-il que vous vous y connaissiez en coton ?

— Parce qu'il fait partie de l'une de mes activités. J'en exporte. J'ai commencé par me fournir aux Amériques, qui, vous le savez certainement, sont le plus gros producteur actuel, ensuite je me suis rabattu sur l'Egypte.

— Avez-vous entendu parler du barbadense ?

— Bien sûr.

Schéhérazade posa fébrilement sa fourchette.

— Vous en avez vu ? Touché ?

— Parfaitement. A moins de faire erreur, il provient justement de cette hybridation que j'évoquais. Ce dont je suis sûr, c'est qu'il est originaire des

Antilles. C'est d'ailleurs là-bas que je l'ai découvert pour la première fois.

Fascinée, elle s'informa :

— A quoi ressemble-t-il ?

— C'est un arbrisseau dont les feuilles sont assez grandes, jaunes, avec une tache rouge à la base de chaque pétale. Chaque lobe contient six à dix graines non adhérentes entre elles.

— J'étais certaine ! Je l'avais dit à Ahmed et aux autres fellahs, ils n'ont jamais voulu me croire !

Mandrino fronça les sourcils.

— Ahmed ?

Elle se ressaisit un peu confuse.

— Non, ce n'est rien. Ce serait trop long à expliquer.

Tout à coup elle fut effarée de constater qu'à son insu elle s'était entièrement abandonnée à dialoguer avec ce personnage qu'un peu plus tôt elle honnissait. Elle s'en voulut et, comme pour se punir, elle se referma très vite.

Il poursuivit tout de même :

— Nous sommes en mai. Votre prochaine récolte est normalement prévue pour dans deux mois.

Elle reprit sur un ton froid :

— Pourquoi ? vous seriez acheteur ?

— Tout dépend de la qualité. Comme je vous le disais je me méfie des cotonniers plantés au-dessous du Delta.

Elle s'offusqua

— Parce que vous douteriez...

— Pas du tout. Je demande à voir.

— Ce ne sont pas les acheteurs qui manquent.

— Ils sont presque aussi nombreux que le coton. Je sais. Pour ce qui est de leur sérieux, c'est une autre paire de manches. De toute façon, je veux bien visiter votre plantation.

La jeune femme l'examina avec incrédulité.

— Je ne vous ai pas invité, que je sache.

— Pour commercer, est-il vraiment nécessaire de s'embarrasser de détails ?

— Quoi qu'il en soit, mes prix ne vous intéresseraient pas.

Drovetti, qui s'était contenté d'écouter jusque-là, s'immisça dans la discussion.

— J'y songe... Je présume que vous avez été informée de la nouvelle loi sur les propriétés agricoles.

— Parfaitement.

— Dans ce cas...

Le Vénitien anticipa :

— Je vous rassure : cette loi ne concerne pas Mme Chédid. Elle sera probablement la seule dans toute l'Egypte à conserver ses terres.

Le consul prit un air des plus sceptiques.

— Permettez-moi d'en douter, cher ami.

Mandrino lança un coup d'œil oblique vers Schéhérazade :

— Dites-lui, je vous prie, que je ne me trompe pas.

Elle l'examina en silence.

— Vous êtes très fort, monsieur Mandrino. Ou alors vous êtes très bien informé.

— Non, madame. Moi aussi j'ai l'instinct féminin.

★

La nuit était fort avancée lorsque le vice-roi se décida à quitter ses invités, donnant du même coup le signal du départ. En passant devant Schéhérazade, Karim eut juste le temps d'échanger avec elle un regard complice.

A peine eut-il disparu, que Schéhérazade se pencha vers le consul.

— Je ne voudrais pas écourter votre soirée, mais il faut que je rentre à Sabah.

— Je suis à votre disposition. Accordez-moi le temps de donner les instructions pour qu'on avance ma berline.

Il se leva et se dirigea vers la sortie.

Une fois seule en présence de Mandrino, elle éprouva une certaine gêne. Elle happa un raisin pour se donner une contenance.

— Vous m'exécrez, n'est-ce pas ?

Elle le considéra, désarçonnée.

— Pourquoi dites-vous cela ?

— Venant de vous, la question m'étonne. Jusque-là vous avez donné l'image d'un personnage qui ne s'embarrasse pas de détours.

Elle branla de la tête.

— C'est vrai. Je ne vous aime pas, Mandrino. Et puisque vous le cherchez, je vous dirai même que je vous trouve éminemment antipathique. Discourtois et pédant.

Il se mit à rire doucement.

— Voici qui a le mérite d'être clair. Bien que j'eusse apprécié une opinion plus nuancée, je ne trouve pas cela déplaisant. Je préfère de loin la haine à l'indifférence. Elle a ceci de favorable qu'elle laisse entrevoir des chances de dialogue.

— De toute façon, vous ne m'appréciez guère non plus. Ce qui nous met sur un pied d'égalité.

Il la considéra d'un air énigmatique.

— Reconnaissez qu'une réponse positive de ma part vous rassurerait.

— Que voulez-vous dire ?

Il évita de répondre et, se penchant en avant, l'enveloppa de son regard bleu.

— En vérité, ce qui vous gêne le plus en moi, c'est vous. Ce double que vous entrevoyez et qui vous terrorise. Vous êtes arrogante, têtue, impatiente, fragile, candide, tenace, orgueilleuse et fière. Par-dessus tout, vous possédez cette faculté qui est le privilège des femmes supérieurement femmes : vous êtes à la fois princesse et courtisane.

Au dernier qualificatif, la main de Schéhérazade vola vers la joue de Mandrino. Mais elle n'atteignit pas son but. Le Vénitien avait emprisonné son poignet dans un étau d'acier.

Imperturbable, il conclut :

— En deux mots, hormis votre dernière vertu, je suis votre miroir et vous êtes le mien. Le gant et la main. C'est pourquoi, que vous le vouliez ou non, que vous vous en défendiez ou pas, nous sommes inexorablement condamnés à nous rapprocher.

Il desserra sa prise.

— Vous êtes fou, dit-elle lentement. Vous êtes complètement fou.

CHAPITRE 32

Il y avait plus d'une demi-heure que Karim attendait, tapi dans la pénombre du long corridor qui délimitait le quartier réservé aux femmes.

Mais que faisait donc Amina, la servante ? Le temps pressait, la réunion des chefs militaires était prévue pour midi. Il ne lui restait plus beaucoup de temps.

Finalement, l'épaisse porte en bois de cèdre grinça sur ses gonds, une silhouette se faufila dans l'encadrement et marcha prestement à sa rencontre.

— Alors ? interrogea-t-il avec fébrilité.

Amina chuchota :

— C'est d'accord, la princesse vous retrouvera dès que Mlle Lieder aura fini de lui donner sa leçon d'anglais.

— C'est sûr ?

— Tout à fait, kiaya bey.

Karim poussa un soupir de soulagement. Depuis trois semaines qu'il avait amorcé son idylle avec Laïla, il vivait sur des charbons ardents. Il fallait reconnaître que la fille aînée du vice-roi était loin d'être une proie facile. Pétrie de principes, affligée d'une pudeur maladive, la jeune fille passait son temps à remettre en question, le lendemain, les rares faveurs qu'elle accordait la veille. La cause en était certainement cette Mlle Lieder, cinquante-cinq ans, fille d'un missionnaire anglais, personnage desséché qui devait noyer la pauvre Laïla sous les flots d'une rigueur toute britannique.

Qu'importe, l'importance de l'enjeu valait bien qu'il se résignât à la patience.

★

Ce 27 juillet, le soleil était déjà bien haut au-dessus de Sabah lorsque Schéhérazade émergea de son sommeil. Depuis longtemps, des années sans doute, elle n'avait pas dormi aussi tard. Etait-ce l'appréhension d'avoir à franchir aujourd'hui le cap de ses trente et un ans qui inconsciemment lui avait fait repousser l'heure de son réveil ? Ou de savoir qu'elle serait seule à vivre cet instant. Même Ahmed, le brave, le fidèle Ahmed n'était plus là pour la faire rire ou lui glisser quelques mots chaleureux et tendres. Il s'était éteint vers la fin mai, discrètement, sans une plainte. En lui fermant les yeux, elle avait éprouvé une sensation de grand vide qui lui avait fait remonter le temps, quelque part entre la mort de Nabil et l'incendie de Sabah.

Elle jeta un coup d'œil en direction des moucharabiehs posés la veille. A travers les interstices en forme de losanges et de carrés la lumière filtrait, douce, apaisante. Lorsqu'elle repensait à tout ce qu'elle avait accompli elle avait de quoi être fière. La ferme aux Roses vivait comme aux plus belles heures de Magdi Chédid. Sabah avait rejailli de ses cendres ; aussi lumineux, aussi beau qu'avant. Sa terre, inexploitée du temps de ses parents, était aujourd'hui couverte de cotonniers. Et tout laissait augurer que cette récolte serait excellente.

Insensiblement, elle devenait une femme riche. Avec

Sabah, cette richesse se consoliderait. Puis il y avait Joseph. C'était peut-être lui sa véritable réussite.

A quoi te servirait Sabah si c'était pour y vivre dans la solitude et le silence ?

Depuis quelque temps, la phrase de Nafissa ne cessait de lui revenir à l'esprit.

N'avait-elle pas commis une erreur en s'isolant ainsi qu'elle l'avait fait ? Bien sûr, elle avait un amoureux en la personne de Drovetti. Le charmant homme avait beau masquer ses intentions — avec beaucoup d'élégance d'ailleurs —, il n'attendait qu'un signe d'elle. Un mot qu'elle ne prononcerait jamais. Si un jour elle devait se remarier, cette fois, ce ne serait certainement pas par dépit ou, pis encore, par défi.

Elle rejeta les draps. Déjà la chaleur se faisait plus présente. Cet été s'annonçait plus chaud que les précédents.

Elle enfila une légère chemise de lin et sortit.

Dès qu'elle pénétra dans la cuisine, elle fut accueillie par Zannouba, la bonne qu'elle avait engagée dès son retour à Sabah.

— Matin de lumière, dame Chédid. J'espère que vous avez bien dormi.

— Trop.

Elle laissa sa phrase en suspens pour prendre son fils dans ses bras.

— Amour de ma vie, mes yeux.

Elle déposa un baiser sonore dans le creux de son cou et le reposa à terre.

L'enfant se hâta de demander :

— Tu n'as pas oublié ce que tu m'as promis ?

Schéhérazade le taquina en fronçant le front dans une attitude interrogative.

— Arrête ! Tu as promis !

— Je plaisantais, mon cœur. C'est d'accord, mais pas tout de suite. Il y a d'abord mon café. Je dois aller superviser la récolte, et après je serai entièrement à toi.

— En attendant, est-ce que je pourrai aller le voir ?

— Oui. Ne l'énerve pas trop quand même.

Un sourire satisfait éclaira les yeux du petit Youssef, et il fila hors de la cuisine.

Zannouba dodelina de la tête en murmurant :

— Ah ! les enfants ! Quel bonheur, quelle corvée ! Vous comptez vraiment lui apprendre à monter à cheval ?

— Pourquoi pas ? C'est bien pour cela que je lui ai offert Shams. A son âge, je montais déjà.

Elle prit la tasse de café que lui tendait la servante.

— Tu voudras bien me lire la tasse aujourd'hui ?

La servante gémit :

— Dame Chédid, l'avenir ne se transforme pas d'un jour à l'autre. Une fois par semaine passe encore. Pas plus tard qu'hier je vous ai *fait* la tasse !

— Quelle importance ! D'ailleurs, je ne suis pas de ton avis, le destin peut changer toutes les heures. Reconnais plutôt que tu ne vois plus rien.

— Aie pitié de moi, Seigneur.

— Laisse Dieu de côté, il a assez de soucis comme ça.

La servante haussa les épaules et repartit sur un autre sujet.

— Vous auriez envie que je vous prépare quelques falafels[1] pour ce midi ?

Le retour en trombe de son fils l'empêcha de répondre.

— Mama, viens vite ! viens voir !

Elle gronda :

---

1. Sorte de boulettes frites, composées de pois chiches réduits en purée, d'ail et d'herbes.

— Ecoute. Je t'ai dit plus tard...Nous avons toute la journée devant nous !

— Mais non, tu ne comprends pas ! Il y a plein de gens dans le jardin, ils sont en train de...

— Des gens ?

Prenant Youssef par la main, elle se précipita à l'extérieur.

Sous ses yeux ébahis, une poignée d'individus, un panier à la main, étaient en train de déverser sur toute l'allée centrale des milliers de fleurs. Le groupe, parti de l'entrée de Sabah, avançait lentement jusqu'à la maison, et à mesure qu'il se rapprochait, il dénouait un tapis multicolore, une féerie de parfums et de pétales.

L'enfant murmura :

— C'est une drôle d'idée. Elle est de toi ?

Schéhérazade fit non, tout en contemplant ces étranges semeurs et ces fleurs en grappes qui inondaient le sable ; des fleurs qu'elle voyait pour la première fois de son existence.

Elle bondit vers l'homme qui semblait diriger les opérations :

— Qui êtes-vous ? Qui vous a autorisé à venir ici ?

L'individu répliqua poliment avec un fort accent italien :

— Signora, j'ai reçu ordre de recouvrir toutes les allées de votre maison.

— Ordre ? Mais de qui ?

Il saisit un pli de la poche de sa veste.

— Voici, je pense, qui répondra à vos questions.

Elle s'empara du message et lut :

Inexorablement nous sommes condamnés à nous rapprocher. Joyeux anniversaire.

C'était signé : *Ricardo Mandrino.*

Inouï.

— Ces fleurs, quelles sont-elles ? D'où viennent-elles ?

— Ce sont des orchidées, signora.

Comment était-ce possible ? L'espèce en était totalement inconnue en Egypte !

L'homme poursuivit :

— Tout ce que je peux vous dire, c'est qu'un vaisseau de commerce les a apportées à Alexandrie, et moi, Ludovico Batisti, j'ai été chargé de les apporter jusqu'à vous. Une chose est certaine, elles viennent de très loin.

Il n'y avait plus de doute possible : Mandrino était vraiment fou.

★

Mohammed-Ali leva les yeux au ciel.

— Je ne vous crois pas, Ricardo. Vous n'avez pas fait ça ? Six mille orchidées ? Mais personne au monde n'aurait pu rassembler et encore moins faire transporter pareille quantité.

— C'est pourtant ce que j'ai fait, sire.

— Il y aurait de quoi rendre jaloux un vice-roi. Et depuis ?

— Que voulez-vous dire ?

— Des nouvelles ? Cela fait presque deux semaines, n'est-ce pas ?

Le Vénitien confirma.

— Elle n'a pas cherché à vous remercier ? Pas un mot ?

— Non. Cependant je vous rassure, je n'attendais rien.

— Tout de même. Moi à votre place j'aurais été blessé. Six mille orchidées...

Il parut songeur.

— Dites-moi, Ricardo, entre nous... Vous êtes vraiment amoureux ?

— Sire... Qu'est-ce que l'amour ?

— Allons, allons, ne jouons pas avec les mots. Répondez-moi plutôt.

— Alors je vous dirai simplement que toutes les femmes que j'ai pu connaître avant elle n'ont été que des détours.

Le vice-roi fit observer :

— Prenez garde. La fille Chédid n'est pas comme les autres. Pour tout vous dire, j'ai bien tenté moi aussi. Sans résultat, hélas.

— C'est curieux. J'avais cru un moment que vous et elle...

— Vous voulez rire, mon ami. Ce n'est pourtant pas l'envie qui m'en a manqué ! Elle s'est montrée aussi imprenable qu'une citadelle ! Non, je vous le répète, ce n'est pas une femme comme les autres.

— Peut-être. Mais elle sera mienne.

Son assurance exaspéra son interlocuteur.

— Elle sera vôtre ! Vous ne seriez pas un peu fat, mon ami ? A vous entendre, elle se meurt déjà !

Une lueur amusée éclaira l'œil bleu du Vénitien. Il se cala sereinement dans son siège et s'informa :

— Si nous parlions de vos projets, sire ? Envisagez-vous vraiment de faire participer les Français à la rénovation de l'Egypte ?

— Les Européens en général. Les Français en particulier. Voyez-vous, le défaut le plus marquant de mes prédécesseurs fut de gouverner ce pays en rejetant systématiquement tout ce qui venait de l'Occident. C'était stupide, maladroit et surtout immodeste. Personnellement, je suis convaincu que sans la connaissance occidentale, sans son apport intellectuel, nous ne pourrons rien accomplir de fondamental, ou alors nous mettrons un siècle de plus. Jusqu'ici nous n'avons importé que le négatif. C'est l'autre face de la médaille qui m'intéresse. C'est celle-ci que je veux exploiter. Pensez-vous que j'aie tort ?

— Bien au contraire. Toutefois, votre projet comporte un risque. Celui d'une colonisation *pacifique* de l'Egypte.

— Vous craignez que, si j'entrouvre la porte, je ne laisse le champ libre à toutes les coteries et les manigances. Détrompez-vous. Mohammed-Ali sait parfaitement où il va. L'Occident me servira, tout en conservant la place qui est la sienne.

— Je ne doute pas de votre capacité à maîtriser l'entreprise. Cet aspect défini, qu'attendez-vous de moi ?

— Que vous vous rendiez en France.

Mandrino grimaça.

— Oui, je vois bien que ma demande vous contrarie. Pourtant, vous êtes le seul dans mon entourage qui pourrait mener à bien une telle mission. Votre parfaite connaissance du français, les amitiés politiques que vous possédez à Paris font de vous l'émissaire idéal.

— Emissaire est un euphémisme, ne croyez-vous pas ? Le mot espion me paraît plus adapté à la circonstance.

— Tout émissaire n'est-il pas un espion qui s'ignore ? Voyez-vous, Mandrino, depuis l'échec de l'expédition française et devant la suprématie anglaise en Méditerranée, c'est tout naturellement vers les Britanniques que j'ai songé à me tourner. Pour acquérir l'indépendance j'ai besoin de l'appui d'une grande puissance. C'est pourquoi, malgré les interdictions de la Porte, qui, vous le savez, a besoin de grains, j'ai vendu, et vends encore, le blé égyptien à l'Angleterre.

— A un prix de trente pour cent supérieur à celui du marché, Majesté.

— Et alors ? Depuis la fermeture des Dardanelles et l'adhésion de la Russie au blocus continental décrété par Napoléon, les Anglais y trouvent largement leur compte. Ces revenus me permettent de recruter des mercenaires, d'augmenter sans cesse mon armée, d'accroître ma puissance.

— Savez-vous qu'avec vingt millions par an, vous êtes aujourd'hui le pacha le plus riche de l'Empire ottoman ?

— Peut-être. Là n'est pas le propos. Je vous expliquais donc qu'en dépit de la cour assidue que j'ai faite à l'Angleterre et des efforts de rapprochement tentés sincèrement à plusieurs reprises, ce pays se garde bien de reconnaître ne fût-ce qu'indirectement ma souveraineté sous la forme d'une alliance commerciale ou politique quelconque. Toutes mes avances ont été accueillies par une fin de non-recevoir. Le dernier courrier du ministre de la Guerre au colonel Misset est très explicite là-dessus.

Mohammed-Ali récita de mémoire :

— « Tant que l'état de paix entre Sa Majesté et la Porte reste maintenu, Sa Hautesse royale ne peut pas vous autoriser à contracter des engagements incompatibles avec la bonne foi qu'il est tenu d'observer... » Vous voyez. C'est clair. Appuyé ou protégé par l'Angleterre j'aurais bravé la Porte et déclaré la souveraineté de l'Egypte. Je dois me rendre à la raison et chercher un autre soutien.

— Celui de la France.

— Je me suis entretenu à ce sujet avec Drovetti. S'il ne tenait qu'à lui, l'accord serait signé sur l'heure. J'ai besoin de savoir quel rôle entend jouer ce pays. Ce Napoléon est au sommet de sa gloire, son prestige immense. La chute de Sélim III lui a servi de prétexte pour sacrifier l'Empire ottoman au rapprochement franco-russe. Je crains que le traité[1] récent qui lie

1. Le traité de Tilsit conclu le 7 juillet 1807.

554

l'Empereur à Alexandre Ier ne risque d'éveiller chez ce conquérant *vocationnel* le désir de tenter une nouvelle opération qui aurait à nouveau l'Egypte pour cible, voire même Istanbul.

— Qu'est-ce qui vous fait croire à une telle éventualité ?

— Il m'a été communiqué certaines informations, selon lesquelles il aurait été question entre Paris et Pétersbourg d'une expédition à travers le territoire turc en direction de l'Asie centrale et de l'Inde. Napoléon aurait chargé un certain colonel Boutin d'effectuer la reconnaissance des régences barbaresques, de la compléter par celle de l'Egypte et de la Syrie. J'ai déjà fort à faire avec ces maudits Mamelouks et les Anglais, pour avoir à affronter une menace supplémentaire. Vous possédez à Paris des amis bien placés. Je suis persuadé que vous pourriez obtenir d'eux des informations précieuses qui m'aideraient à y voir plus clair.

Le Vénitien approuva silencieusement.

— Quand désirez-vous que je parte ?

— Le plus tôt sera le mieux.

On sentait Mandrino perturbé.

— C'est le voyage qui vous rend soucieux ou d'avoir à vous éloigner du Caire ?

Le sous-entendu était flagrant.

— C'est d'accord, Majesté. Je partirai pour Paris.

— Je n'en attendais pas moins de vous, Ricardo. Mohammed-Ali saura se montrer reconnaissant. Vous comprenez, c'est de temps que j'ai le plus besoin.

Avec un sourire complice :

— Un peu comme vous, Ricardo, bien que nous ne poursuivions pas le même but. A ce propos...Puisque les orchidées n'ont pas provoqué la réaction espérée, que comptez-vous faire ?

Mandrino répliqua sans hésiter :

— Acheter du coton, sire.

★

— Pourquoi cet étonnement, fille de Chédid ? Je vous avais bien dit que je viendrais examiner vos plantations.

Schéhérazade hésitait entre claquer la porte au nez du Vénitien ou lui jeter à la face quelques mots bien sentis. Elle fut tout étonnée de s'entendre dire :

— Entrez. Mais je ne crois pas que nous ferons affaire.

Elle l'invita à prendre place dans la qâ'a nouvellement reconstruite.

— C'est magnifique. Félicitations.

Schéhérazade ignora le compliment pour demander :

— Désirez-vous boire quelque chose ?

— Avec cette chaleur, un sorbet serait le bienvenu. Si vous en avez bien sûr.

La jeune femme se rendit jusqu'au seuil et frappa dans ses mains.

— Zannouba !

Comme par enchantement, la servante apparut.

— Un benefseg, ordonna-t-elle avant de revenir sur ses pas.

— Vous ne prenez rien ? s'étonna Mandrino.

Elle fit non et ajouta très vite :

— Cela vous arrive souvent ?

— Quoi donc ?

— De couvrir les femmes d'orchidées.

Il prit l'air affolé.

— Diable, non ! Vous vous imaginez un peu la difficulté. C'est que j'ai eu pas mal d'obstacles à surmonter. Puisque vous m'en parlez, rassurez-moi : ont-elles supporté le voyage ?

— N'ayez crainte. On les aurait crues cueillies la veille.

556

Il feignit un soupir de soulagement.

— Il y a tout même un mystère que j'aimerais élucider : comment avez-vous su que c'était mon anniversaire ?

— Le hasard.

— Allons, monsieur Mandrino, vous m'avez habituée à plus de repartie.

— N'êtes-vous pas née le même jour que la fille aînée du vice-roi ?

— Je vois, c'est donc lui qui vous en a parlé.

— Je m'empresse de vous affirmer qu'il n'y a eu à aucun moment indiscrétion de la part de Sa Majesté. Nous parlions des coïncidences de la vie, et il me citait ce cas en exemple.

Elle le scruta pour voir s'il disait vrai, mais devant l'acuité de son regard elle fut forcée de baisser les yeux.

Il désigna la qâ'a.

— C'est curieux. On a l'impression que vous n'avez jamais habité cette maison. Tout respire le neuf. A en croire Drovetti, vous résideriez ici depuis votre naissance.

— Mohammed-Ali, Drovetti... Ne croyez-vous pas que vous et ces messieurs parlez un peu trop de moi ?

— Que voulez-vous, de nos jours, les sujets de conversation dignes d'intérêt se font de plus en plus rares.

Il avait retrouvé son cynisme habituel.

Elle répliqua exaspérée :

— Ecoutez, Mandrino, je ne sais pas où vous voulez en venir !

L'arrivée de Zannouba l'interrompit dans son élan. La servante déposa le sorbet devant le Vénitien et se retira, non sans avoir jeté un coup d'œil inquisiteur sur le personnage.

Schéhérazade poursuivit :

557

— Quoi qu'il en soit, je vous remercie pour les fleurs, mais n'imaginez pas pour autant que votre présent, si généreux fût-il, modifiera les sentiments que j'éprouve à votre égard.

Il prit une lampée de sorbet, savourant son plaisir, il ferma les yeux.

— Un vrai délice...

Reprenant une nouvelle cuillerée, il annonça brusquement :

— Je vous fais mes excuses.

Elle eut un geste étonné.

— Oui, précisa-t-il. Pour le mot malheureux prononcé lors de notre première rencontre : courtisane. J'espère que vous me pardonnerez.

— Cela me serait difficile. J'ai oublié. J'oublie toujours ce qui m'est insignifiant.

Il prit une expression résignée, cependant qu'un éclat rêveur traversait ses prunelles.

— Courtisane... Au risque de vous surprendre, j'avoue avoir une faiblesse pour ce qualificatif. Je me suis souvent demandé en quoi il était si insultant pour une femme.

— A mon tour de vous étonner, monsieur Mandrino. Je ne l'ai jamais trouvé insultant. Je vous dirai même que je lui trouve une certaine sensualité.

Son ton se durcit tandis qu'elle concluait :

— En revanche, nul, si ce n'est l'homme que j'aime, n'aurait l'impertinence de m'appeler ainsi.

Il acquiesça, l'œil dans le lointain, et demanda tout à coup :

— Connaissez-vous Venise ?

Elle fit non.

— Vous aimeriez, j'en suis sûr. C'est une ville étonnante.

Elle rétorqua sans se départir de sa dureté :

— Qu'est-ce qui vous empêche d'y retourner ?

— Oh, rassurez-vous, j'y compte bien. Dès que mes occupations m'en laisseront le loisir.

Il répéta songeur :

— C'est sûr, vous aimeriez.

— Pourquoi en êtes-vous parti, si vous l'appréciez autant ?

— Parce que, hormis mon attachement à la ville, plus rien ne m'y retenait.

Il marqua une pause.

— Une histoire de femme...

— Tiens ?

— Vous leur faites l'amour et elles s'imaginent que vous demandez leur main.

— C'est vrai qu'elles sont très sottes ces pauvres créatures !

— Ah, vous l'admettez aussi ?

— Monsieur Mandrino, j'ai vraiment autre chose à faire que de vous écouter persifler sur les femmes.

Il vida d'une seule traite le restant du sorbet et se leva.

— Vous avez raison. C'est pour votre récolte que je suis ici. Allons-y.

Elle se dressa avec mauvaise grâce et le précéda.

Tandis qu'ils se dirigeaient vers les champs, elle pouvait sentir son regard posé sur elle. Un regard insistant, impudique.

Lorsqu'il fut parvenu devant les cotonniers, son comportement se métamorphosa d'un seul coup. Il examina attentivement les plants, émettant ici et là quelques appréciations, parfois des critiques, que Schéhérazade jugea dans l'ensemble assez pertinentes. Son intérêt fut tout particulièrement touché lorsqu'il lui parla de cette extraordinaire presse américaine qui permettait de mettre le coton en balles. Dans l'état actuel, c'étaient les fellahs qui accomplissaient la besogne en compressant le coton avec les pieds. Une machine ferait gagner un temps précieux ; sans compter l'économie de main-d'œuvre.

— Il faudrait pouvoir en importer un exemplaire, commenta Schéhérazade. Mais comment s'y prendre ?

Mandrino répondit évasivement :

— Je l'ignore. Pour l'heure, il y a plus urgent : A combien estimez-vous la récolte ?

— Je vous ai déjà répondu, monsieur Mandrino. Mes prix sont trop élevés pour vous.

— Disons deux cents piastres le quintal de cent vingt livres ?

Elle maîtrisa un sursaut. Le prix proposé était de vingt-cinq piastres supérieur à la moyenne ; ce qui représentait un gain appréciable. Elle rétorqua néanmoins, très calme :

— Intéressant...

— Si ma mémoire est bonne, vous disposez aussi d'une autre récolte. Celle de la ferme du Fayoum.

— Parce que vous en seriez aussi acquéreur ?

— Pourquoi se limiter à une part lorsque l'on peut tout avoir ?

Dans le ton employé, elle retrouva à nouveau cette sorte d'ambiguïté qui finalement semblait être chez lui une seconde nature.

— J'attire votre attention sur un détail : le coton de la ferme aux Roses est de loin supérieur à celui-ci.

— Vingt-cinq piastres de mieux ?

Une fois encore c'était plus qu'elle n'escomptait. Pour un homme dont l'occupation essentielle était le négoce du coton, et qui ne devait rien ignorer des prix pratiqués, il faisait preuve d'un manque d'esprit commercial surprenant.

Elle le considéra avec suspicion.

— Je connais votre opinion sur la naïveté des femmes, mais il s'avère que certaines le sont moins que d'autres : je ne vois vraiment pas où est votre intérêt, monsieur Mandrino ?

Il fronça les sourcils.

— Vous m'étonnez. Vous êtes placée mieux que personne pour savoir que depuis que le vice-roi s'est rendu propriétaire de toutes les terres agricoles, les moissons lui reviennent d'office et sont en priorité consacrées à l'exportation. Le marché est entièrement entre ses mains. Où voulez-vous qu'un acheteur puisse se fournir si ce n'est par l'entremise de l'État ?

— Où est la difficulté ?

— Elle réside en deux points : le premier, ce sont les délais. A quoi vous me rétorquerez qu'il me serait aisé d'user de mon influence auprès du vice-roi. C'est là justement que se trouve le deuxième point : pour des raisons personnelles qui ont trait à mon besoin d'indépendance, je ne tiens pas du tout à établir entre Mohammed-Ali et moi des rapports d'argent. L'expérience m'a enseigné que lorsqu'on traite avec les puissants, il vaut mieux être sollicité que solliciteur.

Il plissa légèrement les yeux et conclut :

— N'imaginez pas un instant que je sois dupe. Les prix que je vous ai proposés sont largement au-dessus de la moyenne. Cependant, tout est affaire d'offre et de demande. J'ai besoin de votre coton. C'est tout.

— Qu'est-ce qui vous fait croire que ce serait aussi mon cas ?

— Je ne l'ai jamais supposé. Le choix vous appartient.Vous êtes entièrement libre de refuser ou d'accepter. A vous de voir.

Elle hocha la tête. Ne fût-ce que pour le contrarier elle avait une envie irrésistible de rejeter sa proposition. Cet homme l'excédait. Son assurance, ses réponses à tout, cette attitude si sûre, ce sentiment de supériorité qui émanait de lui : tout l'irritait. Puis elle songea au profit. C'était vrai que la situation créée par

561

Mohammed-Ali rendait les choses à la fois plus béné-
fiques pour elle et plus complexes. Trouver des marchands indépendants n'était pas évident. Cela impli-
quait une démarche qui réclamait de la patience et du
temps. Finalement elle annonça :

— C'est bon, monsieur Mandrino. J'accepte votre
offre.

Il répliqua d'emblée :

— C'est parfait. Il ne nous reste plus qu'à fêter
notre accord.

Pivotant sur lui-même, il annonça le plus simplement du monde :

— Je vous emmène à Paris. Qu'en pensez-vous ?

Sans lui laisser le temps de réagir, il précisa :

— Je suis chargé par le vice-roi de me rendre en
France pour une mission confidentielle. Si vous vouliez bien m'accompagner, vous me combleriez.

Elle devait rêver. Ce n'était pas à elle, Schéhérazade, qu'il s'adressait. Ou alors il délirait.

Sidérée, elle trouva la force d'interroger :

— En France... avec vous ?

— Si vous ne connaissez pas la plus belle cité du
monde — il rectifia — après Venise, c'est, me semble-t-
il, l'occasion rêvée.

Ce n'était pas croyable. Il pensait vraiment ce qu'il
disait. Pis : il y croyait !

— Dites-moi, Mandrino, vous êtes certain d'avoir
tous vos esprits ? Nous nous sommes vus trois fois,
vous savez la nature des sentiments que j'éprouve à
votre égard, et vous avez l'aplomb de me proposer de
partir avec vous ?

Elle secoua la tête à plusieurs reprises, comme
écrasée par l'incohérence de son interlocuteur.

— Je ne vois vraiment pas l'absurde de ma
démarche. Et si par extraordinaire vous pressentez
dans mes propos le moindre irrespect, vous auriez

tort. C'est en tout bien tout honneur que je vous invite. Vous avez ma parole, si tant est que vous y accordiez foi. Je ne souhaite rien de plus que votre compagnie. Rien. Pas même un sourire, tant que vous n'en éprouverez pas l'envie ; le silence, si parler vous ennuie ; le dialogue, quand vous le jugerez propice. Rien d'autre. En échange, je vous offre de découvrir une ville unique. Un monde neuf, flamboyant, qui dépasse tout ce que vous pourriez imaginer. Est-ce tellement absurde que de dire oui ?

On aurait dit qu'un ouragan soufflait dans la tête de Schéhérazade. La proposition était tellement imprévue, tellement folle, qu'au lieu de la rejeter d'emblée comme le demandait la logique la plus élémentaire, voici qu'elle hésitait, vacillait, le cerveau envahit d'une multitude de pensées contradictoires. Dans ce bouillonnement émergeait aussi le visage de Samira. Cette sœur dont elle n'avait plus la moindre nouvelle depuis si longtemps. Seule rescapée. Ultime lien familial.

Elle ravala sa salive et bredouilla :

— C'est... c'est impossible... Il y a mon fils...

— Qu'importe. Nous l'emmènerons.

Elle essaya de se ressaisir. Il scanda :

— Dix jours... Pas un de plus.

— C'est impossible...

— Dites oui.

Paris... son premier voyage... Samira... La chance de laisser derrière elle les fantômes qui l'entouraient depuis son retour à Sabah. Depuis si longtemps.

— Schéhérazade...

Il avait prononcé son prénom avec un mélange de force et de douceur. Avec la docilité d'une enfant, elle leva le visage vers lui.

— Dix jours, répéta-t-il.

CHAPITRE 33

Nafissa roula un œil furibond sur Schéhérazade.

— C'est toi qui es folle, ma fille. Refuser un voyage aussi merveilleux...Si je ne me retenais pas, je pleurerais.

— Comment pouvez-vous me donner tort ! Je ne sais rien de cet homme. En plus je ne le supporte pas. Il représente tout ce que j'exècre ! Il est pédant, il...

La Blanche posa sa paume sur les lèvres de Schéhérazade en chuchotant :

— Ne parle pas comme une enfant. Que tu n'éprouves pas de sympathie particulière pour Mandrino, passe encore, mais cette violence me paraît superflue, pour ne pas dire suspecte.

— Ah non ! Vous n'allez pas imaginer que...

— Je n'imagine rien du tout. Je constate. Je connais Ricardo depuis assez longtemps pour trouver ton jugement bien sévère. L'homme gagne à être connu. Moi je lui trouve un charme fou. Je te ferai remarquer que je ne suis pas la seule dans ce cas. Ses conquêtes ne se comptent plus.

— C'est sans doute pour cette raison qu'il tient les femmes en si haute estime.

Elle caricatura la voix de Mandrino :

— « Vous leur faites l'amour, et elles s'imaginent

que vous demandez leur main. » De toute façon, sett Nafissa, pour moi le sujet est clos. Parlons d'autre chose, voulez-vous ?

La Blanche haussa les épaules, avec un air ronchon.

— Comme tu voudras. Mais ne sois pas étonnée si à son retour de Paris il ne te donne pas signe de vie.

— Que Dieu vous entende. C'est tout ce que j'espère.

★

Karim effleura à travers la robe de soie les petits seins de la princesse Laïla. La jeune fille se mit à roucouler un peu niaisement.

— Tu es un vrai démon, fils de Soleïman. Aurais-tu oublié ta promesse ? Si tu continues je vais être obligée de retourner dans mes appartements.

— Qu'ai-je fait de mal, ma colombe ? Mlle Lieder ne t'a-t-elle pas enseigné que le péché n'existe pas en amour ?

Alors qu'il cherchait à réitérer son geste, elle se leva d'un seul coup et s'écarta. Calmement, il se dressa lui aussi, s'avança jusqu'à ce qu'elle se retrouve dos au mur.

Elle haleta.

— Il ne faut pas...Je t'en prie.

Indifférent à ses protestations, il emprisonna sa hanche et l'attira doucement. Collant sa joue contre la sienne, il chuchota à son oreille :

— Ta peau est chaude.

Il chercha à prendre ses lèvres.

— Non, Karim. Il ne faut pas. Mlle Lieder...

La bouche du jeune homme qui venait de se coller à la sienne l'empêcha de poursuivre. Dans un mouvement effarouché elle voulut se dégager, mais il la maintint fermement contre lui.

— Pourquoi me fais-tu languir ? Je t'aime, ne le vois-tu pas ?

Il souleva la robe de soie sauvage et caressa les cuisses de la jeune fille, ses doigts courant le long du galbe, frôlant la peau, l'emprisonnant par instants. Au fil des caresses, il devinait à la manière dont le corps de la princesse se détendait, devenait presque inerte, que l'abandon était proche.

Dans une nouvelle tentative, sa bouche retrouva celle de Laïla. Cette fois elle n'offrit aucune résistance ; il crut même deviner qu'elle venait à sa rencontre. Leurs langues se mêlèrent dans un échange fébrile. Il y eut bien une brève tentative de recul chez la princesse, rapidement contenue.

A présent elle se frottait contre lui en émettant de petits cris un peu niais, presque enfantins, perçus par Karim comme autant de signes d'encouragement. Sans plus la ménager, il remonta la robe jusqu'à la taille, ses doigts s'agrippèrent à la culotte de coton fin qu'il chercha, avec impatience, à faire glisser le long des cuisses.

— Non... non... c'est honteux. Tu ne dois pas...

Dans un mouvement maladroit elle voulut le repousser, mais les doigts de Karim restaient noués à leur prise. Dans un bruit de page déchirée, le mince tissu se fendit, libérant totalement l'intimité de la jeune fille.

Il n'hésita pas. Sa main s'insinua dans l'entrecuisse, arrachant à la princesse un nouveau cri, qui se mua très vite en un râle lorsque la caresse imposée se précisa.

Lorsqu'un instant plus tard il viola sa virginité, elle se noua autour de lui en murmurant des onomatopées, des phrases sans suite, où l'on distinguait des mots incroyablement crus, et — détail plus incongru — le prénom de Mlle Lieder.

Mohammed-Ali prit place sous le kiosque qu'il avait fait ériger dans l'angle le plus frais des jardins et invita ses trois fils, Toussoun, Ibrahim et Ismaïl, à s'asseoir près de lui. Les trois jeunes gens différaient totalement les uns des autres. Toussoun, passionné de sciences, possédant une étonnante justesse d'esprit, était de loin celui qui avait la plus belle figure, la plus grande noblesse. Ismaïl, l'aîné, de taille moyenne, était déjà fortement constitué pour ses vingt et un ans. Le nez effilé, les yeux gris très relevés à l'angle externe, le visage allongé marqué de petite vérole et de taches de rousseur, les cheveux d'un blond ardent, on lui devinait une prédilection pour la bonne chère et tous les plaisirs sensuels. Quant au cadet, Ibrahim, il était tout simplement d'une laideur repoussante.

Le soleil qui glissait vers la fin du jour irisait paisiblement le ciel, les arbres et la silhouette harmonieuse du palais.

— C'est l'heure que je préfère, commenta le vice-roi en contemplant le décor. Dans ces moments, les contours les plus rudes perdent de leur âpreté, les couleurs les plus vives s'adoucissent. Pourtant, paradoxalement s'installe une certaine gravité.

Avisant le jardinier qui passait, il l'interpella.

— Abou el-Ward !

L'homme vint aussitôt s'agenouiller devant son maître et baisa sa main.

— J'espère que tu surveilles attentivement les pruniers que j'ai fait venir d'Europe ! Particulièrement celui qui m'a donné le premier fruit. Gare à toi s'il leur arrivait malheur !

— Mon seigneur, pas plus tard que la semaine passée nous avons recouvert l'arbre d'un filet pour le protéger des oiseaux. Mon collègue et moi-même le surveillons comme s'il s'agissait de notre propre enfant.

— Lorsque les prunes seront mûres ne manquez surtout pas de les cueillir à point et de me les faire servir sans délai.

— Il sera fait selon votre désir, Votre Grandeur.

D'un geste de la main, le vice-roi intima au jardinier l'ordre de se retirer et poursuivit à l'intention de ses fils :

— On n'est jamais trop précautionneux lorsqu'il s'agit de traiter la nature. Figurez-vous que, le mois passé, Drovetti attira mon attention sur un dahlia de toute beauté. J'ai donc commandé de le mettre en caisse et de le replanter, ici, sous le kiosque, à l'ombre du sycomore. Ce jour-là j'aurais mieux fait de me couper la langue. Une semaine plus tard le dahlia était à demi fané et penchait piteusement sur sa tige.

— Je me souviens, père, fit Ibrahim avec amusement. Dans ta fureur, tu as ordonné que l'on châtie Abou-el Ward de douze coups de corbacs. Il faut reconnaître que l'infortuné n'était pas responsable. Il t'avait prévenu du risque qu'il y avait à dépoter la plante.

— Ce que tu ne précises pas, c'est que quelques jours plus tard, l'infortuné en question a reçu à titre de dédommagement quelques milliers de paras. Ce n'est pas négligeable.

— De toute manière, intervint Ismaïl, tout ton entourage est unanime à reconnaître ta bonté et ton indulgence.

Toussoun rectifia :

— Une indulgence excessive qui, si tu me permets un avis, frise l'inconscience lorsqu'elle te fait oublier les fautes les plus graves commises à ton encontre.

— Mon fils, ta situation t'amènera un jour à commander. Ce jour risque d'ailleurs d'être plus proche que tu ne l'imagines. Aussi, j'aimerais que tu n'oublies pas ceci : il vaut mieux subir une peine pour avoir fait montre de trop d'équité, que de connaître une joie née d'une injustice commise. Un homme sans générosité et sans clémence n'est pas un homme. Pourquoi crois-tu que je viens de prendre l'une des décisions administratives les plus importantes de ces derniers mois ?

— Tu veux parler de ce décret qui enlève au maître le privilège de punir de mort ses esclaves ou ses subordonnés ?

— Dorénavant la sentence devra être ratifiée par un arrêt signé de ma propre main. Ce qui instaure un arbitre entre l'accusé et le juge, un intervalle salutaire entre la faute et le châtiment. Mais cela n'est qu'un exemple. Il est d'autres qualités que doit posséder celui qui gouverne : la loyauté en fait partie. Pour preuve, je n'ai jamais consenti à livrer à la Porte les rebelles réfugiés en grand nombre en Egypte.

Il demeura quelques instants silencieux et reprit :

— La tolérance aussi. J'observe le rite islamique. Ce qui ne m'empêche pas d'exiger que l'on respecte les religions qui nous entourent. Toutes, sans discrimination, ont droit aux mêmes égards. Il n'y a qu'à observer le nombre de chrétiens auxquels je donne des titres et des commandements pour n'avoir pas de doute sur la sincérité de mes propos[1].

Ibrahim remarqua avec un léger sourire :

— C'est sans doute pourquoi cette année, devant la faiblesse de la crue, non seulement tu as ordonné des

1. En bravant ainsi les préjugés du peuple et les critiques des religieux fanatiques, Mohammed-Ali déploya en ce domaine un véritable courage. Les coptes furent couramment admis aux emplois de l'administration des finances, de celle des douanes, et certains s'y élevèrent jusqu'à de hautes situations. Arméniens, Grecs aussi entrèrent dans la bureaucratie du vice-roi qui n'hésita pas à utiliser leurs capacités.

prières dans toutes les mosquées, mais tu as engagé aussi publiquement les chefs des autres cultes à faire prier pour obtenir du Très-Haut ce bienfait commun.

— C'est exact. Pour tout te dire, je pensais secrètement qu'il eût été bien malheureux qu'entre toutes ses religions il ne s'en fût pas trouvé une seule de bonne aux yeux d'Allah.

Ibrahim et Toussoun se mirent à rire de bon cœur.

Le souverain reprit gravement :

— L'aveuglement religieux est la porte ouverte à tous les errements. Ce qui s'est déroulé au Hedjaz[1] en est la preuve vivante.

Il s'interrompit pour interroger les trois jeunes gens.

— Savez-vous ce que sont les Wahabis ?

Devant leur ignorance il poursuivit.

— Si je vous en parle, c'est parce que cette affaire va bientôt jouer un rôle déterminant dans notre avenir. Le mien, le vôtre, celui de l'Egypte. Aussi je vous demande votre plus grande attention. La secte des wahabis fut fondée par un théologien arabe du nom de Abd el-Wahab, né il y a près de deux cents ans dans le Najd, le pays montagneux de l'Arabie. Cet individu devint le promoteur d'un mouvement que l'on pourrait qualifier de « puritain », qui se proposait de rendre à l'islamisme sa pureté primitive et de rejeter les interprétations des théologiens. La famille d'Ibn Séoud qui était à la tête d'une des premières tribus de la région, embrassa cette doctrine et l'appuya par la force des armes dans toute l'Arabie. Etouffé par l'emprise ottomane, le wahabisme s'est réveillé il y a

---

1. Région d'Arabie, le long de la mer Rouge. Indépendant de la Turquie depuis 1916, le Hedjaz est rattaché depuis 1926 au Najd, avec lequel il forme l'actuelle Arabie Saoudite.

environ huit ans et il a conduit à l'occupation de La Mecque et de Médine par ses adeptes[1].

Ce fut Toussoun qui le premier s'informa.

— En quoi cela nous concerne-t-il, père ?

— Depuis qu'ils se sont installés dans ces villes, les croyants ont cessé de réciter dans les mosquées les prières pour le sultan et ne reconnaissent plus son autorité morale et religieuse. Le pèlerinage a dû être suspendu dans tout l'Islam. Plus grave encore, un nouveau Séoud à la tête des Wahabis a semé la terreur en Mésopotamie et en Syrie, allant jusqu'à attaquer — il y a à peine quelques mois — les environs de Damas, provoquant une réelle panique parmi la population.

Ismaïl questionna :

— Pardonne-moi, mais je ne vois toujours pas le rapport avec nous.

— Tu es aussi impatient qu'un lionceau affamé. Si tu me laissais enfin aller au bout de mes explications, tu comprendrais... L'Egypte, par sa position géographique sur la mer Rouge, près des ports de Yambo et de Djeddah, est mieux placée que toute autre province pour reconquérir le Hedjaz et rétablir la suprématie de la Porte sur les villes saintes. Ce n'est pas sans arrière-pensées qu'Istanbul m'a attribué le titre de pachalik[2] de Djeddah après celui d'Egypte. Depuis quelques mois le sultan me demande avec insistance d'engager la lutte contre l'insurrection hérétique.

Les deux jeunes se dévisagèrent, impressionnés et perplexes.

— Que comptes-tu faire ? s'enquit Ibrahim.

— J'ai longtemps hésité à engager l'Egypte encore

1. Aujourd'hui le wahabisme s'est relevé en Arabie Saoudite après un siècle de décadence, mais en tant que puissance politique plutôt que religieuse, incarnée par la famille Séoud.
2. Région soumise au gouvernement d'un pacha.

fragile dans une entreprise aussi ardue et probablement de longue haleine.

— Tu as donc accepté ?

— Pas officiellement. Mais cela ne saurait tarder.

— Tu partirais en guerre pour rendre service au sultan ? Mais dans quel intérêt ?

Prenant son père de vitesse, ce fut Toussoun qui répondit à son frère aîné :

— C'est clair. Istanbul devient notre obligé et nous franchissons un pas de plus sur la voie de l'indépendance.

Mohammed-Ali apprécia la clairvoyance du jeune homme. La préférence qu'il éprouvait à son égard était bien fondée.

— Bravo, Toussoun. Tu as vu juste. Mais j'ajouterai à ton analyse d'autres considérations : le désir de me débarrasser de mes Albanais qui représentent au Caire une charge et un danger. L'ambition d'accroître mon prestige dans le monde musulman en affirmant ma force au cœur même de l'Islam. En fin de compte, cette guerre m'ouvrirait un champ d'expansion vers la Syrie, par l'autre rive de la mer Rouge.

— Une guerre, nota Ibrahim, qui comporterait quand même de gros risques. Au bout seraient peut-être la mort et la fin de ton règne. Sans compter que pour expédier une armée jusqu'à Yambo ou Djeddah, assurer le transport des vivres et des munitions, il faudrait une marine. Or nous n'en possédons pas.

— Plus tard tu sauras que la patience est la mère des vertus. N'aie crainte. Dis-toi seulement que le jour où Mohammed-Ali aura pris la décision de livrer bataille, ce ne sera que pour partir vers la gloire.

Il se leva, imité par ses fils, et prit la direction du palais. Sur son chemin, il croisa le jardinier.

— Attention à mon prunier, Abou el-Ward. Sinon malheur à toi !

★

Novembre 1810

Karim buvait littéralement les propos de son souverain. Devant tous les membres du cabinet réunis,
Mohammed-Ali venait en quelques mots de dévoiler
son projet, celui-là même qu'il avait exposé une
semaine plus tôt à ses enfants.

Dans la pièce du palais étaient rassemblés le gouverneur du Caire qui, au contraire du passé, n'était
plus rattaché à la Porte, mais uniquement aux ordres
du vice-roi, Boghossian bey, arménien d'origine, ainsi
que six autres hautes personnalités. Bien qu'occupant
des fonctions différentes, ces individus avaient tous
un point commun : il n'en était pas un seul qui ne fût
redevable à Mohammed-Ali. Et ce n'était pas un fait
du hasard. Depuis le jour où il avait accédé au pouvoir, le souverain avait adopté le principe de conduite
de n'installer aux postes clés que des membres de sa
famille (lorsque ce choix lui était possible) ou, parmi
les officiers et les fonctionnaires, des hommes qui lui
devaient tout. Comme par nature il haïssait les incapables, ses débiteurs étaient souvent des êtres qui possédaient les qualités requises pour le servir à des postes
supérieurs.

De ses trois fils, seul le cadet Toussoun était présent.

— C'est astucieux, sire, commenta le gouverneur
du Caire. Mais si j'ai bien compris votre plan, la créa-
tion d'une force navale s'impose.

— Elle me paraît même une condition indispensable à la sécurité et à la puissance à laquelle j'aspire.

573

Tant que je n'aurai pas de vaisseaux, la Porte maintiendra son emprise sur moi. Le premier bâtiment de guerre apparaissant devant Alexandrie me mettra à sa merci. D'autre part, seule une flotte m'appartenant pourra m'assurer de protéger les communications entre l'Egypte et les autres parties de l'empire, et me permettra d'affirmer cette indépendance qui reste envers et contre tout le but final.

Ce fut au tour de Boghossian bey de prendre la parole.

— Sire, j'attire néanmoins votre attention sur quelques problèmes. Tout, sauf la mer, fait défaut à l'Egypte pour posséder une marine : ni tradition maritime, ni constructeurs, ni matériaux, ni chantiers, ni matelots habitués à la navigation en haute mer.

Il s'interrompit et s'adressa courtoisement au fils de Soleïman.

— D'entre nous tous, tu es probablement le seul à avoir une certaine expérience du sujet. Ai-je tort ?

Karim approuva et s'empressa d'ajouter :

— J'irai même plus loin. Le port naturel d'Alexandrie, quoique très spacieux, ne se prête pas, faute d'une passe assez profonde, à l'entrée et à la sortie de navires alourdis par leur artillerie.

— Eh bien, annonça Mohammed-Ali imperturbable, en énumérant tous ces obstacles vous n'avez fait que me conforter dans ma décision. Puisque tout semble s'opposer à ce que l'Egypte possède une marine, il faudra sans plus tarder la lui offrir. Dans un premier temps nous commanderons nos bâtiments aux chantiers maritimes européens. Ce sera Karim bey qui s'en chargera.

A l'écoute de son nom le fils de Soleïman sentit son cœur bondir de joie. Tout au long de la réunion il n'avait cessé d'espérer qu'on lui attribuerait un rôle

574

dans l'ambitieuse entreprise qui se dessinait. L'ordre du vice-roi le comblait.

Celui-ci poursuivait :

— Parallèlement, nous mettrons en marche le projet qui à son terme nous permettra de construire nous-mêmes nos vaisseaux. Voyez-vous, mes amis, l'homme ne devrait vivre que de défi.

★

Assise dans le salon qui jouxtait la salle où se tenait la réunion, Schéhérazade commençait à s'impatienter. Si les leçons qu'elle s'était engagée à donner au souverain restaient pour elle un véritable plaisir, il était régulièrement gâché par des séries de contretemps et de retards, lorsqu'il ne s'agissait pas d'annulation pure et simple. Mais comment aurait-elle eu l'audace de protester ? Les obligations du vice-roi n'avaient-elles pas priorité sur tout le reste ?

Son esprit continua de vagabonder. D'abord vers son fils Joseph, puis, presque à son insu, vers Mandrino. Il avait dit qu'il s'absenterait dix jours, sans compter le temps de la traversée. Aujourd'hui on entrait dans la cinquième semaine. Curieux personnage tout de même. Elle repensa à la Blanche. Vraiment, elle ne comprenait pas qu'elle prît systématiquement la défense du Vénitien. Que pouvait-elle bien lui trouver ? Et n'eût-il pas été plus naturel qu'elle se rangeât du côté de son amie, plutôt que d'invoquer Dieu sait quelle circonstance atténuante à l'égard d'un étranger ?

Des bruits de pas l'arrachèrent à ses réflexions, des sons de voix, parmi lesquelles celle de Mohammed-Ali reconnaissable entre toutes. La réunion était enfin terminée. Elle entrouvrit la porte du salon et se rendit dans le couloir.

— Bent Chédid, heureux de te voir !

Evoluant au milieu d'un groupe d'hommes, le vice-roi l'invita à s'approcher.

— Mon précepteur, annonça-t-il en désignant la jeune femme.

Il ajouta avec un sourire complice :

— Avec un tel enseignant, apprendre est une bénédiction.

Masqué derrière le gouverneur du Caire, ce fut Karim qui la vit en premier. Plus gêné qu'ému, il eut envie de l'éviter, mais très vite il s'en voulut et se démarqua de celui qui le cachait à la vue de la jeune femme.

C'est à ce moment qu'elle l'aperçut. Il la salua d'une inclinaison discrète. Elle fit de même.

— Vous vous connaissez, je pense, fit Mohammed-Ali qui n'avait rien manqué de l'échange.

— Oui, sire, répliqua hâtivement Karim. Vous m'avez fait l'honneur de me présenter dame Chédid à l'anniversaire de Toussoun bey.

— En effet, nous nous sommes déjà rencontrés. Je suis heureuse de vous revoir, kiaya bey.

Le vice-roi annonça :

— Nous venons de prendre une grande décision ; celle de créer la première marine égyptienne. Et c'est à notre ami qu'incombera principalement cette charge.

— Je suis convaincue qu'il l'assumera avec bonheur. N'est-il pas vrai ?

Karim acquiesça. On le devinait sur la défensive.

Elle ajouta en appuyant sur les mots.

— Je suis heureuse pour vous, Soleïman bey. Sincèrement.

Elle avait appuyé sur le dernier mot. Discrètement, mais suffisamment pour qu'il perçût le message.

Ses traits se détendirent aussitôt et une lueur chaleureuse illumina son regard.

— Merci, fille de Chédid.

Ils s'observèrent un court instant. Et ils surent tous deux qu'il n'y avait plus de place que pour la tendresse.

— Cette leçon ! lança brusquement le vice-roi.

Il indiqua l'entrée de son bureau.

— Précédez-moi. Je vous retrouverai dans quelques minutes.

★

— *Alef, bé, té, sè, guime, ha, kha, dal, zal...*

Le souverain s'interrompit dans sa lecture de l'alphabet et poussa un soupir de lassitude.

— Kéfaya[1] ! Je n'en peux plus. Tu m'épuises, bent Chédid.

— Ce n'est pas raisonnable, sire ! Nous avons commencé il y a à peine une demi-heure. Et vous voudriez faire des progrès ?

— Mais si, mais si...Seulement aujourd'hui je n'ai pas la tête à moi. Trop de soucis, trop de préoccupations.

— Ne serait-ce pas plutôt un prétexte pour ne pas travailler ?

— Ah ! l'insouciance des femmes ! J'aurais bien voulu te voir à ma place. J'ai à faire face aux Mamelouks qui continuent de me harceler, à mes quinze mille Albanais qui ne me servent que par intérêt et cupidité et qui, soit dit en passant, absorbent la paye de trente mille hommes, à la Sublime Porte qui veut ma peau, aux Anglais qui me méprisent, aux Français qui se cherchent : avoue qu'il y aurait de quoi devenir mahboul[2] !

1. Ça suffit.
2. Fou.

577

Elle l'observa avec un soudain attendrissement.

— C'est vrai, Majesté. Pardonnez-moi. J'oublie parfois que j'ai en face de moi le tout-puissant Mohammed-Ali pacha.

— Je te ferai remarquer toutefois que, bien qu'étant un élève peu brillant, je ne néglige rien pour que le peuple accède à l'instruction. Dois-je te rappeler ce que j'ai accompli dans ce domaine au cours de ces deux dernières années ?

Poursuivant sur sa lancée :

— J'ai multiplié les écoles coraniques — seules existantes avant moi. J'ai fondé de nouveaux centres d'enseignement : primaires, préparatoires, spéciaux, qui forment un cycle d'étude complet approprié aux exigences des institutions civiles et militaires que j'ai aussi — dois-je le rappeler — créées de toutes pièces. Les établissements d'enseignement primaire, pour ne citer que ceux-là, sont aujourd'hui au nombre de cinquante. Plus de trois mille élèves suivent les cours préparatoires.

Il se tut et ses prunelles s'éclairèrent.

— Si le Seigneur des Mondes m'accorde vie, j'irai plus loin encore. J'envisage avec le temps d'instituer une école de médecine, de chirurgie, de pharmacie, d'art vétérinaire, d'agriculture, d'administration publique, une école polytechnique, des écoles militaires. Tu vois, bent Chédid, ton élève est indiscipliné, mais il n'en est pas pour autant indifférent à l'instruction.

Schéhérazade leva les bras en signe de découragement.

— Comment lutter avec un homme qui a toujours le dernier mot ?

Il fit un pas vers elle et la considéra avec une lueur mélancolique.

— Si seulement tu n'étais pas une citadelle...

Elle ne parut pas comprendre.

— Si seulement tu avais bien voulu me céder, aujourd'hui tu serais reine !

— Et vous continueriez à fréquenter en toute impunité la nuée de femmes qui composent votre harem, faisant à l'une et l'autre des enfants à tout va.

— Non. Pas si tu étais à mes côtés. Je t'en fais le serment !

Elle lui décocha un regard tendre.

— Vous pensez sincèrement ce que vous dites, sire ? Vous qui appréciez tellement la femme ? Qui éprouvez autant d'appétit pour elle que pour la gloire ? Sincèrement ?

— Allons, si tu étais reine d'Egypte, tu fermerais un peu les yeux, non ? Que représenterait une petite incartade de temps à autre devant un tel honneur.

— Majesté...si nous reprenions notre leçon ?

Il émit un grognement agacé et alla s'allonger sur un divan.

— Bien sûr, maugréa-t-il d'une voix rogue, tu es bien trop sollicitée pour t'intéresser à ma modeste personne. Drovetti, Mandrino et jusqu'à mon lieutenant qui te dévore des yeux !

Elle voulut protester.

— Inutile, Mohammed-Ali voit tout, sait tout, entend tout. Qu'importe. Lorsque je réfléchis bien, je me dis que je préfère ma place à la leur. C'est que je les observe, ces malheureux. Ils se meurent doucement. Un jour ils finiront comme mon dahlia.

— Vous n'exagérez pas un peu, Majesté ?

— L'exagération est le propre des hommes jaloux. Je suis jaloux !

Elle quitta sa place et vint s'agenouiller à ses pieds.

— Il n'y a pas de quoi, Votre Altesse. Puisque je vous aime.

Il sursauta.

— Oui, reprit-elle, l'amitié n'est-elle pas une forme d'amour ? Parfois bien plus durable que l'amour lui-même ?

Il rejeta sa déclaration avec une mimique dédaigneuse.

— L'amitié... L'amitié n'est que le bâtard de l'amour !

— Peut-être... Mais un bâtard de sang royal.

Les traits de Mohammed-Ali qui s'étaient assombris s'illuminèrent à nouveau.

Il passa doucement sa main sur la joue de Schéhérazade.

— Que le Très-Haut te garde. Je t'aime aussi.

★

Sur le chemin qui la ramenait à Sabah, elle se sentait curieusement l'âme soulagée. Au lieu de raviver des chagrins anciens, cette nouvelle rencontre avec Karim l'avait comme libérée. Point de tremblement lorsqu'ils s'étaient croisés, ni d'emballement de son cœur. Ce bref dialogue avait fait naître en elle la certitude que vraiment la page était tournée. Définitivement.

Parallèlement il y avait cette tout autre sensation qui, elle, ne concernait en rien le fils de Soleïman. Quelque chose qui n'était pas loin d'une blessure d'amour-propre, une atteinte à son orgueil féminin. Au moment où elle quittait le vice-roi, il lui avait annoncé — avec une innocence dont elle ne fut pas dupe — qu'il dînait le soir avec Ricardo Mandrino. Devant son étonnement, il avait expliqué que cela faisait plus de dix jours que le Vénitien était de retour. Ainsi, le bouillant amoureux avait rendu les armes. La flamme du conquérant s'était éteinte telle une vulgaire mèche soufflée par la première brise ? Elle en conclut que décidément les hommes étaient de petits êtres bien fragiles.

CHAPITRE 34

Joseph somnolait, la tête posée contre son ventre. L'air était doux. Les champs dépouillés. Des orchidées de Mandrino ne restaient que de vagues réminiscences parfumées.

Deux semaines venaient encore de s'écouler et le Vénitien n'avait toujours pas donné signe de vie. N'était-ce pas ce qu'elle avait voulu ? Alors pourquoi cette irritation devant cette absence de nouvelles ? La seule explication qu'elle aurait pu trouver, c'est qu'au tréfonds d'elle-même il ne lui aurait pas déplu que le jeu continuât, entretenant cette secrète volupté, sans doute commune à toutes les femmes, de se sentir courtisée bien que n'éprouvant aucune sympathie pour le courtisan. Etrange dualité de l'être humain.

En ce midi le ciel était d'un gris pastel, et chose rarissime, moucheté de nuages. Elle se dit que si par miracle il pouvait pleuvoir ce serait bon pour la terre. Mais il ne fallait pas trop y compter. La pluie, l'automne et le printemps ignoraient ce pays où il n'y avait place que pour d'humbles hivers et des étés triomphants.

L'écho d'un galop résonna dans l'espace. Elle regarda machinalement vers l'entrée. Le bruit se rapprochait. Une berline, suivie d'un chariot bâché, surgit dans le contre-jour et s'engouffra entre les deux palmiers géants. Parvenus à mi-chemin ils s'immobilisèrent, un homme descendit de la berline, les épaules recouvertes d'une ample cape noire ; il échangea quelques mots brefs avec les deux hommes installés à l'avant du chariot et marcha vers la maison.

Ricardo Mandrino.

En prenant garde de ne pas réveiller Joseph, Schéhérazade se détacha de lui, mais dut néanmoins s'y prendre un peu trop vivement, car l'enfant battit des paupières et protesta.

— Pourquoi tu as bougé ?

— Rendors-toi, je reviens.

Le petit suivit le regard de sa mère.

— C'est qui ?

Schéhérazade éluda la question et se déplaça jusqu'à la balustrade.

— Que la paix soit sur vous, fille de Chédid !

Il s'était exprimé spontanément de sa voix forte et éraillée et ne remarqua que trop tard le geste de la jeune femme l'invitant à parler moins fort. Presque simultanément il aperçut l'enfant qui pointait sa tête ébouriffée derrière les lames de bois.

— Salutations, petit Chédid.

Youssef rectifia :

— Je suis un Chalhoub ! Joseph Chalhoub.

— Désolé. Salutations, Joseph Chalhoub.

Schéhérazade murmura :

— La paix soit sur vous, monsieur Mandrino. Qu'est-ce qui nous vaut le plaisir de votre visite ?

— Ai-je bien entendu le mot plaisir ?

Il affecta un ton doctoral.

— On a tort de ne pas se séparer plus souvent des êtres qu'on aime. Au vrai rien ne vaut une bonne et longue absence. Même ceux que vous exaspérez en temps normal en arrivent à se languir de vous.

— Les voyages vous rendraient-ils philosophe ?

L'enfant pointa son doigt vers le chariot.

— Qu'est-ce que c'est ?

— Une surprise.

Schéhérazade fronça les sourcils.

— Encore des orchidées ?

Il fit celui qui n'avait pas entendu.

— Puis-je ? demanda-t-il en posant un pied sur la première marche.

Au moment où il arrivait au sommet de l'escalier, Joseph effleura la cape noire.

— A quoi ça sert ?

— A se protéger du froid. Elle te plaît ?

Le garçon adopta une moue indifférente.

— Je ne vous savais pas frileux, commenta Schéhérazade.

— Hélas, je le suis. Irrémédiablement. Et si vous voulez tout savoir je souffre aussi de migraines tout à fait effroyables.

— C'est fou ce que les apparences sont trompeuses.

Elle l'invita à s'asseoir, fit de même en poursuivant :

— Lorsque l'on voit un homme tel que vous, grand, imposant, presque impressionnant, on l'imagine mal frissonnant et fragile.

Elle marqua une pause et ironisa :

— Au fond, vous êtes une petite nature.

— Il ne me déplaît pas que vous l'ayez remarqué. Qui sait ? Peut-être qu'à partir de maintenant j'aurai le droit à plus de prévenance.

Elle ignora la remarque et lança :

— Ce voyage à Paris ?

— Epuisant et passionnant.

— Comment se porte le sultan el-kébir ? Le grand Bonaparte ?

— De plus en plus bedonnant et boursouflé. Indifférent aux êtres qui autour de lui tentent de se remplir les poumons de l'air qu'il respire, il continue de jouer à l'ogre, emprisonne des papes, distribuant à tout va des couronnes à ses frères. Il tente de digérer l'Europe, s'offrant au passage de petites Polonaises, une épouse autrichienne dont il espère qu'elle lui donnera une progéniture digne de son génie. En conclusion le soleil d'Egypte n'a pas arrangé son cas.

— On voit bien que vous ne l'aimez pas.

— Je n'ai jamais eu de sympathie pour les hommes qui professent qu'une bonne politique est de faire croire aux peuples qu'ils sont libres. D'ailleurs comment oublierais-je qu'il a contribué à la chute de ma ville ?

— Remarquez, je ne l'aime pas non plus. Pour tout dire je le déteste. Sans sa folie, aujourd'hui ma famille...

Elle se tut, rejeta la tête en arrière, puis avec un intérêt soudain :

— Dites-moi, avez-vous côtoyé des gens de l'entourage de Bonaparte ? Est-ce que le nom de Ganteaume vous dit quelque chose ? Un amiral.

Il eut l'air surpris.

— Tout à fait. Je l'ai même croisé au cours d'une soirée, le lendemain de mon arrivée à Paris.

Les traits de la jeune femme s'animèrent d'un seul coup.

— Etait-il accompagné d'une femme ? Son épouse ?

— Oui. Une personne insignifiante au demeurant.

— Une étrangère, n'est-ce pas ?

— Pas du tout. Une Française.

Schéhérazade s'obstina :

— Impossible. Vous devez vous tromper.

— Pourtant, je vous assure. Une Française. Blonde. Assez corpulente. Un peu plus de la cinquantaine.

La déception et l'angoisse avaient défiguré la physionomie de la jeune femme.

L'enfant silencieux jusque-là s'exclama :

— Dis maman, nous monterons à cheval aujourd'hui ?

Elle fit oui distraitement.

— Cet amiral Ganteaume, questionna Mandrino, vous l'avez connu ?

— Pas moi. Ma sœur. C'est avec lui qu'elle s'est embarquée pour la France. Elle m'avait affirmé qu'ils devaient se marier.

Mandrino haussa les sourcils avec embarras.

— Je suis désolé...Je fais peut-être erreur.

— Non. Vous devez sans doute avoir raison. Samira n'était pas blonde, elle aurait quarante et un ans aujourd'hui.

— Et l'épouse de Ganteaume s'appelle Isabelle.

Une vague de tristesse submergea la jeune femme.

— Que serait-elle devenue ? Et Ali, son fils.

— Si j'avais su, j'aurais peut-être pu m'informer. Vous auriez dû m'en parler. Pourquoi ne m'avez-vous rien dit ?

L'enfant, que toutes ces discussions commençaient à impatienter, demanda :

— Je peux aller voir la surprise ?

Le Vénitien eut l'air ennuyé.

— C'est que...

— C'est vrai, dit Schéhérazade, j'oubliais. De quoi s'agit-il ?

Mandrino hésita, puis :

— Venez.

★

Parvenu devant le chariot, il donna des ordres. L'un des hommes se précipita à l'arrière, souleva la bâche, laissant apparaître ce qui avait tout l'air d'être une machine.

Aussitôt, Joseph sauta à l'intérieur du chariot et examina l'engin, fasciné.

— C'est fabuleux ! On dirait une grosse araignée.

— Ou une grosse orchidée, s'amusa Mandrino.

Schéhérazade demanda, troublée.

— Si vous m'expliquiez ?

— Votre presse.

— Ma presse ?

— Vous avez déjà oublié ? La dernière fois que nous nous sommes vus, ne vous avais-je pas mentionné cette machine américaine qui permettait de mettre le coton en balles ?

— Je me...vous n'avez pas...

— Si. Pourquoi aurais-je hésité ? Un engin qui peut faire en une heure le travail d'une journée et de trois fellahs, c'est exceptionnel, non ?

Schéhérazade monta à son tour dans le chariot et examina attentivement l'objet.

— C'est remarquable. Elle doit coûter une petite fortune. N'êtes-vous pas allé un peu vite ? Quel prix fait-elle ?

— Rien. Pas un sou. C'est ma contribution à notre association.

Elle le considéra, le souffle coupé.

— Oui, poursuivit-il avec sérénité. J'ai pensé que vous et moi pourrions mettre nos talents en commun. Vous produisez, je vends. A la sortie nous partageons les bénéfices à parts égales. Grâce à cette machine, notre marge de revenus se trouvera quasiment doublée. Qu'en pensez-vous ?

La réaction de Schéhérazade fut immédiate.

— Ecoutez, monsieur Mandrino. Je suis peut-être une personne impulsive, mais quand il s'agit d'affaires j'aime prendre mon temps. A première vue je ne vois pas très bien quel intérêt j'aurai à m'associer avec vous. Après tout, c'est moi qui produis le coton et les acheteurs ne manquent pas. Cependant je demande à réfléchir.

— C'est naturel. Et votre attitude me rassure, car quoi de plus dangereux qu'un associé qui s'engagerait à la légère ?

— Il n'empêche que j'aimerais tout de même connaître le coût de cet engin.

— Disons l'équivalent de quatre à cinq années de production. A ce propos, je dois vous préciser un détail qui pèsera certainement dans votre décision. J'ai réussi à obtenir une exclusivité de cette presse pour l'Egypte. De courte durée, certes, mais suffisamment pour en tirer parti. Je ne sais pas si vous pouvez imaginer le profit que nous dégagerions.

— Nous ?

— N'ai-je pas parlé d'association ? A l'heure qu'il est le vice-roi possède le monopole de la propriété rurale. La superficie cultivée augmente tous les ans dans des proportions considérables. Le coton fait partie de cette croissance. C'est pourquoi un outil aussi efficace ne peut que le séduire. Il suffirait que quelqu'un le lui soumette et se charge de le lui vendre. Or, avant mon départ pour Paris, je vous avais expliqué ma position vis-à-vis du souverain. En revanche, vous...

— Je pourrais négocier à votre place.

— Aux mêmes conditions naturellement : cinquante, cinquante.

Schéhérazade croisa les bras.

— Finalement, vous êtes un bien étrange individu, monsieur Mandrino. J'oserais même dire, surprenant.

L'enfant, qui commençait à s'ennuyer prodigieusement, s'exclama :

— Mama ! Et notre promenade à cheval ?

Sa mère lui décocha un regard courroucé.

— Il est passé midi. C'est l'heure de déjeuner.

587

Commence par aller voir Zannouba et dis-lui qu'elle te serve ton repas.

— Mais je n'ai pas faim. Depuis quatre jours Shams n'est pas sorti de l'écurie !

— Shams a déjeuné, lui. Je te répète, va voir Zannouba. Si tu as été sage, je déciderai.

— Il sait déjà monter à cheval ? s'étonna Mandrino. Mais quel âge a-t-il ?

— Onze ans, soupira Schéhérazade. Depuis que je lui ai appris c'est devenu une obsession.

Le Vénitien s'agenouilla devant le garçon et lui murmura, complice :

— Tu fais ce que ta maman t'a demandé. Ensuite nous irons en balade tous les trois. D'accord ?

— Vraiment ? Tu viendrais ?

— Promis. A condition que tu manges tout ce que Zannouba te servira.

Sans attendre, l'enfant bondit hors du chariot et fila vers la maison.

— Dites, monsieur Mandrino, gronda Schéhérazade, vous ne trouvez pas que vous prenez certaines libertés ! Si je n'avais pas envie de cette balade ?

— Dans ce cas je me ferais un plaisir d'accompagner Joseph.

Coupant court à de nouvelles protestations, il lança :

— Vous disiez que j'étais un étrange individu.

Elle eut un mouvement désinvolte.

— A quoi bon ? Ça n'a aucune importance.

— J'insiste.

Elle s'adossa contre la paroi métallique de la presse et laissa tomber négligemment :

— Au fur et à mesure que je vous connais, je me rends compte que finalement tout ce qui vous préoccupe dans l'existence c'est l'argent. Vous possédez une froideur calculatrice, que je trouve plutôt...désarmante.

Il émit un petit rire et l'enveloppa de son œil bleu.

— Chère amie. Je vois très bien à quoi vous faites allusion.

— Ah ?

— N'étant pas le genre d'homme qui prend des détours, j'irai droit au but, au risque de vous choquer, une fois de plus. Vous êtes femme et en tant que telle vous n'ignorez rien des sentiments que je vous porte. Malheureusement n'ayant jamais su prononcer le verbe fatidique, je me limiterai à vous dire que ce que je ressens s'appelle habituellement de l'amour. Oui, c'est cela de l'amour. Je ne vous confierai ni son intensité ni sa force. Je ne me répandrai pas, à l'instar de la plupart des hommes, sur la déchirure qu'impose pareil sentiment lorsqu'il n'est pas partagé — du moins jusqu'à cette heure. Je vous veux, fille de Chédid, je vous désire comme jamais je n'ai désiré un être. Toutes celles qui vous ont précédée n'étaient que des ruisseaux ; vous êtes le fleuve. Vous êtes dans mes veines. Je vous porte en moi depuis le premier jour où mon regard a croisé le vôtre.

Il fit silence, le souffle un peu haché, et se dépouilla de la passion qui progressivement avait pris possession de son être.

— Pourtant, ce désir, si démesuré soit-il, n'empêche pas ma lucidité. Vous me trouvez froid et calculateur. En réalité ce qui vous gêne et vous surprend, c'est que, s'agissant d'affaires, je traite avec vous d'égal à égal. C'est peut-être un tort, mais je me refuse à vous considérer, sous prétexte que vous êtes une femme et que j'éprouve ce qui est, comme un pauvre être sans défense, une de ces femelles devant lesquelles il faut à tout prix se répandre pour lui prouver qu'on l'aime. Ce serait bien peu vous estimer. Vous valez bien mieux que cela. Voilà, j'ai terminé.

Il se tut et l'observa pour sonder l'impact de ses paroles.

Comme elle demeurait silencieuse, il s'approcha, prit son menton entre ses doigts, attira son visage vers lui.

Lentement, imperceptiblement il se pencha sur ses lèvres. Elle pouvait presque sentir son souffle. Quand il épousa sa bouche, elle demeura toujours sans réaction, étonnée de n'être plus qu'une autre, interdite de toute initiative. Le bras de Mandrino emprisonna sa taille. Toujours impuissante à réagir, elle se retrouva collée à cette silhouette que la promiscuité rendait encore plus massive. Depuis combien de temps n'avait-elle pas éprouvé la chaleur rassurante d'un corps d'homme ? Elle aurait juré que c'était la première fois tant l'impression était violente. Il reprit possession de ses lèvres qu'elle entrouvrit à son insu, s'abandonnant totalement, livrée à l'entière sujétion du Vénitien. Ses pores s'enflammaient, Mandrino devait porter le feu en lui. Ce fut cette dernière image qui l'affola. Elle le repoussa d'un seul coup, violemment, dressant sa main devant ses yeux comme aveuglée par le soleil.

— Arrêtez...

Cette voix rauque, était-ce la sienne ?

Du dehors, elle entendit le pas précipité de Joseph qui revenait déjà.

★

Il avait tout du cavalier émérite. Plus surprenant était qu'en dépit de sa carrure un peu rustre, il émanait de sa manière de monter une élégance naturelle, voire de la grâce.

Ils galopèrent plus de deux heures le long des dunes, soutenus par les éclats de rire cristallins de Joseph et ceux tonitruants de Mandrino. Très vite, une complicité instinctive s'était installée entre l'homme et l'enfant. Ils se connaissaient depuis toujours, ils avaient juste été séparés par les hasards de la vie. Ils s'apprêtaient à rentrer lorsque le garçon demanda en longeant la grande pyramide :

— Tu es déjà monté au sommet ?

Mandrino répondit par l'affirmative.

— Tu recommencerais un jour, avec moi ?

— Tout de suite ?

Le Vénitien avait déjà sauté à terre.

— Vous vous joignez à nous ? lança-t-il à Schéhérazade.

— Il n'a que onze ans. Vous n'êtes pas sérieux !

En guise de réponse il tendit ses bras vers l'enfant et l'aida à descendre de cheval.

— Allons-y !

— Mais c'est de la folie ! Vous allez vous casser le cou !

Mandrino rétorqua, imperturbable :

— Si le gnome corse y est arrivé, je ne vois pas ce qui nous empêcherait de faire pareil. Venez ! Vous allez admirer la plus belle vue du monde !

De là-haut, c'est vrai que le spectacle était unique. D'un côté le désert coloré de rose, de l'autre le ruban du Nil accolé à la campagne verdoyante. D'ici, on surplombait les frontières de la vie et de la mort. Alors que le crépuscule allongeait la courbe des dunes, les teintes de l'horizon se drapaient d'une finesse incomparable qui tenait à la sécheresse et à la transparence de l'air.

Schéhérazade avait tout oublié de ses craintes et observait le paysage avec une émotion à peine contenue. A ses côtés, Mandrino avait enveloppé affectueusement l'épaule de Joseph. Alors qu'elle aurait dû en être étonnée, elle trouva l'attitude naturelle.

Elle se surprit à demander :

— Vous partagerez bien notre dîner, monsieur Mandrino ?

Ce fut Joseph qui répondit avec cette spontanéité propre aux enfants :

— Oh ! oui Ricardo ! Vous venez, dites ?

★

L'enfant était couché depuis un moment déjà.

Schéhérazade avait pris place sur la véranda, le Vénitien à ses côtés, une coupe de vin à la main, les bottes appuyées sur la balustrade.

— Je vous remercie, murmura Schéhérazade. Pour Joseph, pour cette journée.

Il secoua la tête.

— Le plaisir fut pour moi. Lorsque l'on n'a pas d'enfants, le dialogue est facile.

— Vous êtes — elle parut buter sur le mot — marié ?

— Je l'ai été. Un mariage qui n'avait rien d'affectif. Il s'agissait de ce genre d'épousailles qui est courant dans les familles dites « grandes », uniquement dicté par la tradition et l'intérêt des parents. Je n'avais alors que vingt-quatre ans. Deux ans plus tard, au grand désespoir des miens, je me séparais de ma femme. Mon caractère sans doute, ou déjà le refus de vivre dans la médiocrité, et — ce qui vous fera sourire — la crainte de la mort.

Devant l'interrogation muette, il ajouta :

— Eh oui...probablement mon côté frileux. C'est froid, la mort.

— Je ne vois pas très bien où se situe le rapport avec votre divorce.

— C'est un sentiment tout à fait personnel.

592

Il posa la coupe de vin sur la table en marqueterie, et poursuivit :

— Vous voyez cette coupe ? Vous avez soif. Vous décidez de tendre la main pour la saisir. Où est-il écrit, dans quel livre si érudit soit-il, que vous irez au bout de votre geste ? Nulle part. Ni dans les étoiles ni dans les abîmes. Vous n'avez aucune certitude. Pareillement, tous nos désirs sont en sursis, voués à se réaliser ou à s'éteindre. Dès lors, fort de cette pensée, je n'imagine pas que quiconque puisse se contenter de passer son existence insatisfait, ou dans des demi-contentements. De là mon divorce. De là ma force et mon épouvante. Vous comprenez ?

— Et tous vos gestes, tous vos comportements, je veux dire les plus anodins, sont dictés par cette peur de la mort ?

— A quelques exceptions près.

— J'en déduis donc que vous ne fondez rien sur l'avenir. Vous conjuguez tout au temps présent, quelles qu'en soient les conséquences.

— Je ne sais. La réponse m'échappe encore. Ce dont je suis certain c'est que dans ma quête perpétuelle je ne recherche que le port, l'harmonie de la tête et du cœur, le mélange impossible de l'eau et du feu.

Les lèvres de Schéhérazade s'articulèrent en un sourire indicible.

— Vous n'êtes pas un homme simple, monsieur Mandrino. C'est le moins qu'on puisse dire.

Il conserva le silence, l'esprit perdu dans le lointain. Nafissa avait raison lorsqu'elle affirmait que l'homme gagnait à être connu. Au fond, derrière ce côté « forteresse », résidait une grande sensibilité. Mais cela suffisait-il à expliquer l'abandon dont elle avait fait preuve dans le chariot ? Elle avait beau y réfléchir, elle ne comprenait toujours pas comment elle avait pu se laisser aller de la sorte, encore moins

593

cette émotion irraisonnée qui s'était emparée d'elle à peine l'avait-il frôlée. La veille encore ne le méprisait-elle pas ? Comment avait-elle pu se trouver en une telle contradiction avec elle-même ?

— Je vais probablement devoir repartir pour Paris dans quelques jours.

La voix la fit tressaillir.

— Pour le vice-roi ?

Il confirma.

— Il vit sous l'obsession du cauchemar de l'Angleterre et du partage de l'Empire ottoman, qui, s'il survenait, conduirait au démantèlement de l'Egypte et à la fin de son règne.

— Vous allez vous absenter longtemps ?

— La traversée. Puis deux semaines, peut-être moins. Tout dépendra de mes obligations.

Il replia ses jambes.

— Il se fait tard. Je vais vous laisser dormir.

Elle se leva à son tour et demanda d'une voix un peu hésitante :

— Puisque vous allez à Paris, puis-je vous demander une faveur ?

Il devança sa requête.

— Votre sœur. Je sais. Oui, je ferai mon possible pour savoir ce qu'elle est devenue.

Il lui tendit la main.

Le contact de ses doigts la bouleversa. Elle dut faire un effort pour articuler :

— Que Dieu vous accompagne dans votre voyage.

Il la fixa une dernière fois avant de laisser tomber avec un demi-sourire :

— Ne vous en déplaise, Schéhérazade, je suis de plus en plus convaincu que vous feriez une merveilleuse courtisane.

Avant qu'elle ait eu le temps de réagir, il avait disparu dans les ténèbres.

CHAPITRE 35

Mohammed-Ali s'immobilisa devant le prunier et prit le fils de Soleïman à témoin.

— Ces fruits ne sont-ils pas de toute beauté ? Sens cette odeur de musc. Effleure cette peau aussi fine et douce que celle d'une jeune vierge.

L'idée que ce qualificatif ne pouvait plus s'appliquer à la fille du vice-roi arracha à Karim un frisson. Comment allait-il s'y prendre pour révéler au souverain ses intentions ? En aurait-il seulement le courage ?

Le pacha pivota sur lui-même et pointa son index sous la barbe du jardinier.

— Attention, Abou el-Ward ! Elles arrivent à maturation. Dans peu tu pourras les cueillir.

— Le Très-Haut m'est témoin, votre Grandeur. Mon œil habite cet arbre et ne le quitte plus. Dans une semaine tout au plus, vous pourrez vous délecter de ces prunes.

— J'y compte bien...

Ajoutant à l'intention de Karim :

— Sais-tu que parfois il m'arrive d'en rêver la nuit ? Je me réveille alors en sursaut, salivant autant qu'un enfant devant un plat de friandises.

— C'est naturel, sire. Vous êtes un gourmet. Je comprends d'autant plus votre engouement que ces fruits ne sont pas courants en Egypte, puisque vous les avez introduits depuis peu.

— Effectivement, c'est leur rareté qui les rend si désirables. N'est-ce pas ainsi pour toutes les choses de la vie ?

Karim faillit répondre : « Comme votre fille. »

Ils reprirent leur marche parmi les arbres odoriférants avant de s'asseoir sous le kiosque, lieu de prédilection du souverain.

— Alors, fit Mohammed-Ali, je t'écoute. Comment s'est passé ton séjour en Europe ? Notre projet de marine prend-il forme ?

— Absolument, Majesté. Sur les conseils d'ingénieurs maritimes français et italiens, j'ai passé commande de quatre frégates, de neuf corvettes, de quatre bricks et six goélettes. Restent les bâtiments de transport dont on doit me soumettre les projets.

— Tes courriers mentionnaient divers chantiers.

— Marseille, Livourne, Gênes et Trieste. Ainsi que vous l'avez ordonné je me suis laissé guider par le marquis de Livron et le général Boyer.

— Quand ces bâtiments nous seront-ils livrés ?

— Au plus tôt dans un an.

La nouvelle parut contrarier le souverain.

— Voilà qui est fâcheux. J'espérais un délai plus bref. Qu'importe, nous profiterons de ce temps pour renforcer l'armée, accroître le nombre d'hommes et le matériel. Si tout va bien, à l'automne de 1811 nous serons fin prêts pour livrer combat aux Wahabis et, avec l'aide du Tout-Puissant, libérer le Hedjaz.

— Inch Allah. Le monde entier, et la Porte en particulier, aura ainsi la preuve de votre puissance.

— As-tu songé aux équipages ? Une flotte sans marins serait aussi inutile qu'un puits sans eau.

— Dans les premiers temps nous serons forcés de recruter parmi les Grecs. Progressivement Egyptiens et Turcs pourront se joindre à nous. Mais il sera indispensable qu'ils soient encadrés par des instructeurs européens.

— Des Européens, mais alors des Français. Je ne veux voir aucun Anglais arpenter le pont de mes navires. Aucun ! Cette race est perfide ! Elle est formée d'un peuple de caméléons.

— C'est ce que j'avais prévu, Majesté. Parallèlement, les chantiers de Suez seront bientôt prêts pour équiper les vaisseaux. Là aussi, ce seront des Grecs qui dirigeront l'entreprise.

— Je suis content de toi, fils de Soleïman. Tu vois qu'avec du temps et de la patience les rêves les plus fous se réalisent.

Prenant une profonde inspiration, Karim annonça d'une seule traite :

— Il est un autre rêve qui m'obsède, Votre Hautesse. Il s'agit de...

Non, jamais il ne pourrait. C'était insensé.

L'autre l'encouragea du geste.

— Il s'agit de votre fille. La princesse Laïla.

La tête de Mohammed-Ali pivota.

— Qu'en est-il donc ?

Se taire. Ravaler ses mots. Fuir.

— Non...rien, Sire. Pardonnez-moi.

— Ah ! non ! Tu en as trop dit ou pas assez !

La voix saisissante, autoritaire, lui fit comprendre qu'il ne pouvait plus se raviser.

— La princesse et moi nous nous aimons.

La physionomie de Mohammed-Ali demeura inchangée. Il laissa tomber placidement.

— Impossible.

Karim perdit pied.

— Impossible, reprit imperturbable le vice-roi. La princesse est promise à mon ami Moharram bey. Le gouverneur d'Alexandrie.

Moharram bey ?

— Tu ne pouvais pas le savoir. Elle non plus. Ma décision date d'hier.

Un petit gecko fila furtivement entre les bottines de Karim et s'évanouit parmi les feuillages. Si seulement il avait pu suivre le reptile et disparaître dans son sillage...

Le vice-roi questionna :

— Que voulais-tu dire par « Nous nous aimons » ? Je veux croire qu'il n'y a pas eu atteinte à l'honneur de la princesse.

Le ton était inquisiteur, doublé d'une mise en garde.

Karim sentit la sueur qui perlait à son front. Il rassembla ce qu'il lui restait d'assurance.

— Altesse ! Comment pourriez-vous supposer qu'il pût exister entre la princesse Laïla et moi autre chose qu'un sentiment noble et pur !

— Dans ce cas, l'affaire est entendue. Si tant est que ma fille éprouve de l'affection à ton égard, ce sera vite oublié : elle n'a que vingt-trois ans. Ce sont des enfantillages. Quant à toi, tu es devant des tâches de grande importance qui ne te laisseront pas beaucoup de loisirs pour les récréations de l'esprit. Tu oublieras donc pareillement.

La dernière phrase ressemblait fort à une sommation.

— Bien sûr, Majesté.

— D'ailleurs, sans vouloir t'offenser, la fille de Mohammed-Ali se doit d'épouser un parti digne de son état. Moharram bey est issu d'une grande famille. Il est riche. Son père a occupé les postes les plus enviés à la cour du sultan. Tu vois ce que je veux dire.

Karim essaya de masquer sa rancœur.

— Tout à fait. Pardonnez-moi si je fus aveuglé par mes sentiments. J'ai été stupide.

Boghossian bey, le bras droit du souverain, venait dans leur direction.

598

Mohammed-Ali lui fit signe qu'il pouvait les rejoindre, et braqua ses yeux dans ceux de son lieutenant.

— Nous n'approcherons plus la princesse, n'est-ce pas, Karim bey ?

Cette fois c'était clair.

— Vous avez ma parole, sire.

Boghossian bey était arrivé sous le kiosque. Il salua les deux personnages.

— Vous m'avez fait demander, Altesse ?

Mohammed-Ali acquiesça et indiqua à Karim qu'il pouvait se retirer.

A la manière dont il partit vers le palais, on aurait dit qu'il fuyait un incendie.

★

— J'espère, fit la Blanche, qu'à partir de maintenant tu sauras qu'il faut me faire confiance. Ne t'avais-je pas dit que Ricardo Mandrino était un personnage unique ?

— Le mot est faible.

La femme se mit à rire.

— Ainsi, tu commences à subir son charme.

— Je reconnais qu'il y a en cet homme quelque chose de troublant qui m'avait échappé dans les premiers temps. Je reconnais aussi que sa présence m'est devenue agréable. Toutefois, au risque de vous décevoir, je n'envisage nullement d'aller plus loin. Nos rapports resteront strictement amicaux et professionnels.

— Tu comptes donc accepter son offre d'association.

— J'aurais tort ?

— Que Dieu me garde de te contredire ! Bien au contraire, je trouve l'idée excellente. Mais alors...

Elle marqua une pause, rêveuse.

— L'incident du chariot n'était rien qu'un instant de...

Schéhérazade anticipa :

— Faiblesse.

— Faiblesse...

Une expression ironique illumina l'œil de Nafissa :

— Ma chère, tu me pardonneras cet écart de langage, lorsqu'une femme a le bas-ventre qui se noue au contact d'un homme, on n'appelle plus cela de la faiblesse.

— Ne me faites pas regretter ma confidence.

— Pourquoi en rougir ! Il n'y a aucune honte à éprouver ce genre de sensation. Lorsque feu Mourad bey posait sa main sur moi, Allah sait combien ma...faiblesse était grande.

Une note mélancolique s'insinua dans sa voix lorsqu'elle conclut :

— Combien je donnerais pour être faible à nouveau !

— Auprès d'un... Ricardo ?

— Pourquoi pas ? Je vais même te dire plus : si seulement j'avais eu vingt ans de moins...

— Vous cherchez le compliment, dame Nafissa. Vous avez le teint d'une rose. Moi, si j'étais Mandrino...

L'arrivée impromptue de Zannouba lui coupa la parole.

— Qu'y a-t-il ?

La servante lui tendit un objet.

Schéhérazade leva les yeux au plafond et noua ses mains dans une attitude désarmée.

— Je suppose qu'il s'agit encore de ce commerçant juif ?

— Oui, sayyeda. Le même homme.

Elle prit le paquet des mains de la servante.

— Un nouvel amoureux ? interrogea Nafissa avec malice.

Sans répondre, Schéhérazade dénuda une petite boîte recouverte de velours incarnat à laquelle était joint un pli.

La Blanche se pencha avec curiosité.

— Qu'est-ce que c'est ?

Toujours silencieuse, elle souleva lentement le couvercle. Sous ses yeux apparut alors la plus belle émeraude qu'elle eût jamais vue. Le vert en était si pur, si brillant qu'il donnait le vertige.

Nafissa contempla la pierre, bouche bée.

— Au nom d'Allah le Tout-Puissant, le Miséricordieux...

Pendant que la Blanche s'extasiait, Schéhérazade déchiffra le mot.

Chaque jour de notre existence est une couleur. Aujourd'hui, celle de l'espoir. Je pense à vous.
                                        Signé : Ricardo.

Elle tendit le pli à Nafissa et alla s'agenouiller devant un meuble incrusté de nacre et d'ivoire. Après s'être emparée d'un coffret qui se trouvait à l'intérieur elle regagna sa place auprès de Nafissa.

— Ce n'est pas tout. Regardez.

Six autres pierres reposaient sur le fond du coffret. Schéhérazade énuméra :

— Un saphir, une tourmaline, un lapis-lazuli, une topaze, une turquoise, un brillant.

— Sept ?

— Sept. Une pour chaque jour d'absence.

— Ah ! soupira la Blanche. Si seulement j'avais vingt ans de moins...

★

601

L'amiral Ganteaume souligna ses propos d'un geste fataliste.

— La vie est ce qu'elle est, monsieur Mandrino. Il n'est pas donné à tout le monde d'épouser une indigène et de se convertir à l'islam à l'instar de ce cher Menou.

— Samira Chédid était chrétienne.

— C'est exact. Mais j'étais marié. Je me voyais mal bigame.

— A quand remonte votre rupture ?

— Quatre ans, peut-être plus. J'ai eu un mal fou à m'en débarrasser. C'est qu'elles sont de vraies sangsues, ces filles-là ! Elle m'a menacé des pires choses ; entre autres d'aller voir mon épouse et de tout lui révéler sur nos rapports. Vous voyez d'ici le scandale ? C'est regrettable. D'autant qu'elle et son fils n'ont manqué de rien durant tout le temps de notre relation. Absurde, non ?

Mandrino jugea préférable de ne pas répondre. L'amiral n'aurait certainement pas apprécié son point de vue.

— Ne me tenez pas rigueur pour mon indiscrétion. Mais au moment de votre séparation, avait-elle de quoi subvenir à ses besoins ?

— Que voulez-vous que j'en sache ! Pour moi tout cela est de l'histoire ancienne. Je ne me souviens plus de rien.

Il eut un rire lubrique.

— Hormis de sa chute de reins. De ce point de vue-là, elle était exceptionnelle.

— Vous n'avez aucune idée de l'endroit où elle aurait pu aller ? Une amie ?

— Je vous ai déjà répondu, monsieur Mandrino.

Tant que son amie Zobeïda, l'épouse de ce cher Menou, était à Paris, les deux femmes se voyaient souvent. Ensuite le général a été nommé gouverneur de Venise. Le couple s'est donc rendu là-bas, où Zobeïda serait décédée[1]. D'autre part, il y avait bien cette voisine chez qui elle se rendait parfois. Sinon je ne vois personne d'autre. Pour tout vous dire, je m'en fiche. Croyez qu'en ce moment j'ai bien d'autres soucis.

Le Vénitien s'efforça de conserver son sang-froid.

— Mme Michaud ? Au 14, rue de la Huchette.

— 14 ou 12 ! Je vous répète que cette affaire remonte à plus de quatre ans !

Exaspéré, Ganteaume se leva de son fauteuil.

— Maintenant, si vous me le permettez, d'autres rendez-vous m'attendent.

Il se dirigea vers la porte, l'entrouvrit, signifiant à son visiteur que l'entrevue était close.

★

Ganteaume s'était trompé. La dame en question n'habitait ni au 12 ni au 14, mais au 16 de la rue de la Huchette. Lorsqu'elle lui ouvrit la porte, à la manière dont elle l'accueillit, mi-enjôleuse, mi-enjouée, Mandrino sut immédiatement à quelle sorte de personnage il aurait affaire. Une soixantaine d'années, bien en chair, les joues mouchetées de taches de rousseur, elle avait cet air indéfinissable que confère habituellement une longue pratique des hommes.

Elle invita le Vénitien à prendre place.

— Ainsi vous avez connu Samira.

— Oui, mentit Mandrino.

Sans trop savoir pourquoi, dès les premières formules de politesse échangées, il avait décidé de bluffer. L'instinct sans doute.

---

1. Leur enfant, Soliman, était mort entre-temps.

Elle murmura :

— C'est curieux. Moi qui me suis toujours targuée de reconnaître une silhouette entrevue une fois.

— Pourtant...

— A quand cela remonte-t-il ?

Il jugea plus prudent de rester dans le vague :

— Elle était séparée de Ganteaume depuis plusieurs mois.

— Ah lui !

Elle grimaça.

— Quel être méprisable ! Quand je pense qu'il l'a mise à la rue sans un sou ! Et avec deux enfants sur les bras.

— Deux ? A ma connaissance elle n'avait qu'un garçon.

— Alors c'est que Samira ne vous a pas tout dit. Ganteaume lui a fait une fillette. Corinne. Une vraie poupée.

Elle secoua la tête de droite à gauche, tristement.

— Il y a des hommes, je vous jure...Pourtant quelle fille adorable elle était. Ce charme...

Changeant radicalement d'expression, elle lui décocha un coup d'œil coquin.

— Le charme oriental...

Il surenchérit sans hésiter.

— Le charme et surtout la manière ! Je vous avoue que je n'ai jamais plus connu ce piquant.

Mme Michaud pouffa. Elle avait retrouvé d'un seul coup sa gouaille.

— Comme je vous comprends. De toutes mes filles elle était de loin la plus appréciée de la clientèle.

— Vous imaginez alors combien j'aimerais la retrouver.

— C'est que, malheureusement, je n'ai plus aucune nouvelle d'elle. Voici bientôt deux ans que j'ai moi-même cessé toute activité.

Elle fit un geste las.

— L'âge, la fatigue. Un homme aussi. J'ai donc tourné la page. Je suppose que ce sont les mêmes raisons qui ont motivé le départ de Samira. A l'époque, j'ai cru comprendre qu'elle avait rencontré quelqu'un et qu'elle avait décidé de se ranger.

— Vous avez une vague idée de l'identité de la personne ?

— Personnellement aucune. En revanche, Lolotte doit peut-être le savoir.

Mandrino haussa les sourcils. Elle expliqua :

— Lolotte. Elle aussi faisait partie de mes filles. Un autre genre, à mon avis un peu trop maigrichonne. Ce qui ne l'empêchait pas, remarquez, d'avoir son petit succès.

— C'était une amie de Samira ?

— Elles étaient très proches. Peut-être pourra-t-elle vous renseigner ?

— Y a-t-il moyen de la joindre ?

— Peut-être. Je ne vous garantis rien.

La femme s'empara d'une petite feuille sur laquelle elle gribouilla d'une main maladroite un nom et une adresse.

— Si jamais vous retrouviez notre amie, embrassez-la tendrement pour moi.

★

La dénommée Lolotte habitait bien à l'adresse indiquée. Aux premières questions de Mandrino, elle répondit avec une fermeté agressive, et il fallut tout le charme et toute la force de persuasion du Vénitien pour l'apprivoiser. Ajoutant à cela quelques pièces sonnantes et trébuchantes qui vinrent à bout de ses dernières réticences.

Oui, il lui arrivait encore de voir Samira, mais très rarement. Aux dernières nouvelles, elle n'avait jamais cessé de monnayer ses charmes ; à la seule différence que Mme Michaud avait été remplacée par un homme. Un Livournais ou un Maltais. Elle était incapable de le préciser. Cependant l'unique fois qu'elle l'avait croisée lui avait suffi à se faire une opinion. L'individu n'avait rien d'un amoureux. « Plutôt un barbillon », avait laissé entendre Lolotte. De préciser : « Un minus avec de gros poings. »

Mandrino en déduisit plus simplement que la sœur de Schéhérazade était tombée entre les mains d'un proxénète qui la battait.

Lorsqu'elle acheva son récit, il sortit de sa poche une enveloppe qu'il lui tendit.

— Lorsque vous reverrez Samira, remettez-lui ceci, en lui précisant que c'est de la part de sa sœur, Schéhérazade. Vous n'êtes pas dupe. A l'intérieur se trouve une importante somme d'argent. Je pense que grâce à elle elle aura une chance de recouvrer sa liberté. J'ignore quelle sorte de femme vous êtes, encore moins si je peux vous faire confiance. Ce sera donc à pile ou face. D'autre part, j'imagine que la vie ne vous a pas fait de cadeaux non plus, aussi, je serais votre obligé si vous vouliez bien accepter ceci.

Liant le geste à la parole, il posa une bourse sur la table, concluant :

— A titre d'amitié. Un geste du cœur.

Lolotte ne fit aucun commentaire. Mais en le raccompagnant sur le seuil elle lui tendit la main en murmurant :

— J'suis peut-être qu'une fille, mais je n'ai qu'une parole. Je vous la donne.

CHAPITRE 36

Janvier 1811

La voix de Mohammed-Ali résonnait jusqu'à l'autre bout du palais. Il frappa du poing sur la table, fou de colère.

— Vous êtes tous des incapables ! Si nous ne sommes pas en mesure de garantir la sécurité des biens et des personnes de ce pays, alors cette nation retournera à l'état dans lequel je l'ai trouvée : la barbarie !

Ni Lazoglou, le nouveau ministre de l'Intérieur, pas plus Karim que Boghossian bey, n'osèrent répliquer. Encore moins les sept moudirs chargés de gouverner les provinces de Haute et de Basse-Egypte. Tous savaient que lorsque le vice-roi se laissait ainsi emporter, il valait mieux disparaître de sa vue ou se confiner dans un mutisme discret.

— Vous connaissez ma politique : établir la sécurité dans toute la vallée du Nil ! Si nous n'y parvenons pas, les Européens fuiront notre terre. Sans eux, mon plan de régénération ne pourra jamais réussir ! Que les Mamelouks continuent de m'empoisonner la vie, passe encore. Un jour qui n'est pas éloigné, je m'en débarrasserai une fois pour toutes. Mais si en plus je dois supporter les incursions des bédouins, c'est un comble !

L'un des moudirs risqua d'une voix penaude :

— Pourtant, Votre Altesse, ce n'est pas faute d'essayer. Ces gens sont pires que la vermine. De plus ils sont insaisissables, toujours en mouvement.

— Essayer m'importe peu ! C'est réussir qui compte. On ne peut plus admettre qu'ils pillent et tuent de paisibles habitants !

Mohammed-Ali reprit à l'intention de l'une de ses nouvelles recrues, Artine bey, arménien comme Boghossian.

— Artine bey, dès ce soir, je vous charge d'envoyer autant de colonnes mobiles que nécessaire à la poursuite des tribus rebelles. Qu'on les traque, qu'on les harcèle. Je vous donne un mois pour les soumettre. Quant à ceux qui accepteront de se rendre, nous en formerons une cavalerie auxiliaire.

Les notables échangèrent un coup d'œil perplexe.

— Parfaitement ! Il ne suffit pas de briser ses ennemis, il faut aussi savoir s'en servir. Les montagnes et les déserts sont des obstacles pour une armée régulière. En revanche, les bédouins sont maîtres de cet univers. Une fois domptés, ils nous seront d'une aide précieuse. Est-ce clair ?

Toutes les têtes approuvèrent de concert.

Un temps. La colère de Mohammed parut retomber.

— En réalité, le problème de ces razzias est beaucoup plus profond qu'il n'y paraît. C'est un problème de mentalité. Si les Arabes infestent les routes et harcèlent les garnisons égyptiennes placées dans les villes, c'est qu'ils ne parviennent pas à se débarrasser de cet esprit maraudeur et indépendant qui de tout temps les a habités. Le drame du monde arabe c'est qu'il a toujours été dominé par des individualités despotiques et incompétentes ; incapables de concevoir un plan dont les parties seraient bien coordonnées et solidement établies ; ne s'accommodant d'aucune règle, d'aucune discipline et ne s'animant de son plus bel élan que fanatisé par une foi religieuse. Est-ce sensé ?

Il adopta une pause volontaire pour donner plus de poids aux propos qui allaient suivre.

— Tournez-vous vers le passé. Qu'observez-vous ? Une civilisation, un empire qui s'est écroulé à peine constitué, aussitôt remplacé par la décadence. La cause ? Le défaut d'organisation et d'union intime entre les chefs, les tribus et les sectes. Mohammed-Ali vous l'affirme : tant que les Arabes resteront au stade tribal, ils ne connaîtront que la misère, la mort et la déchéance.

Il se tut. A sa physionomie, on aurait dit qu'il n'avait fait que penser à haute voix, et pour lui-même.

— C'est pourquoi des mouvements tels que les Wahabis, empreints de puritanisme imbécile, ne pourront qu'affaiblir l'Islam. La guerre que je m'apprête à leur livrer n'est pas uniquement fondée sur des raisons politiques, c'est aussi un combat contre l'esprit sectaire et routinier de vieux musulmans incultes ! Je prie Allah que jamais l'Egypte ne connaisse leurs outrances. L'Egypte doit devenir un trait d'union entre l'Orient et l'Occident.

Il caressa nerveusement sa barbe prématurément blanchie et annonça :

— Ordre est donné d'abolir définitivement les humiliations auxquelles sont soumis les chrétiens ou les juifs. Ils auront tout loisir de s'habiller des couleurs de leur choix[1]. Je ne veux plus entendre parler

---

1. Les chrétiens étaient souvent tenus de porter une ceinture noire lorsqu'ils se présentaient devant une autorité musulmane. Les juifs, un foulard généralement de couleur jaune, précurseur funeste d'horreurs à venir.

de manifestations vexatoires à leur encontre ! Par ailleurs j'autorise la construction des couvents, et les cloches des églises pourront sonner librement, selon les besoins du culte.

Lazoglou fit alors observer :

— Ces décisions vous honorent. Cependant, ne craignez-vous pas une réaction violente des ulamâs ? Vous n'ignorez pas combien leur autorité religieuse est puissante et que toutes les hautes décisions du chef suprême de l'Etat doivent leur être soumises. Souvenez-vous des tentatives infructueuses du général français.

— N'aie crainte, mon ami. Je suis lion, mais je sais me faire renard. Si jusqu'à cette heure j'ai réussi à louvoyer entre les Anglais, les Français et la Sublime Porte, je saurai tout aussi bien m'arranger de ces théologiens sans les heurter. D'autre part, Boghossian bey, il ne faut pas perdre de vue qu'il existe une différence fondamentale entre Mohammed-Ali et Bonaparte : je suis musulman, il ne l'était pas. En tant qu'enfant de l'Islam je n'ai nullement besoin de donner à mes coreligionnaires des gages de mon respect pour leur foi. A présent, passons à un autre sujet qui me tient tout autant à cœur.

Il fit quelques pas vers une carte de l'Egypte déployée sur un pan de mur et posa son index sur un point précis.

— La province du Fayoum... Je veux qu'y soient plantés trente mille oliviers. Ils permettront d'extraire l'huile nécessaire à la fabrication du savon. Continuer de l'importer serait absurde. Je demande aussi que l'on entame des expériences pour la culture des vers à soie, afin que nous ne soyons plus tributaires de la Syrie pour cette matière. Pour ce faire, le mieux serait de faire venir une colonie de Syriens[1],

---

1. Cinq cents Syriens furent ainsi amenés en Égypte.

rétribuez-les le temps nécessaire pour qu'ils transmettent leurs connaissances en ce domaine aux paysans égyptiens.

Il déplaça son index vers un autre point.

— La province de Charkieh...Cette région de Ras el-Ouadi, vaste étendue de terres, est depuis toujours inhabitée ; par conséquent inexploitée. Vous ferez construire et installer un millier de sakiehs qui serviront à l'irrigation. Simultanément nous bâtirons des villages, des habitations capables d'abriter au moins deux mille fellahs, et nous ferons planter un million d'arbres[1]. Que l'on y amène aussi du bétail. Des bœufs pour le labourage. Il en faudra cinq à six mille. Je veux que du désert naisse la vie et la prospérité.

Le moudir de la province en question intervint, un peu affolé.

— Sire, votre projet est digne des plus grandes réalisations ; néanmoins il coûtera une fortune !

— A quoi serviraient des caisses pleines si l'Egypte a le ventre vide ? Depuis que je suis au pouvoir, les revenus du Trésor sont infiniment supérieurs à ce qu'ils étaient avant moi. L'Etat n'a pas un sou de dette[2]. Ne comptez pas sur moi pour agir comme l'ont fait les Mamelouks et les Turcs : se goberger et ne laisser que des miettes aux chiens. Construire, bâtir, rénover, c'est le but que je me suis fixé. J'irai jusqu'au bout[3].

Il prit une courte inspiration et dit encore :

— Puisque nous parlons d'agriculture, j'en profite

---

1. Très précisément il fut planté un million cinquante mille mûriers.
2. Il en sera ainsi durant tout le règne de Mohammed-Ali.
3. Le vice-roi dépensa pour cette plantation 45 000 bourses (225 000 livres) et la dépense annuelle se montait à 4 800 bourses. Avec l'achèvement d'un canal (celui de Zagazig) cette somme fut réduite à 1 400 bourses.

pour soulever un autre point, car depuis quelques mois il me vient des échos fort déplaisants : d'aucuns jugent sévèrement ma mainmise sur les terres agricoles. On me reproche un système étatiste qui, je l'admets, n'a pas de précédent dans l'histoire. Ceux qui me critiquent ignorent les réalités de ce pays. L'Egypte est essentiellement agricole et dépend entièrement du Nil. Seule une bonne administration peut assurer l'entretien des digues et la canalisation du fleuve qui sont indispensables si l'on veut introduire des cultures nouvelles, obtenir un rendement optimal du sol et étendre la terre cultivable aux dépens du désert. Or, pour l'heure, le peuple, en raison de l'ignorance dans laquelle on a voulu l'entretenir, est totalement incapable de me seconder dans ces vues. C'est pourquoi j'ai voulu qu'il abdiquât en faveur de l'Etat. Pour conclure, ne perdez pas de vue ceci : avant moi la plus grande partie des terres appartenait aux Mamelouks. Ils en tiraient tous les profits, sans jamais le redistribuer sous quelque forme que ce fût au pays. Aujourd'hui Mohammed-Ali se considère le tuteur du peuple égyptien, dont il doit gérer les biens dans son propre intérêt. Différence fondamentale : ses intérêts s'identifient à ceux du peuple.

*

La princesse Laïla n'arrivait pas à maîtriser ses larmes en dépit de toutes les attentions que lui prodiguait Karim.

— Calme-toi, mon âme. Tu te fais du mal. Calme-toi.

— Il est trop tard ! Le mal est fait. Sur moi la honte et le déshonneur !

— Puisque je te répète que Moharram bey ne s'apercevra de rien ! Tu dois me faire confiance !

— Comment peux-tu croire Moharram bey assez

612

aveugle pour ne pas se rendre compte que ce n'est pas une vierge qu'il tient entre les bras, mais une fille souillée !

— Amour, nous trouverons une solution. Sur Dieu, je t'en fais le serment. Le plus important est que tu gardes ton sang-froid.

Elle s'affaissa, la tête enfouie dans les coussins, sanglotant de plus belle.

— Ecoute-moi, ton futur époux n'a aucune raison de soupçonner quoi que ce soit. Il ne tient qu'à toi de ne pas te trahir. Quant aux — il buta sur le mot, avec gêne — détails, il suffira d'user d'un artifice. Je suis assez ami avec Amina ta servante pour réclamer son aide. Elle saura nous conseiller, j'en suis sûr.

Relevant à peine la tête, la princesse lança d'une voix entrecoupée par les pleurs.

— Je vais tout avouer à mon père. Je lui dirai la vérité !

Karim eut un mouvement de recul, saisi d'effroi.

— Tu es folle !

— Il comprendra. Au déshonneur, il préférera t'accorder ma main.

— C'est donc ma mort que tu désires !

— Pourquoi ? Une fois la colère de mon père apaisée...

— Il me fera découper en morceaux, c'est ce qu'il fera ! Au mieux, je serai exilé ou emprisonné à vie. Tous mes rêves, ma carrière seront réduits en cendres. Il ne faut pas, mon cœur, je t'en conjure, Laïla ! Si tu éprouves quelque attachement pour moi, il ne faut à aucun prix lui révéler notre secret.

Elle lui jeta une expression amère.

— Pour toi un secret. Pour moi l'opprobre.

Et ses larmes reprirent le dessus.

★

613

Schéhérazade acheva de dessiner soigneusement le contour de ses yeux à l'aide d'un crayon de khôl et vérifia sa nouvelle coiffure, œuvre de Zannouba : cheveux rejetés en arrière, divisés en petites tresses où s'entremêlaient de fins cordons de soie noire que terminaient deux minuscules croissants d'or.

Elle remercia la servante.

— Finalement tu avais raison. C'est assez joli.

— Vous voulez dire que c'est superbe ! Jamais vous n'avez été aussi resplendissante.

Ignorant le compliment, Schéhérazade se recula d'un pas pour s'observer dans la psyché. Elle était vêtue d'une ample chemise de mousseline blanche, bridée de soie argentée qui s'arrêtait au-dessus du genoux, et recouvrait un chintyan[1], blanc lui aussi. La taille était ceinte d'un châle de cachemire, les pieds chaussés de bottines de peau.

Visiblement peu satisfaite elle adopta une moue exaspérée.

— Pourquoi nous les femmes sommes-nous condamnées à souffrir autant chaque fois qu'il nous faut choisir un vêtement ! Je trouvais cet ensemble ravissant lorsque je l'ai acheté, aujourd'hui je m'y trouve laide !

— Sayyeda ! s'offusqua Zannouba. Comment osez-vous blasphémer ? Vous êtes belle comme une pleine lune !

Schéhérazade laissa retomber ses bras le long de son corps avec fatalisme.

— De toute façon, la berline attend. Je n'ai plus le choix. Je me suis déjà changée trois fois ; une quatrième serait au-dessus de mes forces. Tant pis pour M. Mandrino.

---

1. Sorte de pantalon très ample.

— M. Mandrino devrait remercier Allah de lui accorder la compagnie d'une telle fleur.

Sans répondre, elle prit des mains de la servante la habbarah, grand voile de taffetas noir, dont elle se couvrit presque entièrement.

★

Ricardo Mandrino habitait une dahabieh[1] amarrée en amont de l'île de Rodah. Lorsque Schéhérazade mit pied à terre devant le ponton, le soleil disparu depuis peu continuait de jeter des éclats lilas le long des joncs.

Le Vénitien qui attendait à l'entrée de la passerelle s'avança vers la jeune femme bras écartés.

— Bienvenue, fille Chédid.

Avant qu'elle eût le temps de réagir, il l'enlaça et l'embrassa chaleureusement sur les deux joues.

— Venez. Vous allez connaître mon antre !

A peine à l'intérieur de la péniche, Schéhérazade constata que le terme suggéré par Mandrino s'appliquait parfaitement au décor. Dans un désordre étudié, des lampes de bronze et d'argent côtoyaient des gourdes de pèlerin, des chandeliers éclairés, un sabre dans son fourreau, des heurtoirs de cuivre, d'immenses jarres en terre cuite ; plus loin, rangés dans un coin, deux narguilés de facture diverse projetaient leurs ombres sur une table au délicat macramé recouverte de chapelets d'ambre et d'ivoire. Sur l'un des murs, un tapis en soie de Boukhara avoisinait un portrait d'homme de l'école mongole. Des dizaines d'ouvrages, en italien pour la plupart, étaient alignés sur de hautes étagères, plusieurs statuettes pharaoniques, des scarabées d'ambre et de granit. Pour cou-

---

1. Péniche ou maison flottante ou villa d'eau.

ronner le tout, trônait au beau milieu de cette grande pièce rectangulaire, longue et haute, un magnifique astrolabe persan. Ébahie, Schéhérazade se laissa tomber sur un divan recouvert de brocart.

— Surprenant ! Je ne vous imaginais pas du tout vivant dans cette atmosphère.

Elle désigna les pièces pharaoniques.

— Je ne vous savais pas non plus pilleur de tombes.

— Pas du tout. Ce sont les présents de Drovetti. Lui et Henry Salt, le consul d'Angleterre, sont des collectionneurs avertis. Dès que le temps le leur permet ils fouinent ici et là, et à leur retour me font l'aumône de quelques objets. Les moins précieux, probablement.

— Avec tout le respect que je dois à M. Drovetti, il fait partie de ces gens qui depuis l'expédition Bonaparte sont en train d'amputer l'Égypte de trésors inestimables. Je lui en ai d'ailleurs parlé, et j'ai même été jusqu'à le traiter de prédateur, ce qui je le crains n'a pas eu l'heur de lui plaire[1].

Mandrino considéra la jeune femme avec perplexité.

— J'ignorais en vous cet aspect « nationaliste ». Pour être tout à fait franc, je vous ai toujours crue détachée des problèmes de ce pays.

— C'est parce que je n'ai rien d'une exaltée ? Aimer *lucidement* n'ôte rien à la qualité de l'amour. Détrompez-vous, j'aime l'Égypte, profondément, tout en n'ignorant rien des défauts de son peuple.

— Puisque vous en parlez, et sans vouloir vous

1. Henry Salt possédait un commanditaire à Londres : sir Joseph Bankes, riche collectionneur et membre du conseil d'administration du British Museum. Il engagea l'Italien Belzoni (personnage extravagant, *remueur* de continents) pour exécuter les fouilles. Tout ce monde se livra à une véritable razzia archéologique. Stèles, statues, hypogées, sarcophages et plus tard obélisques, prirent la mer pour enrichir les collections des grands musées européens de Turin à Londres, de Florence à Paris.

offenser, je le trouve laxiste, paresseux et privé de discernement.

— Connaissez-vous un peuple, opprimé depuis des siècles et des siècles, que ses occupants successifs ont maintenu sciemment dans la nuit, à qui on a refusé jusqu'au droit de manger à sa faim, et qui malgré tout conserve le cœur sur la main, et surtout l'humour et le rire qu'il provoque ? C'est important l'humour. A une nation riche et civilisée, mais triste, je préfère un pays qui trouve dans sa misère la force de danser. De toute façon, nul ne comprendra rien au peuple égyptien s'il n'est pas convaincu que ce peuple vit avec la conviction de posséder l'éternité.

— Vous seriez fataliste, donc ?

— Disons qu'à la différence de certains, je ne sais pas me battre face à des situations que j'estime ne pas pouvoir maîtriser. Peut-être est-ce un tort. Peut-être faut-il parfois savoir mourir pour des idées. Mon frère Nabil savait.

Mandrino hocha la tête avant de demander :

— Est-ce que vous aimez le champagne ?

— Je vais vous surprendre. Je n'en ai jamais goûté.

— Ainsi je vous ferai découvrir quelque chose de nouveau. J'ai rapporté quelques bouteilles de France.

Il cria :

— Rachid !

Aussitôt un géant noir se présenta. Mandrino lui communiqua ses instructions. Quelques minutes plus tard l'homme vint déposer devant Schéhérazade un plateau d'argent, sur lequel étaient disposées une bouteille et deux flûtes en cristal.

A peine le serviteur se fut-il retiré que le Vénitien se saisit du sabre que Schéhérazade avait aperçu tout à l'heure, et sous son œil stupéfait il souleva la bouteille de la main gauche, la lame de la main droite, et d'un coup sec, infligé en diagonale, il trancha net le goulot.

Un pétillement frais s'éleva aussitôt dans la pièce, tandis que Mandrino s'empressait de remplir les flûtes.

— Tenez, fit-il avec un large sourire. J'espère que vous aimerez.

— Pardonnez mon ignorance, est-ce toujours ainsi que l'on ouvre une bouteille de champagne ?

— Non. Rassurez-vous. Mais c'est la manière que je préfère. Amusant, non ?

— Surprenant. Le tout est de ne pas se trouver dans la trajectoire du sabre.

Elle porta le liquide à ses lèvres, but une gorgée. Il s'inquiéta :

— Qu'en pensez-vous ?

Elle savoura un instant avant de répondre :

— Curieux.

— C'est tout ?

Devant son air déçu, elle gronda :

— Vous êtes toujours aussi impatient, Mandrino ! Laissez-moi le temps d'apprécier !

Elle prit une nouvelle gorgée, questionna, brusquement tendue :

— Vous l'avez vue ?

Il comprit tout de suite qu'elle parlait de Samira.

— Non, mais j'ai des nouvelles.

Une certaine fièvre s'était emparée d'elle.

— Que fait-elle ? A-t-elle épousé Ganteaume ?

L'œil bleu de Mandrino se voila. Durant tout le voyage de retour il n'avait cessé de se demander s'il fallait lui dire ou non la vérité. Au terme de ses réflexions il en avait conclu qu'il n'avait pas le droit d'édulcorer la réalité.

Il se racla la gorge et entreprit de lui rapporter tout ce qu'il avait appris sur la jeune femme, évitant toutefois de lui relater son initiative personnelle. La somme remise à Lolotte.

— Tout compte fait, dit-elle avec un sourire douloureux, on ne peut pas dire que l'expédition Bonaparte
ait porté chance à la famille Chédid. Ce Ganteaume ne
vaut guère mieux que son empereur. Pauvre Samira...

Face à son désespoir, il décida de revenir sur sa
décision et de lui révéler le geste généreux qu'il lui
avait caché.

— Une fois que votre sœur entrera en possession de
cette somme, elle pourra se tirer des griffes de ce
mécréant.

La réaction de Schéhérazade fut précisément celle
qu'il redoutait.

— Je vous en sais gré, monsieur Mandrino. Mais je
vous dois cet argent. Dès demain je vous le ferai
porter.

Il allait protester.

— Non ! Cette fois, il est hors de question que
j'accepte. Votre générosité devient embarrassante !
Les orchidées, les pierres, cette dernière folie ! Tant
que cela me concernait, passe encore. Mais Samira est
ma sœur. Je vous rembourserai, Ricardo, sinon vous
ne me reverrez plus !

Tellement surpris qu'elle l'eût appelé par son
prénom, il ne trouva rien à répliquer, si ce n'est
simplement :

— Comme vous voudrez...

★

Dès qu'elle passa le seuil de la salle à manger, elle
demeura sidérée. Le contraste avec la première pièce
était radical. Si l'une faisait songer à un souk bien
ordonné, ici ce n'était que luxe discret et raffinement.
La différence était encore plus soulignée par les meubles, les tentures, les objets qui composaient ce lieu.

619

Tous étaient de provenance vénitienne ou italienne. En quelques pas on avait franchi un océan.

Son attention captivée par le décor, elle ne découvrit qu'après un temps le piano à queue ivoire, le pianiste mains posées sur le clavier, ainsi que les deux autres personnages : un violoncelliste et un violoniste. Les trois musiciens portaient perruque blanche et jabot, habit et boutons adamantins. En plein Caire, sur le Nil, ce tableau était surnaturel.

Abasourdie, elle se laissa entraîner jusqu'à la table que l'on avait apprêtée d'un couvert d'une rare beauté. Sur un signe de Mandrino une musique s'éleva, discrète. Du classique manifestement.

— Cet endroit est mon remède contre la mélancolie, déclara le Vénitien en prenant place face à Schéhérazade. L'eau qui nous entoure...J'ai l'impression de n'être plus aussi loin de la Sérénissime.

— Ces hommes ? On les croirait sortis d'une gravure. Où les avez-vous trouvés ?

— L'un est florentin, les deux autres toscans. Je les ai connus à Alexandrie. Tous trois négociants en épices. La musique n'est que leur passe-temps.

La jeune femme feignit la déception.

— Moi qui les imaginais arrivés en droite ligne d'Italie, uniquement pour cette soirée.

— Désolé, fille de Chédid. Si j'avais su...

— C'est votre faute après tout. Venant de vous, je ne peux plus concevoir que l'extraordinaire.

Mandrino partit d'un rire franc.

— C'est flatteur, mais c'est dangereux pour moi. Condamné à vous surprendre, que se passera-t-il le jour où mon imagination viendra à me trahir ? Je préfère ne pas y penser.

— Je ne me fais pas de souci. Vous trouverez.

Elle se tut cependant que le serveur noir disposait les plats.

— Depuis que je vous connais quelque chose m'est apparu qui m'avait échappé jusque-là. Je me suis aperçue qu'il existait trois sortes d'individus. Les premiers possèdent la faculté de rêver mais ne disposent pas des moyens de réaliser leurs rêves. Pour les autres, c'est l'inverse. Quant à vous, vous avez le privilège de faire partie de la troisième catégorie. Je vous en félicite.

Le Vénitien apprécia d'un hochement de tête avant de répliquer doucement :

— Je n'ai aucun mérite. Enfant déjà, j'ai toujours pensé qu'il valait mieux vivre ses rêves que rêver de les vivre.

— Toutefois il existe des rêves inaccessibles, ne croyez-vous pas ?

— Au risque de vous sembler prétentieux : aucun. J'ai toujours obtenu ce que je désirais.

— Les femmes entre autres...

Elle s'était exprimée avec amusement.

— L'exemple est mal choisi. Pour un homme dans ma situation, la conquête est aisée.

Elle l'étudia pour tenter de déceler chez lui la provocation qui aurait dû accompagner une telle affirmation. Elle ne trouva qu'une physionomie sereine, placide. Visiblement il était convaincu de ses propos.

Le vin avait succédé au champagne. Un vin velouté, parfumé.

— Du vin de France, précisa le Vénitien en remplissant le verre de la jeune femme. Une vraie merveille.

Il leva sa coupe.

— Je suis heureux que vous ayez accepté de venir ce soir. Qu'Allah exauce tous vos vœux.

★

Ils étaient revenus s'installer dans la première pièce où Mandrino avait fait brûler des perles d'encens. Au fil de leurs discussions, la nuit s'était fort avancée, les musiciens et le serviteur avaient pris congé. Ne restaient plus qu'eux deux, et au-dehors le Nil et le ciel saturé d'étoiles.

Schéhérazade, encore sous le charme de ce dîner où tout avait frisé le sublime, la tête légèrement embrumée par l'alcool, se sentait flotter, détachée de son corps.

Elle eut un geste de refus, lorsque Mandrino lui proposa de remplir à nouveau son verre.

— Je ne pourrais plus retrouver mon lit, fit-elle en s'étirant langoureusement. D'ailleurs, il se fait tard. Je vais rentrer. Votre berline pourra-t-elle me raccompagner ?

— Déjà ?

— Vous ne voudriez pas que j'attende l'arrivée de l'aube ?

Il commença à se rapprocher d'elle, avec une telle discrétion qu'elle ne parut pas s'en apercevoir.

— Pourquoi pas ? La montée de l'aube sur le Nil est un miracle de beauté.

A présent il était tout près. Il effleura imperceptiblement ses cheveux.

— Je me demande si vous ne seriez pas plus à votre avantage cheveux dénoués.

Elle fit volte-face, prit à cet instant conscience de sa proximité et se raidit.

— Comme les courtisanes ? Les ongles et le corps peints au henné ? Je sais vos goûts désormais.

Il prit sa main, l'enveloppa dans la sienne.

— Qui sait, vos goûts sont peut-être les miens ? Mais vous ne le savez pas encore.

Elle jeta un regard détaché sur les doigts de Mandrino.

— Dites-moi, que cherchez-vous, sincèrement ? A assouvir votre soif de conquête ? Ou alors avez-vous déduit que ma défaillance, ce jour-là dans le chariot, vous autorisait toutes les libertés ?

Eludant la question, il demanda :

— Et vous, Schéhérazade ? Que cherchez-vous ? A lutter contre une réalité ? Où est passé votre fatalisme ? Mektoub... Pourquoi vouloir renier ce qui est ?

Ses lèvres esquissèrent un léger sourire.

— Je retrouve bien là cette incroyable assurance.

— Vous avez aimé par le passé. Ne me faites pas croire que le puits est tari.

— Si je vous répondais que oui ?

— Je n'y croirais pas. Vous n'êtes capable que d'amour. Vous ne vivez réellement qu'à travers ce sentiment. L'amour est l'eau du cœur. Sans lui, il se dessèche. Comme se dessécherait Sabah si un jour le Nil venait à disparaître.

— A cette seule différence que la crue revient tous les ans. Pas l'amour.

— Qui était cet homme ?

Elle marqua un sursaut tant la question avait été posée brutalement.

— A quoi cela vous servirait-il de savoir ?

— A dénouer certains fils.

Etait-ce l'alcool ? Une lassitude ? Elle n'aurait su le définir. Doucement, elle remonta dans le passé, et lui livra Karim. La frustration de leur histoire. Une fois qu'elle eut terminé, elle rejeta la tête en arrière, lointaine :

— Vous voyez combien infinies peuvent être la patience et l'attente d'une femme amoureuse. Cela devrait vous suffire à rendre les armes, n'est-ce pas ?

Il ne répondit pas tout de suite. Il détacha simplement sa main et se resservit un peu de vin.

Elle réitéra son interrogation. Il lança tout à coup :

— Vous m'avez refusé Paris. Accepteriez-vous Venise ?

Interloquée elle le considéra, yeux grands ouverts.

— Oui, reprit-il posément, me feriez-vous l'immense joie de m'accompagner sur les lieux de mon enfance ?

Elle ne répondait toujours pas. Il poursuivit sur un ton récitatif :

— *Pas même un sourire, tant que vous n'en éprouverez pas l'envie ; le silence, si parler vous ennuie ; le dialogue, quand vous le jugerez propice. Rien d'autre.*

CHAPITRE 37

Février 1811

Sous les yeux de Schéhérazade éblouie, la Sérénissime défilait, rêve de pierre et d'eau.

Assis à l'arrière de la gondole qui fendait la lagune, Mandrino dit dans un souffle :

— La ville la plus féminine du monde. Une madone. Maintenant je peux vous le dire, je n'ai jamais eu qu'elle comme courtisane.

Le soleil qui amorçait sa course vers les flots laissait dans son sillage des traînées pastel s'attarder sur les coupoles et les tuiles mordorées. Venise, née de rien, d'un peu de boue et de l'écume de la mer. Venise la tendre, l'émouvante.

La gondole longea le canale di San Marco, laissant entrevoir sur la droite, offrande aussitôt reprise, la place du même nom.

— Le palais ducal, commenta Mandrino. C'était là le cœur de notre puissance. Ici régnaient les Doges. Maîtres de la République sérénissime.

— Et à elle seule votre famille en aurait fourni trois.

Le Vénitien la dévisagea avec stupeur.

— Comment le savez-vous ?

— Je sais aussi bien d'autres choses. Vos ancêtres ne faisaient-ils pas partie de ceux que l'on appelait les *nobles de Terre ferme* ?

— Continuez...

— Cela suffit pour aujourd'hui. Je ne veux rien perdre de ce paysage.

Abandonnant l'homme à son étonnement, elle reporta son intérêt sur les splendeurs du décor. On venait d'amorcer la première courbe du canale Grande, bientôt apparut la galleria del Accademia.

— Tenez, dit Mandrino, voici l'empreinte de notre ami Bonaparte. Cette bâtisse était un ancien couvent, il en a fait, il y a un peu plus de quatre ans, un institut de peintres et de sculpteurs. Vous voyez qu'il n'est pas aussi négatif qu'on le croit.

Il ajouta :

— Nous n'avons pas le Nil, mais ce ne sont pas les ponts qui nous manquent.Très exactement quatre cents, pour cent soixante-dix-sept canaux. Vous n'êtes pas jalouse ?

— Si, hélas. Mais comment pourrait-on ne pas l'être devant pareille beauté ?

— Et pourtant... Venise n'est déjà plus. Les Génois, les Turcs, les Français nous ont mis à genoux. Aujourd'hui pièce rapportée au royaume d'Italie, demain peut-être à nouveau sous tutelle autrichienne. Quand je pense que notre empire allait de Saint-Jean-d'Acre à Thessalonique. Que nous possédions le duché d'Athènes, la Crète, Chypre et la Morée[1].

— Au fond, le destin de Venise ressemblerait à celui de l'Egypte. Rien qu'une proie que les grandes puissances se déchirent.

Mandrino sourit.

— Une Egypte en plus petit.

1. Nom donné au Péloponnèse après la conquête latine en 1205.

Le soleil venait de basculer derrière l'horizon. L'air était devenu plus fluide. Les façades des maisons irisées de mauve et de violet ne se reflétaient presque plus sur l'eau du canale Grande. Un patio désert succéda aux fleurs épandues d'un jardin.

Que Le Caire était loin, et la sécheresse de ce désert qui jusqu'ici avait bercé l'existence de Schéhérazade ! Le plus surprenant, c'est qu'elle n'éprouvait aucun doute, plus aucun de ces scrupules qui l'avaient tant torturée avant leur départ d'Alexandrie. Avait-elle eu seulement le temps de penser, alors que sans cesse une émotion nouvelle succédait à une autre, ne laissant que peu de répit à ses états d'âme. D'abord ce vaisseau, l'*Espéria*, qui dès la sortie du port avait offert le prodigieux spectacle de ses immenses voiles arrondies. La mer, qu'elle n'avait pas revue depuis son enfance. Cet orage qui s'était abattu un jour sans prévenir, déversant ses torrents de pluie sur le navire, et qu'à son grand étonnement elle avait éprouvé comme une jouissance. Ensuite l'accalmie. Cette nuit superbe où le ciel marin lui rappela celui qui recouvrait certains soirs le jardin de Sabah. Enfin les portes de l'Adriatique avec tout au bout la ville de Mandrino.

Tout le temps du voyage, ainsi qu'il l'avait promis, le Vénitien s'était comporté de manière irréprochable. Pas un geste, pas un mot ambigu. Rien qui eût pu irriter Schéhérazade ou lui faire regretter d'avoir cédé à ce qu'elle considérait malgré tout comme une folie.

Un bruit sourd l'arracha à ses pensées. La gondole venait d'accoster un ponton.

— Nous sommes arrivés, annonça Mandrino.

Une série de demeures, littéralement imbriquées les unes contre les autres, étaient alignées le long du canal que commençaient à éclairer les premiers fanaux.

— Laquelle est votre maison ?

Le Vénitien pointa son doigt sur l'une des bâtisses, encastrée entre deux constructions de moindre noblesse. Ce qui frappa tout de suite Schéhérazade ce fut la sévère majesté de la façade gothique, presque entièrement recouverte de marbre et de matériaux à dominante lie-de-vin ; ornée de colonnes et d'arcades admirablement sculptées.

Mandrino l'aida à prendre pied sur le ponton. Après avoir échangé quelques mots avec le gondolier, il l'invita à le suivre.

Sur le linteau de la porte d'entrée se découpait un blason fascé en forme d'amande, avec sur fond d'azur un cheval emballé, les crins tressés d'or.

— Ce sont les armoiries de ma famille. Le cheval symbolise la fougue et la fortune.

— Et la couleur azur ?

— Vous ne me croirez peut-être pas. Elle représente un lien indirect avec l'Orient. Jadis, c'est de là que provenait la couleur bleue baptisée « outremer ». Etant la plus rare et la plus onéreuse il était donc naturel que ce fût la teinte dominante des armoiries.

Un serviteur en habit venait d'ouvrir. Il salua le couple avec chaleur et s'effaça pour lui livrer passage.

Alors qu'elle allait pénétrer dans la maison un détail curieux attira l'attention de Schéhérazade. Au-dessus de sa tête, à mi-hauteur de la façade, apparaissait une sculpture en pierre représentant un ange bénissant, avec dans sa main gauche un globe surmonté d'une croix.

— C'est vous ? ironisa Schéhérazade.

Un plissement de front répondit à sa question.

— C'est une vieille histoire. Je ne sais pas si je devrais vous la raconter. Vous risqueriez de ne pas fermer l'œil de la nuit.

Elle insista.

— Très bien. Je vous aurais prévenue. Il y a long-temps, plus de deux siècles sans doute, vivait ici l'un de mes ancêtres, Giuseppe Mandrino, avocat de son métier. Il avait la réputation d'être prodigieusement avare et usurier. Il possédait à son service un singe apprivoisé, objet de l'étonnement et de l'admiration de tous. Un jour que Giuseppe avait invité à dîner fra Matteo da Bascio, vénérable capucin réputé pour sa sainteté, le singe, à la grande stupeur des convives, se cacha dès l'arrivée du moine ; découvert, il refusa de bouger, montrant les dents, fou de rage. Le capucin pressentit la raison de cette subite fureur. Il se fit conduire à la cachette du singe et ordonna à ce der-nier, au nom de Dieu, de dire qui il était. L'animal révéla alors qu'il était le démon et qu'il était là pour emporter l'âme de ce malheureux Giuseppe.

Schéhérazade réprima un petit cri.

— Vous n'êtes pas sérieux ?

— Je vous livre l'histoire telle qu'elle m'a été rap-portée par mes parents. Dois-je poursuivre ?

Elle se hâta d'acquiescer.

— Répondant aux questions du capucin, le démon expliqua qu'il n'était toujours pas parvenu à accom-plir son œuvre, car Giuseppe avait l'habitude de réciter chaque soir un Ave Maria. Un seul oubli et sa diabolique mission eût pu s'accomplir. Alors le moine, après avoir fait un grand signe de croix, ordonna au diable de disparaître. Celui-ci, au milieu d'un vacarme épouvantable et de vapeurs de soufre, s'élança contre le mur et disparut par un trou qu'il y fit.

Mandrino désigna la sculpture.

— Par ici, très précisément. De retour dans la salle à manger, fra Matteo tordit un pan de la nappe et il en sortit du sang. Il s'écria alors à l'intention de l'infor-tuné Giuseppe : « C'est le sang des pauvres que tu as exploités. Rends les profits de ton usure si tu veux changer ton âme ! » Inutile de dire que dès lors mon ancêtre se transforma du tout au tout.

— Mais alors...Pourquoi l'ange ?

— On plaça cette effigie pour cacher le trou ouvert dans le mur par le démon, car aucun maçon n'avait pu le boucher avec des briques et de la chaux[1].

Devant le trouble de Schéhérazade, il s'inquiéta :

— Vous êtes toujours décidée à franchir le seuil de ma maison ?

— Si vous me garantissez qu'il n'y a plus de singe.

Mandrino éclata de rire, tandis qu'elle ajoutait :

— Maintenant je comprends votre générosité, qui n'est pas loin de l'inconscience. C'est tout simplement la peur du diable qui vous anime, et de subir le même sort que votre Giuseppe !

Elle fit un signe de croix et s'engouffra dans la demeure.

★

Le Vénitien avait dit vrai en la mettant en garde contre les risques d'insomnie. Couchée depuis plus de deux heures dans le grand lit à baldaquin, elle n'avait cessé de tourner dans tous les sens à la recherche du sommeil. A présent, allongée sur le dos, elle gardait les yeux grands ouverts, rivés au plafond. Un plafond tel qu'elle n'aurait jamais pu l'imaginer : entièrement peint, décoré de riches stucs, il représentait, à en croire Mandrino, une allégorie nuptiale évoquant les noces de quelques arrière-grands-parents, célébrées un siècle auparavant.

1. La légende est notée à Venise dans les annales de l'ordre des capucins. Bien d'autres miracles furent attribués à fra Matteo da Bascio.

Mais il n'y avait pas uniquement cette histoire de singe et de démon qui l'empêchait de dormir ; elle était encore pleine de tout ce qu'elle avait découvert dans ce palais. Car c'était d'un palais qu'il s'agissait.

Après le dîner servi dans une salle à manger qui semblait sortie d'un conte féerique, Ricardo Mandrino l'avait entraînée dans une véritable débauche de splendeurs : des dizaines de pièces au pavement de mosaïque enrichi de pierres rares et de morceaux de nacre ; des cheminées en marbre surplombées de sculptures admirables et des portes richement marquetées.

Il y avait eu successivement le puits en bronze et ses somptueuses margelles ; l'escalier d'or à la voûte saturée de stucs dorés et de peintures sublimes. La salle de bal, éblouissante, cernée de frises. Les loggias et leurs fenêtres ouvragées. La somptueuse bibliothèque décorée par une série de vues de Venise, et dont on imaginait la subtile sensibilité aux changements de couleurs et d'atmosphère selon les heures du jour. La salle des « cœurs d'or » qui, toujours d'après Mandrino, tirait son nom de la présence de deux cœurs en relief et dorés, apposés sur l'un des murs. Des centaines de fresques de peintres dont elle entendait le nom pour la première fois : Titien, Tintoret, Pietro Liberi. Ils avaient ensuite gravi l'escalier des Géants à l'ombre des deux statues qui personnifiaient, disait-on, des dieux romains. Au sommet, le portego, l'étage noble, avec ses deux extraordinaires mappemondes en or massif représentant les parties connues de la Terre. La salle des portraits accolée à celle des Quatre Portes, tendue de tissus précieux et d'étoffes rares. Encore et toujours d'autres salles, d'autres richesses. Mais ce qui, au-delà de tout, accentuait la magie du lieu, c'était l'éclairage ténu que diffusaient des centaines de lustres de Murano, nouant et

631

dénouant les ombres au fil des déplacements de l'air, des respirations, à la merci d'un battement de cœur.

Pourtant, le véritable responsable de son insomnie demeurait avant tout le propriétaire de cet endroit magique : Ricardo Mandrino. Plus Schéhérazade le côtoyait, plus elle sentait fondre les remparts patiemment érigés autour d'elle toutes ces années durant. Un charme diabolique (terme tout à fait approprié en l'occurrence) se dégageait du personnage. Qu'il soit parvenu en si peu de temps à briser ses défenses, transformer un sentiment de rejet en attirance, tenait du prodige. Plus curieux encore était que cette métamorphose du cœur avait eu lieu presque à son insu. Ce qu'elle éprouvait désormais pour le Vénitien n'était pas encore de l'amour, mais cela y ressemblait fortement.

Il faisait grand jour lorsque les coups répétés frappés contre la porte l'arrachèrent à son sommeil.

Elle articula :

— Entrez.

Et tira vers elle les draps de soie.

Mandrino apparut les bras chargés d'un plateau.

— Un petit déjeuner vénitien. A un moment j'ai songé au champagne, puis je me suis dit que vous risqueriez d'y prendre goût.

— De l'alcool de bon matin ?

Elle huma l'odeur de café chaud avec délice, alors qu'il posait le plateau sur un coin du lit.

— Serait-il aussi bon que celui d'Egypte ?

— Certainement meilleur. Si vous voulez mon opinion, ce que chez vous vous appelez du café n'est en réalité qu'une mixture où l'on trouverait autant à manger qu'à boire.

— Critiquez, mon ami. Critiquez, et vous n'aurez pas le temps de me faire visiter votre ville.

— Désolé, mais j'ai bien peur qu'ici ce ne soit moi qui fasse la loi. Vous êtes à des milliers de milles de votre terre, entièrement sous ma coupe.

— Vous savez ce qu'enfant j'ai répondu à mon père le jour où en plaisantant il a évoqué l'idée de me vendre : « La mère de celui qui pourra y mettre le prix n'est pas encore de ce monde ! » Il en est de même pour celui qui songerait à mettre Schéhérazade sous sa coupe.

— Votre raisonnement se tiendrait si vous aviez affaire au commun des mortels. Ce n'est pas mon cas. Dois-je vous rappeler l'histoire de Giuseppe et de son singe ?

— A ce propos, j'espère que vous n'avez pas oublié de réciter votre Ave Maria ?

Il répondit par un sourire, s'apprêta à s'asseoir sur le bord du lit. Elle le stoppa net.

— Vous n'allez pas rester ici ?

— Etrange question.

— Boire un café en position allongée me paraît assez difficile.

Il l'observa, constata la nudité de ses épaules, et comprit qu'elle était dévêtue sous le drap.

— Qu'à cela ne tienne. Vous n'auriez pas une robe de chambre ?

Elle désigna un fauteuil dans un coin de la pièce.

Imperturbable il alla récupérer le vêtement et le lui tendit.

— Voici.

— Et maintenant...

D'un geste, elle l'invita à se retourner.

— Vous ne pensez pas que vous en demandez trop ? Ce qui est refusé à mes mains le serait aussi à mon regard ?

Elle lui décocha un coup d'œil aigu.

— Mandrino, auriez-vous oublié votre promesse ?

Avec une certaine brusquerie elle chercha à lui dérober le vêtement, et ce faisant effleura ses doigts sans le vouloir. Elle aurait touché une flamme invisible, sa volte eût été moins vive. Retirant sa main, elle s'immobilisa, mal à l'aise.

— Ce jeu est ridicule, lança-t-elle avec une fermeté incertaine. Allez, ne faites pas l'enfant.

Il continua de l'examiner sans répondre. Nonchalamment, il balança la robe à l'autre bout de la pièce.

Elle menaça :

— Ça va mal finir !

Et dans sa dérobade fit basculer le plateau qui heurta le sol dans un bruit de porcelaine brisée.

La puissante main de Mandrino emprisonna sa nuque, retenant sa fuite.

— Il ne sert à rien de lutter, fille de Chédid. Je vous l'ai dit, ici vous êtes sous ma coupe.

Dans l'instant qu'elle cherchait à se dégager, son corps massif se coucha sur elle, appuyant son thorax contre ses seins uniquement défendus par le mince rempart du drap. Ses doigts se nouèrent en étau autour de ses poignets, et dans un mouvement irrésistible il la força à écarter les bras en croix. Elle voulut crier, mais son cri demeura prisonnier au fond de sa gorge, étouffé par la peur et cet envahissement qui la submergeait.

Dans la lutte qui les opposait, elle croisa furtivement l'œil du Vénitien et ce qu'elle crut y lire la bouleversa. Le drap avait glissé et ne voilait plus que partiellement la nudité de son corps ; ce que Mandrino entrevoyait il le notait avec force. Tout ce qu'il découvrait aiguisait son vouloir. Le hâle de la peau de Schéhérazade, le corail de ses lèvres, ses globes d'ivoire aux veines azurées, il avait décidé de s'en rendre maître.

— Pourquoi lutter ?

Sa voix avait coulé comme la lave d'un volcan, faisant renaître au tréfonds d'elle cette sensation éprouvée quelques mois plus tôt dans le chariot.

Il ajouta doucement :

— Ignores-tu que l'incendie est plus fort quand l'attise le vent ?

Cette emprise rassurante et effrayante.

Ce fut peut-être cette alchimie faite d'admiration et de luxure, d'avidité et de délire, qui lui cria qu'entre ses bras elle était vouée à céder.

Insensiblement elle se détendit. Laissa ses cuisses docilement s'écarter, pour qu'il s'y encastrât.

De son côté, un peu comme un lion joue de sa conquête ou peut-être pressentant qu'il tenait sa victoire, Mandrino se redressa légèrement et la contempla, mais cette fois avec une expression neuve, le désir en arrière-corps.

Le cœur tambourinant, elle l'entendit qui disait d'une voix presque inaudible :

— Qui dira mon amour, et plaidera pour moi ?

Lentement, il retira sa veste.

★

La langue était douce qui fouillait son intimité. Fortes étaient les mains qui étreignaient ses hanches et la poussaient à onduler contre les lèvres charnues de Mandrino, afin que dans cette étreinte humide ce fût elle, Schéhérazade, qui imposât son propre rythme.

Elle tanguait comme un navire, libre et contrainte, paupières closes, s'exilant progressivement de toute pensée qui serait autre que la quête de l'orgasme, cet instant sublime, jusque-là en otage, confisqué par ceux qui avant Mandrino lui avaient fait l'amour.

Il n'y avait eu ni maladresse ni empressement. Simplement une osmose absolue, une harmonie sensuelle dont chaque attouchement n'était que la promesse d'un autre, plus excitant encore. Caressant son entre-cuisse, c'était chaque parcelle de son corps qu'il avait embrasée. Les dents qui avaient mordillé les pointes durcies de ses seins, c'était son sexe qu'elles avaient effleuré. Ses fesses pétries avec violence, c'était ses jambes, son ventre, son cou qu'elle avait eu le senti-ment de lui livrer. Elle avait assenti à chacun de ses actes, des plus sages aux plus crus. Et lorsqu'il l'avait forcée à s'agenouiller sur les draps, emprisonnant sa nuque pour l'attirer vers son membre, elle avait éprouvé dans cet acte, jamais accompli auparavant, une volupté perverse, la certitude enivrante que dans la soumission pouvait régner le plaisir.

A présent ses mains puissantes soulevaient légère-ment ses reins, les pouces sur le ventre. Elle se cambra un peu plus, s'entrouvrit plus encore ; allant à la rencontre de sa bouche, pour lui offrir plus entière-ment son sexe mouillé, souffle et semence confondus. Bientôt elle éprouva la montée du plaisir, avec une tension extrême. La dernière sensation qui la sub-mergea frénétiquement ce fut les débordements du fleuve roi au cœur de juillet.

★

— Je te garderai encore en vie quelques jours. Trois exactement. Jusqu'à dimanche.

Schéhérazade ne parut pas entendre. Encore pleine de lui, les sens repus, brisée, elle conserva l'œil rivé au plafond. Combien de temps l'avait-il possédée ? Tout ce qu'elle savait c'est qu'au-dehors le tout petit matin commençait à illuminer les canaux et les églises.

Il lui caressa doucement le front.

636

— Je te trouve bien lointaine.

Comment, avec quels mots aurait-elle pu lui avouer les bouleversements de sa chair ? Lui confier que c'était la première fois qu'elle avait véritablement connu la jouissance ? Il en aurait peut-être souri. Mais au vrai, ce n'était pas la crainte de cette réaction qui retenait son aveu ; plutôt la peur que, lui révélant ses échecs passés, elle ne contribuât à accroître son assurance, déjà si grande. Cela elle ne le voulait pas. L'emprise qu'il avait sur elle ne s'était que trop affirmée.

Elle se ressaisit et demanda évasivement :

— Pourquoi dimanche ?

— J'ai quelques projets. Ils te surprendront, je crois.

— Me surprendre ? Venant de toi plus rien ne le pourrait.

— Peut-être. Mais cette fois j'ai besoin de ta complicité.

Elle eut une interrogation muette.

— Rassure-toi, peu de chose. Simplement que tu veuilles bien porter une robe spécialement pour cette occasion.

Elle haussa les sourcils.

— Ta requête est bien étrange. De quelle robe s'agit-il ?

— Tu le sauras en temps voulu. Mais me promets-tu de la mettre ?

— Pourquoi pas ? A condition bien sûr que le vêtement en question me siée.

Sans se départir de son expression énigmatique, il répliqua :

— Il te plaira. J'en suis certain.

Il s'allongea sur le côté, spontanément elle se mit en chien de fusil, et se laissa enlacer sans offrir de résistance.

Brusquement elle était devenue une agnelle sans défense.

★

Trois jours plus tard, le dimanche en question, il l'entraîna la majeure partie de l'après-midi à travers le dédale des *calli*, ces centaines de ruelles qui couraient à travers la ville pour se resserrer autour du palais des Doges. Burano, Torcello, Santa Maria Assunta, la Ca' d'Oro, noms de places, de palais, de monuments qui résonnaient comme des chants. Elle sentit son âme s'envoler en abordant la piazza San Marco, son pouls s'aligner sur l'horloge de bronze dressée au sommet de la tour mauve. Il lui expliqua l'histoire de sa cité. La vie de certains seigneurs qui avaient été proches de sa famille. Elle sut les origines des jardins, les reposoirs fleuris à l'angle des ponts, les bouquets d'arbres dépassant d'un mur au crépi rose. Il s'attarda sur le plus humble détail, jusqu'au sens de ce glas qui sonnait par intermittence dans la chiesa d'oro[1], spécialement affectée pour inciter les cavaliers à mettre leur monture au trot.

Mais par-dessus tout, cette journée avait été dominée, à l'image des deux autres d'ailleurs, par un climat de sensualité omniprésent. Que ce fût un frôlement de mains, un battement de paupières, un mot, un parfum, tout dans leur échange était devenu pour Schéhérazade prétexte à la montée de son désir. Il l'aurait prise à l'angle d'une rue, dans le coin sombre d'une impasse qu'elle l'aurait accepté volontiers, à l'image de ces courtisanes qu'elle avait tant méprisées. Par moments elle se disait qu'elle devenait folle.

1. Surnom de la basilique Saint-Marc, qui était l'église officielle de la République sérénissime.

Ce besoin de plaisir qu'il avait fait naître en elle, paraissait ne plus avoir de limites. On aurait dit qu'il avait fait rouler une pierre tombale, libérant une âme assoiffée par mille ans de désert.

C'est à peine si elle entendit Ricardo qui annonçait l'heure du retour au palais.

Avec un empressement qui la surprit un peu, il la ramena dans sa chambre. La robe était là, posée sur le lit. Tache d'azur éclaboussant la pièce, brodée d'or et de perles fines.

— Voici, fit-il avec un large sourire. Je pense qu'elle est à ta taille.

Dépassée, elle palpa lentement le tissu, avec le respect naturel qu'imposait un tel ouvrage, consciente aussi que ses doigts ne frôlaient pas un quelconque vêtement, mais un objet d'art. Elle l'approcha de sa poitrine. Pourquoi son instinct de femme lui souffla-t-il alors que la robe avait été déjà portée ?

— Une seule fois, dit-il sans attendre la question. Et par quelqu'un qui m'était très cher.

— Dans ce cas, pourquoi voudrais-tu que je la porte aussi ? Je ne comprends pas.

— Tu le sauras. Fais-moi confiance. D'ailleurs n'as-tu pas promis ?

— Dis-moi au moins quelle occasion nécessite que je m'habille de manière aussi prestigieuse ? Une cérémonie ?

— Plutôt une fête. Une fête qui serait digne du vêtement. Nous y retrouverons tous les amis que je compte à Venise.

Elle l'examina, sceptique, subitement hésitante.

— Je t'en prie, insista Mandrino. Accorde-moi cette joie.

— Où se déroulera cette...fête ?

— Si je te parlais du campo Santi Giovanni e Paolo, ça ne te dirait rien.

— C'est tout ?

— Pour l'instant.

Bien que peu convaincue par ses explications, elle céda. D'ailleurs cette robe était tellement sublime...

— Pourrais-tu être prête dans deux heures ?

Elle lui lança un coup d'œil empreint de sous-entendus.

— Ça dépend...

Curieusement, il fit celui qui n'avait pas perçu le message.

— Je vais profiter de ce temps pour régler quelques affaires en souffrance et je reviendrai te prendre.

Contrariée par sa réaction, elle continua de le scruter jusqu'au moment où il referma la porte. Depuis ce matin, il était différent. Une certaine tension s'était insinuée dans sa physionomie qui avait rendu sa démarche, et même le ton de sa voix un peu maladroits. Chez un être qui en toute occasion avait fait preuve d'assurance, le comportement avait de quoi surprendre. Que se passait-il donc qui pouvait autant l'affecter ?

Serrant contre sa poitrine le vêtement d'azur, elle se laissa choir sur le lit et s'efforça de chasser l'inquiétude qui maintenant sourdait en elle.

★

Le campo Santi Giovanni e Paolo était noir de monde. Réunis autour de la statue équestre du condottiere Coleoni et de la margelle du puits, évoluaient des hommes, des femmes de tous âges. Sarabande de couleur et de lumière. Personnages vêtus avec le plus grand raffinement. Bijoux qui jetaient leurs feux à chaque mouvement de main, à chaque déplacement du corps. En arrivant sur la place, Schéhérazade se dit qu'une fois de plus Ricardo Mandrino n'avait pas menti. Cette assemblée lui fit penser sur-le-champ à l'une de ces peintures entrevues au hasard des salles. Mêmes teintes. Même atmosphère à la fois feutrée et riante. Austère et détendue.

A peine le couple eut-il apparu sur le campo, que tous les regards, sans exception, convergèrent dans sa direction. Tout de suite elle devint le point de mire de l'assemblée. Il fallait reconnaître que dans cette tenue d'azur et d'or, sa chevelure de jais tombant sur ses épaules dénudées, ses grands yeux soulignés de khôl, ses lèvres sanguines discrètement détourées, elle avait le port de ces déesses païennes statufiées dans les riches demeures de la ville.

Intimidée, elle serra plus fort le bras de Mandrino.

Au moment où ils parvenaient au pied de la statue du condottiere, il y eut une salve d'applaudissements, accompagnés de vivats et de cris. Toute la place parut vibrer sous un déferlement d'allégresse.

— Qui sont ces gens ? chuchota Schéhérazade dépassée.

— Des amis qui nous témoignent leur sympathie.

Des airs de mandoline vinrent s'unir aux acclamations. Trois musiciens en costume d'arlequin s'étaient mis à jouer en avançant vers le couple, cependant qu'un troisième les précédait en esquissant des pas de danse.

— Tu vois, fit Mandrino, nous aussi nous avons notre musique.

Devant son air éperdu, il gratifia le dessus de son bras d'une petite tape affectueuse.

— Pourquoi cet affolement, fille de Chédid ? Je te le répète, ce sont des amis.

Déjà les premières personnes se pressaient autour d'eux, qui les saluaient d'un signe ou leur tendaient la main avec chaleur. Du rio dei Medicanti, le canal qui longeait le campo, montaient les hourras des gondoliers de passage...

— Tu serais Mohammed-Ali et moi reine d'Egypte, qu'il n'en serait pas autrement.

— Imaginons que ce soir tu es la reine de Venise et moi ton humble chevalier servant.

Sans qu'elle s'en fût rendu compte, il l'avait entraînée au pied des marches d'un édifice de brique rose. En haut s'ouvrait un impressionnant portail de marbre. Par enchantement, il n'y avait plus ici qu'eux deux. Elle et Mandrino.

Il murmura :

— L'église de Santi Giovanni e Paolo.

Il marqua une pause, puis :

— J'avais dit que nous serions là pour une fête. En vérité j'ai menti : il s'agit d'un mariage.

— Un mariage ?

— Oui, Schéhérazade.

Un nouveau silence.

— Le nôtre.

Il répéta d'une voix étonnamment calme :

— Le nôtre. Notre mariage. Celui de Schéhérazade l'Egyptienne et de Ricardo le Vénitien.

Que se passait-il tout à coup ? Etait-elle une fois encore victime de sa folie ? Les retrouvailles avec sa ville lui avaient-elles fait perdre l'esprit à ce point ? Ou tout cela n'était-il qu'un jeu ? Pourtant, même pendant qu'il faisait l'amour, jamais elle ne lui avait connu une telle expression. Jamais son regard n'avait paru si brûlant. C'était comme si le soleil d'Egypte et tout le souffle du désert avaient fondu sur lui d'un seul coup.

Elle articula péniblement :

— Tu ne dis pas vrai, Ricardo.

— Je suis un mécréant. J'ai donné sans recevoir, j'ai reçu sans donner. J'ai brûlé des jours inutiles. Mais tout finit dès cette heure, au pied de cette église. Accepte mon nom et je ferai de toi l'être le plus heureux de la terre. En disant oui, tu effaceras du même

642

coup toutes les femmes, puisqu'il ne sera donné à aucune autre d'être plus comblée, plus vénérée que toi.

Dans le ciel le chant des mandolines s'était tu, les arlequins figés. On n'entendait plus un murmure si ce n'est le clapotis du canal contre les rives.

Des larmes avaient brouillé les yeux de Schéhérazade. A travers le voile humide, elle entrevoyait Mandrino, vision incertaine, trouble. Il ne mentait pas. Ce n'était pas un jeu. Elle était peut-être victime de sa folie, mais c'était le genre de folie qui aurait fait céder la raison la plus saine.

Elle trouva la force de chuchoter :

— Je... je ne sais pas si je t'aime...

— Tu m'aimeras. Tu m'aimeras car tu m'as déjà aimé. Avant. Depuis toujours. Avant même que nous nous trouvions. Ce sont des choses qui t'échappent, mais moi je les ai sues de tout temps.

Elle sentait qu'autour d'elle Venise s'affaissait insensiblement avec ses cathédrales, ses places, ses palais.

Une nuée d'étoiles défila dans sa tête. Son père, Nadia, Michel, Karim. Autant de fantômes, de souvenirs qui filaient sur un torrent tumultueux. Si rapide, si puissant, qu'ils lui échappaient en dépit de tous ses efforts, de son âme tendue à vouloir les conserver.

— Veux-tu m'épouser, Schéhérazade ?

Son ventre se noua.

— Oui..., murmura-t-elle. Oui, Ricardo. Je le veux.

CHAPITRE 38

1er mars 1811

A travers les moucharabiehs, Schéhérazade observait distraitement l'arrivée du crépuscule qui colorait de rose les contours de Sabah.

Bientôt un mois qu'ils étaient rentrés de Venise, elle n'arrivait toujours pas à se convaincre de la réalité de sa nouvelle situation : sett Mandrino. Son nouveau nom résonnait bizarrement à ses oreilles, sans doute à cause de sa consonance occidentale. Tout s'était passé si vite. L'émotion éprouvée lorsqu'il lui avait révélé que cette robe merveilleuse n'était autre que celle que sa mère avait portée le jour de son mariage. Aujourd'hui la Sérénissime flottait comme un rêve lointain. Quel pouvoir possédait cet homme pour être parvenu en si peu de temps à faire basculer son existence et du même coup celle du petit Joseph ? En constatant le sourire radieux de l'enfant lorsqu'on lui avait appris que Ricardo vivrait à Sabah, Schéhérazade repensa presque simultanément à fra Matteo et au singe démon. Et si véritablement le Vénitien était détenteur d'une puissance magique ?

Elle sourit en se remémorant les semaines écoulées. Tout avait volé en éclats. Sa résistance, son désir de ne

644

plus jamais s'abandonner, les protections qu'elle avait érigées autour de son cœur. Mais l'aimait-elle ? Autant pour Karim et Michel les sensations éprouvées avaient été claires et définies, autant aujourd'hui la teneur de son sentiment lui échappait. C'est que pour la première fois son corps parlait. A trente-quatre ans elle découvrait le plaisir dans les bras d'un homme. Pour la première fois son désir charnel prenait le pas sur l'esprit jusqu'à le dominer par moments. La manière dont il la regardait, le ton de sa voix, une multitude de détails en apparence anodins, éveillaient sans cesse l'envie de lui. C'en était obsessionnel. Plus il lui faisait l'amour, plus elle le réclamait. Il la touchait, elle basculait dans l'instant de la reine à l'esclave. Il y avait aussi ce jeu du langage vers quoi il l'avait amenée progressivement, où les mots étaient troubles et impudiques. C'était justement toutes ces émotions neuves qui animaient ses doutes. Elle en arrivait parfois à se demander si tout ce qu'elle ressentait n'était fondé que sur une avalaison des sens ? Seul l'avenir lui apporterait la réponse.

La nuit commençait à envahir l'horizon, et elle prit tout à coup conscience que son époux l'attendait dans la berline, prêt à partir pour la citadelle assister aux réjouissances organisées par Mohammed-Ali en l'honneur du départ de son fils Toussoun pour le Hedjaz.

Affolée, elle souffla le chandelier, jeta son manteau de drap sur ses épaules et se rua hors de la chambre.

* ★ *

Contre toute attente, les invités réunis dans le prestigieux salon de réception étaient moins nombreux qu'on n'aurait pu s'y attendre. Pourtant, la nomination de Toussoun à la tête des armées qui allaient livrer bataille aux Wahabis était un événement d'importance. Plus surprenante, était la présence de tous les chefs mamelouks et leurs lieutenants, une cinquantaine, peut-être plus, visiblement servis et considérés avec la même cordialité que le reste des invités.

Drovetti fit part de son étonnement à Mandrino.

— C'est inouï. Depuis quand le vice-roi entrouvre-t-il les portes de sa maison aux scorpions ?

— C'est curieux en effet. Cependant vous connaissez aussi bien que moi le pacha. Il ne fait rien sans y avoir mûrement réfléchi. N'oublions pas qu'en dépit de tous ses efforts il n'est toujours pas parvenu à étouffer la tyrannie mamelouke. Quoi que très affaiblis, ces gens représentent encore une menace pour le pouvoir.

— Raison de plus pour ne pas les admettre dans son entourage !

— Peut-être envisage-t-il de les rallier à sa cause ? Après tout ce ne serait pas la première fois. Souvenez-vous de son union avec el-Bardissi.

Schéhérazade murmura :

— Vous connaissez le proverbe : « Si tu ne peux pas mordre la main de ton ennemi, embrasse-la. » Faisons confiance au souverain. Il doit certainement savoir ce qu'il fait.

Le consul de France, qui s'apprêtait à répliquer, fut interrompu par l'arrivée de leur hôte. Vêtu d'un fez lie-de-vin, il venait de franchir le seuil entouré de ses trois fils. Toussoun radieux, Ismaïl détaché et Ibrahim plus disgracieux que jamais. Derrière suivaient les collaborateurs les plus proches, parmi lesquels le ministre de l'Intérieur Lazoglou, les Arméniens, Boghossian bey et Artine. Karim fermait la marche.

Le petit groupe traversa la salle sous l'œil impavide des Mamelouks. Dans un premier temps l'attention de Schéhérazade se porta sur Karim. Elle ne put réprimer un petit serrement de cœur lorsque à son tour il accrocha son regard. Par pudeur ou par gêne, elle se détourna très vite, contrariée d'éprouver encore ces relents d'émotion.

Parvenu près de la jeune femme et de son époux, le souverain les salua et leur renouvela ses vœux de bonheur, prenant sa suite à témoin :

— On ne peut éviter ce qui est écrit par Allah. Voyez-vous ce couple ? Tout les séparait, tout les a unis. Il en est de même pour toutes choses. Le bien triomphe toujours de l'obstacle.

Nul ne commenta, mais tous se doutèrent que c'était à la guerre proche que le souverain faisait allusion.

Désignant Toussoun il ajouta :

— Vous avez devant vous celui qui représente nos espoirs et la force de l'Egypte. Venez. Joignez-vous à nous. J'aimerais ce soir sentir à mes côtés les êtres qui me sont chers. Venez.

Il invita le trio un peu décontenancé à le suivre jusqu'aux divans d'honneur. C'était la première fois que le souverain leur accordait un tel privilège. Au hasard des places assignées Schéhérazade se retrouva entre Mohammed-Ali et Mandrino. Plus loin le consul de France. A sa gauche, le fils de Soleïman.

A peine furent-ils assis que Karim se pencha légèrement en avant et, après un furtif geste d'excuse à l'égard du Vénitien, aborda Schéhérazade.

— Fille de Chédid. Je suis heureux de te revoir. J'ai appris ton mariage. Accepte toutes mes félicitations. Pour vous aussi, monsieur. Tous mes vœux de bonheur.

Légèrement désorienté, Mandrino répliqua :

— Soyez remercié. Mais à qui ai-je l'honneur ?

— Karim, expliqua Schéhérazade un peu gauche, le fils de Soleïman. Kiaya bey de Sa Majesté. Nous nous sommes connus enfants.

Si l'annonce fit un certain effet sur le Vénitien il n'en laissa rien paraître.

— En effet, reconnut-il placide, mon épouse m'a parlé de vous.

Un certain froid succéda à ses paroles, cependant que les premiers serviteurs s'affairaient autour des invités. Les plateaux d'argent commencèrent à se succéder dans la lueur vacillante des chandeliers, soulevant dans leur sillage des senteurs familières de cardamome.

S'adressant à Karim, Drovetti s'informa :

— Où en est la formation de la marine ?

— Elle est pratiquement accomplie. Nous disposons aujourd'hui de quatre superbes frégates de soixante canons : l'*Ihsonia*, la *Soureya*, la *Leone* et la *Guerrière*. Neuf corvettes, quatre bricks et six goélettes, plus une quarantaine de bâtiments de transport. Les chantiers navals de Marseille et de Bordeaux ont accompli un excellent travail. Par contre, je ne pourrai pas en dire autant des Italiens. Ils...

— Les Italiens ! coupa Mohammed-Ali, des charlatans. C'est la dernière fois que je ferai appel à leurs services. Heureusement que le général Boyer et le marquis de Livron se sont montrés dignes de la confiance que j'avais mise en eux et en la France. C'est pourquoi, monsieur Drovetti, j'envisage à l'avenir de lier plus encore l'Egypte à votre pays. Vous serez surpris de l'importance de mes projets.

— En tout cas, sire, murmura Schéhérazade, laissez-moi vous féliciter pour avoir conçu en si peu de temps la première flotte égyptienne. C'est un véritable tour de force.

Après une pause, elle se tourna vers Karim.

— Il ne reste plus qu'à espérer qu'un jour Sa Majesté t'accordera l'honneur suprême d'un vaisseau à tes couleurs.

Il baissa les paupières.

— Inch Allah. Si tel est le désir de Son Altesse.

Drovetti reprit :

— Kiaya bey, parlez-moi un peu de ces vaisseaux français.

Tandis que le fils de Soleïman se lançait dans une suite d'explications abstruses, Schéhérazade en profita pour l'étudier discrètement. Il n'avait pas beaucoup changé depuis la dernière fois qu'elle l'avait entrevu, cependant ses pupilles semblaient avoir perdu un peu de leur lumière, et quelques notes de lassitude perçaient dans le son de sa voix. Il venait d'achever ses trente-huit ans, pourtant on sentait que l'âge commençait à s'insinuer prématurément dans ses attitudes.

Tu ne peux rien contre la puissance du lion...

C'était il y a si longtemps.

Une petite boule se forma au creux de son estomac. Un flot de réminiscences affola son cœur, qu'elle n'essaya pas de maîtriser. Elle savait que ce n'était rien de plus que l'émotion du souvenir et toutes les tendresses qui remontaient du passé. Ni tristesse ni amertume. Seulement une infinie mélancolie, un peu semblable au silence d'une page inachevée.

Perdue dans ses réflexions, elle ne se rendit compte qu'après coup que Mandrino n'avait cessé de l'observer.

— Je te trouve très belle, ce soir, fit-il doucement. Très belle, mais un peu tourmentée...

— Ce sont tous ces Mamelouks, répliqua-t-elle sans conviction. On a l'impression d'être au cœur d'une armée. Non ?

— Sans doute... au cœur d'une armée...

Il avait répondu laconiquement. Pour la forme. Il saisit la main de Schéhérazade et la porta à ses lèvres.

— Ricardo ! Devant tous ces gens ? Et le vice-roi !

— Je me fiche des gens. Et le vice-roi est ailleurs.

Schéhérazade opéra une volte en direction de Mohammed-Ali pour constater qu'en effet Mandrino disait vrai. Le souverain avait pris son rosaire et faisait rouler les grains par saccades. Véritablement absent de tout.

Aux alentours de minuit, cette nervosité s'accrut. Un hoquet brutal s'empara de lui, qu'il cherca à refouler aussi discrètement que possible.

— Majesté, suggéra à voix très basse la jeune femme, voudriez-vous que...

— Non, sett Mandrino. Cela... passera tout seul.

— Vous pourriez peut-être boire un peu d'eau et...

Les prunelles de Mohammed-Ali roulèrent entre ses paupières.

— Tais-toi. Je te répète que cela passera.

Prise de court par son tutoiement, elle obtempéra. Jamais à ce jour il ne s'était permis une telle liberté en public. Que lui arrivait-il donc ?

Au bout d'un temps les spasmes s'espacèrent, puis disparurent complètement.

— C'est à cause de mon prunier, grommela-t-il un peu plus serein.

— Votre prunier, Majesté ?

— Parmi les arbres fruitiers venus d'Europe, j'avais recommandé à mes jardiniers de bien surveiller deux variétés pour lesquelles j'éprouvais une grande faiblesse. Ayant goûté à ce fruit alors qu'il était encore vert, je lui avais trouvé une saveur admirable. Lorsqu'il y a un peu plus d'un mois — vous étiez alors à Venise — un vent terrible a soufflé sur Le Caire, il ne resta plus sur les arbres qu'une seule et unique prune. Celle-ci atteignit sa maturité avant le temps. Vous imaginez la suite...

— Heu... j'avoue que non, sire.

— Pris par l'affaire du Hedjaz, j'ai négligé de visiter

mon jardin. Le directeur délibéra donc avec ses subordonnés, et il fut décidé à l'unanimité que si l'on ne cueillait pas le fruit au plus vite, il courait le risque de se gâter.

Mandrino qui s'était joint à la conversation, commenta avec un sourire :

— Si vous m'autorisez cette remarque, sire, jusque-là, quoi de plus logique ?

— Je n'ai pas terminé, Ricardo ! Ils ont donc détaché le fruit, ils l'ont enfermé dans une petite boîte cachetée, et l'ont expédié au palais.

Il soupira.

— Vous n'imaginerez pas ce que mes serviteurs ont fait ! Je me trouvais alors dans mon harem lorsqu'ils me portèrent mon repas. La prune me fut servie par un imbécile d'eunuque que nul n'avait informé de tout le prix que j'attachais à ce fruit. Ce crapaud n'a rien trouvé de mieux que de me le servir dans une corbeille parmi une dizaine d'autres. Cela, sans m'en aviser. Vous comprenez maintenant ?

Le couple, perplexe, secoua la tête.

La voix de Mohammed-Ali monta alors d'un cran :

— Je l'ai mangé ! Mangé par inadvertance ! Entre une banane et une orange ! Comme un vulgaire raisin, sans me douter un seul instant que j'avalais mon trésor !

Schéhérazade plaqua les mains sur sa bouche et partit d'un fou rire frénétique sous l'œil consterné du vice-roi.

Le Vénitien gronda :

— Honte à toi ! Comment oses-tu rire des contrariétés de Sa Majesté !

Bien que le ton sévère y fût, on sentait que lui aussi était à deux doigts d'imiter son épouse.

Mohammed-Ali branla de la tête avec une fausse gravité.

— Je suis désolé de vous le dire, Ricardo. Mais votre femme ne comprend rien à la subtilité de certaines choses. Hélas, nous l'aimons quand même.

Les yeux humides, Schéhérazade s'informa :

— Et ce serait cet incident qui vous rend si nerveux ce soir ?

Il fit celui qui n'avait pas entendu. Les traits embrumés à nouveau, il abandonna son visage à l'éclat jaunâtre des flammes. Transformation rendue plus saisissante après le ton détendu de son récit.

Les derniers souffraguis s'étaient retirés. Les invités achevaient de siroter leur café. Et les conversations allaient en s'éteignant.

Observant le souverain du coin de l'œil, Schéhérazade n'osait plus rien dire. Une nouvelle tension l'avait envahi, inexplicable. Finalement il se décida à sortir de son mutisme. Après avoir échangé quelques mots avec Lazoglou, il se leva et réclama le silence.

— Mes amis. Il est l'heure de nous séparer. Avant, j'aimerais vous remercier pour votre présence, vous exprimer ma gratitude, et surtout renouveler sous vos yeux la confiance que j'ai en l'avenir, celui de l'Egypte, en mon fils Toussoun qui s'apprête à porter nos couleurs sur les terres d'Arabie. Cette campagne est la première de l'Histoire de cette nation. La première qui verra ce pays s'engager hors de ses frontières ; non plus pour subir, mais pour conquérir. Elle est aussi le premier pas vers la formation d'un vaste Etat, et pourquoi pas, un jour plus tard, d'un empire. Oui, j'ai bien dit un empire. Et je n'ignore rien du poids de ce mot, ni de ses conséquences.

Il posa sa main sur l'épaule de Toussoun.

— Mon fils. En toi ma vision et mon espoir. Souviens-toi. Lorsque tu livreras bataille, sois fort, mais jamais injuste. Téméraire, mais jamais cruel. Que chacune de tes victoires te rende plus magnanime. Et convaincu que ton bras ne connaîtra jamais la défaite, au terme de ton voyage, tu ne pourras que nous revenir plus généreux, plus brave encore. Que le Seigneur des Mondes t'accompagne.

Emu, Toussoun prit la main de son père et la baisa sous les applaudissements enthousiastes. La salle entière debout, Mamelouks en tête.

— Observez ces vipères, chuchota Drovetti à l'oreille de Mandrino. Je suis persuadé qu'ils prient en ce moment pour que Toussoun rôtisse dans les sables d'Arabie.

Après un temps, Mohammed-Ali donna le signal du départ. Ainsi que l'imposait l'usage, il gagna la sortie accompagné de ses fils et de ses ministres.

Dans l'instant qu'il passait près de Schéhérazade, il lança discrètement :

— Suis-moi. Sans perdre un instant. Vite.

Décontenancée, elle ne sut quoi faire. Il réitéra son ordre, cette fois à l'intention de Mandrino et du consul.

Ce n'est qu'une fois à l'extérieur de la salle qu'ils prirent conscience que les derniers à sortir étaient les Mamelouks. Etait-ce le fait du hasard ? Ou un ordre fixé par le protocole ?

Dans les ténèbres se présenta tout à coup Salah Koch, le chef de la garde albanaise. Il y eut entre Mohammed-Ali et lui un court échange, et l'officier se retira.

— Venez, déclara le souverain. Nous serons mieux dans mes appartements.

Son hoquet l'avait repris de plus belle.

★

Ce fut non loin de la porte de Roumelieh que la mort devait fondre sur les cinquante-six Mamelouks.

A cet endroit, les méandres de la citadelle forment une sorte de défilé où les chevaux une fois engagés ne peuvent plus manœuvrer. Dans un vacarme que rendait plus terrifiant la quiétude de la nuit, retentit l'écho des premiers coups de fusil des soldats en embuscade. Dans le tumulte et le hennissement des bêtes, on devinait les ombres circassiennes qui tentaient désespérément de se perdre dans les ténèbres ou d'escalader les roches en d'ultimes tentatives d'évasion ou de riposte.

Afin d'être plus libres de leurs mouvements, la plupart des Mamelouks avaient jeté à terre leurs amples manteaux qui formaient sur le sol des taches opaques. Très vite les premières éclaboussures de sang vinrent s'y mêler.

Chahine bey, le plus prestigieux des beys, tomba devant la porte du palais de Saladin. En un éclair une dizaine d'Albanais fut sur lui. Sa dépouille fut traînée à l'extérieur et exposée aux passants.

Hassan bey, le frère du célèbre Elfi, ancien esclave de Mourad, préférant aller au-devant de la mort, lança son cheval dans un galop d'enfer, escalada les parapets et se lança dans un élan prodigieux par-dessus les remparts[1].

Dans le même instant, des scènes analogues se déroulaient dans toute l'Egypte, dans les diverses provinces dont les gouverneurs avaient reçu l'injonction d'éliminer jusqu'aux derniers des Mamelouks disséminés sur le territoire.

Trois heures plus tard, ce corps qui avait marqué les siècles de ses tumultes, de ses éclats, fut à jamais anéanti.

---

1. Il sortit miraculeusement indemne de cette chute (une trentaine de mètres environ !) et réussit à fuir.

Après avoir résisté à toutes les armées du monde, après tant de faits d'armes célèbres, il était écrit que ces illustres esclaves de la mer Noire connaîtraient ici une fin obscure, sans gloire et sans plus d'espoir de revanche.

★

Allongé dans la pénombre de sa chambre, Mohammed-Ali respira à pleins poumons. Son hoquet venait seulement de l'abandonner.

Pâle, défait, il avait congédié tout le monde pour demeurer face à lui-même. Lui seul saurait qu'au plus fort de la fusillade son émotion fut si profonde, sa tristesse si grande, qu'il avait senti son cœur défaillir.

Pourtant cette décision d'en finir, il l'avait mûrement pesée. Comment aurait-il pu tolérer, alors que l'Egypte s'apprêtait à livrer la guerre, de conserver en son sein une puissance qui n'espérait que sa perte ?

Ce 1er mars 1811, en quelques heures, il venait de réussir là où les Turcs et Bonaparte avaient échoué.

Etrangement il n'en tirait aucune satisfaction. Aucun sentiment de gloire.

Il pria Dieu de pouvoir trouver le sommeil. Sa dernière pensée fut pour ses enfants, pour Toussoun et les montagnes du Hedjaz.

★

Retardé par les impondérables militaires, Toussoun ne partit que cinq mois plus tard. Huit mille hommes, six mille fantassins albanais, deux mille cavaliers, embarquèrent le 3 septembre sur les vaisseaux de la première flotte égyptienne. Sur l'un de ces vaisseaux se trouvait le fils de Soleïman, avec le grade de second. Son bonheur, qui aurait pu être total, était néanmoins quelque peu terni. En effet son supérieur n'était autre que son rival de cœur Moharram bey, depuis trois semaines bienheureux époux de la princesse Laïla. Seul facteur de satisfaction pour Karim, la nuit de noces n'avait pas eu les conséquences funestes qu'on aurait pu escompter. Grâce aux judicieux conseils de la servante, largement récompensée, la princesse avait sauvé l'honneur et offert à Moharram une virginité immaculée. Jamais quelques taches de jus de grenade discrètement disposées sur un drap n'avaient joué rôle aussi déterminant dans le destin des individus.

Après quelques jours de navigation, les forces égyptiennes arrivèrent en vue du port de Yambo, qui capitula sans offrir trop de résistance. Quarante-huit heures plus tard, Toussoun pénétra dans la ville de Zouba, dont le chérif de La Mecque, résigné, lui avait ouvert les portes. Après ces prémices qui laissaient augurer d'une campagne facile, le drame surgit. Assailli dans les gorges de Bedr, à quelques milles de Médine, le corps expéditionnaire connut un échec sanglant. Trois mille hommes seulement échappèrent au massacre, et Toussoun fut forcé de regagner Yambo avec les débris de ses troupes dans l'attente de renforts et d'approvisionnements.

C'est à cette époque que Schéhérazade sut qu'elle était enceinte de Mandrino.

Neuf mois plus tard, le 27 juillet, jour de ses trente-cinq ans, elle donna naissance à une petite fille. On lui attribua deux prénoms : Nadia, en souvenir de la mère de Schéhérazade, et Giovanna, afin qu'elle n'oubliât pas ses racines vénitiennes.

Un an plus tard, début octobre, renforcé par les envois de troupes expédiées du Caire, Toussoun repartit en campagne. Il franchit cette fois sans difficulté les défilés, occupa Médine et en chassa la garnison après un siège de deux semaines. Dans le même élan, il s'empara trois mois plus tard de La Mecque, de Taïf et de Djeddah. Et tout le Hedjaz, avec ses deux villes saintes, reconnut à nouveau l'autorité de la Sublime Porte, rétablie par les armes de l'Egypte. La nouvelle fut saluée au Caire par des salves d'artillerie. Bonheur d'autant plus grand que, la veille, Mohammed-Ali avait épousé sa deuxième femme, une jeune Circassienne, veuve d'un ancien bey de Tripoli.

Bien que comblé par les victoires remportées par son fils, le vice-roi n'en observait pas moins le déroulement de la guerre avec un œil froid. Il n'ignorait pas que malgré la soumission du Hedjaz, la domination des Wahabis était encore solidement établie dans la majeure partie de la Péninsule. C'est peut-être pourquoi, il prit la décision de se rendre lui-même sur place afin d'étudier de plus près la situation et d'envisager les moyens de détruire définitivement la puissance hérétique.

Avant de quitter Le Caire, il confia son gouvernement à un homme de confiance[1], et celui de la Haute-Egypte à son fils Ibrahim.

Il arriva à Djeddah, devenu la base de ravitaillement de l'armée égyptienne en septembre 1813. De là, accompagné par le fils de Soleïman qui s'était couvert de gloire lors des divers combats, il se rendit à La Mecque où il fit une entrée solennelle le 6 octobre.

De nombreux chefs bédouins ne tardèrent pas à se regrouper autour de ses étendards. Au fil des batailles, sa conduite lui gagna la sympathie des popu-

1. Mohammed Lazoglou, son ministre de l'Intérieur. Celui-ci déjoua pendant l'absence du vice-roi un coup d'État déclenché par un certain Latif pacha pour s'emparer du pouvoir, ce dernier agissant probablement à l'instigation de la Porte, inquiète des succès et de la puissance montante de Mohammed-Ali.

lations et fortifia sa cause. Il supprima entre autres nombre d'impôts, secourut les pauvres et les nécessiteux, et acquit une réputation de justice et de charité.

Dans le même temps, il fit parvenir à son fils Ismaïl les clefs de La Mecque et de Médine avec mission de les remettre au Grand Seigneur, à Istanbul. Le jeune homme fut reçu avec honneur et fastes, et la gloire de Mohammed-Ali s'en trouva plus rehaussée encore.

Séoud, tout-puissant maître des Wahabis, mourut sept mois plus tard. Son fils Abd Allah lui succéda, homme hésitant, irrésolu et incapable dans cette conjoncture grave de tenir fermement la bannière dont il avait hérité.

Le 7 janvier 1815, Mohammed-Ali se retrouva dans la région de Bisel face à une armée wahabite forte de trente mille hommes, solidement établis sur le flanc des montagnes qui s'ouvrent sur les plaines de Kolakh.

Si les Egyptiens possédaient une arme redoutable, l'artillerie, son action ne pouvait être efficace que dans la plaine ; or les hérétiques restaient campés sur les montagnes. Suppléant au défaut du nombre par la supériorité tactique, le vice-roi feignit la fuite au cours d'une attaque, attirant les Wahabis à sa poursuite, les forçant ainsi à abandonner leurs positions. Il donna ensuite l'ordre à sa cavalerie de se tourner. Dans l'effroyable affrontement qui suivit, Mohammed-Ali combattit au milieu de ses troupes avec un courage et une ardeur peu commune. A la tombée du jour, la victoire était sans appel. Ce 20 janvier 1815 amena la chute des schismatiques et porta un coup terrible à leur prestige en Arabie. Il devait s'inscrire dans les annales militaires et politiques de l'Egypte. Jour prestigieux entre tous.

A partir de cet instant, les villes tombèrent les unes après les autres : Taraba, Bicha, plus au sud, à l'est des montagnes du Yémen. De nombreuses tribus s'empressèrent de se soumettre et leur vainqueur leur désigna de nouveaux chefs, se créant ainsi un parti puissant dans toute la région.

Aux alentours du printemps, brisé, Abd Allah, fils du défunt Séoud, accepta enfin de capituler sans conditions. Il se plia aux exigences de la Porte et renonça à toute immixtion dans les affaires du Hedjaz.

Le 19 juin 1815, dans le bruit des darboukas, des cris d'allégresse et des youyous, Mohammed-Ali, rayonnant, fit son entrée au Caire. Toussoun devait le rejoindre quelques mois plus tard, accueilli lui aussi par le petit peuple en délire.

★

Lorsque les dieux découvrent qu'ils ont accordé trop de soleil aux mortels, il arrive souvent qu'ils regrettent leur générosité et ne songent plus dès lors qu'à semer le malheur.

C'est bien ce qui dut se passer ce soir de juillet.

Un cercueil est posé devant l'entrée du harem où se délasse le souverain. Le couvercle en est ôté. Eclairée par un rayon de lune blafard, repose la dépouille du brave Toussoun. Il est mort deux jours plus tôt emporté par la peste alors qu'il se trouvait dans son quartier général de Damanhour[1]. Mais jusqu'à cette heure nul n'en a informé Mohammed-Ali. Il ne s'est trouvé personne dans son entourage pour avoir le courage de lui faire part du terrible drame. Ni ministre, ni serviteur,

1. Selon certains historiens, il serait mort victime de son amour pour une esclave grecque, elle-même atteinte de la peste, et qui l'aurait ainsi contaminé.

ni soldat, personne qui osât affronter le chagrin du tout-puissant seigneur.

Alors, en désespoir de cause, non sans lâcheté, on avait introduit la bière à la tombée du jour, et on l'avait déposée là, devant l'appartement des femmes, où l'on savait que le vice-roi se trouvait.

Mohammed-Ali vient d'écarter le battant. Il marque un temps d'arrêt. La sueur envahit ses traits, le sang cogne à ses tempes. Ce jeune homme de vingt-sept ans qui semble dormir ne peut pas être son fils. Jamais. C'est la lune qui se joue de ses yeux, la nuit qui lui invente un cauchemar.

Ses jambes ne le portent plus. Il pousse un hurlement de bête. Ses bras se tendent vers le cadavre. Il le soulève, le serre contre sa poitrine. Et le garde ainsi jusqu'à l'aube, embrassé.

CHAPITRE 39

27 juillet 1827

Schéhérazade se serra un peu plus contre le corps de Mandrino. Elle aurait voulu en cet instant que leurs deux êtres ne soient plus qu'un. Inséparables. Soudés. Jamais amour aussi incertain n'était devenu si grand, presque douloureux. Au fil des années, l'homme épousé seize ans plus tôt était devenu sa chair, le sang de ses veines. Elle ne respirait plus que par lui. Les doutes des premiers temps, les questions qu'elle s'était posées sur la réalité de ses sentiments, tout cela n'existait plus. Avec la maturité elle avait appris que la passion est à l'amour ce que le vent de khamsine est au désert. Ce n'était pas dans ce bouleversement sporadique des dunes, le soulèvement du sable qui aveugle et tourmente le paysage que résidait la vérité. Karim fut la tempête, Mandrino le rempart.

— Je t'aime, souffla-t-elle.

— Je le crois, répliqua-t-il doucement.

Elle protesta :

— Jamais tu ne m'as dit le mot ! En seize ans. Jamais, pas une seule fois.

— Qu'est-ce que cela change, ma courtisane ? Si un jour je ne devais plus être, tu te souviendrais au moins que je fus le seul homme à ne l'avoir jamais dit, ce mot. Ce sera mon originalité. Et dans la bouche de celui qui me remplacera, le verbe ressemblera à une offense.

— Ne plus être ? Te remplacer ? Tu es brillant, Mandrino, mais il y a des jours où tu es magnoun ! D'ailleurs l'âge est là pour nous rappeler qu'il est trop tard. Cinquante ans aujourd'hui. Qui voudrait de moi ?

Il se souleva légèrement sur le côté et l'étudia silencieusement. C'était vrai que les sillons du temps avaient pris leur dû le long de ses traits, mais on aurait dit qu'ils n'avaient fait qu'accroître sa beauté. Un peu comme un peintre appose sa signature sur le portrait, sans le dénaturer ni l'enlaidir.

Il caressa lentement les contours de son visage. Emu d'éprouver après tant d'années la même émotion.

— En tout cas, ce soir tout Le Caire retentira des échos de ton anniversaire et de celui de Giovanna.

— Qu'as-tu encore imaginé ?

— Tu verras bien.

Une ombre s'insinua dans les prunelles de Schéhérazade.

— Pourquoi un anniversaire devrait-il être toujours voilé de mélancolie...Tous les êtres qu'on a aimés et qui ne sont plus. Mes parents, mon frère, Samira... Dieu sait ce qu'elle est devenue. Et cette merveilleuse dame Nafissa. Je n'arrive pas à me faire à l'idée qu'elle aussi nous a quittés.

— Dans un certain sens, elle doit être heureuse puisqu'elle a rejoint son bien-aimé Mourad pour l'éternité[1]. Mais ne parlons plus de choses tristes ! Ce soir j'ai décidé de rendre jaloux toute l'Egypte,

---

1. La Blanche s'éteignit le 20 mars 1816.

jusqu'à Mohammed-Ali lui-même ! Cette nuit, Sabah sera le centre du monde.

— Mohammed-Ali... Aujourd'hui c'est lui le centre du monde. Après l'Arabie, le Soudan. Aujourd'hui pacha de Candie[1]. Ibrahim son fils, pacha de Morée. L'empire qu'il imaginait ne cesse de grandir.

— Oui. Du golfe Persique au désert de Libye, du Soudan à la Méditerranée, cinq millions de kilomètres carrés, dix fois la France, la moitié de l'Europe, un empire napoléonien ou plutôt pharaonique... Mais en chemin il a perdu deux enfants. Toussoun mort de la peste, Ismaïl[2] brûlé vif. Je me demande si ce n'est pas cher payé pour cet empire.

— Ibrahim risque bien lui aussi de laisser sa vie en Grèce. Je sais que les affaires politiques ne sont pas mon fort, mais pourquoi le souverain s'est-il laissé embarquer dans cette guerre de Morée ? Avec l'annexion du Soudan, l'Egypte n'est-elle pas assez vaste ?

— La raison en est simple. Aux prises depuis plus de cinq ans avec l'insurrection grecque[3], la Sublime Porte s'est révélée impuissante à en triompher. C'est pourquoi elle a réclamé l'aide de l'Egypte.

— C'est cela. Le sultan a recours a Mohammed chaque fois qu'il est dans l'embarras ; et il est dans l'embarras chaque fois qu'il doit réduire des sujets rebelles.

— Si Mohammed-Ali a accepté c'est qu'il espère tirer certains profits de son intervention. D'avoir obtenu du sultan que les forces turques de Morée et la marine soient sous le commandement unique des offi-

1. La Crète.
2. Ismaïl était mort cinq ans plus tôt, en octobre 1822, lors de la conquête du Soudan. Ses ennemis mirent le feu à la cabane dans laquelle il se trouvait, située dans le village de Metamma.
3. La Grèce était alors sous occupation ottomane.

ciers égyptiens est déjà une victoire en soi. Lui, simple vassal prend effectivement rang de souverain, et l'Egypte, simple province ottomane, se substitue à la puissance suzeraine et joue le rôle d'une grande puissance. N'oublie pas qu'il poursuit toujours son rêve : l'indépendance de ce pays.

— Tout cela me fait peur. Tu sais la tendresse que j'éprouve pour Sa Majesté. Je crois qu'après toi et nos enfants c'est l'être que j'aime le plus au monde. Regarde Bonaparte. On ne va pas de guerre en guerre sans tôt ou tard en payer les conséquences.

— Mohammed-Ali n'a rien du Corse. Ce n'est pas pour exterminer les Grecs, si estimés par lui, ou dépeupler la Morée afin d'y édifier un Etat musulman, qu'il a jeté toutes ses forces dans la bataille. Il sait que l'intelligence grecque est supérieure à celle des Turcs. Si la Morée capitule, il compte la traiter avec la plus grande dignité. Elle sera à ses yeux un instrument essentiel de la civilisation des Arabes. A mesure que l'instruction et le goût des lettres prendront des racines profondes en Egypte, il relâchera de cette rigueur nécessaire pour imposer le silence aux passions rebelles de ses nouveaux sujets. En un mot, le bâton ne sera plus l'épouvantail d'une race ignorante et barbare. D'un autre côté les marins grecs ne seront pas oubliés. Mohammed les apprécie autant que la Morée elle-même. Je suis presque sûr qu'il proclamera en leur faveur une amnistie générale, pourvu qu'ils viennent avec leurs familles se fixer sur le sol d'Egypte. Comprends-tu maintenant ?

Schéhérazade adopta une moue boudeuse.

— Tout ce que je comprends, c'est que cette affaire va t'éloigner de moi. N'a-t-il donc pas assez de collaborateurs sans faire appel à tes bons offices ? Qu'irais-tu encore faire à Paris ?

— Amour. Je me sens désormais plus égyptien que

vénitien. En acceptant de me rendre là-bas, j'ai l'impression de rendre service à ma patrie et peut-être de réussir à éviter le pire. La politique d'expansion de Mohammed ne va pas sans inquiéter les grandes puissances que sont les Anglais, les Russes et les Français. Les forces égyptiennes, Ibrahim en tête, ont déjà conquis Patras, tout le Péloponnèse, et Athènes est tombée. Une Egypte devenue trop forte porterait ombrage à l'Europe et à l'Angleterre en particulier. L'affaire risque de tourner au drame.

— Qu'exige-t-on de lui ?

— Tout simplement qu'il se retire de Morée.

— S'il refuse ?

Mandrino secoua la tête avec affliction.

— Il se trouve dans une situation terriblement complexe. Il estime ne pas pouvoir opter pour les puissances occidentales sans une garantie européenne contre une probable vengeance d'Istanbul. Il craint des retombées tout autant qu'il redoute de perdre son prestige dans l'empire en renonçant à la lutte sans y être forcé. C'est pourquoi il a demandé à l'Angleterre et à la France la promesse écrite d'une assistance navale, d'un concours effectif, pour renforcer sa propre marine, l'assurance qu'on soutiendra son projet d'indépendance.

— Que lui a-t-on répondu ?

— Hélas, les Anglais comme toujours se dérobent et complotent derrière son dos. L'Angleterre ne paraît nullement disposée à acheter la libération de la Grèce au prix de l'indépendance de l'Egypte.

— Et les Français ?

— Le gouvernement de Charles X n'a rien à lui offrir hélas.

Elle se dressa, soudainement emportée.

— Ce n'est pas possible ! Nous entretenons des liens de sang avec la France ! Il n'y a qu'à voir le

665

nombre de Français qui œuvrent au service du vice-roi.

Mandrino branla de la tête avec un sourire amusé.

— Surtout M. Jumel.

Son œil s'illumina.

— Personnage béni entre tous ! Ce cher Jumel et son Gossypium barbadense. Ce coton dont je rêvais[1], c'est à lui que je le dois.

Elle bondit hors du lit et se précipita à la fenêtre.

Aussi loin que le regard portait, les champs étaient mouchetés de blanc. Et la voix d'Ahmed, le joueur de naï, résonna dans sa tête.

Aucun bourgeon ne contiendrait des fibres aussi longues ! Admettons même que cela pût se faire, elles n'auraient aucune tenue, elles seraient aussi fragiles que du verre ! Avec une telle matière on ne pourrait fabriquer que des robes de mariées pour les papillons !

Elle espéra que, de là-haut, le vieil homme et sa guenon pouvaient voir le spectacle.

— Le cotonnier à longue soie... Quel prodige...

Elle pivota sur elle-même et questionna, à nouveau soucieuse :

— Tu ne m'as pas répondu. Pourquoi devrais-tu aller en France ?

— J'ignore encore le contenu de ma mission. Tout ce que je sais, c'est qu'elle se voudra une dernière tentative de conciliation entre l'Europe et le souverain.

Une lueur boudeuse s'insinua dans l'expression de la femme.

— Je ne veux pas que tu partes.

— De quoi as-tu peur ? S'il m'arrivait quelque

---

1. L'Égypte lui doit son célèbre coton dont il est considéré comme l'inventeur ou le « redécouvreur ». À partir de 1820, le « coton Jumel » est devenu pour le pays une source de prospérité qui n'a fait que croître jusqu'aux temps actuels.

chose tu ne resterais pas seule. Joseph est un homme maintenant. D'ailleurs, si je mourais...

— Tais-toi !

Touché par la violence de sa réaction, il l'enlaça tendrement et la berça comme on berce une enfant.

★

Fidèle à la démesure qui le caractérisait, Mandrino avait tout mis en œuvre pour que ce double anniversaire fût mémorable. Musiciens arabes, almées, joueurs de mandoline, escamoteurs.

Schéhérazade n'avait guère exagéré lorsqu'elle avait mentionné la présence française. Elle était tout à fait impressionnante.

En premier bien sûr, on trouvait l'agronome Jumel. Venaient ensuite le marquis de Livron[1], qui avait servi d'intermédiaire pour la construction en Europe de la marine égyptienne, l'ingénieur Linant de Bellefonds qui était à la tête des travaux publics et chargé d'étudier le projet du percement de l'isthme de Suez. On pouvait apercevoir aussi les créateurs de ces écoles qui ne cessaient de se répandre en Egypte : le Dr Clot, médecin attitré du vice-roi, qui avait fondé l'école de médecine ; le Dr Hamont, l'école d'art vétérinaire ; l'ingénieur Lambert, l'école polytechnique ; le colonel Varin, ancien aide de camp du maréchal Gouvion Saint-Cyr, l'école de cavalerie ; Aymé, l'école de chimie. Il y avait encore le major Chedufau, qui avait été le médecin en chef de l'armée d'Arabie et le commandant Haragly, chef de la comptabilité du ministère de la Guerre.

---

1. Arrivé en Égypte comme négociant sous l'occupation française, passé dans l'administration dans l'armée, au service de Murat à Naples, général sous la Restauration.

Seul absent et non des moindres, le colonel Sève, véritable père de l'armée égyptienne. Depuis huit ans il avait formé les hommes, les avait instruits avec passion. Aujourd'hui il était le chef d'état-major d'Ibrahim en Morée[1].

Sous l'une des tentes géantes dressées dans le jardin, Mohammed-Ali venait de prendre place. Schéhérazade qui l'avait accueilli, fut soulagée de constater que les événements graves qui avaient cours en ce moment ne semblaient pas trop l'affecter. A moins que ce ne fût une apparence.

— Sire, vous ne saurez jamais combien je suis heureuse que vous ayez pu venir ce soir. Votre présence nous honore tous.

Le pacha adopta un air joueur.

— Pourtant sett Mandrino, ce n'est pas pour vous que je suis ici, mais pour votre fille Giovanna. Où est-elle ?

— Je vais vous l'amener. Mais ne me dites pas que vous n'avez pensé qu'à elle ? Vous n'avez donc aucune charité pour une femme qui fête ses cinquante ans ?

— Désolé ; pour ce qui vous concerne, aucune. Je vous regarde et je me dis que vous avez dû faire un pacte avec le chaytane[2]. Pourquoi devrais-je m'apitoyer ? L'âge n'a aucune prise sur vous. Je m'en étais déjà aperçu avant, mais depuis que notre ami Jumel vous a fait partager le secret du cotonnier à longue soie, vous avez rajeuni de vingt ans. Au moins. Alors... Où est Giovanna ?

— Très bien, sire. Je sais à présent que dans mes moments de chagrin vous ne serez pas là.

---

1. Il s'était converti à l'islam sous le nom de Soliman Sève. Il était secondé dans son entreprise par les capitaines Mary, Cadeau, Daumergue, Caisson.
2. Le diable.

— Sauf si un jour vous perdiez au jeu de dames. Là, je me ferais un vrai plaisir de vous consoler.

Elle l'étudia un instant avec amusement avant de répliquer :

— D'accord, Majesté. Cependant, avec votre permission, avant d'aller chercher Giovanna, j'aimerais vous présenter quelqu'un.

Pivotant sur elle-même, elle tendit la main vers un jeune homme qui se tenait en retrait. Grand, le cheveux noir de jais, des yeux en amande ombrés de grands cils, une bouche admirablement dessinée ; il était le double de Schéhérazade au masculin.

— Joseph, annonça-t-elle. Mon fils.

Le jeune homme salua respectueusement.

— Si sa beauté extérieure est le reflet de son âme, vous avez là un fils admirable, sett Mandrino.

S'adressant directement au jeune homme il s'enquit :

— A quelle profession vous destinez-vous ?

— Ingénieur de travaux publics, sire.

— Voilà qui est un choix judicieux. L'Egypte a de grands besoins en ce domaine.

Il se tourna vers son voisin, Linant de Bellefonds, et lança avec malice :

— Car il faudra bien un jour remplacer les Français, n'est-ce pas ?

— Je ne me ferai pas de souci pour la relève. Ce garçon est brillant.

— Vous vous connaissez donc ?

— C'est un de mes élèves, sire. Je pourrais même dire, mon second. Il m'aide en ce moment à réunir cette documentation si complexe sur la géographie, sur le tracé des anciens canaux ; la géologie et l'hydrographie de l'isthme de Suez.

Le vice-roi se tourna vers Joseph.

— Quelle est votre opinion sur le sujet ? Que

pensez-vous de ce projet de canal qui joindrait la mer Rouge et la Méditerranée ?

— C'est l'avenir, Majesté. Ce canal jouerait un rôle déterminant dans la place que l'Egypte occupe dans le monde. Bonaparte y avait d'ailleurs songé.

Mohammed-Ali pensa à haute voix :

— Cet homme avait du génie. Quinze ans de gloire... c'est bien peu pour finir en proscrit...

Se reprenant :

— C'est vrai qu'il était hanté par l'idée du percement de l'isthme de Suez.

— Parfaitement, Majesté, répondit Joseph. Nous savons qu'il a effectué une expédition là-bas, pour inspecter les lieux. Il a même failli y laisser la vie.

— Par exemple ?

— Pour arriver aux sources dites de Moïse il avait emprunté un gué praticable à marée basse où passèrent autrefois les Hébreux. Mais, au retour, la mer ayant monté, il manqua d'être noyé avec son escorte comme le pharaon de la Bible. Il s'en est fallu de peu que ce général à la jambe de bois... — Il parut chercher le nom... — Cafarelli, je crois, ne disparaisse sous les yeux de ses camarades. Quant à Bonaparte sur le point d'être submergé, il ne dut son salut qu'à un guide de son escorte qui l'emporta sur ses épaules.

— Bravo, fit le vice-roi captivé, vous connaissez bien votre sujet. Continuez donc avec notre ami Bellefonds à étudier le projet. Nous le réaliserons peut-être, avec l'aide d'Allah.

Levant son visage vers Schéhérazade il ajouta :

— Vous avez là un fils admirable. Gardez-le précieusement.

Une note triste s'était glissée alors qu'il prononçait ces derniers mots. Sans doute l'image de Toussoun et celle d'Ismaïl étaient-elles revenues à son esprit.

La femme emprisonna la main de Joseph.

670

— Je le garde, sire. Il me garde aussi. Et...

Elle s'interrompit et montra le seuil de la tente :

— Voici votre préférée, Majesté !

Giovanna venait d'apparaître accompagnée par Mandrino. Si Joseph était le portrait de sa mère, l'adolescente elle, était le double du Vénitien. Un peu moins fine d'apparence, c'étaient ses yeux, des yeux d'un bleu saphir — ceux de Mandrino — qui faisaient toute sa beauté. Elle s'approcha du souverain, et voulut esquisser une révérence. Mais Mohammed-Ali ne la laissa pas aller au bout de son mouvement, se saisissant d'elle il la prit contre lui, et la couvrit de baisers.

— Une vraie perle. Ah ! si seulement tu avais quelques années de plus !

— Encore une reine d'Egypte ? ironisa Schéhérazade.

— Pourquoi pas ?

L'adolescente répliqua vivement.

— Non ! Pas question !

Le vice-roi s'étonna.

— Pourquoi donc ? Reine d'Egypte ne serait donc pas assez prestigieux pour toi ?

— Oui. Mais vous avez déjà deux femmes. Moi je ne partage pas !

Mohammed-Ali partit d'un rire franc.

— Que le Seigneur des Mondes nous protège. Je vois bien de qui tu as pris le caractère.

★

Dans un coin du jardin, à l'écart des invités, Karim fixait la nuit et les contours du domaine comme s'il cherchait à boire le paysage. A la lueur des étoiles scintillaient les boutons argentés de son uniforme de grand amiral. Sur la droite on devinait l'ombre des

671

écuries. Il s'y dirigea presque machinalement et s'arrêta devant la porte. Rien ne ressemblait plus à ce qu'il avait connu, mais dans les stalles on percevait toujours le souffle tiède des chevaux.

— Fils de bouseux, fit une voix derrière son dos. Tu attends Safir ?

Il sursauta. Schéhérazade se tenait dans la pénombre.

— Quand je pense que tu as finalement réussi à concrétiser ton rêve. Envers et contre tout, te voilà amiral ! Tu avais raison d'y croire, mabrouk, fils de Soleïman.

Il répondit avec un sourire forcé.

— Je te remercie. Mais tout est si loin aujourd'hui.

— Pour toi peut-être. Pour moi tout est resté gravé. Je te revois encore lorsque ton père t'avait interdit de te rendre au fleuve. Tu n'en menais pas large. Tu te souviens ?

— *Rien au monde ne doit vous empêcher de vivre un grand bonheur.* Je me souviens... Au fond, si tu ne m'avais pas encouragé ce jour-là, je n'aurais probablement jamais eu le courage d'aller au bout.

Son visage s'assombrit.

— Nous vivons des heures graves.

— Ricardo m'a expliqué. Notre souverain serait dans une situation inextricable.

Il poursuivit le fil de sa pensée :

— Je pars pour la mer Ionienne.

— Quand ?

— Dès que l'armement de la marine sera terminé. Nous appareillerons pour l'île d'Hydra où se trouve la base des insurgés grecs.

— Que Dieu te protège, dit-elle avec émotion.

Il y eut un silence. Une saute de vent embauma l'air de senteurs de gardénias et de fols.

— Es-tu heureuse ?

Elle répliqua sans hésiter :

— Plus que je ne l'ai jamais été.

S'était-il attendu à une autre réponse, ou à moins d'assurance dans le ton ? Les yeux de Karim se couvrirent de larmes retenues.

Elle fit un pas vers lui, et dans un élan spontané caressa affectueusement sa joue.

— Ne sois pas triste, fils de bouseux. La vie...

— La vie n'est jamais ce qu'on croit. J'ai poursuivi un rêve, Schéhérazade, un rêve vieux de milliers d'années : l'ambition. Le long du voyage il m'a dévoré, consumant l'essentiel pour ne me laisser que le superflu. Est-ce que cela valait vraiment la peine ?

Elle se récria avec révolte :

— Comment peux-tu douter ? Tu n'en as pas le droit ! Rien ne compte que de vivre ses convictions ! Ne te renie pas, fils de Soleïman. Ce n'est pas bien.

— Si seulement tu étais devenue reine.

Il baissa la tête, chuchotant presque :

— Aucun navire n'aurait quitté le port...

Elle resta un moment à l'observer, immobile. La tristesse qui l'environnait était si dense, presque palpable. Animée par un mouvement de compassion, elle emprisonna son visage et le rapprocha du sien.

Elle l'enveloppa entre ses bras et le serra contre elle. Il n'offrit aucune résistance, n'exprimant même pas son étonnement tandis qu'elle recueillait quelques larmes du bout de son index, pour les porter ensuite à ses propres lèvres.

A trente-sept ans d'écart, ils revivaient la même scène. Le même bouleversement. A la seule différence que les sentiments, les motivations de l'un des protagonistes, n'étaient plus les mêmes.

Ce fut la voix sèche de Mandrino qui les arracha à cette remontée du temps. Il les fixait dans une attitude glaciale. Pourtant, Schéhérazade se sépara du fils de Soleïman, sans précipitation, sereinement.

— Le vice-roi s'apprête à partir, reprit Mandrino avec encore plus de froideur.

Elle fit oui de la tête et sans quitter Karim des yeux, elle dit :

— Que Dieu te protège... Reviens-nous vite.

— Oui, princesse. N'aie crainte. Je reviendrai.

*

On avait éteint les torchères et le silence de la nuit avait repris ses droits. Mandrino, les bottes appuyées sur la rambarde de la véranda, acheva de vider sa coupe de vin.

— Je t'en prie, Ricardo, tu ne peux pas croire qu'entre Karim et moi il puisse...

— Ce que je crois m'appartient.

— Mais il était malheureux ! Seulement malheureux. Ce que tu as vu n'était de ma part qu'un geste de consolation. Rien de plus. Tu sais tout sur Karim et moi. T'ai-je jamais caché la vérité ?

— Depuis quand un aveu absout-il une faute ?

— Une faute ?

Sa voix s'était brusquement muée en cri, un cri empreint d'un mélange de colère et de désolation.

— Comment oses-tu parler de faute !

Il ironisa :

— Disons... un retour de flamme.

— Vingt ans plus tard ? Tu es fou, Mandrino. Tu l'as toujours été. Mais cette fois-ci ta folie est perverse ! Je te le répète : il n'y avait rien, rien dans mon attitude ni dans mes sentiments que de la compassion ; celle que j'aurais pu éprouver pour nos enfants. Tu dois me croire !

674

Il ne répliqua pas tout de suite, souleva ses jambes et les reposa calmement sur le sol.

— Le sujet est clos.

— Non !

— Très bien. Alors ce sera à toi de m'écouter. Dans notre histoire, l'un de nous deux est allé à la rencontre de l'autre qui attendait immobile. Patiemment, je suis venu. Jour après jour, semaine après semaine, j'ai contourné tes défenses, usant de ruses de guerre. Le cœur noyé d'amour, j'ai vécu dans l'obsession du jour où tu baisserais la garde, où les rôle seraient inversés. Ce fut long. Et de cette tendre guerre, j'ai conservé les traces. Quelques blessures.

Elle entrouvrit les lèvres, mais il enchaîna :

— Je vais te surprendre. Au cours de ces seize années, j'ai donné l'apparence d'un roc. L'impression que rien ou presque ne pouvait m'atteindre. Cependant je te l'avoue ce soir, j'ai eu peur. Cent fois, mille fois. Lorsque je te quittais, avec mes airs de certitude, j'étais à chaque fois un peu moins sûr de tout. Lorsque sur la dahabieh tu m'as parlé de Karim, j'ai fait celui que le passé n'affectait pas. C'est faux. On est toujours affecté par le passé amoureux de ceux qu'on aime. Il est comme une menace *a posteriori*. Alors, ce soir, j'ai un peu tremblé du passé. Pour la première fois, au lieu de conserver au-dedans mes tempêtes, je les ai exprimées. Je m'en suis donné le droit. Comprends-tu ?

Si elle comprenait ?

Tout le temps qu'il avait parlé, elle avait pris conscience d'une évidence : il lui avait donné plus qu'aucun autre homme. Avait-elle seulement su lui rendre ne fût-ce qu'une infime partie ? Elle se rendait compte que même aujourd'hui, des années plus tard, elle avait beaucoup pris, assoiffée, ne cherchant qu'à combler ses manques, ces retards d'amour et de sensualité. Tout un chemin restait à faire pour restituer l'infinie richesse qu'il avait semée en elle.

★

Les trois semaines qui suivirent se déroulèrent dans une atmosphère un peu lourde, qui ne fit que s'accentuer lorsqu'il vint lui annoncer son départ pour Paris.

— La situation s'est encore aggravée. Il ne reste plus qu'une chance infime de sauver la paix.

— Que pourrais-tu faire de plus que Drovetti ? Lui-même a échoué.

— Mohammed-Ali est prêt à faire une ultime proposition pour que soit évité l'affrontement et il voudrait que je la transmette au ministre des Relations extérieures français, le baron Damas.

— En quoi consiste-t-elle ?

— Il se résignerait à retenir sa marine et à fausser compagnie à Istanbul, à condition que la France ou l'Angleterre dépêche une escadre devant Alexandrie pour empêcher le départ de la flotte égyptienne. Un simulacre qui le couvrirait vis-à-vis du sultan et lui permettrait de sauver la face.

— Sans aucune repartie ?

— Une concession territoriale éventuelle. La Syrie.

— Si les alliés refusaient ?

— Une flotte combinée composée de vaisseaux français, anglais et russes est déjà en Méditerranée prête à affronter la marine de guerre turco-égyptienne si celle-ci s'avisait de partir pour la Grèce.

Elle conserva un silence tendu. Tout à coup ce départ lui paraissait au-dessus de ses forces. Elle se jeta contre lui, noua ses bras autour de son cou, infiniment désemparée.

★

— Tu m'empoisonnes l'existence, sett Mandrino ! grommela le vice-roi.

— Sire, voilà près de trois mois qu'il est absent ! Son dernier courrier laissait entendre qu'il serait revenu pour la mi-octobre. Maintenant vous m'annoncez que vous l'avez envoyé à Navarin[1] ! Avec la Morée en feu et cet affrontement naval qui se prépare !

— C'est justement pour l'éviter, que j'ai chargé Ricardo de cette mission. Je n'avais pas le choix. Je pense être parvenu à un accord avec les Anglais. En échange de ma non-intervention, les puissances occidentales soutiendraient mon plan d'agrandissement et d'indépendance. C'est un accord verbal certes, mais la personnalité avec qui j'ai traité n'avait pas pouvoir de signer un engagement écrit. Par ailleurs, j'ai expédié une missive au sultan pour le mettre en garde contre les retombées qui découleraient d'un conflit entre les puissances alliées et nous[2], et l'éclairer sur l'abîme qui s'ouvrirait sous nos pieds.

— Alors pourquoi avoir expédié Ricardo là-bas ?

— Pour prévenir mon fils Ibrahim, les amiraux Moharram bey et Karim de retenir la flotte à Navarin et de ne pas en sortir.

---

1. Ville de Grèce dans le Péloponnèse, avec un port sur la mer Ionienne.
2. La Porte restera indifférente aux avis du vice-roi, qui disait dans sa lettre : « Vous savez que l'expérience et la politique enseignent que, dans toute affaire, et principalement dans une affaire aussi considérable que celle-ci, il faut penser aux éventualités fâcheuses plutôt qu'aux favorables et méditer profondément sur les moyens d'y remédier. Je présume selon mon faible entendement que les bâtiments de notre flotte, ne pouvant supporter le choc des navires européens bien équipés et bien entraînés, seront brûlés et dispersés et que les 30 ou 40 000 hommes qui s'y trouvent ne manqueront pas de périr. » Cité par Douin, *Navarin*, pp. 243-245.

— Ricardo arrivera-t-il à temps ?

— Il faut l'espérer. Sinon ce serait la fin du monde...

Au moment où Mohammed-Ali formulait son vœu, l'enfer venait d'éclater depuis une heure déjà sur la baie de Navarin.

D'un côté la flotte turco-égyptienne, forte de trois vaisseaux, quatre frégates à double batterie, treize frégates, trente corvettes, vingt-huit bricks, cinq schooners et six brûlots répartis aux deux ailes.

De l'autre, la flotte alliée, sous le commandement en chef de l'amiral Codrington, qui réunissait trois vaisseaux anglais, trois vaisseaux français, quatre vaisseaux russes ; plus de dix frégates de nationalités diverses.

Le matin même, sous prétexte qu'Ibrahim et ses troupes coupaient des arbres fruitiers et commettaient des violences dans la région, l'amiral Codrington avait pénétré dans la baie, suivi de l'escadre française et, en deuxième ligne, de l'escadre russe.

Une embarcation s'était détachée de la frégate égyptienne la *Guerrière* et était venue accoster l'*Asia*, vaisseau de tête anglais. Par l'entremise de Mandrino, Moharram bey et le fils de Soleïman faisaient demander à l'amiral Codrington de ne pas mouiller dans la baie. Ce dernier avait répondu assez sèchement « qu'il n'était pas là pour recevoir des ordres ».

Mandrino usa de trésors de diplomatie et un engagement réciproque fut verbalement conclu, par lequel les deux flottes ne se battraient que contraintes à la défensive.

A ce moment la bataille semblait encore pouvoir être évitée.

Le sort devait en décider autrement.

678

Vers le milieu de la journée, le commandant du *Darthmouth* aperçut, à bord d'un brûlot[1] turc, des préparatifs qui, selon lui, laissaient peu de doutes sur les intentions du commandant de ce bâtiment.

Le *Darthmouth* ouvrit alors le feu[2].

Le premier boulet sectionna le fils de Soleïman.

★

28 octobre 1827

Schéhérazade regardait Mohammed-Ali comme s'il se fût s'agit d'un djinn[3] ou d'une quelconque créature monstrueuse.

— Ce fut un carnage, souffla le vice-roi. Un carnage. Crois-moi, je ne l'ai pas voulu. J'ai tout fait pour éviter cette guerre[4]. Ce sont les Turcs... Les Turcs et les

---

1. Petit navire chargé de matières combustibles et destiné à incendier les bâtiments ennemis.
2. Cet événement « malheureux » avait particulièrement ému l'opinion anglaise, car il était contraire à l'esprit du traité. Le gouvernement anglais ne tarda pas à désavouer l'amiral Codrington. En fait, l'amiral impatient d'agir avait brusqué la décision et violé délibérément l'esprit du traité.
3. Démon.
4. La bataille de Navarin, engagée dans une baie fermée par des navires au mouillage, mit surtout en relief la valeur des équipages. La marine égyptienne avait combattu avec le plus grand courage et joué un rôle de premier plan (cf. Ch. de La Roncière, *Histoire de la marine française*). À aucun moment elle ne fut un adversaire à dédaigner ; mais trop récemment instruite, elle ne pouvait lutter avec chance de succès contre les vieilles marines européennes. La défaite fut complète. Soixante navires égypto-turcs furent détruits, la rade et le rivage jonchés de débris ; seuls la frégate *Leone*, quatre corvettes, six bricks et quatre schooners restèrent à flot. À bord de la frégate égyptienne la *Guerrière* se trouvaient de nombreux instructeurs français. La veille de la bataille, l'amiral Rigny leur fit porter par la goélette l'*Alcyone* une lettre leur demandant de quitter le vaisseau égyptien. Ce qu'ils firent, rédigeant auparavant un procès-verbal de leur décision.

Anglais qui ont tout déclenché... Ils ont trahi le traité !
Ils ont...

— Taisez-vous !

Le souverain se figea.

— Je sais tout ce que tu ressens. J'ai connu ce sentiment. Par deux fois je suis mort. Une fois pour Toussoun, une autre pour Ismaïl.

Elle ne l'écoutait pas. Dans son cerveau il y avait un
volcan en fusion, une terre dévastée. Seuls résonnaient ces mots prononcés un instant plutôt par le
vice-roi : Karim était mort. Et Mandrino...

Elle releva la tête, son visage était effrayant à voir.
Si effrayant que Mohammed-Ali dut réprimer un mouvement de recul.

— Ce n'est pas possible... Cela ne se peut pas...

Dans un désir d'apaisement il voulut caresser ses
cheveux, mais aussitôt elle bascula en arrière comme
frappée par la foudre.

Elle répéta :

— Ce n'est pas possible...

— Pourtant la réalité est là, Schéhérazade. C'est
mon propre fils qui a identifié la dépouille du fils de
Soleïman. Il me l'a juré.

— Mais il n'a pas vu Ricardo ! Ni lui ni personne !

— Il était sur l'*Ihsonia*. La frégate a coulé corps et
biens...

— Ça ne veut rien dire ! Il n'y a que sept jours qui
sont passés. Ricardo a pu très bien se jeter à l'eau et
nager jusqu'au rivage.

— Dans ce cas quelqu'un l'aurait repêché. La
Leone est toujours sur place avec Moharram bey. Des
soldats égyptiens occupent le fortin. On m'aurait prévenu. Non, il faut malheureusement accepter la vérité.

Elle se leva, les pupilles dilatées.

— Ecoutez-moi bien. Tant que je n'aurai pas touché
le cadavre de mon époux. Tant que je ne l'aurai pas

680

porté en terre, cette vérité-là, je la rejette. Il est vivant. Quelque part. Il doit l'être.

Elle avait parlé d'une voix saccadée, sans inflexions mais avec une extraordinaire détermination.

Le front du vice-roi se plissa, avec une sorte de découragement il enveloppa la femme entre ses bras et la garda contre lui. Alors seulement elle se libéra de ses larmes, violemment, sa propre vie au bord des lèvres.

Au bout d'un long silence elle l'entendit qui demandait doucement :

— Lequel de ces deux hommes pleures-tu, fille Chédid ?

— Vous saviez pour Karim...

Avant qu'il ne répondît, elle souffla :

— L'un était le passé, l'autre le présent et l'avenir. L'un était l'incertitude et la nuit, l'autre la clarté et le soleil. C'est l'avenir et le soleil que je pleure, Majesté.

*

28 novembre 1827

Assise sur la véranda, elle gardait l'œil rivé sur les deux palmiers centenaires qui marquaient l'entrée de Sabah.

Joseph s'approcha d'elle et lui prit la main.

— Un mois est passé, mama... Tu as brûlé tes paupières à fixer l'horizon.

— Je n'ai pas vu sa dépouille, mon fils. Personne ne me l'a rapportée. Il vit. Je le sens. Son cœur bat dans ma poitrine. Son sang coule dans mes veines. Il est vivant. J'irais en Morée. J'en soulèverai chaque parcelle. Je retournerai la mer. Il est vivant.

— La Morée est vaste...

— Mon amour l'est plus encore. J'ai tout à dire à Ricardo. Tous les mots que j'ai manqués.

Elle retint un sanglot.

— L'histoire ne fait que commencer, mon fils. Il est vivant.

OUVRAGES DE RÉFÉRENCES

Histoire de la Nation égyptienne, Gabriel Hanotaux.

Histoire de l'Egypte, M.J.J. Marcel de l'Institut d'Egypte (Firmin Didot frères).

L'Expédition d'Egypte, Henry Laurens (Armand Colin).

Journal d'un notable du Caire sous l'expédition française, Abd el Rahman et Jabartî (Albin Michel).

L'Empire égyptien sous Mohammed-Ali et la question d'Orient, M. Sabry (Librairie orientaliste Paul Geuthner).

L'Expédition en Egypte, La Jonquière (Paris 1899-1905).

Bonaparte, André Castelot (Librairie académique Perrin).

Napoléon, André Castelot (Librairie académique Perrin).

Bonaparte en Egypte, Benoist Méchin (Librairie académique Perrin).

Kléber en Egypte, vol. 1 et 2 correspondance (Institut français d'archéologie orientale).

Chronique d'Egypte, 1798-1804 — Nicolas Turc (édit. et trad. Wiet, Le Caire 1950).

Les Français en Egypte, Souvenirs des campagnes d'Egypte et de Syrie. J.-J.-E. Roy (Alfred Names et fils Editeurs).

Grandes villes arabes à l'époque ottomane, A. Raymond.

Notes sur l'insurrection du Caire, Revue d'Egypte II, 208-218 / 287-314.

Histoire scientifique, VII, 402-454.

Bonaparte en Egypte et en Syrie, François Bernoyer chef de l'atelier d'habillement de l'armée d'Orient. 19 lettres retrouvées et présentées par Christian Tortel (Currandera).

Les Cultures coloniales, Henri Jumelle, t. VI, « Les plantes textiles », Paris, 1915.
Le Voyage en Orient, J.-C. Berchet (Robert Laffont).
Champollion, J. Lacouture (Robert Laffont).
Les Palais vénitiens, Alvise Zorzi, Paolo Morton (Mengès).
Le Mémorial de Sainte-Hélène, Las Cases (Garnier).

DU MÊME AUTEUR

Aux Éditions Denoël

AVICENNE OU LA ROUTE D'ISPAHAN, roman 1989.

L'ÉGYPTIENNE, roman, 1991 *(Prix littéraire du Quartier Latin, 1991)*.

LA POURPRE ET L'OLIVIER, roman, 1992 (nouvelle édition révisée et complétée).

Composition Traitext.
Impression S.E.P.C. à Saint-Amand (Cher),
le 18 mars 1993.
Dépôt légal : mars 1993.
Numéro d'imprimeur : 728.
ISBN 2-07-038728-3./Imprimé en France.